Über dieses Buch:

Der Ausdruck »Negative Theologie« bezeichnet nicht irgendeine Theologie neben anderen. Er besagt etwas, was alle Theologie über sich selbst wissen muß. Die theologische Grundeinsicht, daß wir von Gott nicht wissen, was er ist, sondern was er nicht ist, enthält ein Kriterium für alles religiöse Sprechen.
Der Verfasser, ein Schüler von Johann Baptist Metz, stellt den patristischen Begriff der »negativen Theologie« in seiner geschichtlichen Entwicklung dar und verfolgt ihn bis in die gegenwärtige Form negativer Theologie. Er gibt dem Begriff damit eine moderne eschatologische Interpretation.

Josef Hochstaffl, geboren 1934, ist Professor für Pastoraltheologie an der katholischen Fachhochschule, Abteilung Paderborn.

Josef Hochstaffl

Negative Theologie

Ein Versuch zur Vermittlung des patristischen Begriffs

Kösel-Verlag München

ISBN 3-466-20072-5

Gesamtherstellung: Kösel GmbH & Co., Kempten. Umschlagsgestaltung: Christel Aumann, München.

INHALT

VORWORT

Auch wenn ihm unsere theologischen Lexika besondere Aktualität und Bedeutsamkeit kaum bescheinigen, steht der Begriff der »negativen Theologie« bzw. »apophatischen Theologie« für eine entscheidende, auch und gerade in neuzeitlichen Verhältnissen unaufgebbare Sache der systematischen Theologie. Man bekommt sie deutlicher in den Blick, wenn man »negative Theologie« nicht primär als Ausdruck einer bestimmten historischen Richtung faßt, sondern als Grundzug theologischer Vernunft und theologischer Aussage überhaupt: »Negative Theologie« behandelt danach die Frage nach der Ermöglichung und nach dem Wesen theologischer Affirmation als solcher; sie tut das unter dem Gesichtspunkt der negativen Vermittlung dieser Affirmation, plaziert Theologie zwischen schlechter Unmittelbarkeit und Agnostizismus; sie ist gewissermaßen die theoretische Gestalt des Bewußtseins »von der Schwierigkeit, ja zu sagen« – jenes Bewußtseins, das aus der Unmittelbarkeit der religiösen Erfahrung überhaupt erst die Anstrengung des theologischen Begriffs entstehen läßt.
»Negative Theologie«: Mit großer wort- und begriffsgeschichtlicher Akribie wie mit einem durchgängig lebendigen systematischen Interesse schreitet Hochstaffl im ersten Teil seiner vorliegenden Arbeit das semantische Feld dieses patristischen Begriffs aus und liefert so einen breiten und differenzierten Bedeutungshintergrund für die Konstitutionsproblematik theologischer Aussagen. Der Verfasser gewinnt dabei seine Interpretationsleistung durch Abarbeitung am vielfältigen historischen Material. Schon in diesem historischen Kontext wird die systematische Intention der Untersuchung deutlich: zentrale Begriffe, wie z. B. der von der Inkomprehensibilität Gottes, gewinnen systematische Aktualität. Erkenntniskritisch setzt Hochstaffl schon hier die Unterscheidung von »Erkenntnis und Interesse« an und betont, daß gerade auch der entfaltete Begriff »negativer Theologie« auf seine legitimierende bzw. systemkritische Funktion hin befragt werden muß. Entsprechend wertet er das hierarchologische Versöhnungsdenken des Ps.-Dionysios von einem erkenntnis- und ideologiekritischen Standpunkt her. Man wird die Reflexionsebene dieser Auseinandersetzung jedenfalls positiv zu würdigen haben, auch wenn man im einzelnen zu anderen Wertungen kommt. Die Entgegensetzung von hierarchologischem Denken und neuzeitlichem Veränderungsdenken mag zuweilen zu abstrakt wirken; schwerlich ist zu leugnen, daß mit ihr eine Art »epochaler Problemdifferenz« angesprochen ist.
Im zweiten Hauptteil geht es um das, was der Verfasser »neuzeitliche

Vermittlung des Begriffs negativer Theologie« nennt. Neben Auseinandersetzungen mit der »neuen Logik«, mit dem Konzept transzendentaler Logik, ist die Arbeit vor allem von einer genaueren Verhältnisbestimmung zwischen Negativität und Dialektik geprägt – im Anschluß vor allem an die Hegelrezeption in der Frankfurter Schule (Horkheimer, Adorno), speziell in der Gestalt der »negativen Dialektik« bei Adorno. Im Blick auf diese »negative Dialektik« verschärft sich das Problem »negativer Theologie« und wird ausdrücklicher als bisher konfrontiert mit den Fragen nach der geschichtlich-gesellschaftlichen Vermittlung ihrer Prinzipien. »Negative Theologie«, die sich der Kritik »negativer Dialektik« an systematischem Wissen stellt und gleichwohl nicht vor der Erfahrung der prinzipiellen Unvollendbarkeit der Geschichte resigniert, verwandelt sich in die Gestalt einer Geschichtstheologie, die in der bestimmten Erinnerung des mysterium factum paschale nicht etwa die Stillegung jeder geschichtlichen Dialektik betreibt, sondern angesichts der erfahrenen Negativität geschichtlichen Lebens immer neu die Frage nach dessen Gesamtsinn auslöst. Erst diese bestimmte Erinnerung macht auch die in der »negativen Dialektik« festgehaltene formale und unbestimmte Gestalt einer Hoffnung, die bereit ist, in Begriffen zu vertreten, was sich dem aktuellen Begreifen widersetzt, zu einer docta spes. Gegenüber der auf ihrer eigenen »Verzweiflung« beharrenden »negativen Dialektik« macht Hochstaffl eine christologisch fundierte Eschatologie bzw. Geschichtstheologie als das umgreifendere Konzept für eine Vermittlung von »Sinn« und geschichtlich erfahrener »Negativität« geltend. Dadurch wird für den Verfasser »negative Theologie« so vollziehbar, daß Menschen, die im Leid der Gefahr radikalen Scheiterns ins Auge sehen, dennoch eine bestimmte Hoffnung gewinnen können. Das kennzeichnet die ebenso anspruchsvolle wie bedenkenswerte – durch gewisse Überformalisierungen zuweilen überzeichnete – These des zweiten Hauptteils der vorliegenden Arbeit. Gerade er wird eine Fülle von Fragen und auch kritischen Rückfragen hervorrufen. Schließlich sind in ihm eine Reihe von Problembereichen angeschnitten, die nicht selten in wenig begangenes Grenzland zwischen Theologie und Philosophie führen. In all dem ist dem Verfasser der überzeugende Nachweis gelungen, daß die Grundstruktur »negativer Theologie« in allen Argumentationsmustern systematischer Theologie, die sich mit der Grundfrage der Gotteserkenntnis beschäftigt, durchschlägt – und zwar gerade bei einer theologischen Erkenntnislehre, die sich in den Verhältnissen (was nicht einfach heißt: unter den Bedingungen) eines gegenwärtigen Erkenntnispluralismus und seiner spezifischen Erkenntnisprozesse vollzieht.

Johann Baptist Metz

EINLEITUNG

Von Gott wissen wir nicht, was er ist, sondern was er nicht ist. Was damit ausgesprochen wird, gehört zum Pensum bereits für Anfänger in der Theologie, und kaum ein Theologe wird es leugnen. Sinn hat es für einen Mystiker wie für einen Anhänger der »Gott-ist-tot«-Theologie. Selbst ein Atheist dürfte damit etwas anfangen können. – »Weil wir von Gott nicht wissen, was er ist, sondern was er nicht ist, darum« – so hat Thomas von Aquin gefolgert – »können wir bei Gott nicht bedenken, wie er ist, sondern eher, wie er nicht ist. Folglich ist zuerst zu bedenken, wie er nicht ist, sodann, wie er von uns erkannt wird, schließlich, wie er benannt wird ...«[1] Von einer grundsätzlichen und umfassenden Verneinung soll am Ende dann doch zu einer Bejahung übergegangen werden. Aber wo ist ein Grund dafür? Bei der Antwort auf diese Frage scheiden sich die Geister der Theologen. – Traditionelle Theologie meinte, in einer Betrachtung von Welt und Geschichte oder auch in heiligen Büchern und in geheiligten Überlieferungen Grund genug zu finden. Begründet schienen ihr so zunächst gewisse Aussagen über ihr Thema. Sie empfand die Notwendigkeit, die Aussagen auf ihren eigentlichen Gehalt hin zu hinterfragen, und sie ging dabei fraglos von der Überzeugung aus, sie verneine dabei die Aussagen gerade so, daß auf eine Bejahung des Gemeinten verwiesen werde, die alle Aussagemöglichkeiten übersteige. Dieser Verweis wurde vom Neuplatonismus und von der Patristik »negative Theologie« genannt. Die Bejahung, auf die verwiesen werden sollte, stellte man sich im allgemeinen als eine Art mystischer Bejahung von Jenseitigem vor. – Inzwischen aber ist es grundsätzlich fraglich geworden, ob eine radikale und universelle Negation überhaupt noch auf irgend etwas verweist. Muß man nicht schweigen über das, wovon man nicht sprechen kann? Welchen Sinn soll es haben, auf Unaussagbares zu verweisen? Was so lange Zeit negative Theologie hieß, ist schwer verständlich geworden. Und wenn es noch einen Sinn haben sollte, so scheint er gerade darin zu bestehen, daß in negativer Theologie die Negation aller Theologie überhaupt ausgesprochen wird. Hebt sich Theologie also in dem, was sie seit langem »negative Theologie« nennt, nun etwa selber auf? Es erscheint darum als dringlich zu fragen, was negative Theologie einst bedeutet hat, und zu prüfen, wie sie heute verstanden werden kann. – Dies motiviert unsere Untersuchung zum Thema »Negative Theologie«. Sie soll in ihrem ersten Teil eine philosophiehistorisch-theologiegeschichtliche Grundlegung und in ihrem zweiten eine grund-

1 Thomas von Aquin, Summa theologiae I, 3.

lagentheoretisch-fundamentaltheologische Besinnung enthalten. Nun wird dieses Thema in so vielen Zeugnissen der Geistesgeschichte angesprochen, und seine Erörterung scheint so gewagt, daß wir uns von vornherein ausdrücklich auf einen Versuch zur Vermittlung des *patristischen* Begriffs beschränken wollen.

In einer historischen Grundlegung soll die Entwicklung des Begriffs von den impliziten Ursprüngen bis zum expliziten Terminus nachgezeichnet werden. Dabei wird sich herausstellen, daß es verschiedene Konzepte negativer Theologie gegeben hat, die sich gegenseitig beeinflußt und – was noch wichtiger scheint – einander kritisch abgelöst haben. In der begriffsgeschichtlichen Entwicklung negativer Theologie zeigt sich ein Widerstreit von Interessen, die noch heute theologische Erkenntnis zu leiten scheinen. – Vertreter negativer Theologie sind auf der einen Seite interessiert an der Legitimierung bestimmter Prinzipien, Normen und Ordnungen. Sie möchten wenigstens den gründenden Grund allgemein gültiger Grundsätze jedem verfügenden Zugriff entzogen wissen. Ihre Absicht geht vorwiegend auf Bewahrung. Ihr Bemühen ist in Gefahr, Menschensatzung absolut zu setzen. – Auf der anderen Seite zeigen sich Vertreter negativer Theologie interessiert an einer Kritik bestehender Systeme, geltender Gesetze und ideologischer Grundüberzeugungen. Sie versuchen, Vergötzungen aufzulösen. Ihre Absicht geht vor allem auf Erneuerung. Ihre Gefahr ist subjektivistische Willkür. – Im Rückblick auf die Begriffsgeschichte negativer Theologie werden Theologen angeregt, auch heute nach dem Interesse zu forschen, das sie bei ihrer Erkenntnis leitet. Sollte der Begriff negativer Theologie heute so schwer zu verstehen sein, weil er zu lange für die Durchsetzung restaurativer Tendenzen reklamiert worden ist?

Eine systematische Überlegung soll deshalb der Frage nachgehen: wie wäre es, wenn negative Theologie nunmehr gerade zur Ermöglichung von Freiheitsgeschichte eingesetzt würde? Erhielte negative Theologie dann vielleicht einen neuen Sinn? – Ein solcher Sinn kann – wie sich zeigen wird – weder allgemein logisch noch überhaupt rein theoretisch rekonstruiert werden. Ein Sinn negativer Theologie scheint heute in einem praktisch zu vermittelnden Verweisungszusammenhang zu dem Prinzip kritischer Theorie auffindbar, wonach Geschichte in sich aus sich selbst für unvollendbar gehalten werden soll. Man kann zeigen, daß dieses Prinzip ein Postulat negativer Dialektik sein muß. Die hier vertretene These lautet dann: Negative Theologie und negative Dialektik erläutern einander im Medium kritischer Praxis. Nach dieser These kann negative Theologie als Strukturprinzip jeder theologischen Vermittlung christlicher Glaubensüberzeugungen verstanden werden.

I ZUR GESCHICHTE DES PATRISTISCHEN BEGRIFFS DER NEGATIVEN THEOLOGIE

Meist sind theologische Themen oder Begriffe, die man bei den Kirchenvätern sucht, in der patristischen Literatur ohne besondere Schwierigkeit aufzufinden, nicht so der Begriff der negativen Theologie. Grund dafür ist nicht nur, daß dieser Begriff als theologischer Terminus nicht vor dem 2. Jahrhundert erwähnt ist. Ein tieferer Grund liegt darin, daß negative Theologie eine grundsätzlich formale Anweisung an alle Theologie beinhaltet. So dürfte sie theologische Aussagen schon längst mehr oder weniger implizit bestimmt haben, bevor ihr Ausdruck explizit geprägt worden ist. Der Ausdruck bleibt dann nur unzureichend verstanden, wenn man seine implizite Vorgeschichte nicht in Betracht zieht.

Dionysios Areopagites hat im 5. Jahrhundert den Grundsatz formuliert: »Im Hinblick auf Göttliches sind Verneinungen *(apopháseis)* wahr, Bejahungen *(katapháseis)* unzureichend.«[1] Als erster christlicher Theologe hat er den Ausdruck »negative Theologie« gebraucht[2]. Was bedeutet in diesem Zusammenhang Verneinung *(apóphasis)*, was Theologie und was schließlich »negative Theologie« *(apophatikè theología)*? Diese Fragen müssen zwar in einer eingehenderen, historischen Untersuchung beantwortet werden, doch kann man in diese nicht eintreten ohne einen Vorbegriff davon, was negative Theologie bedeuten könnte. Hierzu sind darum einige Feststellungen vor allem terminologischer Art erforderlich.

Statt des griechischen Wortes für Verneinen in einer Aussage *(apóphasis)* verwendet Dionysios Areopagites im hier gemeinten Zusammenhang auch das Wort für Verneinen im Sinne einer Abstraktion *(aphaíresis)*[3], und zwar ohne erkennbaren Unterschied in der Bedeutung. Die Verwendung des Wortes für Verneinen im Sinne einer Privation *(stéresis)* (vgl. *élleipsis*)[4] oder des Wortes für Leugnen *(apagoreúo, arnéomai, aparnéo)* lehnt er in dem hier gemeinten Zusammenhang ab. Eine

1 Dionysios Areopagites, De caelesti hierarchia, 2,3: M. 3, 141 A (e.Ü.)

2 Vgl. G. W. H. Lampe, A Patristic Greek Lexikon, Oxford 1961 ff., 219; vgl. Dionysios Areop., De mystica theologia, 3: M. 3, 1032 C.

3 Dionysios Areop., De divinis nominibus, 2,3: M. 3, 640 B; De mystica theologia 2: M. 3, 1025 AB.

4 Über die *stéresis* sagt Dionysios Areopagites, »daß die Theologen gewohnt sind, ... von Gott alles, was zur Privation gehört *(tà tês steréseos), zu verneinen«* (e.Ü.: De divinis nominibus, 7,1: M. 3, 865 B). Zur *élleipsis* vgl. Dionysios Areop., De divinis nominibus, 7,2: M. 3, 869 A: »Das Nichteinsehen *(tó ánun)* und Nichtwahrnehmen ist Gott im Übermaß, nicht im Sinne eines Mangels *(u kat' élleipsin)* zuzuschreiben« (e.Ü.).

Leugnung würde konsequent auf das Nichts[5], eine Privation würde auf die Materie[6] führen, nicht aber einen Verweis auf das Gottesgeheimnis bedeuten. Dieser Verweis hat, wie Dionysios sich ausdrückt, »die Kraft übersteigender Verneinung«[7]. Dies deutet darauf hin, daß eine eminente Bejahung angezielt wird. Wie ist solche Bejahung vermittels übersteigender Verneinung zu denken? – Dionysios verbindet in dem Ausdruck »negative Theologie« *(apophatikè theología)* Negation« mit »Theologie«. Bei den Kirchenvätern kann *theología* vielerlei bedeuten, vor allem eine Rede über Gott, dann das Lob Gottes, ferner die Anerkennung Gottes und schließlich die Gottheit selbst. Bei Dionysios wird *theología* oft als Synonym für Heilige Schrift und Gotteswort gebraucht, dann im engeren Sinne von Gottesaussprüchen im Gegensatz zu Gotteserscheinungen oder Gottestaten und schließlich in technischem Sinn von einer Reflexion auf den Gottesbezug in Abgrenzung zu Heilsgeschichte. – Dionysios stellt »negative Theologien« im Plural neben »positive Theologien«[8]. Offenbar meint Dionysios an dieser Stelle verneinende und bejahende Gottesaussagen. Damit Verneinung als Methode einer Erkenntnis des Gottesgeheimnisses nicht in eine Leugnung Gottes ausarte, muß im Hinblick auf Gott auch Bejahung möglich sein. Sie ist möglich aufgrund der Offenbarung Gottes in der Heilsökonomie. Der hierzu notwendige Begriff von Bejahung heißt bei Dionysios *katáphasis*[9], bisweilen auch *thésis*. Nun soll aber nach dem soeben zitierten Grundsatz des Dionysios Verneinung alle theologischen Positionen übersteigen und auf eine über alles gesteigerte Bejahung zielen[10]. Hier kündigt sich ein zugleich umfassenderer und grundlegenderer Begriff negativer Theologie an, als in der dionysianischen Gegenüberstellung von »positiven« und »negativen« »Theologien« deutlich wird. In diesem Begriff scheinen drei Momente unterscheidbar: ein positives, ein negatives und ein affirmatives. Dio-

[5] Vgl. Proklos, Com. in Platonis Parmenidem VI: zit. V. Cousin, Paris 1864[1], 1087: »... die Verneinungen *(hai apopháseis)* führen uns nicht auf das gänzlich Nichtseiende *(medamôs ón)*, sondern auf das Eine selbst, das wahrhaft Eines ist« (e.Ü.)

[6] Vgl. Plotinos, Enneaden II, 4, 8 (ed. R. Harder, fortgeführt von R. Beutler–W. Theiler, Hamburg 1956): Wir stellen die Materie« ... als Materie allen Dingen gegenüber, dann dürfen wir ihrem Wesen nichts von alledem zuschreiben, was wir an den Sinnendingen beobachten.«

[7] Dionysios Areop., Epistula, 4: M. 3, 1072 B; vgl. Johannes Damascenus, De fide orthodoxa, 1,4: M. 94, 800 B.

[8] Dionysios Areop., De mystica theologia, 3: M. 3, 1032 C. Doch auch die Einzahl kommt vor, vgl. ebd., 1032 D.

[9] So: Dionysios Areop., De divinis nominibus, 8,5: M. 3, 893 A.

[10] Vgl. auch ebd., 2,4: M. 3, 641 A; vgl. Proklos, Com. in Platonis Parmenidem VI: Cousin, 1109: »... Platon weist hin durch Verneinungen, die nicht privativ sind, sondern gemeint sind im Sinne einer Übersteigung, die über die Bejahungen erhaben ist« (e.Ü.).

nysios hat offenbar noch nicht zwischen negativer Theologie als einem grundlagentheoretischen Prinzip für alle Theologie und negativen Theologien bzw. verneinenden Gottesaugen als den methodischen Anwendungen dieses Prinzips unterschieden.

Unter dem Stichwort »negative Theologie« läßt sich bei den Kirchenvätern nicht so selbstverständlich ein wenigstens vorläufig klar und deutlich umschriebener Begriff auffinden wie unter anderen theologischen Stichworten. Doch führt der Sprachgebrauch von Dionysios Areopagites auf einen Vorbegriff negativer Theologie, der nun einer eingehenderen historischen Untersuchung als Arbeitshypothese dienen kann. Danach bedeutet negative Theologie nicht nur eine verneinende Gottesaussage, auch nicht bloß eine negative Methode der Gotteserkenntnis, sondern sogar ein letztes, grundlagentheoretisches Prinzip für alle Theologie[11]. – Diese Vermutung kann nur in einer begriffsgeschichtlichen Untersuchung erhärtet werden, welche die Entwicklung des Begriffs von seinen impliziten Wurzeln bis zu seiner expliziten Formulierung verfolgt.

11 Was das genauerhin bedeutet, muß im folgenden geklärt werden. Negative Theologie als grundlagentheoretisches Prinzip scheint zunächst verschiedene Bedeutungen haben zu können. Zunächst ist denkbar auch eine Bedeutung, wie etwa E. Mühlenberg sie angibt: »Gottes Erhabensein nicht in einen Begriff fassen zu können, das ist der gemeinsame Grundsatz der negativen Theologie christlicher wie auch griechischer Prägung« (E. Mühlenberg, Die Unendlichkeit Gottes bei Gregor von Nyssa, Göttingen 1966, 28). Doch sieht Mühlenberg negative Theologie nicht als ein letztes, grundlagentheoretisches Prinzip an und erwägt nicht etwa, ob diesem Prinzip nicht eine besondere, christliche Bedeutung zukommen könne. Er fährt nämlich an der zitierten Stelle fort: »Darin kann also das Christliche im Begriff des Unendlichen nicht bestehen. Sondern der Begriff des Unendlichen muß die negative Theologie überbieten können; sonst beruht es ja auf einem reinen Zufall, daß er in die Reihe der negativen Gottesprädikate vor Gregor nicht aufgenommen wurde. Wir erwarten, daß das christliche Gottesbewußtsein nicht von der Offenbarung Gottes absieht. Gregor müßte als Christ also auch etwas Bejahendes über Gott zu sagen wissen; er müßte über die einfachen Negationen hinausführen können.« Mühlenberg ist recht darin zu geben, daß ein Offenbarungsgläubiger nicht bei reiner Negation stehen bleiben kann, sondern zu Affirmation übergehen muß. Zu vermuten ist auch, daß Gregor von Nyssa dies im Zusammenhang mit dem Unendlichkeitsattribut getan hat. Mehr als fraglich ist aber, daß er dabei die negative Theologie so »überboten« hat, daß er sie hinter sich lassen konnte. Selbst dem affirmativen Gebrauch von »unendlich« bleibt im negativen Präfix »un-« der Index negativer Vermittlung erhalten. Des negativen Vermittlungsmomentes kann die Affirmation also wenigstens in dem Fall, auf den Mühlenberg sich bezieht, nicht entraten. Negative Theologie kann man dann von der Affirmation, auf die sie verweist, nicht so isolieren, wie Mühlenberg es tut. Es empfiehlt sich vielmehr, Negation und Affirmation als Momente einer Grundform theologischen Denkens anzusehen, die dann auch einen originär christlichen Sinn annehmen kann. Ob diese Grundform negative Theologie zu nennen ist, dürfte eine mehr terminologische Frage sein. Unsere Untersuchung legt es nahe. Doch möge der Leser prüfen, ob sie ihn überzeugt. Wenn nicht, so müßte er sich fragen, was negative Theologie, isoliert von Affirmation, für einen Sinn haben sollte.

I.1 Ursprünge negativer Theologie

Der überkommene Begriff negativer Theologie scheint aus drei Ursprüngen hervorgegangen zu sein. – Nach *biblisch-heilsgeschichtlichem* Verständnis gründet ein erinnernder Bezug auf heilsgeschichtliche Erfahrung einen Verweis auf eine eschatologische bzw. theologische Affirmation. Der Verweis wird in einer geschichtlich-kritischen Negation aller naturwüchsigen Religiosität vorgetragen. – In einem *griechisch-philosophischen* Kontext motiviert ein Interesse des Denkens an axiomatischer Begründung des Wechselbezugs von Erkenntnis und Wirklichkeit eine dialektisch-reduktive Negation. Durch sie wird auf die axiomatische Affirmation eines Anhypotheton verwiesen, in welcher das Denken sich selbst abstützen kann. Das Anhypotheton gilt als Prinzip *(arché)* von Erkennen und Sein. – In der *Gnosis* schließlich gründet eine mystische Heilserfahrung die paradoxale Affirmation eines heilen Selbst. Diese wiederum erzwingt eine antithetische Ablehnung der unheilen Welt. – Schon in seinen Ursprüngen hat der Begriff negativer Theologie jeweils drei Strukturmomente ausgebildet: ein Gründungsmoment, ein Negationsmoment und ein Affirmationsmoment. Die strukturelle Verwandtschaft der verschiedenen ursprünglichen Konzepte negativer Theologie erlaubt ihren theoretischen Vergleich. – Im Neuplatonismus führt ein solcher Vergleich zu einer ersten, begrifflichen Erfassung negativer Theologie. Zu begreifen ist sie hiernach als Verweis auf eine mystische Begegnung mit dem göttlichen Prinzip: im Hinblick auf eine mystisch gelungene, vollkommene Bejahung des Göttlichen sind alle seine denkbaren Bestimmungen zu verneinen. Der erstmalige, neuplatonische Begriff negativer Theologie ist demnach ein religionsphilosophischer: er hat prinzipientheoretische Bedeutung mit mystagogischem Sinn.

I.1/1 Die bundestheologischen Grundforderungen des Dekalogs

Gottes Unverfügbarkeit spielt schon eine Rolle in der altisraelitischen Vorstellungsweise, nach der Gott zu schauen den Tod zur Folge hat (vgl. Gen 19,17–26; 32,31; Num 6,25 f.; Ri 6,22 f.; 13,22), sowie in der Rede von der Herrlichkeit Jahwes. Doch haftet diesen Motiven noch zu sehr das Stigma einer Naturreligiosität an, als daß man in ihnen originär Alttestamentliches sehen müßte. – Das Thema der Unverfügbarkeit Gottes wurde innerhalb einer Theologie des A.T. oft erörtert als das Problem des Anthropomorphismus im A.T.[12]. Doch ist dieses

[12] Vgl. J. W. Martin, Anthropomorphic Expressions in Semitic: Actes du Congrès

Problem kein eigentlich bibeltheologisches. Es ist erst aus einer Begegnung zwischen biblischer Theologie und griechischer Philosophie erwachsen. – Ein originär atl. Grundsatz, wonach Gott für unverfügbar zu halten ist, wäre wahrscheinlich recht schwierig zu finden, wenn er nicht an markanter Stelle ausdrücklich formuliert wäre – und zwar in den bundestheologischen Grundforderungen des Dekalogs. Sie aber beziehen ihren Sinn aus einer Verbindung von Auszugs- und Sinaitradition.

Das Volk Israel erinnert sich an seine Herausführung aus Ägypten so, daß es dieses Ereignis als grundlegende Offenbarungstat Jahwes deutet. Diese deutende Erinnerung ist mit einem der jüdischen Hauptfeste verbunden. Es trägt den Namen »*Passah*«. – Falls dieses Fest in der Frühzeit ein »Frühlingsfest wandernder Hirten« [13] gewesen sein sollte, so hat man doch davon auszugehen, daß es schließlich eindeutig und endgültig historisiert und zum Fest der Erinnerung an den Auszug Israels aus Ägypten umgedeutet worden ist. – Der Wortsinn von »Passah« dürfte – ganz gesichert ist dies nicht – ursprünglich »überspringen«, dann auch »verschonen« gewesen sein. Denkbar wäre im Zusammenhang mit der Passaherinnerung die Deutung: »Jahwe überspringt, das heißt: verschont, die Häuser der Israeliten, wenn er durch das Land schreitet, um die Ägypter zu schlagen.« [14] Das hellenistische Judentum hat Passah mit *hyperbasía* (Überschreitung) bzw. mit *diábasis* (Durchschreitung) wiedergegeben. Bei Philon ist dann Subjekt dieses Durch- oder auch Überschreitens nicht mehr Gott, »sondern der Mensch, beziehungsweise Israel, das, Ägypten verlassend, seinen Wohnort wechselt« [15]. Erst in frühchristlicher Zeit wird Passah – wohl wegen des Gleichklangs der Worte und in einer Angleichung ihres Sinns – mit *páschein* (leiden) zusammengebracht und *páscha* (vgl. 1 Kor 5,6)

International des Orientalistes 25, Madrid 1960, hrsg. 1962, I, 381–383; G. J. Lehman, Anthropomorphisms in the Former Prophets of the Hebrew Bible as Compared with the Septuagint and Targum Jonathan (Diss. New York University 1964) 1965; A. P. Saphir, The Misterious Wrath of Yahweh, An Inquiry into the OT Concept of the Suprarational Factor in Divine Anger (Diss. Princeton Theol. Sem. 1964); H. M. Kuitert, Gott in Menschengestalt, Eine dogmatisch-hermeneutische Studie über die Anthropomorphismen in der Bibel, übers. v. E. W. Pollmann, München 1967; J. Alonso Diaz, Proceso antropomorfizante y desantropomorfizante en la formación del concepto biblico de Dios: Estudios Biblicos 27, Madrid 1968, 333–346; E. M. Yamanchi, Anthropomorphism in Ancient Religions: Bibliotheca sacra 125, London 1968, 29–44; ders., Anthropomorphism in Hellenism and in Judaism: Bibliotheca sacra 127, London 1970, 212–222.

13 H. Haag, Vom alten zum neuen Pascha, Geschichte und Theologie des Osterfestes, Stuttgart 1971, 48, verweist hierfür auf E. Dhorme, La religion des Hébreux nomades, Brüssel 1937, 210–212.

14 H. Haag, a.a.O., 24.

15 N. Füglister, Die Heilsbedeutung des Pascha, München 1963, 163.

geschrieben. – Diese Wandlungen in der Wortbedeutung von Passah – die uns später noch beschäftigen müssen – können aber keinen Zweifel daran begründen, daß der in der kultischen Erinnerung dieses Festes vergegenwärtigte Sinn der Auszugstradition den israelitischen Glauben grundlegend bestimmt hat. Noch bei Deuterojesaja schlägt dieser Sinn durch, wenn dort ein Übergang vom Tod zum Leben vorgestellt wird, der durch Gott ermöglicht wurde (vgl. Jes 52,13–53,12; vgl. Hos 6,1 f.).

Die Sinaitradition hat zwei Sammlungen von Ordnungen entwickelt, die als jehovistische (Ex 19–24; 32–34) und als Sinaiperikope (Ex 25 bis 31; 35 – Num 10,10) im Pentateuch zusammengefügt worden sind. »Die Ordnungen, die die ältere Sinaiüberlieferung enthielt, waren Ordnungen des profanen Alltagslebens ... Die Priesterschrift dagegen enthielt die Offenbarung einer Sakralordnung ...«[16] – In der jehovistischen Sammlung findet sich auch der Dekalog. Er stellt selber eine aus seelsorgerlicher Erfahrung und Überlegung erwachsene Sammlung von einprägsamen Gebotsformeln dar, die ihre redaktionsgeschichtlichen Fugen durchaus noch erkennen läßt. Am deutlichsten dürfte die inhaltliche Zäsur zwischen dem Sabbat- und dem Elterngebot sein. – Den ersten, prinzipielleren Teil des Dekalogs bilden die bundestheologischen Grundforderungen des Dekalogs: auf eine Selbstvorstellung Jahwes durch eine Erinnerung an Israels Herausführung aus Ägypten folgen das Fremdgötter-, das Bilderverbot sowie das Verbot, Gottes Namen zu mißbrauchen, schließlich das Sabbatgebot.

Genau so grundlegend wie für den israelitischen Glauben die Auszugstradition und ihre Aktualisierung im Passahfest ist für die atl. Theologie ein Zusammenhang zwischen Auszugs- und Sinaitradition. Er scheint der Kristallisationskern für die Ausbildung des Pentateuchs – der jüdischen Thora – zu sein. – Unter den Texten der Sinaitradition steht nun an hervorragender Stelle die Formulierung, durch welche die bundestheologischen Grundforderungen des Dekalogs gerade aus dem erinnernden Bezug auf Jahwes Heilstat an Israel in Ägypten motiviert werden: »Ich bin Jahwe, dein Gott, der dich aus dem Ägyptenland, dem Sklavenhaus geführt hat ...« (Ex 20,2; Dtn 5,6).

I.1/1.1 Das Fremdgötterverbot

> »Nicht sollen sein für dich andere Götter vor meinem Angesicht«
> (Ex 20,3; Dtn 5,7)

Dieses Verbot entstand wahrscheinlich bald nach der Landnahme Israels. Seinen »Sitz im Leben« des Volkes Israel dürfte es beim

[16] G. v. Rad, Theologie des Alten Testaments, Bd. I, Die Theologie der geschichtlichen Überlieferungen Israels, München 1966, 203.

Bundesfest in Sichem (vgl. Jos 24) gehabt haben. Dort scheint es sich als die grundgesetzliche Anweisung zur Einhaltung eines Gelübdes herausgebildet zu haben, das Israel als Antwort auf Jahwes heilsgeschichtliche Großtaten – besonders auf die Herausführung Israels aus Ägypten – leistete[17]. – Das Fremdgötterverbot sollte man darum zunächst einmal unabhängig vom Bilderverbot zu verstehen suchen. Die Verbindung zwischen beiden ist ja sicher nicht ursprünglich. Das beweist »sowohl die sekundäre Form der Verkoppelung in Ex 20,2–6 als auch das getrennte Vorkommen in alten Belegen«[18]. So findet sich in Dtn 27,15 nur das Bilderverbot, und nur dieses allein ist in der Geschichte vom Goldenen Kalb vorausgesetzt (vgl. Ex 32). »Dagegen ist in Ex 22,19; 23,13 und in der ... Dtn 12–18 zugrunde liegenden (Gebots-)reihe nur das Fremdgötterverbot erhalten.«[19] In der Formulierung des Dekaloges hat schließlich das Fremdgötterverbot das wohl ältere Bilderverbot so an sich gezogen, daß dieses nun wie seine erste Verdeutlichung erscheint[20]. Für ein abgerundetes Verständnis des Fremdgötterverbotes für sich scheinen drei Gesichtspunkte wichtig.

1. Das erste Gebot ist nicht verständlich ohne die Bezugnahme auf Israels Auszug aus Ägypten, der von Israel als eine Herausführung durch Jahwe gedeutet wird. »Das erste Gebot ist ja kein Axiom; vielmehr erweist Jahwe seine Einzigkeit selbst, und zwar in seinen Geschichtstaten: ›Ich bin Jahwe, der dich aus dem Ägyptenland herausgeführt hat.‹«[21]

2. Mit Bezug auf diese Heilstat schärft Jahwe ein, daß er ein eifernder und zugleich ein heiliger Gott ist. Die eine Bezeichnung ist ohne die andere nicht zu verstehen. Dies belegen die erläuternden Worte, die in der endgültigen Fassung des Dekalogs allerdings erst auf das Bilderverbot folgen: »Denn ich, Jahwe, dein Gott, bin ein eifernder Gott, der die Schuld der Väter an den Kindern ahndet, an den Enkeln und Urenkeln derer, die mich hassen, aber Huld erweist dem tausendsten Gliede derer, die mich lieben und meine Gebote halten« (Dtn 5,9 f.; vgl. Ex 20,5). In dieser Selbstbeschreibung läßt Jahwe seinen *Eifer,* »daß er für Israel der Einzige sein will, daß er nicht gesonnen ist, seinen Anspruch auf Verehrung und Liebe mit irgend einer göttlichen Macht zu teilen«[22], korrespondieren mit seiner *Heiligkeit,* daß er näm-

17 Vgl. R. Knierim, Das erste Gebot: Zeitschrift für alttestamentliche Wissenschaft 77, 1965, 35 ff.
18 Ebd., 22.
19 Ebd.
20 Vgl. ebd., 39: »Fortan war und blieb dieses Fremdgötterverbot jedoch das Grundgebot Israels. Es war stark genug, das ältere Bilderverbot abzulösen, auf den zweiten Platz zu verdrängen und es sich anzugleichen.«
21 G. v. Rad, a.a.O., 223.
22 Ebd., 220 f.

lich allein der Wertmaßstab ist, der selber in keiner Weise mehr von einem anderen abhängt. So erhebt Jahwe Anspruch darauf, daß das Volk nur ihn als Gott liebe und zugleich nur seine Wertung als Maßstab anerkenne. »Dieser intolerante Ausschließlichkeitsanspruch ist religionsgeschichtlich ein Unikum, denn die antiken Kulte waren gegeneinander duldsam und ließen den Kultteilnehmern freie Hand, sich zugleich auch noch bei anderen Gottheiten einer Segnung zu versichern.«[23]

3. Jahwes Ausschließlichkeitsanspruch formuliert sich in einem Verweis, der ausgedrückt wird in der Ablehnung aller übrigen Götter Kanaans. Diese Negation dürfte im Laufe der Jahrhunderte zugleich ausgeweitet und vertieft worden sein. – Ursprünglich sagte die Negation vermutlich nein lediglich zur Aufstellung von Götterbildern, die in Kanaan heimisch waren, vor Jahwes Angesicht . . ., »etwa vor der Lade, so daß er sie ansehen muß«.[24] – In einer späteren Phase, als dieses Verbot nicht mehr nötig war, da der Jahwekult sich an seinen Kultorten als der ausschließliche durchgesetzt hatte, dürfte man das Verbot als Verbannung aller Götzenbilder aus Israel überhaupt aufgefaßt haben. In dieser Phase ist auch eine Kombination zwischen Fremdgötter- und Bilderverbot vorstellbar. – Wiederum in einer späteren Phase wird aus dem Fremdgötterverbot die Folgerung gezogen, daß Gott unvergleichlich sei. Von der Unvergleichlichkeit Gottes ist im A.T. immer wieder die Rede (vgl. Jes 40,18.25; vgl. Ps 82; 139). – Erst in einer sehr späten Phase erkennt man, daß im ersten Gebot ein Monotheismus gelehrt wird. »Das Problem des Monotheismus im alten Israel hängt zwar mit dem ersten Gebot zusammen, insofern Israels Monotheismus dann gewissermaßen eine Erkenntnis war, die Israel nicht ohne die lange Zucht des ersten Gebotes geschenkt worden ist. Aber es ist doch nötig, beide Fragenkreise möglichst auseinanderzuhalten, denn das erste Gebot hat zunächst mit Monotheismus nichts zu tun; im Gegenteil, es ist seiner Formulierung nach nur von einem Hintergrund her zu verstehen, den der Religionshistoriker als polytheistisch bezeichnet.«[25]

Das Fremdgötterverbot ist der *aufgrund* heilsgeschichtlicher Erinnerung gebotene Verweis vermittels einer in der Tendenz radikalen und umfassenden *Verneinung* des Daseins sowie der Gottheit jedes an jedem Orte verehrten Gottes auf eine ausschließliche und unbedingte *Bejahung* des Exodusgottes und seines Waltens[26]. Der damit gebotene

[23] Ebd., 221.
[24] R. Knierim, a.a.O., 25.
[25] G. v. Rad, a.a.O., 223.
[26] Vgl. C. J. Labuschagne, The Incomparability of Yahweh in the OT, Leiden 1966, 144: »The negation of the *existence* of idols in a monotheistic religion is in

Verweis ist ursprünglich israelitisch und für alttestamentliche Glaubensreflexion grundsätzlich. Im Fremdgötterverbot ist ohne Zweifel der volle Gehalt negativer Theologie erst- und einmalig alttestamentlich ausgesprochen.

I.1/1.2 Das Bilderverbot

> »Du sollst dir nicht machen ein Bild noch eine Abform dessen, was im Himmel droben ist oder auf Erden unten oder in dem unterirdischen Gewässer! Du sollst dich nicht vor solchen niederwerfen und sie nicht verehren . . .« (Ex 20,4 f.; Dtn 5,8 f.)

Die heidnischen Religionen des alten Orients lassen sich durchaus mit der Überzeugung vereinbaren, daß Gott gerade, weil er jenseitig ist, ver-sinn-bild-licht werden müsse. Insofern haben sich Israels Propheten die Kritik am Götzenbild wohl manchmal etwas zu leicht gemacht (vgl. z. B. Jer 10,1 ff.; Jes 41,7; 44,9 ff.). Das atl. Bilderverbot schließt aber gerade das aus, »was für Nachbarreligionen das Ehrwürdigste überhaupt, nämlich Gottes Gegenwart, bedeutete«[27]. Es verbietet die Abbildung Gottes gerade wegen seiner Jenseitigkeit und ist deshalb in seinem Umkreis völlig analogielos.

Das Bilderverbot richtete sich in seiner ältesten, heute greifbaren Fassung, die wir im sog. »Sichemitischen Dodekalog« (Dtn 27,15) finden, ausgerechnet gegen die Anfertigung und Aufstellung eines Jahwebildnisses[28]. – Im Dekalog, in welchem das Bilderverbot wie eine Konkretisierung des Fremdgötterverbotes anmutet, verbietet es nicht mehr ein Jahwe-, sondern das Götzenbild, und zwar in dessen umfassend denkbarem Begriff: als »Abform von dem, was droben . . ., auf der Erde unten oder im Wasser unter dem Erdboden ist«.

Weshalb kam Israel zu einem Bilderverbot? – Wahrscheinlich deshalb, weil der heilsgeschichtlichen Idee eines Exodusgottes mehr eine Aktualisierung seiner Gegenwart in seinem Namen und Wort entspricht als die in einem – statischen – Bildnis. Aber man darf auch dies nur vermuten[29]. Um es im A.T. selbst zu erhärten, kann man sich kaum

fact secondary; primary is the rejection of polytheism and the negation of the significance of other Gods. The fact that Israel *did as a matter of fact compare its God with other gods* confirms that they took the existence of other gods seriously.« – Ebd., 148: »There was no *evolution* from the pre-Mosaic to the Mosaic concept of God, but certainly a *revolution,* a revolution which led to the recognition of Yahweh as the incomparable One, the only true God.«

27 W. H. Schmidt, Bilderverbot und Gottebenbildlichkeit, Exegetische Notizen zur Selbstmanipulation des Menschen: Wort und Wahrheit 23, 1968, 209.

28 Vgl. G. v. Rad, a.a.O., 228 f.

29 Vgl. ebd., 230: ». . . tatsächlich hat das alte Israel nie behauptet zu wissen, aus

etwa auf einen Zusamenhang zwischen der Lehre von der Gottebenbildlichkeit des Menschen und dem Bilderverbot berufen. Im A.T. wird ein solcher Zusammenhang nirgendwo hergestellt[30]. – Wenn man nun voraussetzt, daß die heidnische Götzenbilderverehrung meist eine Anbetung lokaler Naturgottheiten war, so könnte das Verbot der Götzenbilder im Dekalog dem atl. Verständnis negativer Theologie eine Nuance hinzufügen. Angewiesen werden die Israeliten genauerhin zur Ablehnung jedweder naturwüchsigen Religiosität, wie sie in ihrer Umwelt etwa im Baalskult üblich war. Dadurch wird auf die Affirmation eines Gottes verwiesen, mit dem man es heilsgeschichtlich zu tun hat.

I.1/1.3 Gegen den Mißbrauch des göttlichen Namens

»Du sollst den Namen Jahwes, deines Gottes, nicht mißbrauchen! . . .«
(Ex 20,7; Dtn 5,11)

Im Text dieses Verbots selbst bleibt offen, was Mißbrauch, was rechter Gebrauch des Jahwenamens ist. Es läßt sich aber durch einen Hinweis aus dem Zusammenhang des Dekalogs und durch andere Belegstellen ein wenig genauer bestimmen. – Der Name »Jahwe« hat als das Double Jahwes teil an seiner Eiferheiligkeit. Das Verbot, den Namen Jahwes zu mißbrauchen, läßt sich also vom Fremdgötterverbot her interpretieren. Dies scheint sich überall dort im A.T. zu bestätigen, wo Jahwe der stereotype Ausruf in den Mund gelegt wird: »Ich – Jahwe – und sonst keiner!« (Gen 28,13; Ex 6,2.29; Jes 45,22; 46,9; Hos 12,10; Joel 2,27). – Die Offenbarung des Namens »Jahwe« wird Ex 3 gedeutet als die seiner Unverfügbarkeit. Jahwe erscheint Mose im Dornbusch, »der nicht verbrannte« (Ex 3,3 f.). Mose fragt: »Wenn sie mich fragen: ›Was ist es um seinen Namen?‹, was soll ich ihnen sagen?« (Ex 3,13). Jahwe antwortet: »Du sollst zu den Söhnen Israels sprechen: ›Der ICH BIN, DER ICH BIN hat mich zu euch gesandt.‹« (Ex 3,14). In dieser Volksetymologie stecken zwei Andeutungen auf einmal. Einerseits wird die heilsgeschichtliche Zuverlässigkeit Jahwes auch für die Zukunft angezeigt: »Ich werde für Israel dasein als der, der ich dasein werde.« Andererseits entzieht sich Jahwe auch dem benennenden Zugriff: »Ich werde eben der sein, der ich sein will.« Kurz: der Gott des Heils der Geschichte ist zugleich der Unverfügbare schlechthin. – Innerhalb des Dekaloges hat demnach das Verbot des Namens-

welchen theologischen oder pädagogischen Gründen ihm dieses Gebot auferlegt sei . . .«

30 W. H. Schmidt, a.a.O., 213: »Da das Bilderverbot das Verhältnis von Gott und Mensch in seinem Wesen betrifft, liegt eine Begründung am nächsten: Man darf Gott nicht im Bilde darstellen, weil der Mensch Gottes Bild ist . . . Das Alte Testament kennt aber einen solchen Sachzusammenhang nicht.«

mißbrauchs eine Bedeutung, die man mit G. v. Rad so umschreiben kann: »Jahwes Namen heiligen war ... gleichbedeutend mit der Anerkennung der Einzigkeit und Ausschließlichkeit des Jahwekultes überhaupt.«[31]
Indem verboten wird, den Namen Jahwes zu mißbrauchen, wird sein rechter Gebrauch ermöglicht. Indirekt wird dadurch auf eine Affirmation Jahwes durch das Lob seines Namens verwiesen. Wenn ursprünglich in dem Verbot noch ausgedrückt gewesen sein sollte, man dürfe »den Namen Gottes nicht aufheben zum Nichtigen« – d. h. mit diesem Namen nicht »zaubern«[32] –, so erhält das Verbot innerhalb des Dekalogs, wenn auch indirekt, so doch unverkennbar auch affirmativen Sinn. Nach dem Dekalog soll vermittels der in den ersten beiden Verboten eingeschärften, grundsätzlichen und umfassenden Negation jedes Numens, das Inbegriff der Natur wäre, verwiesen werden auf die Affirmation eines durch seinen Namen ansprechbaren und zugleich sich der Verfügbarkeit entziehenden Gottes der Heilsgeschichte. Diese Gedankenlinie wird innerhalb des Dekalogs in dem nun eindeutig affirmativen Gebot der Sabbatruhe fortgesetzt.

I.1/1.4 Sabbatfeier und Dank für Schöpfung und Erlösung

> Ex 20,8–11:
> »Gedenke, den Sabbattag zu heiligen! Sechs Tage sollst du arbeiten und all dein Werk verrichten. Ein Ruhetag, Jahwe, deinem Gott, zu Ehren, ist jedoch der siebte Tag. An ihm verrichte kein Geschäft, nicht du und nicht dein Sohn, noch deine Tochter, noch dein Knecht, noch deine Magd, und nicht dein Vieh und nicht dein Gast in deinen Toren! – Denn in sechs Tagen hat Jahwe den Himmel und die Erde, das Meer und alles, was darin ist, gemacht. Am siebten Tag aber ruhte er. Deswegen hat Jahwe den Ruhetag gesegnet, und also heiligte er ihn.«
> Dtn 5,15 gibt eine andere Begründung: »Denk daran, daß du selbst Knecht warst im Ägypterlande, und daß Jahwe, dein Gott, dich mit starker Hand und gerechtem Arm von dort weggeführt.«

Das Sabbatgebot weist an zur wöchentlichen Weihe eines Tages an Jahwe durch Muße. Die verschiedenen Dekalogfassungen unterschei-

[31] G. v. Rad, a.a.O., 197.
[32] Ebd.

den sich in den Begründungen. Die nachexilische des Deuteronomiums knüpft in einer altertümlichen Formel an die Exodustradition an. Die Exodusbegründung schließt sich an einen Gedanken an, der am Schluß des priesterschriftlichen Schöpfungsberichtes ausgesprochen wird: Gott selber hat am siebten Tage geruht und so seine Schöpfung gefeiert (vgl. Gen 2,2). Damit reißt im Exodusdekalog der Faden heilsgeschichtlicher Begründung aus der Exodustradition ab. – Der gedankliche Bogen wird aber auch so nicht abgebrochen. Der Begründungsbereich wird nur ausgeweitet. Ausgehend von der Selbstvorstellung Jahwes durch Erinnerung an die Herausführung Israels aus Ägypten und einmündend in das Gebot der Sabbatruhe, legt der Dekalog, wenn man seine beiden Fassungen berücksichtigt, über die Verbote der Vielgötterei, des Götzenbilderdienstes und eines Mißbrauchs des Jahwenamens gleichsam nachträglich noch einmal Israels Weg vom Exodus- zum Schöpfungsglauben zurück. Hierdurch aber legt sich der Verweis, der im Fremdgötter- und Bilderverbot gemeint war, aus als ein Verweis auf das Gebot, Gott, der sich in der Heilsgeschichte als einziger und ausschließender geoffenbart hat, als den Schöpfer eines harmonischen Alls in der Sabbatruhe zu feiern.
Nach all dem wird man den Gehalt des in den Bundesbestimmungen des Dekalogs formulierten, atl. Grundsatzes negativer Theologie etwa so umschreiben können: aufgrund der Passaherinnerung an die heilsgeschichtlichen Erfahrungen Israels mit Jahwe weiß sich Israel befähigt und verpflichtet, vermittels einer umfassend kritischen Verneinung aller naturwüchsigen Religiosität zu verweisen auf die übergreifende und endgültige Bejahung eines Gottes, der sich heilsgeschichtlich offenbart als derjenige, der die Welt als gute schafft.

I.1/2 Der unerkennbare Ursprung von Sein und Erkennen

Schon bei Xenophanes († 470 v. Chr.) zeigen sich Denkanstöße, welche die spätere Konzeption negativer Theologie mitbestimmt haben. Xenophanes wollte die zu seiner Zeit mythologisch artikulierte Religiosität zur Klarheit bringen: an der Mythologie »ist nichts Nützliches; aber der Götter allzeit fürsorglich zu gedenken, das ist edel«[33]. Xenophanes sucht seine Absicht durch Mythologiekritik durchzusetzen. Diese gerät ihm – für griechische Ohren damals unerhört – zur Homer- und Hesiodkritik[34]. Xenophanes entdeckt, daß die Menschen sich nach

[33] H. Diels, Die Fragmente der Vorsokratiker, Griechisch und Deutsch, hrsg. v. W. Kranz, Dublin–Zürich 1966[12], Bd. I, Nr. 21, B 1, 23 f.
[34] Vgl. ebd., Nr. 10; 11; 12; 14.

ihrem Ebenbilde Götter (ein)bilden: »Wenn die Ochsen und Löwen Hände hätten oder malen könnten mit ihren Händen und Werke bilden wie die Menschen, so würden die Rosse roßähnliche, die Ochsen ochsenähnliche Göttergestalten malen und solche Körper bilden, wie jede Art gerade selbst ihre Form hätte.«[35] – Xenophanes kommt nun nicht zur Leugnung des Göttlichen überhaupt, sondern führt dessen mythologisch widersprüchliche und ethnisch relative Vorstellungen zurück auf ein einziges, göttliches Prinzip, das er als unsterblich und als den Sterblichen völlig unähnlich entwirft: »Ein göttlicher Einziger, unter Göttern und Menschen am größten, weder an Gestalt den Sterblichen ähnlich noch an Gedanken.«[36]

Trotz all seiner Mythologie- und Religionskritik stattet nun aber auch Xenophanes dieses göttliche Eine, wenn schon nicht mit menschlichen, so doch mit übermenschlichen Zügen aus. Es ist ihm »ganz Auge, ganz Geist, ganz Ohr« und »erschüttert alles ohne Mühe und mit des Geistes Denkkraft«[37]. – Man wird sich aber fragen müssen, was dieses Prinzip, auf welches die in der antiken Mythologie und Religiosität überhaupt gemeinte Wirklichkeit reduziert wird, eigentlich sein soll. Wenn man antike Religion als Naturfrömmigkeit und antike Mythologie als ihren Ausdruck auffassen darf, so wird man jedenfalls vermuten dürfen, daß das göttliche Eine des Xenophanes dasjenige sein soll, welches das All umgreift bzw. in sich begreift: der personifizierte Kosmos[38]. Für diese Deutung dürfte auch die Identitätsaussage des Xenophanes über das göttliche Prinzip sprechen: »Stets aber am selbigen Ort verharrt er, sich gar nicht bewegend, und es geziemt ihm nicht hin- und herzugehen bald hierhin, bald dorthin.«[39]

Durch kritische Verneinung der üblichen Rede- und Vollzugsformen antiker Religiosität gelangt Xenophanes zur letztgültigen Bejahung eines naturalen Objektivationskernes solcher Religiosität. In ihrer kritischen Emphase sind die Xenophanestexte dem atl. Dekalog durchaus ebenbürtig. Doch vermag Xenophanes die Unverfügbarkeit des zu Bejahenden nicht so zu wahren wie das A.T. Die Gottheit des Xenophanes scheint eben nur ein zwar umgreifendes, aber kosmisches Etwas zu sein, zu dessen Erkenntnis und Anerkennung der Mensch durch kritische Prüfung seiner religiösen Vorstellungen schließlich doch noch aus sich allein gelangt. Der heilsgeschichtlich erfahrene Gott Israels hingegen bleibt radikal unverfügbar und kann nur dann angeredet

35 Ebd., Nr. 15; vgl. Nr. 16.
36 Ebd., Nr. 23.
37 Ebd., Nr. 24.
38 Vgl. ebd., Nr. 25: »Doch sonder Mühe erschüttert er alles mit des Geistes Denkkraft.«
39 Ebd., Nr. 26.

werden, wenn er sich – und zwar wiederum als unverfügbarer – mit seinem Namen offenbart. Immerhin scheint die Struktur der Religionskritik des Xenophanes mit der des atl. Ursprungs negativer Theologie vergleichbar zu sein.
Die Religionskritik des Xenophanes deutet demnach auf einen griechisch-philosophischen Ursprung des Begriffs negativer Theologie hin[40]. Dieser soll nun bei Platon und Aristoteles deutlicher herausgearbeitet werden. Danach werden wir auf Philons Versuch eingehen, das griechisch-philosophische mit dem atl. Denken in Einklang zu bringen. – Von der Mythologiekritik des Xenophanes läßt sich zunächst ein Bogen schlagen zur Sophismuskritik des Sokrates bzw. des jungen Platon.

I.1/2.1 Sokratische Sophismuskritik und die Unerkennbarkeit eines letzten Kriteriums

Sokrates († 399 v. Chr.) kritisiert sophistische Relativierung von Wahrheit und Sitte. Diese Kritik wird von seinen Zeitgenossen verstanden als eine Kritik an der öffentlichen Religion der Polis. Dabei will Sokrates in Wahrheit wohl die durch sophistische Relativierung fraglich gewordene Ordnung der Polis in sophistischem Hinterfragen sophistischer Parolen antisophistisch neu begründen. – Die religions- sowie poliskritische Wirkung sokratischen Philosophierens scheint in Platons »Apologie des Sokrates« auf, wenn dort als Anklage gegen Sokrates verzeichnet ist: »Sokrates ... frevelt, indem er die Jugend verdirbt und die Götter, welche die Stadt annimmt, nicht annimmt, sondern ein anderes, neues Daimonisches.«[41] Sokrates stützt sich nach der

[40] Seit dem Neuplatonismus ist man sich darüber wie selbstverständlich einig gewesen, daß die frühen griechischen Denker – besonders Platon – auch Theologie getrieben hätten (vgl. noch: W. Jaeger, Die Theologie der frühen griechischen Denker, Stuttgart 1959). – In neuer Zeit ist es hingegen fraglich geworden, »ob überhaupt von einer Theologie bei Platon die Rede sein darf« (H. Dörrie, Die Frage nach dem Transzendenten im Mittelplatonismus, Les sources de Plotin, Vandoeuvres–Genève 1960, 203). – Auch das Konzept negativer Theologie, das sich etwa bei Platon andeutet, dürfte ursprünglich nicht theologischen, sondern philosophischen Sinn gehabt haben. H. Theill-Wunder (Die archaische Verborgenheit, Die philosophischen Wurzeln der negativen Theologie, München 1970, 64) kommt zu dem Ergebnis: »Außer der Möglichkeit, mit Hilfe der analogischen Sprache das Erste zu zeigen, finden wir bei Platon die Ansätze einer negativen und einer ins Irrationale gesteigerten Aussage, welche im Hinblick auf das Ursprüngliche auch *hinweisenden* Charakter haben, da mit ihrer Hilfe die A-logizität des Ersten offenbar werden kann.«

[41] Platon, Apologie des Sokrates, 24 bc. – Zugrunde gelegt wird die Edition J. Burnet (Platonis opera, I–V, Oxford 1899 ff.). Die deutschen Zitate folgen der Übersetzung v. F. Schleiermacher bzw. H. Müller, hrsg. v. W. F. Otto, E. Grassi, G. Plamböck: Platon, Sämtliche Werke I–VI, Schleswig 1957 ff.

»Apologie« und in frühen Platondialogen bei seiner Sophismus-, Religions- sowie Poliskritik ausdrücklich in der letztgültigen Bejahung von etwas nicht klar Erkennbaren ab. – Das ›*daimonion*‹, an dessen Spruch Sokrates sich letztlich hält, sagt ihm nie etwas Positives. Dem Einwand gegen sein poliskritisches Auftreten, warum er denn nicht in der Volksversammlung der Polis politisch offiziell wirksam werde, begegnet Sokrates mit dem Hinweis: »Hiervon ... ist die Ursache, was ihr mich oft und vielfältig habt sagen hören, daß mir etwas Göttliches und Daimonisches widerfährt ..., eine Stimme nämlich, welche jedesmal, wenn sie sich hören läßt, mir von etwas abredet, was ich tun will, zugeredet aber hat sie mir nie. Das ist es, was sich mir widersetzt, die Staatsgeschäfte zu betreiben.«[42] Um Religions- sowie Poliskritik leisten zu können, bezieht Sokrates sich also auf ein Kriterium, von dem er zugleich behauptet, es nicht positiv auswerten zu können. – Für seine Sophismuskritik entlehnt Sokrates bei seinen Gegnern die sog. dialektische Methode des Spiels mit Frage und Antwort[43]. Dieses Spiel scheint von sich aus vorerst wenigstens nicht dazu angetan, daß es enden müßte, ohne wegen Ermüdung oder mit Zwang abgebrochen zu werden. – Wenn Sokrates seine Sophismuskritik im »Menon« etwa in der Anerkennung eines Begriffes von Tugend als solcher abstützen möchte, so scheint er am Ende des Dialoges doch wieder nicht zu wissen, wie er diesen Begriff inhaltlich füllen soll. Vielmehr lädt er zu weiterer, dialektischer Untersuchung ein[44]. – Daß für den Sokrates der platonischen Sophismuskritik aber erst recht kein göttliches Prinzip als positiver Inhalt des Kriteriums in Frage kommt, wird überdeutlich, wenn Sokrates im »Kratylos« über die Namen der Götter sagt: »Wir wissen von den Göttern nichts, weder von ihnen selbst noch von ihren Namen, wie sie sich untereinander nennen. Denn offenbar werden sie selbst sich richtig benennen. Die nächst dieser am meisten richtige Art aber wäre, wie es bei den Gebeten Gebrauch ist, daß, wie und woher sie selbst begehren genannt zu werden, so auch wir sie nennen, weil wir nämlich weiter von nichts wissen. Denn das scheint mir ein

[42] Platon, Apologie, 31 cd.
[43] Platon, Kratylos, 390 c 10–12: »Den, der zu fragen und zu antworten versteht, nennst du den anders als einen Dialektiker? – Nein, sondern so.«
[44] Platon, Menon, 99 e – 100 a: »Wenn wir aber jetzt in unserer ganzen Untersuchung richtig zu Werke gegangen sind und geredet haben: so entstände die Tugend weder von Natur, noch wäre sie lehrbar, sondern durch göttliche Schikkung wohnte sie bei, und ohne Vernunft, denen sie beiwohnt ... Zufolge dieser Untersuchung also, o Menon, scheint die Tugend durch eine göttliche Schickung denen einzuwohnen, denen sie einwohnt. Das Bestimmtere darüber werden wir aber erst dann wissen, wenn wir, ehe wir fragen, auf welche Art und Weise die Menschen zur Tugend gelangen, zuvor an und für sich untersuchen, was die Tugend ist.«

sehr guter Gebrauch. Willst du also, so wollen wir den Göttern dies gleichsam vorher bedeuten, daß wir über sie gar keine solche Untersuchung anstellen wollen, denn wir bilden uns gar nicht ein, dies zu können, sondern nur über die Menschen, von was für Gedanken sie wohl ausgegangen sind bei Bestimmung ihrer Namen . . .«[45]

Der Sokrates der kritischen bzw. der dialektischen Frühphase platonischen Philosophierens setzt demnach an mit einer Kritik an den Ordnungsvorstellungen der Polis und zugleich der Sophistereien, die diese Vorstellungen aufzulösen trachten. Die kritische Emphase sokratischer Infragestellung ist also radikal sowie universal und wirkt sich als solche nicht zuletzt religionskritisch aus. Um argumentativ durchzuschlagen, gründet sie sich in der letztgültigen Bejahung eines Kriteriums. Dieses aber hält sie inhaltlich offen. Zumindest wird deutlich, daß sein Inhalt kein göttliches Prinzip, oder wenn schon eins, dann nur ein im menschlichen Erkennen selbst angelegtes, obschon verborgenes sein dürfte. Ein reduktiver Übergang von grundsätzlicher und umfassender Verneinung zu übergreifender und letztgültiger Bejahung ist aber mit dem in negativer Theologie gemeinten und geforderten Verweis von radikaler und universeller Negation auf Affirmation strukturell verwandt. Umgekehrt wird man sagen müssen: soweit bei dem Sokrates, wie ihn Platon in der ersten Phase seines Philosophierens zeichnet, überhaupt von einem Konzept negativer Theologie gesprochen werden kann, hat dieses keinen eigentlich theologischen, sondern letztlich philosophischen Sinn. Dieser Eindruck bestätigt sich im Blick auf Platons sog. dialektische Phase.

I.1/2.2 Die höchste Einsicht und die Idee des Guten bei Platon

Bei Platon († 348/47 v. Chr.) trägt die dialektische Methode gegen ihren Anschein doch die Tendenz in sich, das Kriterium, auf das sie sich bei ihrem kritisch-reduktiven Fortgang stützt, inhaltlich affirmativ zu füllen und als ihren eigenen Reduktionsgrund zu erfassen. Dies geschieht allerdings nur in Analogien. – Im Liniengleichnis der »Politeia« unterscheidet Platon auf dem Linienstück, das den Bereich des Denkbaren versinnbildet, zwischen dem Ende einer Erkenntnis, ihren Voraussetzungen und deren »voraussetzungslosem Ursprung«[46]. Die Dialektik soll nun so weit vorangetrieben werden, »daß sie, bis zu dem Nichtvoraussetzungshaften, an den Anfang von allem gelangend, diesen ergreife und so wiederum . . . zum Ende hinabsteige«[47]. Dialektik soll

[45] Ders., Kratylos, 400 d – 401 a. Vorher, 397 cd, hat Platon in sophistischer Wortspielerei *theoí* (Götter) von *théein* (gehen) abgeleitet.
[46] Ders., Politeia VI, 510 b 6 f.
[47] Ebd., 511 b.

alle Erkenntnis auf die Affirmation von etwas reduzieren, das ›*arche*‹ genannt werden kann. – Das Affirmative selbst wird im »Phaidon« als ein einzigartiges und sich selbst gleich bleibendes Wesen – als eine »Idee« – umschrieben[48]. Nach der »Politeia« soll es gar die höchste Idee sein, die der Dialektiker, »der die Erklärung des Seins und Wesens eines jeden faßt«, ergreifen muß[49]. Das Ergreifen der Idee des Guten gilt Platon schließlich als die »höchste Wissenschaft«[50]. Ohne diese »höchste Wissenschaft« bleibt Erkennen und Verlangen über sich selbst letztlich unaufgeklärt.

Wie aber soll denn das zugehen – eine Einsicht in den Anfang aller Erkenntnis? Ist diese Einsicht denn keine Erkenntnis? Wie kann diese dann aber nachträglich ihren Anfang adäquat reflektieren? Hier zeigt sich eine Aporie. Platon bemerkt sie und nimmt wieder Zuflucht zu einer Analogie – zum Sonnengleichnis. Augen können Farbe nur wahrnehmen, wenn Licht da ist. Ursache allen Sehens ist dann der Ursprung allen Lichts. – Platon sagt, das sei die Sonne. Was die Sonne aber im Bereich des Sichtbaren ist, erklärt Platon weiter, das sei im Bereich des Denkbaren die Idee des Guten. »Was dem Erkennbaren die Wahrheit mitteilt und dem Erkennenden das Vermögen hergibt, das, sage, sei die Idee des Guten.«[51] Die Idee des Guten ist also der Möglichkeitsgrund für den Wechselbezug von Erkennen und Sein. Dem Sein wie dem Erkennen muß sie dann aber absolut jenseitig sein. Denn man wird sie sich noch als schöner und wahrer denn Erkenntnis und Wirklichkeit denken müssen, da sie diese doch zueinander bringt. Platon sagt, »daß dem Erkennbaren nicht nur das Erkanntwerden von dem Guten komme, sondern auch das Sein und Wesen habe es von ihm, obwohl das Gute selbst nicht das Sein ist, sondern noch über das Sein an Würde und Kraft hinausragt«[52].

Das sich über alle dialektischen Setzungen sowie Voraussetzungen hinterfragende Erkenntnisstreben ist schließlich auf die Affirmation seines allerdings nur analog zu umschreibenden Reduktionsgrundes gestoßen: auf die unbedingte und letztgültige Bejahung eines Inbegriffs des so zu Bejahenden. Die Struktur eines Verweises durch reduktive Negation auf Affirmation ist dabei nicht nur erhalten geblieben, sie hat sich in Richtung auf ein Affirmatives sogar noch verfestigt. Soweit diese Struktur aber mit derjenigen der negativen Theologie vergleichbar ist, so ist jetzt völlig offenbar, daß sie bei Platon rein erkenntnis-

48 Vgl. ders., Phaidon, 78 d.
49 Ders., Politeia VII, 534 bc.
50 Ebd., VI, 505 ab. – Vgl. ders., Symposion, 211 c; Phaidros, 247 c–e.
51 Ders., Politeia VI, 508 de.
52 Ebd., 509 b.

metaphysischen Sinn hat. Der erkenntnis-metaphysische Ursprung zeigt sich aber in einer Aporie. Zunächst scheint er Platon nur in Analogien, später auch in Paradoxien umschreibbar.

I.1/2.3 Die Unerkennbarkeit des Ursprungs aller Erkenntnis in Platons späteren Schriften

Platon hat die Ursprungsaporie aller Erkenntnismetaphysik an zwei Stellen auf eine Weise ausgesprochen, die später immer wieder zu theologischer Ausdeutung angeregt hat, ursprünglich aber wohl nicht theologisch gemeint war.

Platon meint den selber ursprungslosen Ursprung von Sein und Erkenntnis, wenn er im VII. Brief schreibt: »›Es‹ läßt sich in keiner Weise wie andere Erkenntnisse in Worte fassen, sondern (nur), indem ›es‹, vermöge der langen Beschäftigung mit dem Gegenstande und dem Sichhineinleben, wie ein durch einen abspringenden Feuerfunken plötzlich entzündetes Licht in der Seele sich erzeugt und dann durch sich selbst Nahrung erhält.«[53] Erst eine lange erkenntnistheoretische Übung läßt intuitiv gleichsam die Umrisse des Ursprungs der Erkenntnis und des Seins, insofern er als die letzte Bedingung ihrer Möglichkeit im Menschen selber schon angelegt ist, aufscheinen. Jede Berührung dieses Ursprungs muß sprachlos bleiben, weil Sprache ja Index einer schon vom Ursprung abgeleiteten Erkenntnis ist. Eine Ursprungseinsicht ist darum im erkenntnistheoretischen bzw. erkenntnismetaphysischen – nicht in einem theologischen – Sinne mystisch. Darum kann man über den Ursprung nur in Analogien und Paradoxien sprechen.

Im »Timaios« hebt Platon deutlicher den metaphysischen Aspekt dieser Ursprungseinsicht hervor. Der Ursprung ist Ursprung, insofern er den Wechselbezug von Erkenntnis und Sein ermöglicht. Er ist also selbst »jenseits des Seins« und damit der Welt überhaupt. »Den Urheber und Vater also dieses Weltalls aufzufinden, ist schwer, nachdem man ihn aber aufgefunden hat, ihn allen zu verkünden, unmöglich ...«[54] Nach dem bisher Gesagten dürfte auch an dieser Stelle eine letztlich erkenntnismetaphysische, nicht eine theologische Aussage vorliegen. Platon verwendet die theologische oder auch mythologische Ausdrucksweise hier vermutlich nur in dem Sinne, in dem er sie anderswo als die Redeweise für das Volk empfiehlt: in pädagogisch-didaktischer Absicht[55]. – So dürfte auch die häufige Aufforderung

[53] Ders., VII. Brief, 341 cd.
[54] Ders., Timaios, 28 c.
[55] Vgl. ders., Nomoi, 821 a: »Wir behaupten, dem höchsten Gotte und dem ganzen Weltall dürfe man nicht nachforschen, noch, durch Aufspüren der Gründe,

Platons, Gott ähnlich zu werden, nicht eigentlich theologisch zu deuten sein[56]. Es geht Platon wahrscheinlich darum, zu einer philosophischen Lebensweise aufzurufen. Ihr kann nach seiner Ansicht freilich das Prädikat »göttlich« *(theós, theîos)* verliehen werden[57].
Bei Aristoteles ist die erkenntnismetaphysische Ursprungsaporie sprachanalytisch und erkenntnismetaphysisch präzisiert worden.

I.1/2.4 Die »Einsicht der Einsicht« und der »unbewegte Beweger« bei Aristoteles

Unter sprachanalytischem Aspekt befaßt sich Aristoteles († 322 v. Chr.) mit der Aporie der Ursprungserkenntnis in einem Text, der am Ende seiner logischen Schriften steht[58]. »Daß man durch Beweis nicht wissen könne, wenn man nicht die ersten unvermittelten Grundlagen erkannt hat, ist früher dargelegt worden. Ob nun die Erkenntnis dieser Grundlagen von gleicher Art ist oder nicht, das kann man sich fragen, – ob man nämlich beides als Wissen bezeichnen soll oder nicht, oder das eine als Wissen *(epistéme),* das andere als eine andere Erkenntniskraft.«[59] Aristoteles bemerkt hier, daß man die Ursprungserkenntnis von jeder wissenschaftlichen Erkenntnis durch eine eigene Bezeichnung abheben muß. Er nennt die Ursprungserkenntnis *nûs,* was man oft mit »Vernunft« oder »Geist« übersetzt, vielleicht aber – wenigstens in diesem Zusammenhang – besser mit »Einsicht« (in den Ursprung) wiedergeben würde. »Wenn wir nun« – das ist die Überzeugung des Aristoteles – »neben dem Wissen keine andere Art der Erkenntnis haben als die Einsicht, dann ist die Einsicht der Grund des Wissens, sie ist gleichsam der Grund des Grundes; ...«[60]. Welcher Art nun die Ursprungseinsicht ist, bleibt in diesem Text offen.

seine Wißbegier zu weit treiben, denn das sei nichts Gottgefälliges, und doch scheint bei diesem allen das Gegenteil, wenn es geschieht, mit Recht zu geschehen.« – Über Theologiekritik als pädagogisch-didaktische Kunstkritik wird gesprochen in: ebd., 888 d – 891 b. Zum philosophischen Gebrauch überkommener Mythologie vgl. ders., Timaios, 40 de.

56 Vgl. ders., Theaitetos, 176 ab; Politeia X, 613 b; Nomoi, 716 cd.

57 Vgl. Kl. Schneider, Die schweigenden Götter (Diss.), Hildesheim 1966, 40: »Die einheitliche Gottesvorstellung Platons ist das immer wieder erneut dargestellte Paradigma des vollkommenen Menschen, des Philosophen. Die *homoíosis theô,* die der Mensch zu erreichen sucht, ist ›in Wahrheit‹ umgekehrt zu verstehen. In diesem Sinne bedarf auch die eigens diesem Motiv gewidmete Arbeit von Hubert Merki, soweit sie Platon betrifft, der Korrektur.« Schneider kritisiert damit: H. Merki, *Homoíosis theô,* Von der platonischen Angleichung an Gott zur Gottähnlichkeit bei Gregor von Nyssa, Freiburg (Schw.) 1952.

58 Aristoteles, Analytica posteriora II, 19: 99 b 20–26 (ed. W. D. Ross, Oxford 1964) (e.Ü.).

59 Ebd., 99 b 24.

60 Ebd., 100 b 14 f. (e.Ü.).

Aristoteles beschreibt an anderer Stelle das Prinzipienwissen als ein in sich überaus gewisses Glauben[61]. – In der Schrift »Über die Seele« macht sich Aristoteles Gedanken darüber, wie sich der *nûs* als die Einsicht in die *arché* zu den sonstigen Erkenntniskräften der Seele verhalte und kommt zu dem Ergebnis: »Jene Einsicht ist (von den anderen Seelenkräften) abtrennbar und leidensunfähig und rein, weil sie ihrem Wesen nach (von vornherein voll) verwirklicht ist.«[62] Für Aristoteles ist von hier aus klar, »daß die rationale, logische Sprache in Hinblick auf die Prinzipien nicht Vermittlerin oder Trägerin einer logischen, d. h. wissenschaftlichen Erkenntnis ist, vielmehr ist sie hier ›Zeichen‹, ›Weisung‹ für das dem Wissen vorangehende Einsehen des Ersten«[63].

Erkenntnismetaphysisch präzisiert Aristoteles die Aporie bei der Einsicht in den Ursprung durch zwei Formeln, die später oft theologisch benutzt worden sind. In seiner »Metaphysik« beschäftigt den Philosophen offenbar auch die Frage, wie eine *arché* der Erkenntnis selber erkannt werde. – In λ,9 heißt es dazu: »Sich selbst also sieht die Einsicht *(nûs)* ein *(noeî),* da sie ja das Vorzüglichste ist, und die Einsicht *(nóesis)* ist Einsicht der Einsicht *(nóesis noéseos).*«[64] – In λ,7 geht es Aristoteles mehr um den Ursprung des Seins als um den der Erkenntnis und um die Frage: Wie wird der Ursprung aller »Bewegung« selber »bewegt«? Aristoteles schreibt: »Da ... dasjenige, was bewegt wird, ein Mittleres ist, so muß es auch etwas geben, das, ohne bewegt zu werden, selbst bewegt, das ewig und Sein und wirkliche Tätigkeit ist.«[65] Aristoteles erklärt dies – wohl im Anschluß an Platons »Symposion« – so: »Es bewegt als begehrt, und das von ihm Bewegte bewegt wieder das Übrige.«[66] – Zu beachten ist, daß beide Formeln des Aristoteles für die Ursprungsaporie – sowohl die von einer »Einsicht der Einsicht« als auch die vom »unbewegten Beweger« – paradox sind.

61 Vgl. ebd., I, 2: 71 b 9–10; 72 a 30–37. – Aristoteles sagt dort: »Den Prinzipien ... muß man mehr glauben als dem Schluß« (e.Ü.).
62 Ders., De anima (ed. W. D. Ross, Oxford 1956) III, 5: 430 a 17 f.; vgl. II, 2: 413 b 24–32. – Vgl. hierzu H. Dörrie, Die Frage nach dem Transzendenten ..., a.a.O., 204: »Über eine Verbindung oder Vermittlung dieses transzendenten *nûs* mit den Kräften der Seele ist keine Aussage möglich.«
63 H. Theill-Wunder, Die archaische Verborgenheit ..., a.a.O., 80.
64 Aristoteles, Metaphysik (ed. W. Jaeger, Oxford 1957) Λ,9: 1074 b 33–45 (e.Ü.).
65 Ebd., Λ,7: 1072 a 24–26 (Ü. Bonitz, München 1966).
66 Ebd., Λ,7: 1072 b 3 f. (Ü. Bonitz).

I.1/2.5 Die folgenschwere Gleichsetzung des erkenntnismetaphysischen Ursprungs mit dem heilsgeschichtlichen Gott bei Philon

Der erkenntnismetaphysische Grundsatz, wonach durch dialektisch reduktive Negation positiver Erkenntnis verwiesen werden soll auf eine axiomatische Affirmation eines ursprungslosen Prinzips, scheint strukturell vergleichbar mit dem alttestamentlichen Grundsatz, wonach durch götzendienstkritische Verneinung verwiesen werden soll auf die ausschließliche, religiöse Bejahung Jahwes. Philon, Platoniker und Jude in Alexandrien († 45 n. Chr.), hat diese strukturelle Verwandtschaft entdeckt und sie theologisch ausgewertet. – Die Ursprungseinsicht der Griechen schien ihm nun mit der Offenbarung bzw. der Gotteserkenntnis im Glauben vergleichbar[67]. Offenbarung wird ihm umgekehrt zur mystischen Erfahrung. Er vermochte schließlich keinen Unterschied mehr zwischen dem erkenntnismetaphysischen Ursprung der Griechen und dem heilsgeschichtlichen Gott der Juden zu erkennen. – Nun schien ein biblischer Theologe philosophisch argumentieren zu können. Dafür mußte er allerdings den Verlust an heilsgeschichtlicher Aktualität seiner Aussagen in Kauf nehmen. Die strukturelle Verwandtschaft zwischen den Grundsätzen, welche den biblischen Gottesbezug und die philosophische Ursprungserkenntnis regeln, hat aber seit Philon nicht nur zu einer Ehe zwischen biblischer Theologie und griechischer Philosophie geführt. Aus dieser Ehe ist umgekehrt negative Theologie als gleicherweise philosophischer und theologischer Begriff hervorgegangen. Dies zeigt sich schon daran, wie bereits Philon die Passaherinnerung und die Bundesbestimmungen des Dekalogs deutet.

Philon versteht die beim Passahfest aktualisierte Heilserfahrung Israels nicht mehr heilsgeschichtlich, sondern als »den Übergang von den Leidenschaften zur Tugend«[68]. »Pascha« – wie Philon sagt – »bedeutet ... Übergang, damit der menschliche *nûs* mit fester Gesinnung und angestrengter Bereitwilligkeit sich gänzlich von den Leidenschaften abwende und seinen Übergang vollziehe, ohne sich umzuwenden, und seinem rettenden Gotte Dank dafür abstatte, daß er ihn unerwartet zur Freiheit hinausführte.«[69] Im Zusammenhang mit dem Passah-

67 Vgl. H. A. Wolfson, Philo I, Cambridge, Mass. 1947, 118: »In short having supposed God to have a mind analogous to the human mind, he (scil. Philo) went on to assert the importance of the human mind, because of its similarity to God's mind!«

68 Philon, De sacrificiis Abelis et Caini, 63 (e.Ü.). – Die Werke Philons werden zitiert nach der Edition von L. Cohn, P. Wendland und S. Reiter, Philonis Alexandrini opera quae supersunt, Berlin 1896–1915, und der Übersetzung von L. Cohn und I. Heinemann, Berlin 1909–1938.

69 Ders., De migratione Abrahami, 25 (e.Ü.); vgl. ders., De specialibus legibus II,

fest ruft Philon also zu sittlicher Umkehr auf, die er aber nicht mehr so sehr im Sinne des Dekalogs als vielmehr im Sinne einer vollkommeneren Ursprungseinsicht deutet. Der menschliche *nûs* soll seinem Gotte ähnlicher werden. Er muß sich in diesem Sinne vergeistigen. Die Passaherinnerung motiviert nach Philon also zu einer Negation leiblicher Trieberfüllung, die umschlägt in eine Affirmation geistiger Gotteserkenntnis.

Die ersten Gebote des Dekalogs besagen nach Philon, daß man »die Gott gebührenden Ehren nicht den Nicht-Göttern geben«[70] darf. Der menschliche Geist *(nûs)* hat es zwar mit Gott zu tun, doch »Gott ist nicht wie ein Mensch«[71]. – Philon sagt zwar auch, Gott habe seinen Namen den Menschen geoffenbart. Er übersetzt aber die entsprechenden biblischen Worte philosophisch: »Ich bin der Seiende!«[72] Gott habe sich also als der Seiende geoffenbart, aber so, daß er nicht benennbar ist: »... mein Wesen ist: zu sein, nicht nambar zu sein.«[73] »Der Seiende« nach Philon ist also nicht mehr in dem Sinne unverfügbar wie der heilsgeschichtlich sich offenbarende Gott des Moses, sondern sprachlich nicht faßbar wie die *arché* des Platon und des Aristoteles. – Immerhin setzt sich auch bei Philon die Radikalität des Fremdgötter- und Bilderverbots in der Weise durch, daß er selbst den *nûs,* dem seit Platon gerade die Ursprungseinsicht zugeschrieben worden ist, nicht für fähig hält, Gottes Wesen zu erfassen. Philon sagt einfach mit einem von ihm neu eingeführten Gottesattribut, Gott sei »unbegreiflich«[74]. – Was kann denn dann in einer rein geistigen Gottesbegegnung noch erkannt und anerkannt werden? Philon antwortet: das von allen Eigenschaften freie Existieren Gottes[75]. Von Gott kann man also prinzipiell nicht erkennen, *was* er ist, sondern nur, *daß* er ist. – Philon denkt sich die Affirmation in der Gotteserkenntnis, zu der von einer Negation aller Triebbefriedigung übergegangen werden soll, wegen der Unbegreiflichkeit Gottes als unendliche Aufgabe, die auch durch momentane mystische Erfahrungen nicht an ihr Ende gebracht ist. Der wahre Gottsucher muß feststellen, »daß er sich zur Jagd nach etwas schwer zu Erreichendem aufgemacht hat, das immer zu-

145–175; Legum Allegoriae III, 94, 165; Quis rerum divinarum heres, 255; De congressu eruditionis gratia, 106.

70 Vgl. ders., De virtutibus, 179.

71 Vgl. H. Braun, Wie man über Gott nicht denken soll, dargelegt an den Gedankengängen Philos von Alexandrien, Tübingen 1971, 31.

72 Philon, De mutatione nominum, 11.

73 Ebd.

74 Vgl. ders., Quod deus sit immutabilis, 62; vgl. ders., De somniis I, 67. H. A. Wolfson (Philo II, a.a.O., 119) sagt hierzu: »No philosopher ... ever said so explicitly.«

75 Vgl. Philon, Quod deus sit immutabilis, 55.

rückweicht und in der Ferne stehen bleibt und mit einem unendlichen dazwischenliegenden Abstand vor den Verfolgern hereilt . . ., so daß notwendigerweise nicht nur alles andere, was zu uns gehört, sondern auch das Beweglichste von allem – der Geist – in unermeßlichen Abständen hinter der Erfassung des Urgrundes zurückbleiben muß«[76]. Hier deutet sich erstmalig die spätere Rede vom »Deus semper maior« an.
Die atl. Anweisung der negativen Theologie, wie sie im Dekalog formuliert ist, wird bei Philon infolge ihrer Identifikation mit einem ihr strukturell verwandten, erkenntnismetaphysischen Grundsatz interpretiert als die Aufforderung zu einer unendlichen Selbstüberschreitung des Geistes auf der Suche nach seinem absolut ihm unerreichbaren Ursprung. – Dann aber können auch die heiligen Schriften nur noch als Artikulationen von an sich sprachlosen Gotteserfahrungen aufgefaßt werden, die auf noch intensivere Gottesbegegnungen verweisen[77]. Sie meinen nach Philon immer noch anderes, als sie sagen. Ihre Auslegung muß »anderes sagen«, als in den Texten wörtlich steht: sie muß »All-egorese« sein.

I.1/3 Die eschatologisch kritische Bedeutung der Botschaft des Neuen Testamentes

Hat der Begriff negativer Theologie auch eine neutestamentliche Wurzel? Wenn schon im alttestamentlichen Dekalog der Gehalt negativer Theologie formuliert worden ist, warum sollten sich nicht auch im N.T. Ansätze für ihren Begriff finden lassen? Man sollte sich also von dem Vorurteil freihalten, so etwas sei nur im griechisch-philosophischen Bereich zu erwarten. Gibt es ein ursprünglich ntl. Prinzip für Glauben und Theologie, das man – wenigstens seiner begrifflichen Struktur nach – als negative Theologie ansprechen könnte? Ist es gar schon im christlichen Urkerygma angelegt?
Was christliches Urkerygma ist, bleibt auch nach neueren Untersuchungen freilich recht hypothetisch. Enthielt es nur die Erwartung auf den zum Endgericht kommenden Menschensohn oder auch die Überzeugung, daß der Gekreuzigte auferweckt sei? Mit W. Thüsing[78] dür-

76 Ders., De posteritate Caini, 18–19.
77 Sie haben einen rein pädagogischen bzw. mystagogischen Zweck. – Vgl. hierzu: ders., Quod deus sit immutabilis, 54.
78 Vgl. W. Thüsing, Erhöhungsvorstellung und Parusieerwartung in der ältesten vorösterlichen Christologie: Biblische Zeitschrift 11, 1967, 95–108, 205–222; 12, 1968, 54–80 (erschienen als zusammenhängende Monographie: Stuttgarter Bibelstudien 42, Stuttgart 1970, wonach hier zitiert wird).

fen wir annehmen, daß das Urkerygma nicht nur eine Parusieerwartung, sondern auch eine Erhöhungsvorstellung beinhaltet hat. »Christus wurde von den Toten auferweckt (= Erhöhungsvorstellung), und zwar als Erstling der Entschlafenen (= Parusieerwartung)« (1 Kor 15,20). – Noch hypothetischer als diese Umschreibung des Urkerygmas selbst dürfte die eines Ansatzpunktes für den späteren Begriff negativer Theologie im Urkerygma sein. Doch soll hier – in mehreren Schritten – auch eine derartige Hypothese entwickelt werden.

Zunächst wird man das atl. Verständnis negativer Theologie einmal mit dem christlichen Urkerygma, wie es soeben umschrieben wurde, vergleichen dürfen. – Der atl. Grundsatz für Glauben und Theologie, wie er in den Bundesbestimmungen des Dekalogs ausgesprochen ist, gebietet aufgrund der in der Passaherinnerung vergegenwärtigten, heilsgeschichtlichen Erfahrung Israels mit Jahwe einen Verweis durch eine radikal kritische Negation altorientalischer Naturreligiosität auf eine Affirmation des Schöpfers einer guten Welt. Der Übergang zu dieser Affirmation dürfte aber schon dem atl. Gläubigen schwer gefallen sein. Denn die wirkliche Welt konnte kaum einfach als heile Welt angesehen werden. Schon der Jahwist hatte die Vorstellung einer verhängnisvollen Geschichte des Unheils entwickelt. Im Buch Hiob wurde die Frage erörtert, wieso Unschuldige leiden müssen, und das Buch Kohelet vertrat sogar eine durchaus pessimistische Weltansicht. Heil dürfte bereits für den atl. Frommen eine Idee der Hoffnung gewesen sein. Dann aber steckt auch in dem Moment der Affirmation, auf die nach dem atl. Grundsatz verwiesen werden soll, bereits die Möglichkeit eschatologischer Auslegung. Je mehr und je klarer die Affirmation aber eschatologisch ausgedeutet wurde, desto mehr mußte das atl. Prinzip negativer Theologie insgesamt die Bedeutung einer Anweisung gewinnen, wonach *aufgrund einer Vergegenwärtigung vergangener Heilsgeschichte* auf deren *Vollendung eschatologisch gehofft* und *alles vermeintliche Heilsangebot in der Geschichte kritisiert* werden soll. Infolge einer eschatologischen Ausdeutung des Affirmationsmoments im atl. Prinzip negativer Theologie erhält dieses Prinzip also die volle Denkstruktur semitisch-atl. Zeitverständnisse: eine »teleologische Ausrichtung der Gegenwart auf die notwendig nachfolgende Vollendung«[79]. Ja, das Prinzip hat diese Denkstruktur sogar zu seinem eigentlichen Thema. Es warnt sozusagen vor einem naturhaften Mißverständnis der Notwendigkeit, mit welcher die Vollendung kommen soll. Indem es zur Hoffnung aufruft, welche Kritik einschließt, verdeutlicht es, daß diese Notwendigkeit gerade eine heilsgeschichtliche

[79] Ebd., 93.

ist. – Auch im christlichen Urkerygma stehen Erhöhungsvorstellung und Parusieerwartung in dynamisch-konsekutiver Beziehung zueinander. Der Überzeugung der ersten Christen dürfte es entsprochen haben zu sagen: »Weil wir an die Erhöhung Jesu glauben, deshalb erwarten wir seine alles vollendende Wiederkunft.« Das atl. Verständnis negativer Theologie und das christliche Urkerygma stimmen also in der Denkstruktur des semitisch-atl. Zeitverständnisses überein.

Für die ersten Christen ist nun – das gilt es *als Zweites* zu bedenken – eine neue heilsgeschichtliche Situation eingetreten. – Der Motivationsgrund im atl. Verständnis negativer Theologie hat neue Bedeutung gewonnen. Jetzt kann es heißen: »Unser Pascha, Christus, ist geschlachtet« (1 Kor 5,7). Die Passaherinnerung ist also ntl. umgedeutet. Die ntl. Paschaherinnerung, die in der Folgezeit besonders mit der Oster- sowie der Eucharistiefeier verbunden ist, vergegenwärtigt nun den Heilstod Christi[80]. – Das, was die Parusieerwartung eigentlich gründet, dürfte dann auch schon im Urkerygma ein erinnernder Bezug auf das geschehene Heilsgeheimnis sein, das später im ntl. Paschagedächtnis aktualisiert wird. Dieses Grundgeheimnis soll hier der Kürze halber einfach als »mysterium factum paschale« bezeichnet werden. – In der neuen, heilsgeschichtlichen Situation könnte dann das atl. Prinzip negativer Theologie auch eine neue Bedeutung gewonnen haben: *aufgrund der Erinnerung an den Tod und die Auferstehung Jesu Christi ist es für die Christen jetzt möglich und angezeigt, bei einer grundsätzlichen und umfassenden Verneinung aller rein innergeschichtlichen Heilsfindung anzusetzen und so zu einer die Geschichte übergreifenden und letztgültigen Bejahung Gottes als des eschatologischen Heilsbringers und Vollenders zu gelangen.* Damit scheint die erste, hypothetische Umschreibung eines ursprünglichen, neutestamentlichen Verständnisses negativer Theologie erreicht.

Ist nun das christliche Urkerygma offen für dieses Verständnis negativer Theologie? – Deren Grundmoment – der erinnernde Bezug auf das »mysterium factum paschale« – kann offenbar zum Schutz der Erhöhungsvorstellung dienen, und der Verweis vermittels kritischer Negation auf eschatologische Affirmation vermag die Parusieerwartung sowohl vor schwärmerischem Überschwang als auch vor resignativer Entleerung zu bewahren. Das hier hypothetisch formulierte, ursprünglich ntl. Verständnis negativer Theologie kann demnach als

80 Ebd., 40: »Für unsere Fragestellung (scil. das Verhältnis von Erhöhungsvorstellung und Parusieerwartung im Urkerygma, Anm. d. Verf.) ... kommt es darauf an, ob für die früheste Gemeinde eine gegenwärtige personale Relation zum auferstandenen Jesus nachzuweisen oder wahrscheinlich zu machen ist.« Dies gilt ebenso für die Frage nach einem ursprünglich ntl. Verständnis negativer Theologie.

Prinzip dienen, welches das christliche Kerygma in seinem Grundbestand sichert. – Umgekehrt läßt sich aber dieses Prinzip dann auch vom Kerygma her noch verdeutlichen. Die Parusieerwartung richtet sich auf die alles vollendende Wiederkunft des Menschensohnes. Im ursprünglich ntl. Verständnis negativer Theologie dürfte dann genauerhin auf eine eschatologische Affirmation verwiesen werden, in welcher die Vollendung der Geschichte durch den zum Endgerichte kommenden Menschensohn hoffend bejaht wird.
Das bislang hypothetisch entworfene, ursprünglich ntl. Verständnis negativer Theologie enthält dann folgende Momente einer begrifflichen Struktur:
1. eine Erinnerung an den Tod und die Auferstehung Jesu Christi als Grundmoment,
2. eine kritische Verneinung aller rein innergeschichtlichen Heilsfindung als Negationsmoment,
3. eine eschatologische Bejahung des Heils durch Gott in Christus als Affirmationsmoment.
Diese Umschreibung ist bislang nicht mehr als eine Hypothese. Wir versuchen, sie zu bewahrheiten, indem wir prüfen, wieviel sie bei der Interpretation einschlägiger, ntl. Texte leistet.

1.1/3.1 Eschatologisch kritischer Gebrauch negativer Theologie bei Paulus

In den paulinischen Schriften werden mit Bezug auf den Tod und die Auferstehung Jesu Christi die jüdische sowohl als auch die griechisch-philosophische und nicht zuletzt die gnostische Form von Heilsfindung kritisiert, indem auf eine eschatologische Hoffnung auf Gottes Kraft und Weisheit durch endgültige Offenbarung und auf Erkenntnis durch Liebe verwiesen wird. Auf diese Hoffnung wird verwiesen, indem alle innergeschichtlichen Heilsversuche, die Endgültigkeit beanspruchen, unter den eschatologischen Vorbehalt eines »als ob nicht« gestellt werden. Es zeigt sich, daß Paulus das ursprünglich ntl. Verständnis von negativer Theologie eschatologisch kritisch anwendet.
In den beiden ersten Kapiteln des ersten Korintherbriefes setzt Paulus sich mit Spaltungen in der Gemeinde von Korinth auseinander (vgl. 1 Kor 1,1–16; 3,1–4). Paulus hält es nicht für entscheidend, wer oder wie einer predigt (vgl. 1,12ff.; 1,26–2,5; 2,12f.). Die wahre Heilsbotschaft muß sich nach Paulus auf den Heilstod Jesu Christi beziehen – sie muß »Wort vom Kreuz« (vgl. 1,13.18.23; 2,2) sein – und sie muß »vom Geiste Gottes« (vgl. 2,10–16) stammen. Das Kriterium für die Wahrheit einer Botschaft vom Heil besteht also darin, daß sie sich

gnadenhaft aktualisierend auf den Heilstod Jesu Christi bezieht. – Die gnadenhafte Wirksamkeit einer wahren Heilsbotschaft zeigt sich nach Paulus nun aber darin, daß sie alle diejenigen, die – ob gesetzestreue Juden oder griechische Weisheitssucher – aus eigener Kraft Heil und Sinn finden wollen, abstößt und zugleich ihre Argumente zunichte macht; denen aber, die sich auf sie einlassen, Glaubenskraft und zugleich Hoffnung auf Sinn und Heil vermittelt (vgl. 1,17–25; 2,6–9). – Damit sind alle drei Momente des vorher entworfenen, ursprünglich ntl. Verständnisses negativer Theologie berührt. In zwei Satzgefügen, die überdies strukturell parallel gebaut sind[81], werden sie sogar in einen Zusammenhang gebracht:

1 Kor 1,18	1 Kor 1,23 f.
(A) Das Wort nämlich vom Kreuz	(A) Wir aber predigen Christus, den Gekreuzigten,
(B) ist denen, die verloren gehen, eine Torheit,	(B) den Juden ein Ärgernis, den Heiden (= Griechen) eine Torheit,
(C) uns jedoch, die gerettet werden, Gottes Kraft.	(C) den Berufenen aber, Juden wie Griechen, Christus als Gottes Kraft und Gottes Weisheit.

Die Aussagen (B) und (C) stehen jeweils in Antithese zueinander. Doch kann gar kein Zweifel daran bestehen, daß jeweils der zweite Teil der Antithese nach Paulus das Übergewicht haben, ja, den ersten in sich aufheben soll. Die Heilsbotschaft soll gerade nicht vor eine beliebige Entscheidung stellen, sondern falsche Heilsfindung zunichte machen und so Gläubige retten. Paulus sagt dies auch selbst etwas später so: »Denn da die Welt in der Weisheit Gottes durch ihre Weisheit Gott nicht erkannte, hat Gott es für gut befunden, *durch* die Torheit der Predigt jene zu retten, die da glauben« (1,21). – In beiden Satzgefügen wird man unschwer die begriffliche Struktur negativer Theologie wiedererkennen: aufgrund heilsgeschichtlicher Erinnerung (A) wird innergeschichtliche Heilsfindung kritisiert (B) und gerade so auf eschatologisches Heil verwiesen (C). – Das erste Moment (A) heißt in v. 18 einfach »das Wort vom Kreuz« und wird in v. 23 in dem bruchstückhaften Satz umschrieben: »Wir predigen Christus den Gekreuzigten.« Der Sinnzusammenhang mit »Gottes Kraft« macht es sehr wahrscheinlich, daß »das Wort vom Kreuz« (v. 18) nach Paulus nicht nur vom Tod, sondern auch von der Auferstehung Christi han-

81 Die Aufteilung wird nach K. Müller, 1 Kor 1, 18–25, Die eschatologisch-kritische Funktion der Verkündigung des Kreuzes: Biblische Zeitschrift 10, 1966, 268, vorgenommen.

deln soll. Auch kann »der gekreuzigte Christus« (in v. 23 f.) »von Paulus (nur) insofern als die Macht Gottes verkündet werden, als an ihm die Macht des totenerweckenden Gottes zur Wirkung kam«[82]. Der tragende Grund der christlichen Glaubensverkündigung ist also seinem vollen Begriff nach ein aktualisierend erinnernder Bezug auf den Tod und die Auferstehung Christi. – Das zweite Moment (B) im Begriff negativer Theologie wird in den Versen 18 und 23 nur insofern angedeutet, daß indirekt gesagt wird: alle, die das Evangelium als Ärgernis oder als Torheit empfinden und ablehnen, sind zum Unheil verurteilt. Was an ihnen kritisiert werden muß, wird in v. 22 so ausgesprochen: »Die Juden fordern Zeichen . . .« Damit ist »die im Bewußtsein der Rechtmäßigkeit befangene, auf Vernehmbarkeit und Einsicht bedachte Eigenart des jüdischen Erkenntnisstrebens als solche umrissen«[83]. Weiter heißt es in v. 22: ». . . die Griechen suchen Weisheit.« Von griechischer Weisheitssuche wie von jüdischer Zeichenforderung hieß es schon in v. 20: »Wo ist ein Weiser, wo ein Schriftgelehrter, wo ein Wortfechter dieser Welt? Hat Gott nicht die Weisheit der Welt als Torheit erwiesen?« Demnach ist es rein innerweltliche bzw. innergeschichtliche Sinn- oder auch Heilsfindung, die in der Verkündigung, welche zu Christi Tod und Auferstehung einen aktualisierenden Bezug herstellt, radikal und universal negiert werden muß. – Von dritten Moment (C) des Begriffes negativer Theologie wird in den Versen 18 und 24 nur gesagt, daß für die Berufenen, für Juden wie Heiden, die Botschaft vom Kreuze zur Gotteskraft und Gottesweisheit werde. V. 21 verdeutlicht: »Gott hat es für gut befunden, durch die Torheit der Predigt jene zu retten, die glauben.« Was aber unter Gotteskraft und Gottesweisheit genauer zu verstehen ist, wird erst in 2,7–9 gesagt: ». . . wir verkünden Gottes geheimnisvolle, verborgen gehaltene Weisheit, die Gott vor aller Zeit zu unserer Verherrlichung vorausbestimmt hat – keiner von den Herrschern dieser Welt hat sie erkannt, denn hätten sie sie erkannt, so hätten sie den Herrn der Herrlichkeit nicht gekreuzigt – sondern (wir verkündigen), wie geschrieben steht: ›Was kein Auge gesehen und kein Ohr gehört hat und was in keines Menschen Herz gedrungen ist, alles, was Gott denen bereitet hat, die ihn lieben.‹« Man wird sagen dürfen, daß die Gotteskraft, von welcher in 1,24 die Rede war, wohl diejenige ist, die zu der Verherrlichung führt, von welcher 2,7 spricht. Zu dieser Verherrlichung gehört nach 2,7 auch die Mitteilung der Gottesweisheit. Gottesweisheit und Gotteskraft vollenden sich demnach eschatologisch zu Offenbarung und Verherrlichung. Im dritten Moment (C) wird also eine Affirmation Gottes

[82] Ebd.
[83] Ebd., 264.

als des eschatologischen Sinn- und Heilbringers angedeutet. – Das an 1 Kor 1,18 und 23f. ablesbare Strukturprinzip christlicher Verkündigung kann nach allem so formuliert werden: In aktualisierendem Bezug auf Christi Tod und Auferstehung kann und soll christliche Verkündigung alle Versuche, Heil und Sinn rein innerweltlich bzw. innergeschichtlich zu begründen oder zu finden, verneinen und so auf die Möglichkeit einer die Welt und die Geschichte übergreifenden Bejahung verweisen, in welcher Gott als Sinn- und Heilbringer sowie als Vollender erhofft wird. Dieses Strukturprinzip erweist sich als eine eschatologisch kritische Anwendung des vorher entworfenen ursprünglich ntl. Verständnisses negativer Theologie [84].

Paulus kritisiert nicht nur den Anspruch der Heilsfindung bei Juden und Griechen, sondern auch bei den Gnostikern. Kritik an *gnôsis* (Erkenntnis) wird jedenfall im *13. Kapitel des ersten Korintherbriefes* gleich mehrmals laut. Es nütze nichts, sagt Paulus in v. 2, Prophetengabe zu haben, alle Geheimnisse zu wissen und alle Erkenntnis zu besitzen, wenn man die Liebe nicht habe. »Denn«, so heißt es in v. 9f., »Stückwerk ist unser Erkennen und Stückwerk unser Prophezeien. Wenn aber das Vollendete kommt, dann wird das Stückwerk abgetan.« Nach dem Zusammenhang ist klar, was hier das Vollendete sein soll: eine Einsicht durch Liebe (vgl. v. 8 und v. 13). Paulus erläutert sein Verständnis von dieser vollendeten Einsicht durch einen Vergleich: »Wir sehen nämlich jetzt durch einen Spiegel rätselhaft, dann aber von Angesicht zu Angesicht« (v. 12a). Die vollendete Einsicht ist demnach *personal* – »von Angesicht zu Angesicht« (vgl. 2 Kor 3,18; 5,6f.) – und *eschatologisch* – sie ist zum Unterschied von der rätselhaften Erkenntnis, die schon »jetzt« möglich ist, erst »dann« zu haben. – Kurz: eine sich selbst genügende und gefallende Erkenntnis wird kritisiert, indem auf eine eschatologisch erhoffte und in der Liebe schon jetzt erfahrbare Einsicht verwiesen wird (vgl. 1 Kor 8,2f.). Wieder scheint das ursprünglich ntl. Verständnis negativer Theologie von Paulus eschatologisch kritisch genutzt zu sein. Vom aktualisierenden Bezug aufs »mysterium factum paschale« ist in 1 Kor 13 allerdings nicht mehr die Rede.

Eine eschatologisch-kritische Funktion auch des christlichen Lebens kommt bei Paulus vielleicht am kürzesten *im »als ob nicht« von 1 Kor 7,29–32* zum Ausdruck: »Die Zeit ist kurz bemessen. Daß doch künftighin Verheiratete so leben, als wären sie nicht verheiratet, die Weinenden, als weinten sie nicht, die Fröhlichen, als wären sie nicht

84 Mit diesem Gebrauch des ursprünglich ntl. Verständnisses negativer Theologie dürfte auch das paulinische Freiheitsverständnis zusammenhängen. Darauf kann hier nicht mehr eingegangen werden.

fröhlich, die Kaufenden, als behielten sie nichts, und die mit der Welt verkehren, als hätten sie nichts davon; denn die Gestalt dieser Welt vergeht.« Alle Formen des Lebens in einer Welt, die den Menschen in ihren Bann zieht, werden durch kritische Negation in eine kritische Distanz gerückt. Dabei sollen sie jedoch nicht weniger ernst genommen werden. Das »nicht« ist geknüpft an ein »als ob«. Das »als ob nicht« soll nicht zu einem absoluten »nicht« werden, kritische Distanz nicht in völlige Weltverachtung ausarten. Denn die Welt muß so, wie sie besteht, um ihrer Besserung willen in kritischer Distanz gehalten werden. Dies kann geschehen unter dem Horizont einer eschatologischen Affirmation, in der eine künftig heile Welt bejaht werden soll. Der Christ soll gegenüber der sich in sich selbst verschließenden Welt einen eschatologischen Vorbehalt anmelden. – Die Momente kritischer Negation und eschatologischer Affirmation im Vollzug des paulinischen »als ob nicht« werden in ihrem Zusammenhang aber nur unter Voraussetzung des ursprünglich ntl. Konzepts negativer Theologie, wie er vorher entworfen wurde, verständlich. Denn das »als ob nicht« verführt nur dann nicht zu dem verlogenen »als ob« einer letztlich doch unmöglichen Flucht aus der Weltverantwortung, wenn man, wie gesagt, nach einer eschatologischen Affirmation auslangen und zugleich unter ihrem Horizont kritisch »nicht« sagen kann. Dies aber kann man nur aufgrund dessen, daß man sich erinnernd auf das schon geschehene Heilsgeheimnis in Christi Tod und Auferstehung bezieht.

I.1/3.2 Jesus Christus als eschatologischer Kritiker in den synoptischen Evangelien

War auch schon die Predigt Jesu eschatologisch kritisch? – Der letzterreichbare Zugang zur Predigt Jesu ist die sog. Logienquelle, aus der die Synoptiker geschöpft haben. Aber selbst sie enthält Worte Jesu nicht in ihrer ursprünglichen Situation. Vielmehr hat man davon auszugehen, daß die Worte Jesu, die sie enthält, »nachösterlich transformiert« sind. Das bedeutet: nach Ostern sind sie nicht einfach nur als Worte eines verstorbenen Predigers tradiert, sondern von den christlichen Gemeinden als gegenwärtiger An-Spruch des erhöhten und zum Endgerichte erwarteten Herrn verstanden worden[85]. Eine escha-

85 Zum Begriff einer »nachösterlichen Transformation« vgl. W. Thüsing, Erhöhungsvorstellung und Parusieerwartung . . ., a.a.O., 57: »Die Logien Jesu wurden nicht wie das Vermächtnis eines Verstorbenen tradiert, sondern als Worte des bei Gott lebenden Jesus; der Kern von Q, das heißt eine frühe Sammlung von Herrenworten (die vermutlich schon auf vorösterliche Ursprünge zurückgeht) diente als ›Gefäß‹ für das eigentliche und Wichtigste, was die älteste Gemeinde zu sagen hatte (da ihr – außer vielleicht einigen Worten des Alten Testaments – sonst noch

tologisch-kritische Intention der Predigt Jesu ist also, wenn überhaupt, dann nur in seinen »nachösterlich transformierten« Logien auffindbar, die sich selber wiederum in den synoptischen Evangelien finden. – Man kann versuchen, auch diese Logien vom ntl. Prinzip negativer Theologie her zu deuten. Dabei wird sich herausstellen, daß von den begrifflichen Momenten dieses Prinzips das eines aktualisierenden Bezugs aufs »mysterium factum paschale« meist unausgesprochen bleibt. Dies erklärt sich aus dem Sitz der Logien im Leben der Gemeinde. Indem diese nämlich in den Logien den Anspruch des erhöhten Herrn vernimmt, bezieht sie sich schon unausgesprochen auf das »mysterium factum paschale«.

Einem Kern mit zwei Schalen ist *Mk 1,14f.* vergleichbar: »Nach der Gefangennahme des Johannes begab sich Jesus nach Galiläa und verkündete die Frohe Botschaft (vom Reiche) Gottes: ›Erfüllt ist die Zeit, und das Reich Gottes ist nahe: bekehrt euch und glaubt an die Frohe Botschaft!« Die Worte bis zum ersten Doppelpunkt (griech.: *hóti*) dürfen wohl als eine redaktionelle Hinzufügung des Markus aufgefaßt werden. Im Logion selbst (v. 15) erscheint die zweite Hälfte (15b) noch einmal wie eine inhaltliche Verdeutlichung der ersten Hälfte (15a). – Jedenfalls scheint schon die zweite Hälfte für sich verständlich genug zu sein: »Bekehrt euch und glaubt an die Frohe Botschaft (scl. vom Reiche Gottes)!« Hier wird aufgefordert zu einer selbstkritischen Negation sowie zu einer eschatologischen Affirmation. Die Aufforderung zum Ersten impliziert schon einen Verweis auf das Zweite. Die Gemeinde konnte Aufforderung einschließlich Verweis als die Grundanweisung ihres erhöhten Herrn auffassen. Mk 1,15b enthält im Kern also bereits das ntl. Prinzip negativer Theologie. Um dieses Prinzip zu verstehen, hätte die Gemeinde eigentlich nicht der einleitenden Worte von der Fülle der Zeit und der Nähe der Gottesherrschaft bedurft. – Gerade, daß es auch v. 15a gibt, ist ein Indiz für die nachösterliche Transformation des Herrenwortes. Das volle Logion lautet eben: »Erfüllt ist die Zeit, und – (wörtlich übersetzt:) – die Gottesherrschaft ist im Zustand der Nähe *(éngiken)*: bekehrt euch und glaubt an die Frohe Botschaft!« In diesem Satzgefüge ist zuerst ein Bezug auf die Gottesherrschaft ausgesprochen, die – in der Fülle der Zeit – nun im Zustand der Nähe ist. Darauf folgen – wie schon erklärt – selbstkritische Negation und eschatologische Affirmation. Die Gemeinde konnte gerade den ersten Teil des Logions, der seine nachösterliche

keine kerygmatisch geprägte Ausdrucksmöglichkeit zur Verfügung stand). Näherhin diente die Betonung der heilsentscheidenden Sendung (beziehungsweise der ›Exusia‹) Jesu in Q als Äquivalent für eine Erhöhungsaussage, insofern sie Darstellungsmittel für die Funktion und Machtstellung des erhöhten Jesus war.«

Transformation anzeigt, als die Umschreibung ihres Bezuges zum erhöhten Herrn auffassen: sie weiß ihn als den erhöhten Herrn gegenwärtig – er führt als kommender Menschensohn die Fülle der Zeit herbei. Darin gründet für die Gemeinde gerade die Grundanweisung zu selbstkritischer Negation, die auf eschatologische Affirmation verweist. Das Gesamtlogion enthält also – als nachösterlich transformiertes gelesen – im Grunde nicht mehr als sein zweiter Teil: die ntl. Grundforderung negativer Theologie. So könnte Mk 1,15 ein Beleg dafür sein, daß das ursprünglich ntl. Verständnis negativer Theologie, wie es vorher entworfen wurde, keineswegs so hypothetisch ist, wie zunächst vermutet, sondern schon recht früh einen relativ hohen Grad an Ausdrücklichkeit erreicht hat. – Markus hat das Logion dem irdischen Jesus in den Mund gelegt. Hier klingt es freilich so, als gäbe es Erhöhungsvorstellung sowie Parusieerwartung noch nicht. Aber auch so verstanden, bringt es noch drei Momente ntl. Verständnisses negativer Theologie zum Ausdruck. Nur erscheint jetzt das erste Moment – der Motivationsgrund für selbstkritische Negation als Verweis auf eschatologische Affirmation – wie eine Selbstoffenbarung Jesu: mit ihm ist die Fülle der Zeit eingetreten und die Gottesherrschaft im Zustand der Nähe. Was in der Evangelienschreibung wie ein frühes Konzept negativer Theologie im N.T. anmutet, beinhaltet in Wahrheit ein schon abgewandeltes, ntl. Verständnis negativer Theologie. Dies soll sich sogleich noch bestätigen. Jedenfalls dürfte Markus ein Empfinden für den programmatischen Gehalt des Logions gehabt haben. Hat er es doch wie eine Überschrift an den Beginn seines Berichts über Jesu Auftreten in der Öffentlichkeit gestellt. – Der Aufruf zu fortwährender, selbstkritischer Negation – zu steter Wachsamkeit – im Verweis auf eschatologische Affirmation klingt in den synoptischen Evangelien immer wieder an. Er steht auch im Hintergrund, wenn Jesus in einem anderen Logion der synoptischen Evangelien die absolute Unverfügbarkeit eschatologischer Affirmation sogar ausdrücklich hervorhebt: »Von ›jenem Tag‹ und ›der Stunde‹ weiß niemand etwas, nicht die Engel des Himmels, auch nicht der Sohn, sondern nur der Vater« (Mk 13,32 vgl. Mt 24,36ff.).
Bei *Mt 11,25ff. (Lk 10,21f.)* findet sich nun aber ein Herrenwort, das anstatt eines Bezuges auf den erhöhten Herrn ausdrücklich ein Selbstbekenntnis Jesu formuliert: »In jener Zeit hub Jesus an und sprach: ›Ich preise dich, Vater, Herr des Himmels und der Erde, daß du dieses vor Weisen und Klugen verborgen, Einfältigen aber geoffenbart hast. Ja, Vater, so war es wohlgefällig vor dir. Alles ist mir von meinem Vater übergeben. Und niemand kennt den Sohn als der Vater; und den Vater kennt niemand als nur der Sohn und, wem der Sohn es

offenbaren will.« – Dieses Logion negiert kritisch Menschenweisheit und verweist auf eine Offenbarung an Einfältige. Deutlich ausgesprochen wird also ein Moment kritischer Negation; das sonst anzutreffende Moment eschatologischer Affirmation scheint durch eines der Affirmation des göttlichen Vaters ersetzt. Auch bezieht sich das Moment heilsgeschichtlichen Bezuges eindeutig nicht mehr letztlich aufs »mysterium factum paschale«, sondern auf ein Geheimnis in der Person des erhöhten Herrn. Wie es scheint, ist mit der Umwandlung heilsgeschichtlichen Bezuges in ein christologisches Bekenntnis auch die eschatologische durch eine theologische Affirmation abgelöst worden. Dieser Wandel im ntl. Verständnis negativer Theologie zeigt sich in den johanneischen Schriften noch deutlicher.

I.1/3.3 Theologische anstatt eschatologischer Affirmation in der johanneischen Theologie

Die spätere Rede vom »Deus semper maior« dürfte Wurzeln auch in johanneischen Aussagen haben. In den johanneischen Schriften steht dreimal, daß Gott größer sei: Gott ist größer als die Macht Satans in der Welt (vgl. 1 Joh 4,4); Gott ist größer als unser Herz, das uns anklagt (vgl. 1 Joh 3,19 f.); Gott – der Vater – ist größer als sein Sohn – Jesus Christus (vgl. Joh 14,28) [86].

Nur an der ersten Stelle wird ein durch kritische Negation zu vermittelnder Verweis ausgesprochen. Er zielt aber auch hier nicht auf eine eschatologische, sondern auf eine Affirmation, in welcher Gott als die in den Christen jetzt schon wirkende Liebe bejaht wird. »Wer nicht liebt, hat Gott nicht verstanden: Gott ist Liebe« (1 Joh 4,8, vgl. 19). Gerade im Vergleich mit 1 Kor 13, wo Paulus sagt, daß die Liebe eschatologische Einsicht vermittle, wird deutlich, daß der Verfasser von 1 Joh 4,8 von der Liebe als gegenwärtiger Gotteskraft spricht. –

Ähnlich redet der zweite Text: Gott ist, wenn seine Liebe in uns wirksam wird, größer als unser Herz, das uns anklagt. Ein Moment kritischer Negation ist an dieser Stelle kaum spürbar. An beiden Stellen des 1. Johannesbriefes aber ist ein Bezug auf die gegenwärtig erfahrbare Gotteskraft der Liebe Motivationsgrund dafür, zu sagen, daß Gott größer sei! – An der zuletzt erwähnten Stelle aus dem Johannesevangelium aber sagt Jesus selber: »... der Vater ist größer als ich« (Joh 14,28). Hier scheinen alle drei Momente negativer Theologie in eines zu fallen, und zwar in das einer theologischen Affirmation des

86 Vgl. W. Thüsing, Die Johanneische Theologie als Verkündigung der Größe Gottes: Trierer Theologische Zeitschrift 74, 1965, 321–331.

Vaters Jesu. Das Moment des Bezugs auf sich selbst als den heilsgeschichtlichen Offenbarer trägt Jesus, wie Johannes ihn vorstellt, ja in sich selber. Er kann nach Johannes darum auch über sich selbst hinaus – das klingt wie kritische Negation – in einer theologischen Affirmation auf den Vater verweisen. Die johanneischen Aussagen, daß Gott größer sei, lassen demnach erkennen, daß im ntl. Verständnis negativer Theologie allmählich 1. das Moment heilsgeschichtlichen Bezugs zu einer christologischen Glaubensaussage und 2. das einer eschatologischen Affirmation auf eine theologische Affirmation reduziert wird. Dabei verflüchtigt sich zuweilen 3. das Moment kritischer Negation.
Ein Beweisstück für eine solche Wandlung des ntl. Verständnisses negativer Theologie scheint der Satz aus dem Johannesprolog zu sein: »Noch nie hat jemand Gott geschaut; ein eingeborener Gott, der am Herzen des Vaters ruht, hat ihn geoffenbart« (Joh 1,18)[87]. Das Glaubensbekenntnis vom Eingeborenen als dem Offenbarer Gottes, die Aussage von der absoluten Jenseitigkeit Gottes und die theologische Affirmation des Vaters vereinen sich in diesem Satz zu einer logisch in sich stringenten Einheit. Man fühlt sich geradezu an das philonische Verständnis negativer Theologie erinnert: Gott ist nur für Gott begreiflich. Doch unterscheidet sich das Verständnis negativer Theologie, das im Johannesprolog zum Ausdruck kommt, in einem allerdings wesentlichen Punkte vom philonischen. Das des Johannesprologs ist christologisch motiviert, während das philonische sich in einer Offenbarung gründet, die als mystische Erfahrung gedeutet ist. Darum scheint das Moment theologischer Affirmation im Johannesprolog auch mehr zu enthalten als bei Philon. Hier wird Gott als Vater affirmiert, dort nur als pures Sein. Vom Moment kritischer Negation ist aber, wenigstens im näheren Zusammenhang von Joh 1,18, nichts zu entdecken. Wo aber – im weiteren Zusammenhang – davon die Rede ist, da hört sich kritische Negation ähnlich an wie bei Philon: »... allen, die ihn aufnahmen, verlieh er Kraft, Kinder Gottes zu werden, denen, die an seinen Namen glauben; *die nicht aus dem Blute – aus Fleischeslust nicht, noch aus Manneswollen –, vielmehr aus Gott geboren sind*« (Joh 1,12 f.).

87 Ähnlich wie die Aussage des Johannesprologs, daß Gott noch nie jemand gesehen habe, lautet die eines hymnischen Textes im 1. Timotheusbrief (1 Tim 6, 14–16): »... bis zur Ankunft unseres Herrn Jesus Christus, die zur rechten Zeit herbeiführen wird Er, der selige und alleinige Herrscher, der König der Könige und der Herr der Herren, der allein unsterblich ist, der in unzugänglichem Lichte wohnt, den kein Mensch gesehen hat noch zu sehen vermag. Dem Ehre sei und Macht in Ewigkeit. Amen.« In diesem Text scheinen christologische Fundierung, eschatologische und theologische Affirmation ineinander zu laufen. Christus gilt als unbegreiflich wie der Gott Philons.

I.1/3.4 Verschiedene Konzepte negativer Theologie in einer frühchristlichen Missionsrede (Apg 17)

Im N.T. zeigen sich zwei Konzepte negativer Theologie. Sie lassen sich aber aufeinander und also auf eines zurückführen. Frühchristliche Missionare aber haben auch nichtchristliche Konzepte negativer Theologie rezipiert, um von ihnen aus zum christlichen Konzept überzuleiten. Ein Beispiel für solches Vorgehen bietet sich in der typisch hellenistischen Missionsrede dar, die von der Apg (17,22–34) dem Völkerapostel in den Mund gelegt wird. Dieses Exemplar einer frühchristlichen Missionspredigt verknüpft – mehr oder weniger einleuchtend – miteinander ein gnostisches, ein griechisch-philosophisches und das ursprünglich christliche Verständnis negativer Theologie.
Der Paulus der Areopagrede erkennt zunächst einmal die Gottesfurcht seiner Zuhörer an (v. 22). Auf einem Rundgang habe er sogar einen Altar mit der Inschrift entdeckt: »Einem unbekannten Gott!« *(agnósto theô)* (v. 23a). »Was ihr da verehrt, ohne es zu kennen«, sagt nun der Missionar, »das verkünde ich euch« (23b). – Seit der Untersuchung E. Nordens über »Agnostos Theos« kann kein Zweifel daran bestehen, daß die Areopagrede mit dem Wort *ágnostos* eine Bezeichnung des jenseitigen Ursprungs der Welt aufgreift, die der sog. Gnosis entstammt[88]. Paulus scheint, wie bereits angedeutet, in seinen authentischen Schriften die Gnosis kritisiert zu haben. Nach der Apg aber soll er ganz im Gegenteil sogar ein gnostisches Gottesattribut übernommen haben. Ob Paulus das je wirklich getan hat, sei dahingestellt. Der Missionsredner auf dem Areopag akzeptiert jedenfalls die Rede von einem – den Athenern wenigstens – »unbekannten«, wenn nicht gar »unerkennbaren« Gott, fügt aber sogleich hinzu, daß gerade er in der Lage sei, diese Unerkennbarkeit durch Mitteilung eines ihm zugänglichen Wissens zu beseitigen. So weit sagt der Missionar nichts, was gnostischer Auffassung von Transzendenz – wie sie sogleich noch dargelegt werden muß – nicht entsprechen würde.
Im folgenden (v. 24–29) aber begründet er ein Wissen von dem unbekannten Gott griechisch-philosophisch, genaugenommen: stoisch. – Man könnte sich fragen, wieso dieser Gott den philosophisch gebildeten Athenern eigentlich so unbekannt geblieben sei, wie der Missionar vorher vorauszusetzen schien, wenn er ihn jetzt doch auch allein mit philosophischen Argumenten aus der Natur der Welt und der

88 Vgl. E. Norden, Die Areopagrede der Acta Apostolorum: Agnostos Theos Untersuchungen zur Formengeschichte religiöser Rede (1931¹), Darmstadt 1956⁴, 1–142; – Auch die Kritik H. Langerbecks (Aufsätze zur Gnosis, hrsg. von H. Dörrie, Göttingen 1967, bes. 32 ff.) kann diesen Kern der Nordenschen Forschungsergebnisse nicht zerstören.

Menschen als den Schöpfer erschließen kann. Offenbar bleibt in der Missionsrede ein logischer Bruch zwischen gnostischem und griechisch-philosophischem Gedankengut stehen. Dem Autor der Areopagrede muß daran gelegen gewesen sein, neben der Gnosis mit ihrer Rede vom unbekannten Gott auch griechische Philosophie mit ihrer Idee von einem unerkennbaren Ursprung von Erkenntnis und Wirklichkeit zur Sprache kommen zu lassen. Bei letzterer ist offenbar die philonische Gleichsetzung des Ursprungs mit Gott schon vorausgesetzt. – Im Gegensatz allerdings zu Platon und Aristoteles und erst recht zu Philon waren die Stoiker, deren Religionsphilosophie in der Areopagrede – wie übrigens schon im Römerbrief (vgl. Röm 1,19 f.) – aufgegriffen wird, hinsichtlich der Möglichkeit, die göttliche *arché* zu erkennen, recht optimistisch. Stoische Religionsphilosophie war populär und entsprach darum wohl mehr der missionarischen Absicht der Areopagrede. Diese benutzt die philosophische Argumentation, um den Anthropomorphismus hellenistischer Volksreligion zu kritisieren (vgl. v. 24 f. und 29).

Hinter – das heißt: wiederum logisch unvermittelt neben – die gnostische und die stoische Auffassung von Transzendenz stellt die Areopagrede das ursprünglich ntl. Verständnis von negativer Theologie. An ihm erst scheiden sich die Geister. – Eigentlich erwartet man nach dem stoischen Gottesargument nichts mehr. Die Neugierde der Zuhörer scheint zufriedengestellt. Dem Verfasser der Areopagrede ist aber ein ursprünglich christliches Verständnis negativer Theologie offenbar so wichtig, daß er eine unbeholfene Anknüpfung an das vorher Gesagte in Kauf nimmt (vgl. v. 30a). Es scheint ihm sogar gerade darum zu gehen, zum christlichen Konzept negativer Theologie überzuleiten. – Die Formulierung dieses Konzeptes enthält deutlich alle drei wesentlichen Strukturmomente. Das Moment kritischer Negation wird in v. 30b ausgesprochen: »Jetzt aber läßt Gott den Menschen kundtun, daß überall alle sich bekehren sollen.« Es folgt, gekennzeichnet als Begründung, die Formulierung des Moments eschatologischer Affirmation: »Denn er hat einen Tag bestimmt, an dem er die Welt in Gerechtigkeit richten wird durch einen Mann (scil. Christus) ...« (v. 31a). Zum Schluß wird auch diese Affirmation relativisch gegründet in einer »memoria passionis et resurrectionis Jesu Christi«, indem die Areopagrede diesen Mann als denjenigen bezeichnet, »den er (scil. Gott) dazu (scil. zum Gericht) bestellt hat und durch die Auferstehung von den Toten dazu beglaubigt hat« (v. 31b). – Es scheint nun kennzeichnend für die Wirkung dieses christlichen Konzeptes negativer Theologie, daß – wie weiter erzählt wird –, »als man von der Auferstehung von den Toten hörte« (v. 32), die einen spotteten, andere

das Gespräch vertagten, einige wenige aber gläubig wurden, unter ihnen übrigens ein gewisser Dionysios vom Areopag.
Das Verdienst der Areopagrede – wenn man so sagen darf – ist der programmatische Versuch, vermittelt über die verschiedenen Konzepte negativer Theologie, mit Nichtchristen in ein Gespräch zu kommen. Wenn es auch nicht als gelungen erscheint, die verschiedenen Konzepte einleuchtend miteinander zu verknüpfen, so leuchtet immerhin ein, daß so etwas Aufgabe missionarischer Theologie wäre. Für moderne Leser der Areopagrede sollte letztlich nicht ihr missionarischer Erfolg oder Mißerfolg von Interesse sein, sondern die Einsicht, daß allein das ursprünglich ntl. Verständnis negativer Theologie radikal und umfassend kritisch zu wirken vermag.

1.1/4 »Agnostos Theos« und gnostischer Mensch

Das geistesgeschichtliche Phänomen, das man mit »Gnosis« zu bezeichnen pflegt, wirft trotz oder gerade wegen der Fülle seiner inzwischen zutage getretenen, historischen Zeugnisse sowie der Stellungnahmen zu ihm viele Probleme auf. Hier können sie nur insoweit berührt werden, als sie mit der Darstellung eines gnostischen Konzepts negativer Theologie zusammenhängen.
Ihren *Namen* scheint die Gnosis von ihren Gegnern und Kritikern erhalten zu haben[89]. Doch wird man sich über den Sinn dieses Namens vor allem in ihren eigenen Zeugnissen erkundigen müssen[90]. Danach

89 H. Langerbeck, ebd., 28, fragt sogar: »Gibt es überhaupt eine einheitliche ›Gnosis‹ oder ist dieser Begriff gar nichts anderes als eben der polemische Inbegriff aller Häresien, mit denen die frühe Kirche zu kämpfen hatte?« Vgl. 42 f.: »Die kirchlichen Autoren von Irenaeus bis Epiphanius ... fassen unter dem neutestamentlichen Begriff der *gnôsis* (vgl. 1 Tim 6, 20) sämtliche Häresien zusammen. Sie stellen diese falsche Erkenntnis der *gnôsis* dem schlichten Gemeindeglauben gegenüber. Insofern ist also Gnosis bloß ein polemischer Sammelbegriff, dem durchaus nicht eine positiv einheitliche Struktur zu entsprechen braucht.« Doch dürfte Langerbeck mit der Gleichung ›gnostisch = philosophisch‹ (vgl. ebd., 37) dem Phänomen, das sich inzwischen nicht allein durch gnosiskritische Texte der Patristik und des Neuplatonismus, sondern auch durch originäre Zeugnisse belegen läßt, nicht gerecht werden.
90 Vgl. etwa: Evangelium der Wahrheit, 37, 35 ff.: (Codex I von Nag Hammadi 16, 31 – 43, 24, ed. M. Malinine, H.-Ch. Puech, G. Quispel, W. Till, Evangelium Veritatis, Zürich 1961) zit. Gnosis II, 80: »Das Ende aber ist das Erkenntnis-Empfangen über das, was verborgen ist.« Vgl. Thomasbuch, 138: Gnosis II, 139: »Der Heiland sagte: ›Bruder Thomas, solange du Zeit hast in der Welt, höre mich an, und ich offenbare dir das, worüber du nachgedacht hast in deinem Herzen. Da man aber gesagt hat, daß du mein Zwillingsbruder und mein wahrer Freund bist, erforsche dich und erkenne, wer du bist und wie du warst oder wie du werden

darf man sagen: »Gnosis bedeutet im Unterschied vom Typus rationaler Erkenntnis grundsätzlich eine Erkenntnis, die schon als Erkenntnis erlösend und heilbringend ist. Sie wird dem Gnostiker auf Grund göttlicher Offenbarung zuteil, meist durch Vermittlung einer Erlöser- oder Botengestalt. Diese Gnosis ist Erkenntnis der akosmischen guten Gottheit ... und gleichzeitig Erkenntnis des eigenen göttlichen Geist-Selbst im Menschen, das in die Gefangenschaft der dämonischen Welt und ihrer Schöpfer verschlagen wurde.«[91]

Die Gnosis artikuliert sich in *mythologischer Rede*. – Moderne Gnosisinterpreten wie H. Jonas haben herausgestellt, daß die gesamte spätantike Geistesgeschichte von gnostischem Denken affiziert gewesen sei, und demzufolge von »Transformationen der Gnosis im spätantiken Denken«[92] gesprochen. – Nun kann zwar kein Zweifel daran bestehen, daß etwa auch die hellenistische Philosophie und die patristische Theologie von gnostischem Denken herausgefordert und beeinflußt worden sind. Doch läßt die überlieferte patristische wie die neuplatonische Gnosiskritik kaum Raum für die Annahme, daß die Ströme spätantiken Philosophierens und Theologisierens nur oder auch nur im wesentlichen als Transformationen der Gnosis zu deuten wären. – Es erscheint als angebracht, der Gnosis eine eigentümliche, mythologische Artikulationsweise zuzuordnen, die sich von der philosophisch-argumentativen sowie der biblisch-heilsgeschichtlichen Ausdrucksweise deutlich und unverwechselbar abhebt.

Das Spezifikum der Gnosis und ihrer mythologischen Artikulationsweise ist eine *radikal dualistische Struktur* des Denkens sowie der Rede. Dadurch unterscheidet sich die Gnosis offenbar markant von biblischer Theologie und griechischer Philosophie. Es erscheint darum als »ratsam, den Begriff ›Gnosis‹ für ein radikal dualistisch entwickeltes Daseins- und Weltverständnis zu reservieren«[93].

wirst. Da man dich ja meinen Bruder nennt, ziemt es sich für dich nicht, daß du über dich selbst unwissend bist. Und ich weiß, daß du zur Erkenntnis gelangt bist, denn du hast mich schon erkannt, daß ich die Erkenntnis der Wahrheit bin, während du nun mit mir wandelst, selbst wenn du es nicht weißt. Du hast schon erkannt und man wird dich den ›Sich-selbst-Erkenner‹ nennen, denn wer nämlich sich nicht erkannt hat, hat nichts erkannt. Wer aber sich selbst erkannt hat, hat schon Erkenntnis über die Tiefe des Alls erlangt. Deswegen nun hast du, mein Bruder Thomas, das vor den Menschen Verborgene gesehen, das ist das, woran sie Anstoß nehmen, weil sie es nicht erkennen.«

91 R. Haardt, Die Gnosis, Wesen und Zeugnisse, Salzburg 1967, 11.

92 H. Jonas, Gnosis und spätantiker Geist, I. Die mythologische Gnosis, Göttingen 1964, 88–90.

93 E. Brandenburger, Fleisch und Geist, Das Problem der Mystik, Zum religionsgeschichtlichen Verstehenshorizont der paulinischen Theologie (Diss. habil.), Heidelberg 1966, 22; vgl. F. Garcia Bazań, La esencia del dualismo gnostico, Buenos Aires 1971.

Die gnostischen Mythen lassen sich zwei dualistischen *Themenkreisen* zuordnen, die selber wieder zusammenhängen.

»1. Ein Dualismus besteht zwischen der akosmischen, geistigen, guten Gottheit und ihren Lichtwesen (Aionen) einerseits und dem Weltschöpfer (Demiurg) und seinen Archonten, dem Kosmos, der Materie, der Menschenwelt auf der anderen Seite.«[94]

Dieser Dualismus tritt in zwei Typen auf. In den Systemen eines prinzipiell dualistischen Typs werden ein gutes und ein böses Prinzip ursprünglich gegeneinander gesetzt. Es muß dann erklärt werden, wie sich Gutes und Böses gemischt haben[95]. In den Systemen eines emanativ dualistischen Typs wird der Dualismus selber als das Hervorgehen von Schlechterem aus ursprünglich Gutem erklärt, und zwar so, daß Schlechtes über Gutes allmählich obsiegt[96]. In beiden Fällen entsteht das Problem, wie das Gute vom Bösen bzw. Schlechten geschieden und wieder zu sich selbst gebracht werden kann. Hier macht sich ein anthropologisches Interesse bemerkbar: der Mensch kann als ein Kampf- bzw. als ein Umschlagplatz zwischen Bösem und Gutem gedeutet werden.

»2. Ein Dualismus, der mit dem eben beschriebenen notwendig verbunden ist, besteht ferner zwischen dem göttlichen Geist-Selbst des Menschen einerseits und dem Weltschöpfer samt seinen Archonten, ihren Schöpfungen (wie Kosmos, Materie, Schicksalszwang, Zeitlichkeit) andererseits.«[97]

Dem Menschen soll in der Gnosis sein göttliches Selbst aufleuchten, damit er das Böse bzw. Schlechte fliehe und zum ursprünglichen Guten zurückfinde. Wiederum lassen sich zwei Systemgruppen unterscheiden: »In der ersten Gruppe wird allen Menschen ein Lichtfunke zugesprochen, wobei je nach Einzelsystem die Frage nach der Rettung der Gesamtheit des gefallenen Lichtes bejaht oder verneint wird. Die zweite große Gruppe von Systemen scheidet die Menschen grund-

[94] R. Haardt, a.a.O., 12.

[95] Vgl. H. Jonas, The Gnostic Religion, The Message of the Alien God and the Beginnings of Christianity, Boston 1958, 236f.; vgl. Rechter Ginza (M. Lidzbarski, Ginza, Der Schatz oder das große Buch der Mandäer, Göttingen 1925): zit. Gnosis II, 219f.; Mandäische Liturgien (Mandäische Liturgien, mitgeteilt, übersetzt und erklärt von M. Lidzbarski, Berlin 1920, 90ff.): Gnosis II, 212; Wesen der Archonten (ed. R. Bullard, The Hypostasis of the Archonts, The Coptic Text with Translation and Commentary with a Contribution by M. Krause, Berlin 1970): Gnosis II, 59; Irenaeus, Adv. Haer. I, 26, 1: Gnosis I, 49f.; Megale Apophasis: (Hippolytus, Refutatio omnium haeresium VI, 17, 1; 18, 2ff.) Gnosis I, 333–335.

[96] Vgl. H. Jonas, Gnosis und spätantiker Geist I, a.a.O., 186–190; II, 1, 155–157; vgl. Evangelium der Wahrheit, 22: Gnosis II, 70f.; Irenaeus, Adv. haer. I, 24, 3–7: Gnosis I, 80f.; Hippol., Refut. VII, 27, 7–12: Gnosis I, 98f.

[97] R. Haardt, Die Gnosis, a.a.O., 13.

sätzlich in solche, in denen Licht eingekörpert ist, welche daher gerettet werden, und in solche, die keinen Lichtfunken haben und daher der Vernichtung anheimfallen.«[98]

Wie ist die Gnosis zu deuten? Wie sind gnostische Mythen zu verstehen? – Man hat versucht, gnostischen Texten mit Methoden der vergleichenden Religionswissenschaft beizukommen. Die motivgeschichtliche Methode führte schon wegen der Lückenhaftigkeit des Textmaterials zu keinem abgerundeten Ergebnis. Die psychologische Methode unterlegt antiken Texten leicht modernes Deutungskategorial. Für soziologische Aufklärungsversuche der geschichtlich-gesellschaftlichen Bedingungen gnostischer Vorstellungen sind exakte und detaillierte, historische Grundlagen kaum in ausreichendem Umfang gegeben[99]. – Doch selbst wenn die Realgründe der Gnosis völlig aufgehellt wären, so wäre damit noch immer nicht die gnostische Grundeinstellung zu den Realitäten erfaßt. Gibt es einen solchen Idealgrund gnostischen Denkens, eine gnostische Denkform? Eine Denkform der Gnosis wäre zugleich der hermeneutische Grundansatz für eine Gnosisdeutung. – Die Frage nach einem transzendentalen Grund der Gnosis scheint erstmalig von H. Jonas in seinem Werk »Gnosis und spätantiker Geist« gestellt worden zu sein. Ihm schwebte dabei ein den gnostischen Äußerungen »zugrunde liegendes Produzierendes« vor, »eine Grundhaltung des Daseins« in der Spätantike, »von der aus sich als geschichtlicher Akt die übergreifende Konstitution der ›Welt‹ und des Daseinsverhältnisses zur Welt für eine ganze Epoche zeitigt«[100]. Vom Ansatz einer solchen epochalen Denkform her müßten sich die gnostischen Texte in der Tat erschließen lassen. Doch scheint Jonas die von ihm gestellte Frage im Fortgang seiner Gnosis-Interpretation wenig befriedigend beantwortet zu haben. Er greift nämlich »auf eine schon ausgearbeitete Ontologie des Daseins zur Gewinnung ihrer Fragehinsichten zurück«[101]. »Dasein« setzt er von vornherein gleich mit dem Heideggerschen Begriff, »wie ihn vor allem das Werk ›Sein und Zeit‹ darbietet«[102]. Damit aber wird der gesuchte Verstehensgrund gnostischer Mythologeme nicht mehr offengehalten für seine Neubestimmung eben bei der Interpretation der Mythologeme selbst. Die Gnosisdeutung von Jonas wird wenigstens ihrer Tendenz nach zu einer modellartigen Auslegung menschlichen Daseins, deren (moderne!) »Fragehinsichten von einer ontologischen Vertrautheit mit

[98] Ebd., 15.
[99] Die Methoden der vergleichenden Religionswissenschaft bei der Erforschung der Gnosis beschreibt und kritisiert: R. Haardt, ebd. 23–25.
[100] H. Jonas, Gnosis und spätantiker Geist I, a.a.O., 12 f.
[101] Ebd., 90.
[102] Ebd.

dem Dasein überhaupt«[103] her schon feststehen. – Die Frage nach einem hermeneutischen Grundsatz der Gnosisdeutung sollte darum mit R. Haardt vielleicht so beantwortet werden: »Was Gnosis ›eigentlich‹ ist, könnte historische Forschung nur dann zeigen, wenn in ihr im Sinne der Philosophie und Theologie Wesenserkenntnis möglich wäre, das heißt, wenn Gnosis im Gesamtzusammenhang der Wirklichkeit und ihres letzten Grundes verstanden werden könnte. Sinnvoll aber ist jede Weise der Erforschung von Gnosis als historischem Phänomen, wenn sie nicht bei reduktiven Aufweisen stehenbleibt, sondern bei jeder Bestimmung ihres Gegenstandes dieses für mögliches Weiterfragen offenhält.«[104]
Auf diese Weise kann nun gerade auch eine Gnosisdeutung versucht werden, die sich vom Interesse an der Umschreibung eines gnostischen Konzepts negativer Theologie leiten läßt. – Für die Auswahl und die Gruppierung der gnostischen Texte darf ausgegangen werden von den beiden soeben umrissenen Themenkreisen der Gnosis. In ihnen klingen zwei formale Deutungsaspekte gnostischer Aussagen an: die Bestimmung des Verhältnisses zwischen Diesseits und Jenseits und die des Verhältnisses zwischen der Menschenseele in dieser Welt und dem göttlichen Selbst des Menschen. – Dabei empfiehlt sich für eine moderne Untersuchung, den subjektiven vor dem objektiven Aspekt zu behandeln. Denn Selbst-Bewußtsein scheint neuzeitlichem Verstehen näherliegend als ein Bewußtsein von Welt und Überwelt. Doch bekommt es neuzeitliches Verstehen auch mit gnostischem Selbstverständnis nicht unvermittelt zu tun, und dieses nicht unmittelbar mit seinem Gottes- und Weltverständnis. Dem modernen Betrachter zeigt sich Gnosis im Gewande von Mythen. Das Phänomen Gnosis erscheint ihm also schon in seiner Artikulation als dualistisch gespalten in Mythos und Bedeutung oder – wie wir hier sagen wollen – in Sage und Aussage. Vor der gnostischen Bestimmung des Verhältnisses zwischen menschlicher Seele und göttlichem Selbst ist also die des mythologischen Verhältnisses von Sage und Aussage zu untersuchen. Ferner präsentiert sich dem Gnostiker seine »Erkenntnis« als ein jenseitiges Geheimnis, das ihm durch eine Offenbarung im Diesseits aufgeht. Vor der gnostischen Bestimmung des Verhältnisses von Diesseits und Jen-

103 Ebd.
104 R. Haardt, Die Gnosis, a.a.O., 29; vgl. R. M. Grant, Gnosticism and Early Christianity, New York 1959, 13: »But even if this existentialist-psychological meaning is to be found in our texts – and there is a good deal of resemblance between gnosis and existentialism – we must still inquire about the historical ways in which this meaning came to be expressed. After all, a gap of nearly two thousand years seperates ancient Antioch, Alexandria, and Rome from modern Heidelberg or St. Germain des Près. We must ask the traditional historical question about origins.«

seits ist also die des Verhältnisses von Offenbarung und Geheimnis zu untersuchen. Zu interpretieren sind also der Reihe nach die gnostischen Umschreibungen der Verhältnisse

von Sage und Aussage,
von menschlicher Seele und göttlichem Selbst,
von Offenbarung und Geheimnis
sowie von Diesseits und Jenseits.

Dabei werden auch Momente einer gnostischen Denkform hervortreten, die negativer Theologie strukturell verwandt ist, und zwar
ein *Moment antithetischer Negation* als der Verstehensgrund für die gnostische Beziehung zwischen Diesseits und Jenseits,
ein *Moment von Begründung in Gnosis,* die eine mystische Erfahrung ist, als der Verstehensgrund für die gnostische Beziehung zwischen Offenbarung und Geheimnis
und ein *Moment paradoxaler Affirmation* als der Verstehensgrund für den gnostischen Bezug der menschlichen Seele auf ihr göttliches Selbst, das in der Gnosis ergriffen wird.
Als der Verstehensgrund für die gnostische Beziehung zwischen Sage und Aussage wird sich vorweg schon eine Nichthinterfragbarkeit sowie Nichtobjektivierbarkeit der gnostisch-mystischen Erfahrung ergeben, die bei den Gnostikern eben »Gnosis« heißt.

I.1/4.1 Sage und Aussage

Gnosis spricht sich in Mythen aus. Diese Tatsache bedeutet für jede Gnosisdeutung eine grundsätzliche Schwierigkeit. – Was ist überhaupt Mythologie? Jonas begreift sie als »die objektivierende Ver-Äußerung von existentialen Phänomenen«[105]. Doch ist damit nur ein existentialanalytischer Begriff von Mythologie überhaupt gewonnen. Trifft er die gnostische Mythologie? Und wenn ja, was ist das Spezifikum gnostischer Mythologie?
Aufschlußreich ist die Tatsache, daß jeder Text – auch ein biblischer und ein philosophischer – gnostisch als Mythos fungieren kann. Diese Tatsache ist gerade dadurch belegt, daß sich die Kirchenväter wie auch Plotin unübersehbar genug darüber geärgert haben[106]. Denn die

105 H. Jonas, Gnosis und spätantiker Geist II, 1, a.a.O., 5.
106 Vgl. etwa: Irenaeus, Adv. haer. I, 1, 3: Gnosis I, 172: »Dies sind die dreißig Äonen ihres Irrtums . . ., über die Schweigen herrscht und die nicht bekannt sind . . . Darum sagen sie, daß der Heiland (denn Herrn wollen sie ihn nicht nennen) dreißig Jahre nichts öffentlich getan und so das Geheimnis dieser Äonen angedeutet habe.« – Epiphanius, Panarion, 38, 2, 5: Gnosis I, 59: »Wiederum andere erdichten ein anderes Büchlein auf den Namen von Paulus, voll von

Gnostiker lasen die überkommenen Texte nicht, wie die Tradition sie gelesen hatte, aus der sie stammten. Gnostiker berichteten eine biblische Geschichte nicht weiter als Geschichte und verwandten ein philosophisches Argument nicht weiter argumentativ. – Die Gnostiker erzählen jeden Text als Sage, die eine Aussage enthalten soll. Sie erzählen nicht Geschichten, wie es Juden und Christen letztlich tun. Auch deuten die Gnostiker die Aussagen aus ihren Sagen heraus, indem sie behaupten, niemand verstehe die Aussage einer Sage als eben der Gnostiker allein[107]. Sie argumentieren nicht, wie es die Philosophen tun. – Die Methode gnostischen Deutens scheint zwar die damals übliche, allegorische gewesen zu sein. Doch »wenn die Gnostiker ihre exegetische Methode selbst allegorisch nennen . . ., so meinen sie damit nicht einen ›zweiten‹ oder ›anderen, uneigentlichen‹ Sinn zu finden, sondern gerade den eigentlichen, einzig wichtigen . . .«[108]. – Die Gnostiker lassen sich im übrigen auf ihre Deutungen niemals festlegen. Jede Aussage fungiert vielmehr, sobald sie ins Wort gebracht ist und vom Nichtgnostiker beim Wort genommen werden soll, wieder als Sage. Der Gnostiker behauptet eben, jede Sage werde nur vom Gnostiker verstanden. »Was von den Hellenen gesagt worden, genügt zur Erkenntnis des Alls denen, welche Ohren haben zu hören.«[109] Eine Aussage entbirgt aus einer Sage nie, was in ihr als Geborgenes verborgen ist. »Die Geheimnisse der Wahrheit sind offen-

heimlichen Dingen, das auch die sogenannten Gnostiker gebrauchen, das sie ›Aufstieg des Paulus‹ nennen; die Ursache (es so zu nennen) finden sie in den Worten des Paulus, daß er bis zum dritten Himmel hinaufgestiegen sei und unsagbare Worte gehört habe, die einem Menschen nicht möglich sind auszusprechen (2 Kor 12,4). Und das sind, sagen sie, die unsagbaren Worte.« Vgl. ferner: Plotinos, Gegen die Gnostiker, Enn. II, 9, 6 (Ü. Harder): »Das alles steht schon bei Plato, und sie tun recht daran, es unverändert zu übernehmen. Wenn sie dann sagen, worin sie abweichen wollen, so verargt das ihnen niemand; sie dürfen nur nicht ihrer Lehre dadurch bei den Hörern Eingang zu verschaffen suchen, daß sie die Hellenen in den Staub ziehen und beleidigen; sondern was sie abweichend von deren Lehre Eigenes zu sagen haben, sollen sie doch rein aus dem Wesen der Sache heraus als richtig erweisen, indem sie ruhig, wie es Philosophen ansteht, ihre Lehren als solche hinstellen, gerecht auch da, wo sie widersprechen, und es nur auf die Wahrheit absehen, nicht sich bedenkenlos ein Ansehen zu geben suchen, indem sie Männer, deren Rang seit alter Zeit von ernsten Beurteilern anerkannt ist, bekritteln, wo sie nun sagen, sie seien besser als diese.« Vgl. N. Brox, Antignostische Polemik bei Christen und Heiden: Münchener Theologische Zeitschrift 18, 1967, 265–291.

107 Vgl. Hippolytus, Refut. V, 8, 29 (Gnosis I, 354). Hippolytus referiert hier eine gnostische Deutung von 2 Kor 12,4: »Niemand hat diese Geheimnisse gehört, außer allein die vollkommenen Gnostiker.«

108 N. Brox, Offenbarung, Gnosis und gnostischer Mythos bei Irenaeus von Lyon, Salzburg–München 1966, 44.

109 Hippolyt., Refut. VI, 16, 1; vgl. Irenaeus, Adv. haer. I, 3, 1: Gnosis I, 175: ». . . Das sei nicht öffentlich gesagt, weil nicht alle die Erkenntnis dieser Dinge fassen, es sei aber geheimnisvoll von dem Heiland durch Gleichnisse denen, die Verständnis haben können, angedeutet . . .«

bar, indem sie Sinn- und Abbilder sind.«[110] Die Wechselbeziehung von bergender Sage und verborgener Aussage ist unentwirrbar. – Dem Außenstehenden kommt die gnostische Rede paradox vor. Er hört nur Sagen, und die Gnostiker scheinen ihm durch diese Sagen etwas zugleich *ent*- und *ver*hüllen zu wollen. So muß alles Verstehen der Gnosis von außen letztlich in der Schwebe bleiben. – Für den Gnostiker selbst scheint an seiner Rede nichts Paradoxes zu sein. Er versteht – und er ist überzeugt: er versteht allein. Was von ihm gesagt wird, muß durch ihn verschlüsselt werden, so daß es dem Außenstehenden verschlossen bleibt und für seinesgleichen doch erschließbar wird[111]. Wie ist dann aber das Verstehen des Gnostikers selbst zu verstehen?

I.1/4.2 Menschliche Seele und göttliches Selbst

Das eigentliche Wunder der Gnosis ist die Gnosis selber. Die Gnosis und den Gnostiker soll niemand begreifen können als der Gnostiker in seiner Gnosis selbst[112]. »Du erkenne alle, dich soll niemand erkennen!«[113] – Die Gnostiker erheben sich – wie die Kirchenväter beklagen – mit ihrer wundersamen Erkenntnis über den schlichten Glauben der Gläubigen. Diese bezeichnen sie geringschätzig als »Seelen«-Leute (Psychiker), sich selbst überheblich als »Geistes«-Menschen (Pneumatiker)[114]. – Was die Gnostiker in ihrer Gnosis erkannt haben wollen, umschreiben sie in vielen Bildern, die vom Aufgehen eines Lichtes im Dunkeln, von einem Erwachen aus Schlaf oder Rausch,

110 Philippusevangelium 124 (vgl. W. C. Till, Das Evangelium nach Philippus, Berlin 1963): Gnosis II, 122.

111 Zur gnostischen Diadoche und Paradosis stellt N. Brox (Offenbarung, Gnosis und gnostischer Mythos, a.a.O., 127) fest: »Sie trägt das typisch gnostische Merkmal von vornherein an sich, einer allgemeinen Aufweisbarkeit und Nachprüfbarkeit entzogen zu sein.«

112 Vgl. Eugnostosbrief 90: Gnosis II, 45: »... bis das Unlehrbare in dir in Erscheinung tritt.« Vgl. Hippolyt., Refut. V, 9, 6: Gnosis I, 358: »Dies ist nach ihm das Himmelreich, das Senfkorn (vgl. Mt 13, 31 Par), der dem Äußeren nach unteilbare Punkt, den niemand, sagt er, kennt als die Pneumatiker allein.«

113 Irenaeus, Adv. haer. I, 24, 6: Gnosis I, 83; vgl. I, 13, 6: Gnosis I, 264: »... durch die ›Erlösung‹ seien sie unangreifbar und unsichtbar für den Richter geworden.« Vgl. Philippusevangelium, 106: Gnosis II, 116: »Den vollkommenen Menschen wird man nicht nur nicht ergreifen, sondern (auch) nicht sehen können, denn wenn er gesehen wird, wird er ergriffen werden.«

114 Vgl. Irenaeus, Adv. haer. I, 6, 2. – Ferner: Epiphanius, Panarion, 31, 8: Gnosis I, 307: »Drei Gruppen von Menschen gebe es, Pneumatiker, Psychiker, Sarkiker. Die Gruppe der Pneumatiker seien sie selbst, wie sie auch Gnostiker heißen, sie bedürften keiner Anstrengung als nur der Erkenntnis und dessen, was in den Mysterien dazu gesagt würde.«

von einem Sich-Erinnern nach einem Vergessen handeln[115]. Dadurch wird, wie es scheint, angedeutet, daß der Gnostiker in der Gnosis einen ursprünglichen Heilszustand – ein heiles Selbst – wiederfindet.

Heilsfindung durch Erkenntnis drücken die mandäischen Quellen in volkstümlichen Gegensätzen aus:

»Als wir unwissend waren, trieben wir Ehebruch;
jetzt, da wir wissend sind, brechen wir nicht (mehr) die Ehe . . .
Als wir unwissend waren, redeten wir Lüge;
jetzt, da wir wissend sind, reden wir nicht (mehr) so . . .
Als wir unwissend waren, verübten wir Mord;
jetzt, da wir wissend sind, morden wir nicht (mehr) . . .
Als wir unwissend waren, trieben wir Zauberei;
jetzt, da wir wissend sind, treiben wir sie nicht (mehr) . . .
Als wir unwissend waren, zwinkerten wir (unkeusch);
jetzt, da wir Wissen haben, zwinkern wir nicht (mehr) . . .«[116] –

Durch Gnosis wird ein verlorenes Heil wiedergefunden. Gnostiker sagen von sich: wir erlangten »die Erkenntnis, was wir geworden, wo wir waren, wohin wir geworfen, wohin wir eilen, woraus wir erlöst werden«[117]. Valentinianische Gnostiker sagen, »durch Unwissenheit seien der Mangel und das Leiden entstanden, durch die Gnosis werde der ganze Bestand der Unwissenheit wieder aufgelöst«. – »Daher«, sagen sie weiter, »ist die Gnosis die Erlösung des inwendigen Menschen.«[118] In der Gnosis wird also Heil gefunden für ein »Innen« im Menschen. Gnosis ist Heilsfindung als Selbstfindung. Doch findet der Gnostiker in seiner Gnosis nicht sein menschlich reales – modern würde man vielleicht sagen: sein psychologisch erhellbares – Selbst, nicht seine »Seele« *(psyché)*, sondern sein göttlich ideales Selbst, seinen »Geist« *(pneûma)*.
In der Gnosis soll demnach, wie die Gnostiker behaupten, ein Paradoxon gelungen sein: der Gnostiker will sein reales Selbst von sich abgetan und zugleich ein ideales Selbst ergriffen haben. In der Gnosis soll eine paradoxale Affirmation gelungen sein. Ja, die Gnosis erkennt sich selbst als die paradoxale Affirmation eines heilen Selbst. – Sonst

115 Vgl. etwa: Die Apokalypse Adams, 65 f. (ed. vgl. A. Böhlig – P. Labib, Koptisch-gnostische Apokalypsen aus Codex V von Nag Hammadi im Koptischen Museum zu Alt-Kairo, Halle 1963): Gnosis II, 21 f.; Wesen der Archonten, 89: Gnosis II, 55; Corpus Hermeticum VII, 1 (hier zit. H. Jonas, Gnosis und spätantiker Geist I, Die mythologische Gnosis, Göttingen 1964, 115): »Der Wein der Unwissenheit«.
116 Rechter Ginza II, 3 (Lidzbarski, 57 ff.): Gnosis II, 298 f.
117 Clemens Alex., Excerpta ex Theodoto, 78 (ed. O. Stählin, GCS 3, 1909): M. 9, 693 D – 696 A.
118 Irenaeus, Adv. haer. (ed. W. W. Harvey 1–2, Cambridge 1857) I, 21, 4: M. 7, 664 f.

könnte nicht gefordert werden: »Unterlasse es, nach Gott zu suchen und nach der Schöpfung und dergleichen, suche dich selbst von dir aus und lerne, wer der ist, der einfach alles in dir sich zu eigen macht und sagt: mein Gott, mein Nûs, mein Denken, meine Seele, mein Körper, und lerne, woher das Betrübtsein und das Sich-Freuen, das Lieben und das Hassen, das Wachen, ohne es zu wollen, und das Schlafen, ohne es zu wollen, und das Gernhaben, ohne es zu wollen, kommt. Und wenn du das ... sorgfältig überlegst, wirst du dich selbst in dir finden, das Eine und das Viele, ... und du wirst von dir selbst den Ausweg finden.«[119] Diesen Text würde man mißverstehen, läse man in ihm nur eine Aufforderung zu einer Reduktion des psychisch Vielen auf das eine Selbst. Der Text spricht deutlich genug aus, daß das unheile Psychische, indem es auf das Selbst zurückgeführt wird, zugleich vernichtet werden soll, damit ein heiles Selbst gefunden werde. Es heißt: »... du wirst dich selbst in dir finden ... und von dir selbst den Ausweg ...« – Daß der Gnostiker von dieser paradoxalen Affirmation weiß, erkennt man auch daran, daß er die Gnosis, auch wenn sie bereits gelungen ist, nicht für immer gegenwärtig oder auch nur für beliebig wiederholbar hält[120]. Darum offenbar fühlt er sich gemüßigt, immer neu Sagen zu erzählen oder sich erzählen zu lassen, damit ihm deren Aussage in neu gelingender Gnosis aufgehe. Auch die gnostische Rezeption fremder Erzählstoffe dürfte aus dem Verlust oder einer Infragestellung gelungener Gnosis zu erklären sein. Die gnostische Wechselbeziehung von Sage und Aussage läßt sich also auf eine Gnosis zurückführen, als deren Gehalt die paradoxale Affirmation eines heilen Selbst vorausgesetzt wird.

Die Fraglichkeit der Gnosis zwingt den Gnostiker, immer neue mythologische Anstrengungen zu unternehmen, um die Gnosis neu zu erwecken, aber auch solche, welche die Gnosis als Gnosis begründen sollen. Um Bemühungen der letzteren Art handelt es sich bei Sagen, die das Verhältnis zwischen Offenbarung und Geheimnis zum Thema haben.

119 Hippolyt., Refut. VIII, 15, 1: Gnosis I, 323.

120 Vgl. K. Rudolph, Gnosis und Gnostizismus, Ein Forschungsbericht: Theologische Rundschau 34, 1969, 184: »Die ›Gnosis‹ besteht wesentlich auf der Erkenntnis des Selbst, das im Thomasevangelium auch mit dem ›Reich‹ umschrieben wird ... Diese ›Gnosis‹ schenkt aber keine einmalige, naturhaft fortwirkende Befreiung, sondern beruht auf einer ständig neu zu erringenden Wahl ... Das göttliche Selbst existiert nicht objektiv. Man erkennt es nicht wie einen Gegenstand, sondern *in actu.*«

1.1/4.3 Offenbarung und Geheimnis

Gnostische Sagen erzählen von begnadeten Menschen. Ihnen seien in Offenbarungen Geheimnisse aufgegangen, die bislang verborgen waren. Diese Offenbarungen würden nun weitergegeben[121]. Aber nur den Menschen, die zur Gnosis befähigt seien, würden die Geheimnisse darin offenbar. Den übrigen bleibe die gnostische Offenbarung geheimnisvoll. Ja, vor ihnen sei sie sogar geheimzuhalten[122]. – Anklänge an christliche Offenbarungsverkündigung dürfen hier nicht dazu verführen, die gnostischen Vorstellungen mit den christlichen einfach in einen Topf zu werfen. Dagegen spricht schon, daß es eine gnostische Pflicht zur Geheimhaltung gibt, während die christliche Botschaft ausdrücklich an alle gerichtet ist. – Die gnostische Wechselbeziehung von Offenbarung und Geheimnis scheint ähnlich wie die zwischen Sage und Aussage unentwirrbar. Wahrscheinlich soll in den Sagen über das Verhältnis von Offenbarung und Geheimnis ein Verstehensgrund für die gnostische Wechselbeziehung von Sage und Aussage dargeboten werden. In den Sagen von Offenbarung und Geheimnis scheint sich gnostisches Denken über seinen eigenen Möglichkeitsgrund überhaupt klarwerden zu wollen.
»Ich bin die Stimme eines Erwachens in der Nacht.«[123] Erwachen in der Nacht ist, wie vorher gesagt, Metapher für gnostische Selbstfindung. In dem Satz wird dann gesagt, daß Offenbarer und Offenbarung selber ein Aufruf sind: Ich bin die Stimme ... Noch mehr: in diesem Aufruf ruft die Selbstfindung selber zum Finden des Selbst auf. Offenbarer und Offenbarung fungieren dabei als Vorbild oder auch als Beispiel für den Gnostiker und seine Gnosis[124]. – Ja, Offenbarung

121 Poimandres (Corpus Hermeticum I, 16: vgl. R. Reitzenstein, Poimandres, Leipzig 1904): Gnosis I, 423 f.: »Poimandres aber sagte: ›Das ist das Geheimnis, das bis zum heutigen Tag verborgen ist. Denn die Natur, die sich mit dem Menschen verbunden hatte, brachte ein wunderbares Wunder hervor ...‹« – Von der Offenbarung unaussprechlicher Geheimnisse ist die Rede in: Thomasakten, 10 (G. Bornkamm, Thomasakten: E. Hennecke – W. Schneemelcher, Neutestamentliche Apokryphen II, Tübingen 1964, 297–372): Gnosis I, 444; Hippolyt., Refut. V, 8, 7: Gnosis I, 349; Epiphanius, Panarion, 31, 5, 2: Gnosis I, 303. – Vgl. auch: Hippolyt., Refut. V, 10, 2: Gnosis I, 362: »Es sprach aber Jesus: ›... Darum sende mich, Vater. Mit Siegeln will ich herabsteigen, alle Äonen will ich durchwandern, alle Geheimnisse will ich eröffnen, die Gestalten der Götter will ich zeigen. Das Verborgene des heiligen Weges will ich überliefern, Erkenntnis erweckend.‹«

122 Vgl. Hippolyt., Refut. V, 27, 2: Gnosis I, 78 f.; Refut. VI, 36, 2: Gnosis I, 253; Epiphanius, Panarion, 24, 5, 2 und 4: Gnosis I, 83.

123 Hippolyt., Refut. V, 14, 1: Gnosis I, 367.

124 N. Brox, Offenbarung, Gnosis und gnostischer Mythos ..., a.a.O., 43, sagt vom gnostischen Offenbarungsverständnis: »Die Gnosis versteht sich als genuine Offenbarung, das jeweilige Schulhaupt ist Offenbarer, seine Gnosis ist maßgebliche Offenbarung ... Die gnostischen Schriften sind wie die Gnosis des gnostischen

scheint, gnostisch gedacht, *nur* Paradigma zu sein. Das zeigt sich wohl am deutlichsten daran, welche Stellung die Gestalt Jesu in gnostischen Sagen einnimmt. »In allen Systemen der christlichen Gnosis übernimmt Jesus die Rolle des Offenbarers.«[125] Was aber das Verhältnis der Gnostiker zu Jesus betrifft, so behaupten »einige, Jesus gleich zu sein, andere sogar, sie seien in gewisser Hinsicht mächtiger als er ... und sie stünden Jesus in nichts nach«[126]. – Gnosis muß also durch Offenbarung und Offenbarungssagen paradigmatisch angeregt werden. Das ist eine erste Einsicht zum gnostischen Verständnis von Offenbarung und Geheimnis.

Am gnostischen Paradigma der Offenbarung fällt zweitens das Wunderbare auf: was bisher geheim gewesen ist und Uneingeweihten ein Geheimnis bleiben soll, geht in einer Offenbarung plötzlich auf. Das Wunder des Umschwungs vom Geheimnis zur Offenbarung[127] beleuchtet paradigmatisch den paradoxalen Umschwung von der Negation der unheilen Seele zur Affirmation eines heilen Selbst, wie er in der Gnosis geschehen soll. – Aber wie das Wunder einer Offenbarung des Geheimnisses als das Paradigma des Wunders der Gnosis zustande kommen soll, darüber scheinen sich die Gnostiker selber nicht weiteren Aufschluß geben zu können. Das Wunder des Paradigmas ist letztlich nicht von anderer Qualität als das Wunder der Gnosis selbst. Es bleibt also dabei: der letzte, von den Gnostikern angebbare Möglichkeits- und Verstehensgrund gnostischen Denkens ist die in der paradoxalen Affirmation eines heilen Selbst gelungene Gnosis. – Statt weiterer Erklärungen hören wir nur noch Aufforderungen, sich zu sammeln und ins Schweigen zurückzuziehen: »Schweig ... und ergreife, was göttlich ist ...!«[128] Paradoxale Affirmation eines heilen Selbst scheint in der Gnosis ein mystisches Widerfahrnis zu sein.

Aus der in der Gnosis gelungenen paradoxalen Affirmation eines heilen Selbst ergibt sich aber nun die antithetische Negation der un-

Schulhauptes das erweckende Paradigma der Gnosis für jene Menschen, in denen verborgen das pneumatische Organ zur Aufnahme liegt.«

125 Ebd., 120.

126 Hippolyt., Refut. VII, 32, 3 (zit. Ü. N. Brox, ebd.); vgl. Thomasevangelium, 108: R. Haardt, Die Gnosis ..., a.a.O., 202: »Jesus sprach: Wer von meinem Munde trinken wird, wird werden wie ich. Ich selbst werde er werden, und das Verborgene wird ihm geoffenbart werden.«

127 Vgl. Thomasakten, 47: Gnosis I, 463: »Jesus, verborgenes Geheimnis, das uns geoffenbart ist, du bist es, der du uns viele Geheimnisse gezeigt hast ...«; Evangelium der Wahrheit, 18: Gnosis II, 68: »Das ist das Evangelium dessen, nach dem sie suchen, das er den Vollkommenen durch die Barmherzigkeit ... des Vaters offenbart hat, das geheime Mysterium, Jesus Christus; durch diesen hat er diejenigen erleuchtet, die durch das Vergessen in der Finsternis sind.«

128 Corpus Hermeticum VIII, 5 (e.U.). Vgl. Kl. Schneider, Die schweigenden Götter (Diss.), Hildesheim 1966, 74 f.

heilen Welt. Davon ist die Rede in den gnostischen Sagen von Diesseits und Jenseits.

I.1/4.4 Diesseits und Jenseits

Die gnostischen Texte sprechen von »Diesseits« und »Jenseits«, von »Dunkel« und »Licht«. Das Jenseitige, Lichte heißt oft auch das »Fremde«[129]. Das Diesseitige, Dunkle ist die Welt[130]. Der Gnostiker fühlt sich in die Finsternis dieser Welt hineingeworfen; ihn ergreift Heimweh nach dem lichten Jenseits[131]. – Erfüllung dieser Sehnsucht ist zunächst und grundlegend die Erkenntnis eines heilen Selbst. »Das Selbst« aber »wird durch einen Bruch mit der Welt entdeckt.«[132] Die paradoxale Affirmation eines heilen Selbst geschieht in einem mit einer antithetischen Negation der unheilen Welt. Doch die antithetische Negation ist reziprok. Durch Negation der Negation entsteht die Idee eines der Welt völlig unbekannten, göttlichen Prinzips. Als die Inbegriffe von Jenseits und Diesseits stehen sich schließlich Gott und Welt gegenüber. – Dem Gnostiker aber ist auch dieser Gott nicht unbekannt. Seine Gotteserkenntnis ist gleichsam eine ideale Verlängerung seiner Selbsterkenntnis: »Anfang der Vollendung ist die Gnosis des Menschen, des Gottes Gnosis aber ist ihr Ende.«[133]

129 Vom »fremden Mann« ist z. B. die Rede in: Mandäische Liturgien (E. S. Drower, The Canonical Prayerbook of the Mandaeans, Leiden 1959), Str. 165: Gnosis II, 316: »Woher ist dieser fremde Mann, dessen Rede nicht mit unserer Rede gleich ist?«

130 Vgl. Mandäische Liturgien, Str. 129: Gnosis II, 310: »Ich bin gegangen, einen Bau zu bauen, jenseits innerhalb der Welt . . .«; Johannesbuch (M. Lidzbarski, Das Johannesbuch der Mandäer, 2 Teile, Gießen 1905 und 1915) I, 50; II, 55: Gnosis II, 229: »Zwei Könige entstanden (oder: waren da) . . . ein König dieser Welt und ein König jenseits der Welt.«

131 Vgl. dazu: H. Jonas, Gnosis und spätantiker Geist I, a.a.O., 106–113; Ginza (M. Lidzbarski, Ginza . . ., a.a.O., Göttingen 1925), 379: »Dir sage ich und erkläre ich, einem jeden, der in seinem Innern wahrhaft und gläubig ist: Du warst nicht von hier, und deine Wurzel war nicht von der Welt. Das Haus, in dem du wohntest, dieses Haus hat nicht das Leben gebaut . . . Du, verehre und preise den Ort, aus dem du gekommen bist!«

132 H. Jonas, Gnosis und spätantiker Geist I, a.a.O., 170. – Vgl. K. Rudolph, Gnosis und Gnostizismus . . ., a.a.O., 184: »Der diese gnostische Entscheidung ständig bewußt Vollziehende ist der *mónachos,* der zur Einheit mit dem Übergöttlichen, dem Selbst, Gelangte und damit zugleich der ›Isolierte‹ gegenüber den weltlichen Bindungen.«

133 Hippolyt., Refut. V, 7, 38: Gnosis I, 355: »So schwer und unbegreiflich ist . . . die Erkenntnis des vollkommenen Menschen. Denn, so sagt er, Anfang der Vollendung ist die Erkenntnis des Menschen, vollendete Erkenntnis aber ist die Erkenntnis Gottes«; vgl. V, 8, 24; vgl. Poimandres (Corpus Hermeticum I, 3): Gnosis I, 420; ferner Poimandres (Corpus Hermeticum I, 26): Gnosis I, 427: »Das ist das gute Ende für die, die ›Erkenntnis erhalten haben, zu Gott zu werden‹.« – Im »Lied von der Perle« (Thomasakten, 110: Gnosis I, 457) wird dies so umschrieben: »Steh auf, werde nüchtern vom Schlaf und höre die Worte des Briefes. Gedenke, daß du ein Königssohn bist.«

Die paradoxale Affirmation eines heilen Selbst, die in dem mystischen Widerfahrnis der Gnosis gelungen sein soll, impliziert die antithetische Negation alles dessen, was das heile zu einem unheilen Selbst macht. Das Schlechte schlechthin ist dann die Welt. – Ein mandäischer Text sagt dies, indem er den biblischen Schöpfungsbericht gnostisch nacherzählt: »Der lichte Jesus näherte sich dem unwissenden Adam; er erweckte ihn aus dem Schlafe des Todes, damit er von vielen Geistern befreit würde ... Da erforschte Adam sich selber und erkannte, wer er sei. Er (Jesus) zeigte ihm die Väter in der Höhe und sein eigenes Selbst, hineingeworfen in alles, vor die Zähne der Panther und Elefanten, verschlungen von den Verschlingern, verzehrt von den Verzehrern, gefressen von den Hunden, vermischt und gefesselt in allem, was ist, gefangen in dem Gestank der Finsternis. – Er richtete ihn auf, und ließ ihn vom Baum des Lebens essen. Da schrie und weinte Adam; furchtbar erhob er seine Stimme wie ein brüllender Löwe, raufte seine Haare und sprach: Wehe, wehe über den Bildner meines Leibes, über die Feßler meiner Seele und über die Empörer, die mich geknechtet haben.«[134] – Man erkennt an diesem Text deutlich, wie die wunderbare Findung – paradoxale Affirmation – eines heilen Selbst die antithetische Negation der unheilen Welt hervorbringt.

Antithetische Negation ist aber reziprok. Dies führt in der Gnosis zu einer antithetischen Negation der Negation, deren Negat die Welt war. Diese zweite Negation stellt gegen die diesseitige Welt einen jenseitigen Gott. Er muß demnach im Gegensatz zur bösen Welt restlos und ursprünglich gut sein. Ebendeshalb aber bleibt er der Welt unbekannt. Auf das Letztere kommt es in unserem Zusammenhang besonders an. – Gott heißt in gnostischen Texten geradezu ursprünglich »unbekannt« *(ágnostos)*. Häufig ist auch von einem »unbekannten Vater«[135] die Rede, bisweilen ferner von unerforschlichem »Schweigen«[136] oder von einem namenlosen Bereich[137]. – Eine wiederum vom

[134] Zit. nach H. Jonas, Gnosis und spätantiker Geist I, a.a.O., 134 (Dort nach: R. Reitzenstein – H. H. Schaeder, Studien zum antiken Synkretizismus aus Iran und Griechenland, II. Iranische Lehren, Leipzig–Berlin 1926, 346 f.).

[135] Vgl. Evangelium der Wahrheit, 17, 5: Gnosis II, 68: »... das All war in dem undenkbar Unfaßbaren, der über alles Denken erhaben ist ...«; vgl. 18, 30 ff.: Gnosis II, 68; Irenaeus, Adv. haer. I, 1, 1 (= Epiphanius, Panarion, 31, 9, 1): Gnosis I, 170: »... daß in unsichtbaren und unnennbaren Höhen ein präexistenter, vollkommener Äon existiere. Den nennen sie auch Voranfang, Vorvater und Urgrund ... Er sei unfaßbar und unsichtbar, ewig und ungeworden ...«; Irenaeus, Adv. haer. I, 2, 1: Gnosis I, 172: »Ihr Vorvater nun, so sagen sie, wurde allein von dem aus ihm gewordenen Eingeborenen, das heißt von dem Nus, erkannt – den übrigen allen war er unsichtbar und unbegreiflich.«

[136] Irenaeus, Adv. haer. I, 11, 1: Gnosis I, 254: »Er setzte eine Zweiheit fest, die unnennbar war, den einen Teil nannte er Unsagbar, den anderen *Sige.*« Clemens Alex., Excerpta ex Theodoto, 29: Gnosis I, 292: »*Sige,* sagen sie, die die Mutter

biblischen Schöpfungsbericht beeinflußte, gnostische Sage erzählt: »Die Unvergänglichkeit blickte auf die Wasserteile (vgl. Gen 1,2) herab. Ihr Abbild wurde in Wasser offenbar, und die Mächte der Finsternis entbrannten in Liebe zu ihr. Sie konnten aber jenes Bild, das sich ihnen im Wasser offenbart hatte, wegen ihrer Schwäche nicht fassen, denn die psychischen (Dinge) werden die pneumatischen (Dinge) nicht erfassen können, weil sie von unten stammen, es (= das Abbild) aber von oben stammt.«[138] Wichtig in diesem Text ist der Satz, daß das »Psychische« das »Pneumatische« nicht erfaßt und darum auch nicht das Abbild der Unvergänglichkeit. Die weltlich-menschliche Seele kann das göttlich-heile Selbst nicht erfassen, welches das Abbild der »Unvergänglichkeit« Gottes ist[139]. – Von Gott gibt es eine Fülle gnostischer Negativ-Prädikationen. Sie gipfeln einmal in dem Satz: »... es kann ihn auch niemand erkennen, er ist überhaupt nichts, was existiert, sondern er ist etwas, was vorzüglicher ... ist.«[140] An anderer Stelle heißt es noch schärfer: »So machte auch der nicht-seiende Gott eine nicht-seiende Welt aus dem Nicht-Seienden ...«[141] Gemeint ist: der absolut Jenseitige schafft das Jenseits. – Die gnostischen Gottesprä-

aller ist, die von der ›Tiefe‹ hervorgebracht sind, schwieg von dem, was sie von dem Unsagbaren nicht aussprechen konnte; was sie aber begriff, das hat sie als Unbegreifliches ausgesprochen.« Vgl. Epiphanius, Panarion, 31, 5, 3–6: Gnosis I, 303–304.

137 Vgl. Hippolyt., Refut. VI, 39: M. 16, 3258 A.

138 Das Wesen der Archonten, 68, 10–20: Gnosis II, 53.

139 Rechter Ginza (M. Lidzbarski, 5 ff.): Gnosis II, 208: »Es ist kein Name, wie sein Name, und es ist keiner, der es bei seinem (wirklichen) Namen nennen kann, und es ist keiner, der seine (wirkliche) Nennung (oder: Natur) erfaßte ...« Vgl. ebd.: Gnosis II, 205–207; Irenaeus, Adv. haer. I, 12, 3: Gnosis I, 255 f.: »Es gibt vor allem einen Voranfang, von dem man sich keine Vorstellung, keine Aussage und keinen Namen machen kann ...«; I, 14, 2: Gnosis I, 267: »Darum habe auch der Vater, da er wußte, daß er nicht zu fassen ist, den Elementen, die er auch Äonen nennt, die Fähigkeit verliehen, seine eigene Aussprache auszurufen, da einer nicht das Ganze ausrufen konnte.« Hippolyt., Refut. VI, 29, 2: Gnosis I, 243 f.: »Für diese (Valentin, Herakleon, Ptolemaeus usw.) ist der Anfang des Ganzen eine Einzigkeit, die ungeboren ist, unvergänglich, unbegreiflich, mit dem Verstande nicht zu fassen, fruchtbar und Ursache des Werdens für alles Gewordene.«

140 Das Apokryphon des Johannes (H.-Ch. Puech, Das Apokryphon des Johannes: E. Hennecke – W. Schneemelcher, Neutestamentliche Apokryphen I, Tübingen 1959, 229–243), 24, 19 ff.: Gnosis I, 144; Eugnostosbrief, 71, 14 ff.: Gnosis II, 37: »Der, welcher existiert, ist unbeschreiblich, keine Arché (= Kraft) hat ihn erkannt, keine Macht, keine Unterordnung, nicht irgendeine Kreatur, seit dem Anfang der Welt, außer er allein.« Vgl. ferner: Hippolyt., Refut. VII, 20, 3: Gnosis I, 86 f.: »Denn jenes ... ist nicht einfach ein Unsagbares, das genannt (bezeichnet) wird; wir nennen es unsagbar, es ist aber nicht einmal unsagbar. Denn das, was nicht (einmal) unaussprechlich ist, wird ›nicht einmal unaussprechlich‹ genannt, ist aber über jeden Namen, der genannt werden kann, erhaben. Denn nicht einmal für den Kosmos reichen die Namen aus, sondern versagen, so vielgestaltig ist er ...«

141 Hippolyt., Refut. VII, 21, 3: Gnosis I, 87.

dikate umschreiben Gott als die »Negativität der Welt« und »dies Negative dürfte überhaupt das Primäre dieser Gotteskonzeption sein; d. h. der gnostische Gottes-Begriff ist zunächst, viel mehr als der der Welt ein nihilistischer: Gott – das Nichts der Welt. Aber dies ursprünglich Negative in irgendeiner erlebbaren Transzendenzgegebenheit dennoch positiv zu machen, ist das Ziel aller mystischen Erhebung im Gnostizismus, kurz das Ziel der absoluten ›*gnôsis tû theû*‹.«[142]
In der Gnosis scheint durch die Affirmation des Selbst die antithetische Kluft zwischen Welt und Gott schon übersprungen. – So versammelt die Gnosis als ihr eigener Ursprung, wie die gnostischen Sagen vom Diesseits und Jenseits andeuten, in sich drei Momente einer Grundform gnostischen Denkens: mystische Erfahrung, paradoxale Affirmation und antithetische Negation.

I.1/4.5 Gnostische Denkform

Gnosis als ein mystisches Widerfahrnis ist das Grundmoment gnostischen Denkens. Sie gründet die paradoxale Affirmation eines heilen Selbst. Diese erfordert eine antithetische Negation der Welt, deren Negation erst die Idee eines unbekannten Gottes hervorbringt. Damit ist der Kreis der Momente einer gnostischen Denkform abgeschritten. – Obwohl nun gnostisches Denken nicht so sehr am jenseitigen Gott als vielmehr an einem heilen Selbst interessiert scheint, so ist doch eine strukturelle Analogie der gnostischen Denkform mit den bisher besprochenen Konzepten negativer Theologie unverkennbar. Die umschriebene Denkform sei darum hier als das gnostische Konzept negativer Theologie angesprochen.
Nur selten scheinen gnostische Texte die drei Momente in einen durchgängigen Zusammenhang zu bringen. Bei Irenäus[143] lesen wir immerhin als gnostische Lehre: »Die vollkommene Erlösung sei die Erkenntnis der unsagbaren Größe ...« (= mystische Grunderfahrung). »... Aus Unwissenheit sei Mangel und Leidenschaft geworden, durch ›Er-

142 H. Jonas, Gnosis und spätantiker Geist I, a.a.O., 150 f.
143 Irenaeus, Adv. haer. I, 21, 4: Gnosis I, 285, handelt von der gnostischen Taufe bei Valentinianern. Der Text lautet in größerem Zusammenhang: »Einige ... sagen, zum Wasser zu führen sei überflüssig... Andere lehnen dies alles ab und sagen, man dürfe das Geheimnis der unsagbaren und unsichtbaren Kraft nicht durch sichtbares und vergängliches Geschaffenes feiern, das Unausdenkliche und Unkörperliche nicht durch sinnlich Faßbares und Körperliches.« Es folgt der oben zitierte Text.
Dann heißt es weiter: »Und sie sei weder leiblich, der Leib nämlich vergehe, noch psychisch, da die Seele ebenfalls aus dem Mangel stamme und gleichsam ein Hauch des Geistes (Pneuma) sei; pneumatisch müsse also auch die Erlösung sein. Durch Erkenntnis werde der innere, pneumatische Mensch erlöst; sie hätten genug an der Erkenntnis des Alls, und das sei die wahre Erlösung.«

kenntnis‹ werde der ganze aus der Unwissenheit stammende Zustand aufgelöst...« (= antithetische Negation). »...Darum sei die Erkenntnis Erlösung des inneren Menschen...« (= paradoxale Affirmation eines heilen Selbst).

I.1/5 Mittel- und neuplatonischer Begriff negativer Theologie

In der biblischen Theologie des Alten und des Neuen Testamentes, in der griechischen Philosophie der klassischen Periode und in den gnostischen Strömungen sind zwar Konzepte negativer Theologie ausgebildet worden und zur Sprache gekommen. Der Begriff einer negativen Theologie wurde jedoch philosophisch erstmalig erfaßt im Mittel- und Neuplatonismus.
Mittel- und Neuplatoniker haben einige in den Werken Platons und anderer antiker Philosophen verstreute Ansätze zu einer axiomatischen Reflexion auf die Einsicht in das Prinzip von Erkennen und Sein religionsphilosophisch gedeutet und zu einer »Theologia Platonis« [144] ausgebaut. Wie ist diese – wenigstens für moderne Interpreten der klassisch-griechischen Philosophie – auffallende Platondeutung zu erklären?
Seit Philon kann die griechische Ursprungseinsicht mit jüdisch-christlicher Gottesoffenbarung in Parallele gesetzt werden. Die Gnostiker beschreiben überdies das mystische Widerfahrnis in ihrer Gnosis als Findung eines göttlich-heilen Selbst. Es liegt nahe, philosophische Ursprungseinsicht, biblische Gottesoffenbarung und gnostisch-mystische Selbstfindung in eins zu setzen. Geschieht dies, so ist der Weg frei zu einem philosophischen Begriff von der Möglichkeit der Gotteserkenntnis. Mittel- und neuplatonische Philosophen haben diesen Weg erkundet. – Diese Philosophen waren zugleich an einer Kritik von Christentum und Gnosis interessiert – offenbar, um ihre Philosophie gegenüber diesen Geistesströmungen zu profilieren [145]. Bei Plotin läßt sich Gnosis- von Christentumskritik nicht einmal deutlich unterscheiden [146]. Kritischer Maßstab ist ihm die überlieferte, klassische Philosophie und besonders die Platons. Was die Gnostiker bzw. Christen

144 Zur Bezeichnung »platonische Theologie« gelangte endgültig Proklos: vgl. Proklos, *Eis tèn Plátonos theologían* (In Platonis Theologiam), ed. Ae. Portus, Hamburg 1618, photomech. Nachdruck: Frankfurt a. M. 1960; Proklos, *Stoicheíosis theologiké* (Elementatio theologica), ed. E. R. Dodds, Oxford 1933.
145 Vgl. N. Brox, Antignostische Polemik bei Christen und Heiden: Münchener Theologische Zeitschrift 18, 1967, 265–291.
146 Vgl. bei Plotinos, Enn. III, 6, 6; II, 9, besonders 4; ferner Porphyrios, Vita Plotini (ed. Plotins Schriften ... Vc: Anhang: Text, Übersetzung, Anmerkungen, Hamburg 1958), 16.

behaupten, ist, wie Plotin fordert, an den Aussagen der Alten zu messen[147]. Das bedeutet – wenigstens in seiner letzten Konsequenz – dann: biblische Gottesoffenbarung sowie gnostisch-mystische Selbstfindung sollen in ihrer Möglichkeit nach Maßgabe der überlieferten, axiomatischen Reflexion auf Einsicht in die *arché* begriffen werden. – Doch rückt die jüdisch-christliche Lehre von einer Gottesoffenbarung am wenigsten in das Blickfeld der spätantiken Philosophen. Sie wird von ihnen – wohl nach philonischem Vorbild – vielmehr von vornherein über den Leisten gnostisch-mystischer Erfahrung geschlagen[148]. Nach all dem wird man vermuten dürfen, daß sich mittel- und neuplatonische Reflexion auf die Möglichkeit von Gotteserkenntnis – und das bedeutet auch: die begriffliche Erfassung negativer Theologie – vollzogen hat als eine Reflexion auf gnostisch-mystische Erfahrung, die sich die überlieferten, klassischen Ansätze axiomatischer Reflexion auf *arché*-Einsicht zum Maßstab und Vorbild nahm.
Für die Philosophen des Mittelplatonismus – wie Numenios von Apameia (2. Jahrhundert n. Chr.), Kelsos und Albinos (gegen Ende des 2. Jahrhunderts) – ist kennzeichnend, daß sie sich auf die Beiziehung traditioneller, philosophischer Reflexionsmuster beschränken und noch keine philosophischen Systeme errichten. Die neuplatonischen Philosophen – wir beschränken uns hier auf Plotin (205–270 n. Chr.) und Proklos (ca. 410–484 n. Chr.) – jedoch kennzeichnet der Wille zum philosophischen System. – Hier kann nicht der Frage nachgegangen werden, woher dieser Wille stammt. Doch läßt sich der neuplatonische Begriff negativer Theologie kaum zureichend verstehen, ohne daß zuvor zu der Frage Stellung genommen wäre: Was ist ein neuplatonisches System – und wie ist es zu deuten?

147 Vgl. Plotinos, Enn. II, 9, 6 (zit. oben Anm. 106).
148 Plotin scheint sich in seinen religionsphilosophischen Überlegungen sogar auf mystische Erlebnisse zu beziehen, die ihm selbst zuteil geworden sind. Zu Beginn seiner Schrift vom »Abstieg in die Leibeswelt« bezeugt er: »Immer wieder wenn ich aus dem Leib aufwache *in mich selbst,* lasse das andere hinter mir und *trete ein in mein Selbst;* sehe eine wunderbar gewaltige Schönheit und vertraue in solchem Augenblick ganz eigentlich zum höheren Bereich zu gehören; verwirkliche höchstens Leben, bin in eins mit dem Göttlichen und auf seinem Fundament gegründet; denn ich bin gelangt zur höheren Wirksamkeit und habe meinen Stand errichtet hoch über allem, was sonst geistig ist: *nach* diesem Stillestehen im Göttlichen, wenn ich da aus dem Geist herniedersteige *in das Überlegen* – immer wieder muß ich mich dann fragen: wie ist mein jetziges Herabsteigen denn möglich?« (Plotinos, Enn. IV, 8, 1 [Ü. Harder]). Mit solchem »Eintritt« in ein »göttliches« »Selbst« wird offenbar eine gnostische Erfahrung umschrieben. Sie ist zugleich eine mystische. Plotin bezeichnet sie an anderer Stelle als ein »Berühren« ohne Denken, »ein Anfassen ohne Wort und Begriff, ein vorgängiges Denken, ehe es das Denken noch gibt und ohne daß das Berührende dabei denkt« (ebd., V, 3, 10). – »Man reflektiert erst nachträglich darüber« (ebd., Enn. V, 3, 17).

Für neuplatonische Systembildungen scheinen zwei Strukturprinzipien konstitutiv: der Grundsatz der triadischen Stufung und der des Denkkreises. – Den *Grundsatz der triadischen Stufung* hat wohl Numenios als erster konzipiert. Wie schon der Gnostiker Valentinos, so fand sich auch Numenios nicht mit der Vorstellung ab, daß einem guten Prinzip einfach eine schlechte Welt konträr entgegengesetzt sein soll. Er ließ sie wie Valentinos aus dem Prinzip in mehreren Stufen hervorgegangen sein. Dabei aber richtete er sich – anders als die Gnostiker – nach der philosophischen Überlieferung. Aus ihr entnahm er einmal, daß auch die unterste Stufe noch am Guten teilhaben müsse, zum andern, daß es nur drei Stufen geben könne[149]. Denn als Seinsstufen erkannte er nur diejenigen an, für die ein antik philosophischer Begriff zu finden war. Nach ihm sind dies der unbekannte Urgrund des Guten, die am Urguten teilhabende, weltschaffende Vernunft und die durch Teilhabe am Guten gut gemachte Welt. Der Gedanke an die vermittelnde, zweite Stufe der Vernunft *(nûs)* ist offenbar entwickelt:
»1) aus jenem aristotelischen Erbe, daß nämlich ein abstrakter *nûs* transzendiert, und
2) aus dem platonischen im Timaios niedergelegten Erbe, daß eine Funktion des *nûs* – die Weltseele – Sinn und Ordnung vermittelnd die Welt durchwaltet, daß keins ihrer Glieder zum Höchsten in Gegensatz geraten kann . . .«[150]
Der Grundsatz der triadischen Stufung wurde fortan zum philosophischen Argument gegen gnostischen Dualismus[151]. Plotin hat auch eine von manchen Gnostikern vorgenommene Vermehrung der emanativen Hypostasen über die Dreizahl hinaus als willkürlich abgelehnt[152]. – Ein philosophisches System braucht eine Ordnung derge-

149 Zur Dreistufenlehre des Numenios vgl. die von E. A. Leemans (Studie over den wijsgeer Numenius van Apamea met uitgave der fragmenten, Brüssel 1937) zitierten Fragmente bei Proklos, In Platonis Timaeum I, 303, 27; III, 103, 28; III, 196, 12; Eusebius Caes., Praeparatio Evangelii XI, 17: M. 21, 892 AB; XI, 18: M. 21, 892 C – 900 A; XI, 22: M. 21, 904 D – 908 A.
150 H. Dörrie, Die Frage nach dem Transzendenten im Mittelplatonismus, a.a.O., 205.
151 Vgl. Plotinos, Enn. II, 9, 4; II, 9, 6: »Und wenn sie eine Vielzahl geistiger Wesenheiten anführen, so glauben sie den Anschein zu erwecken, mit Genauigkeit Ergebnisse zu Tage gefördert zu haben. Dabei gleichen sie eben durch diese Vielzahl die geistige Physis der sinnlichen und geringeren Physis an, obwohl es doch notwendig ist, dort (scil. in der geistigen Welt) eine möglichst kleine Zahl (von Wesenheiten) anzustreben.«
152 Vgl. ebd. II, 9, 6: »Später haben sie ihre Lehre von jenen (scil. den Alten) übernommen und dieselbe in der Absicht, zu widersprechen, mit ungehörigen Erweiterungen versehen, indem sie allerlei Entstehungen und Untergänge aufbrachten, das All tadelten, die Gemeinschaft der Seele mit dem Körper schmähten, den Lenker dieses Alls entwürdigten, den Demiurgen mit der Seele auf eine Stufe stellten und ihm dieselben *Pathe* zuschrieben wie den Teilwesen.«

stalt, daß für alle seine begrifflichen Momente ein bestimmter Stellenwert angegeben werden kann. Im neuplatonischen System ist diese Ordnung durch den Grundsatz der triadischen Stufung gewährleistet. Für jede Begriffsreihe ist eine Dreizahl konstitutiv: ein zweites Moment rangiert unter einem ersten, ein drittes unter einem zweiten. Die Begriffsreihen (Triaden) sind untereinander wieder triadisch gestuft. Plotin kennt im wesentlichen zunächst nur die Trias von Ureinem, Geist *(nûs)* und Seele[153]. Bei Proklos erscheint eine schier unübersehbare Vielfalt von Triaden[154]. Die Neuplatoniker erklären triadische Stufung auch als emanative Vermittlung[155]. Dies ist aber nur möglich, wenn man zum Grundsatz der triadischen Stufung den des Denkkreises hinzunimmt.

Ein philosophisches System muß als in sich geschlossener Zusammenhang einer Reflexion in sich selbst Bestand haben. Nach Ansicht der Neuplatoniker aber kann ein »in sich selbst Bestehendes« nur in Bewegung sein, indem es in sich existiert, aus sich heraustritt und schließlich wieder in sich selbst zurückkehrt[156]. Als Möglichkeitsbedingung für einen in sich bestehenden Reflexionszusammenhang muß darum *für das Denken* in ihm als *Grundsatz* postuliert werden, *daß es in sich selber kreist, ohne sich zu verlieren.* – Der Neuplatoniker erhebt sich in den Kreis dieses Denkens und hofft, dabei schließlich den Ursprung des Denkkreises selbst zu erfassen. Indem nun die philosophische Seele (scil. des Neuplatonikers) vermittels des kreisenden Denkens Einsicht sogar in dessen *arché* erhofft, teilt sie dem Denkkreis die Funktion der Ursprungseinsicht – des *nûs* zu. Der Denkkreis heißt darum bei Proklos sogar das »Sphärische des Geistes«[157]. – Der Denkkreis er-

153 Vgl. Plotinos, Enn. V, 1: »Die drei ursprünglichen Wesenheiten«.

154 W. Beierwaltes, Proklos, Grundzüge seiner Metaphysik, Frankfurt a. M. 1965, 20, zählt auf:

péras – ápeiron – miktón
usía – heterótes – tautótes
arché – méson – télos
noetón – noetòn háma kaì noerón – noerón
usía – zoé – nûs
moné – próodos – epistrophé

155 Ebd., 34 f.: »Die Differenz oder die in der Selbstidentität der einzelnen Glieder der Trias sich verwirklichende Andersheit begründet die subordinative Gliederung jeder Trias. Diese wiederum ist Urbild und Ursache für die subordinativ-hierarchische Gliederung des Systems aller Triaden überhaupt.«

156 Vgl. Proklos, Element. theol., 42 f.; Proklos, In Platonis Timaeum Commentaria (ed. E. Diehl, Leipzig 1903); vgl. ders., In primum Euclidis elementorum librum commentarii (ed. G. Friedlein, Leipzig 1873), 154, 2 ff.: »Denn was zu sich zurückkehrt *(tò epístrephon)*, ahmt das Verharrende *(tò meînan)* nach, – und die Peripherie ist wie ein ausgedehnter Mittelpunkt und wendet sich zu ihm zurück, strebend in die Mitte zu gelangen und mit ihr eins zu werden, und in das, von dem her der Hervorgang *(he próodos)* seinen Anfang nahm, die Rückkehr *(tèn epistrophén)* enden zu lassen« (Ü. Beierwaltes).

157 Vgl. ders., In Tim. II, 77, 8 ff.: »Sich mit sich selbst zusammenneigen und

scheint so als das Vermittelnde in der Triade »Ursprung–Geist–Seele«. Er scheint nicht nur den Aufstieg der Erkenntnis zu ihrem Prinzip zu vermitteln, sondern auch den Hervorgang des Seins aus diesem Prinzip[158]. Dann allerdings figuriert er in der Begriffsgestalt eines »demiurgischen Kreises«.

Wie ist nun das neuplatonische Systemdenken zu deuten? Es erhebt sich, wie es scheint, einerseits in den Kreis des Denkens, um den in mystischer Erfahrung berührten Ursprung reflektorisch zu erfassen. Dabei ist es in seiner Zielsetzung prinzipientheoretisch und geht transzendental-reduktiv vor. Andererseits rekonstruiert es die Emanation des Kosmos aus dem Ursprung. Dabei geht es metaphysisch-deduktiv vor und ist in seiner Zielsetzung spekulativ.

Der Versuch eines transzendental-reduktiven Aufstiegs, der zur Einsicht in einen mystisch schon berührten Ursprung führen soll, ist bei Plotin und Proklos nachzuweisen. Vorweg wird die Seele als die subjektive Möglichkeitsbedingung für die Einheit aller Wahrnehmungen gesetzt: »... man muß das Wahrnehmende solcher Art ansetzen, daß es überall in allen Teilen mit sich selbst identisch ist. Das aber kommt einer anderen Wesenheit und nicht dem Leibe zu.«[159] – Das neuplatonische Philosophieren hebt jedoch erst eigentlich an mit der transzendentalen Voraus-Setzung des Geistes als eines in sich reflektierenden Denkens[160]. Er soll die Seele als philosophierende ermöglichen. »So (erst) geht der Rückgang des Denkens in sich selbst über in die Erkenntnis seiner selbst.«[161] Der Geist muß darum vorausgesetzt wer-

gänzlich sich selbst gleichsam ein gleichfarbener Teil sein und alle Mächte in sich in seine eigene Einheit zusammengeführt haben, dies ist das Sphärische im Geist« (Ü. Beierwaltes). – Vgl. Proklos, In prim. Eucl. elem., 149, 5–8: »Jede Seele hat in ihrer Denkkraft und in dem Einen Höchsten selbst (in ihr selbst) eine Mitte, durch die Mannigfaltigkeit aber (in ihr) bewegt sie sich im Kreise, danach strebend, ihren Geist zu umfangen« (Ü. Beierwaltes).

158 Vgl. ders., In Tim I, 209, 28 f.: »Alles Seiende ist im Kreise umfangen von den Göttern und ist in ihnen. Auf eine wunderbare Weise ist Alles hervorgegangen und nicht hervorgegangen« (e.Ü.)

159 Plotinos, Enn. VI, 7, 7, vgl. Proklos, Elem. theol., 190: »Jede Seele ist Mitte zwischen dem Unteilbaren und dem teilbaren Körperlichen« (e.Ü.)

160 Vgl. Proklos, In Platonis rem publicam commentarii (ed. W. Kroll, Leipzig 1899 ff.) I, 292, 3 ff.: Das reine Denken geht »von den Anfängen zu höher liegenden Anfängen, bis es zu dem keinem Beweis zugänglichen und voraussetzungslosen Anfang gelangt, der nicht durch Grundsetzung, sondern durch Wahrheit, Anfang von Allem ist, über dem nichts gedacht werden darf, der keinem unterliegt, dem selbst aber das andere unterliegt« (Ü. Beierwaltes); vgl. Proklos, Commentary on the first Alcibiades of Plato (ed. L. G. Westerink, Amsterdam 1954), 4, 19 – 5, 3: »Aller Philosophie ... eigentlichster Anfang ... ist das reine und unverfälschte Wissen seiner selbst, umschrieben in wissenschaftlichen Abgrenzungen und fest gebunden durch die Erwägung des Grundes. Und von wo anders ziemte es sich mit der Reinigung und Vollendung seiner selbst anzufangen, als von woher der Gott in Delphi es hieß« (Ü. Beierwaltes).

161 W. Beierwaltes, Proklos, ..., a.a.O., 278; vgl. Proklos, In Tim II, 286, 32 ff.

den als »einiger denn die Erkenntnis (= diskursives Denken), so daß er deren ganze Mannigfaltigkeit umfaßt und die ganze Entfaltung teillos vorwegnimmt«[162]. Daraus ergibt sich auch, daß der Geist als zeitlos jenseits des »Nacheinander« vorausgesetzt werden muß, dem die Seele ausgeliefert ist. – Das Ziel der transzendentalen Reflexion des Neuplatonikers aber ist die Erfassung des in gnostisch-mystischer Erfahrung berührten göttlichen Selbst sowie seines Göttlichen selbst[163]. »Die Wesenheit nun, welche im Geistigen alles umfaßt«, sagt Plotin, »die muß man als den Urgrund ansetzen.«[164] Denn der »Geist steht nicht an der ersten Stelle, sondern es muß das jenseits des Geistes Liegende geben, auf das all unsere bisherige Darlegung eigentlich abzielte«[165]. »Wenn nun dieses den Geist erzeugt hat, so muß es seinerseits einfacher als der Geist sein ...«[166] Das Erste muß das Ur-Eine sein. »Es ergibt sich, daß das Eine nicht etwas von dem Gesamtsein ist, sondern vor dem Gesamtsein.«[167] Es »läßt sich nicht mehr auf ein anderes zurückführen«[168]. »... es ist nichts von dem, dessen Urgrund es ist, in der Art aber, daß nichts von ihm ausgesagt werden kann, nicht Sein, noch Wesen, noch Leben; daß es über all das erhaben ist.«[169] Das Ureine wird als die letzte, subjektive Möglichkeitsbedingung des geistigen Denkkreises jenseits von Denken und Sein vorausgesetzt[170]. – Doch ist das transzendental gesetzte Ureine nicht das wirkliche – und man wird sagen dürfen: mystisch berührbare – Ureine. Denn dieses muß als Grund auch jeder Grundsetzung selbst der ohne Grundsetzung seiende Grund seiner selbst sein. »Nur das Eine selbst ist ohne Grundsetzung, so daß das Zugrunde-Gesetzte etwas anderes ist und nicht das Eine (selbst).«[171] Das Ergebnis des transzendentalreduktiven Aufstiegs im Neuplatonismus ist, wie der Neuplatoniker selber einsieht, nicht eine Erfassung des Einen (selbst). Dieses widersetzt sich der transzendentalen Reflexion und bleibt ihr am Ende

162 Proklos, In Platonis Parmenidem (ed. V. Cousin, Hildesheim 1961²), 752, 20–23.
163 Vgl. ders., In Parm., 1081, 4ff.: »Wir müssen das Eine in uns erwecken ...« (Ü. Beierwaltes). Proklos (In I Alcibiad., 247, 2–13) bezeichnet das »Eine in uns« als die »Blüte unseres Seins«.
164 Plotinos, Enn. V, 9, 14.
165 Ebd., III, 8, 9.
166 Ebd., III, 8, 9; vgl. Proklos, In Tim. I, 260, 27–31: »Wenn von der Ursache her die Einung in das Werdende gelangt, so muß (die Ursache) selbst viel eher eingestaltig sein und die Mannigfaltigkeit umfassen, damit gemäß der in ihr vorherseienden Einigung auch das Werdende Eines werde« (Ü. Beierw.).
167 Plotinos, Enn. III, 8, 9.
168 Ebd., III, 8, 10.
169 Ebd., III, 8, 10.
170 Vgl. Proklos, In Parm., 623, 26–28.
171 Ebd., 1034, 5–8 (Ü. Beierwaltes).

gleichsam als irreduktibler Rest bzw. als absolutes Faktum stehen. Der transzendental-reduktiv vollzogene, neuplatonische Aufstieg zum Prinzip der Erkenntnis kann darum seine prinzipientheoretische Zielsetzung nur in einem Verweis auf eine mystische Erfahrung des Ureinen festhalten. Das neuplatonische Systemdenken versagt vor seinem Prinzip.

Zwischen dem transzendental gesetzten und dem mystisch erfahrbaren Prinzip ist eine für das neuplatonische Systemdenken unbefriedigende, unaufhebbare Differenz stehengeblieben. Da sich das neuplatonische Denken mit ihr nicht zufriedengeben will, versucht es wenigstens, aus der in der Reflexion anvisierten Idee des Prinzips alles, was es gibt, zu erklären. Das neuplatonische Denken sucht sich gleichsam durch sich selbst aus der Aporie um seinen Ursprung zu befreien. Eine solche Zielsetzung ist spekulativ. – Das neuplatonische Denken kehrt nun seine aufsteigende, transzendentale Reflexion auf die mystische Einsicht ins Prinzip um in eine absteigende metaphysische Deduktion des Seins aus diesem Prinzip. Das Ureine, das der Neuplatoniker eigentlich meint, ist das mystisch allein berührbare. Womit aber philosophisch allein operiert werden kann, ist notwendigerweise das transzendental gesetzte Ureine. Darum muß die Deduktion vom Ureinen so ausgehen, daß unter der Maske des transzendental gesetzten das gemeinte, faktische Ureine vorausgesetzt wird. Diese Voraussetzung kann aber nach dem vorher Gesagten nicht mehr eine transzendentale, sie muß eine meta-physische Voraussetzung im buchstäblichen Sinne sein. – Aufgrund dieser metaphysischen Voraussetzung, die zugleich eine Gleichsetzung von gesetztem und faktischem Prinzip ist, muß dem Neuplatoniker scheinen, als trete das Eine mit Notwendigkeit aus sich heraus und bringe das von sich Verschiedene hervor, bleibe aber dabei gerade es selbst. Denn es ist gerade als der alles ermöglichende Ursprung von allem vorausgesetzt. ». . . das Eine durfte nicht allein existieren – sonst bliebe ja alles verborgen, da es in dem Einen der Gestalt ermangelt, ja es würde überhaupt kein Ding existieren, wenn das Eine bei sich selbst stehenbliebe, und es gäbe nicht die Vielheit unserer Erdendinge, die von dem Einen her erzeugt sind, wenn nicht die ihm nachgeordneten Wesen, die den Rang von Seelen einnehmen, aus ihm herausgetreten wären . . .«[172] – Die metaphysische Deduktion des Neuplatonikers ergibt eine emanative Seinsstufenlehre. Doch fährt der Gegenzug der metaphysischen Deduktion nicht einfach auf dem Gleise der transzendentalen Reduktion zurück. Die Stationen sehen beim metaphysischen Abstieg anders aus als beim transzendentalen

172 Plotinos, Enn. IV, 8, 6; vgl. auch: Enn. IV, 7, 8, 10–12.

Aufstieg. Der Geist kommt nicht mehr als in sich beständiger, weil in sich zurückkehrender Möglichkeitsgrund seelischer Fluktuation in Blick, sondern als der beim Kreisen in sich selbst momentan aus sich heraustretende Grund der in sich vielfältigen Welt – kurz: als Demiurg[173]. Endstation des metaphysischen Abstiegs ist nicht die Seele als philosophisch interessierte, sondern die Welt als eine emanativ geordnete[174]. Die Seelen sind nun Weltwesen, welche Einzelmomente des demiurgischen Kreises[175] entfalten und so die Fluktuation der Dinge innerhalb eines insgesamt doch geordneten Weltzusammenhangs hervorrufen[176]. – Das neuplatonische Systemdenken vermag also nicht zu halten, was es sich versprach. Es vollendet sich nicht selbst im Kreise, weil es nicht in sich zurück, sich vielmehr schließlich nach außen kehrt. Das hat letztlich seinen Grund darin, daß die erkenntnistheoretische Reflexion hinter einer mystischen Erfahrung zurückbleibt. Dieser Tatbestand kann philosophisch nur in dem Begriff eines Verweises auf mystische Erfahrung des Ursprungs erfaßt werden. Schon im Mittelplatonismus wurde ausgesprochen, daß der Ursprung letztlich nur auf dem Wege der Verneinung erkannt werden könne. Die Neuplatoniker haben negative Theologie als den Verweis auf eine mystische Begegnung mit dem göttlichen Prinzip begriffen.

1.1/5.1 Wege zur Erkenntnis des Ursprungs im Mittelplatonismus

Bei Numenios werden Negativ-Attribute des ersten Prinzips emanativ gedeutet – und zwar in Formulierungen, die an Platons »Parmenides« erinnern. – Platon führte im zweiten Teil seines »Parmenides« eine dialektische Übung über das Eine als Seiendes durch. Dabei kam her-

173 Vgl. Proklos, In Tim. II, 72, 2 ff.: »Derart aber ist das Sphärische, zugleich Eines seiend und fähig, die Mannigfaltigkeit zu umfassen, was wahrhaft göttlich ist: nicht aus der Einheit herauszutreten und dabei doch alles Vielfältige zu beherrschen« (Ü. Beierwaltes); ders., In Platonis Theologiam V, 15, 275, 5 f.: »Der Demiurg ... ist Geist einfachhin« (Ü. Beierwaltes); ders., In Tim. I, 421, 29 – 422, 1: »Jegliches Denken des Demiurgen ist Wirken, er muß wirken durch das Denken selbst« (Ü. Beierwaltes).

174 Vgl. ders., In Platons Theologiam VI, 8, 363, 6–10: »Die in Anfang, Mitte und Ende gegliederte Welt hält der Demiurg als Entworfenheit in sich umfaßt, da er ihr Prinzip, ihre im Sein erhaltende Mitte und das Ziel ihres Werdens ist ...« (Ü. Beierwaltes).

175 Vgl. ders., In Parm., 808, 2 ff.: »Der Geist denkt Alles als Eines, die Seele aber sieht Alles als Einzelnes« (Ü. Beierwaltes); Proklos, In Tim. I, 414, 12 f.: Die Seele »entfaltet das Sein des Einen Geistes und tanzt um ihn und führt das All im Kreise zurück« (Ü. Beierwaltes).

176 Vgl. ders., In Tim. II, 103, 4; vgl. ebd., I, 282, 4 ff.; II, 93, 10–18; 109, 26–29; ders., In I Eucl. elem. libr., 147, 12–14: »Auf Grund der Kreisbewegung (des Himmels) kreist das Werden in sich zurück und führt die unstete Veränderung in geordneten Kreisgang« (Ü. Beierwaltes).

aus, daß das Eine, wenn man es konsequent denkt, gar nicht existieren kann. Dann aber könne es vom Einen auch keinen Namen geben, keinen Begriff, keine Wissenschaft, keine Wahrnehmung und keine Meinung[177]. – Numenios sagt, daß dem Urguten nur jemand begegne, der sich vom sinnlich Wahrnehmbaren ganz gelöst habe. Dann begegne man allein dem Alleinigen. Damit wird auf gnostisch-mystische Erfahrung angespielt. »Da«, sagt Numenios, »findet sich weder ein Mensch noch ein anderes Lebewesen, weder ein großer noch ein kleiner Körper, sondern eine unaussprechliche und unbeschreibliche, nicht herstellbar herrscherliche Einsamkeit ...«[178] Numenios umschreibt hier den jenseitigen Ursprung mit Negativ-Attributen wie der platonische »Parmenides« das seiende Eine. Das tut er auch an anderer Stelle: »Keiner soll lachen, wenn ich sage, der Name des Nichtkörperlichen sei Sein und Seiendes. Der Ursprung des Seinsnamens ist das Nichtgewordensein und Nichtverdorbensein, das Nichtempfangen irgendeiner Bewegung oder einer Veränderung zum Besseren oder Schlechteren ...«[179] Außer Platons »Parmenides« scheint hier die Vorstellung des Aristoteles vom unbewegten Beweger Pate gestanden zu haben[180]. – Das Eine des »Parmenides« wird also nicht nur mit dem in gnostisch-mystischer Erfahrung berührten göttlichen Prinzip, sondern auch mit der philosophischen *arché* identifiziert.

Kelsos handelt die Wege einer Erkenntnis des göttlichen Prinzips »im Anschluß an zwei Platon-Texte, nämlich an Timaios 28 c (Kelsos, fr. VII, 42) und den siebten Brief 342 ab (fr. VI 9; 10), wo Platon jeweils von der Schwererkennbarkeit und Unnennbarkeit Gottes spricht«[181]. Dies veranlaßt den Kelsoskritiker Origenes sogar dazu, zu klagen: »Kelsos habe nur eine Reihe von negativen Bestimmungen

177 Platon, Parmenides (ed. J. Burnet, Oxford 1964), 142 a 4–6. – Vgl. G. Koumakis, Platons Parmenides, Zum Problem seiner Interpretation, Bonn 1971, 24 f.: »Die Neuplatoniker gaben den Hypothesen des Parmenides einen metaphysischen Sinn, sie entwickelten daraus eine mystische Theologie. Das ›Eine‹ der ersten Hypothese soll bei ihnen das Sein der übrigen Ideen transzendentieren und wird gleichgesetzt mit der Idee des Guten in der Politeia (Rep. 508 b) oder mit Gott. Die ›Einen‹ der darauffolgenden Hypothesen werden von dem der ersten unterschieden, sie folgen aus jenem. Beispielhaft und in systematischer Form vertreten Proclus und Damascius diese Interpretation, wobei Proclus sich bewußt von den vorangegangenen Interpretationsschulen herleitet. Bei Plotin entsprechen die aufeinanderfolgenden Thesen zum ›Einen‹ der fortlaufenden Emanation seiner Hypostasen aus dem Ur-Einen. Dieser Ansatz Plotins bildete den Ausgangspunkt einer Theologia negativa vom Ur-Einen (Gott), über das keine positiven Aussagen gemacht werden konnten. Die neuplatonische Interpretation hat ihre Wurzeln in den Spekulationen der Neupythagoreer.«

178 Numenios, Über das Gute I: Fragm. 11 bei Leemans: siehe dort auch die folgenden Fragm.

179 Ebd., II: Fragm. 15, (e.Ü.).

180 Vgl. ebd., I: Fragm. 13.

181 N. Brox, Antigonistische Polemik bei Christen und Heiden ..., a.a.O., 284.

gegeben: er habe ›*in leeren Verneinungen*‹ über das Höchste gesprochen ...«[182] – In fr. VII, 42 kommt Kelsos ausdrücklich auf Wege zur Gotteserkenntnis zu sprechen. Er beginnt mit einem Zitat aus Platons »Timaios« (28 c): »Den Bildner und Vater dieses Weltganzen zu finden, ist mühevoll, ihn aber allen mitzuteilen, wenn man ihn gefunden hat, unmöglich.« Kelsos fährt fort: »Ihr seht, wie von Sehern und (Philosophen) der Weg zur Wahrheit gesucht wird, und wie Platon erkannt hat, daß auf diesem zu gehen für alle unmöglich ist. Da ihn aber weise Männer zu dem Zweck gefunden haben, daß wir von dem unbenennbaren, ersten Wesen irgendeine Vorstellung erhalten könnten, die es deutlich macht entweder durch Zusammenstellung mit anderen Dingen oder durch Unterscheidung von ihnen oder durch einen Vergleich mit ihnen, so will ich zwar das lehren, was sonst mit Worten nicht ausgedrückt werden kann, würde mich aber wundern, wenn ihr mir zu folgen vermöchtet, da ihr ganz und gar an das Fleisch gefesselt seid und nichts Reines schauen könnt.«[183] – Die drei von Kelsos angegebenen Wege zur Gotteserkenntnis lassen sich mit H. Dörrie genauer so beschreiben: »Gott läßt sich denken:
a) indem man ihn mit der übrigen Welt zusammenhält, – dann wird sein Charakter als der höchste und letzte Grund offenbar;
b) indem man ihn radikal von allem, was unter ihm liegt, trennt, – dann wird seine Transzendenz sichtbar;
c) indem man die im Diesseits sichtbare Stufung bis ins Jenseits verlängert: Dann wird Gott sichtbar als die Sonne im Reich der Ideen, analog zur irdischen Sonne; ...«[184]
Albinos beschreibt die bei Kelsos nur benannten Wege im 10. Kapitel seines »Didaskalos«[185]. Von vornherein stuft er triadisch übereinander: Seele, Geist und ersten Gott. Letzterer »ist unaussprechlich«, sagt er, »und allein dem Geist begreiflich ... Denn er ist weder Gattung noch Art noch Unterschied. Es kommt ihn auch nichts zu: weder Schlechtes – ein Frevel wäre, das zu sagen – noch Gutes – denn dann wäre er (nur) ein hervorragender Teilhaber an Güte – noch das weder Gute noch Schlechte – denn auch das ist seinem Sinn nicht gemäß. Auch Beschaffenheit kommt ihm nicht zu – denn ihm ist weder eine Beschaffenheit verliehen worden noch wurde er als ein (schon) so Beschaffenes von einer Beschaffenheit vollendet –, aber auch nicht die

182 Vgl. H. Dörrie, Die platonische Theologie des Kelsos in ihrer Auseinandersetzung mit der christlichen Theologie (Origenes, C. Celsum 7, 42 ff.), Göttingen 1967, 29.
183 Kelsos, Wahres Wort: bei Origenes, Gegen Kelsos VII, 42 (Ü. Koetschau, BKV² 53, 1927).
184 H. Dörrie, Die platonische Theologie des Kelsos ..., a.a.O., 37.
185 Zugrunde gelegt wird hier die Albinos-Ausgabe von P. Louis (Paris 1845).

Nichtbeschaffenheit – denn er ist nicht der Beschaffenheit beraubt, indem ihm eine Beschaffenheit noch zuwüchse. Er ist nicht Teil von etwas noch wie ein Ganzes, das Teile hat. Er ist nicht so, daß er ein selbes oder ein anderes im Verhältnis zu etwas wäre. Denn nichts kommt ihm zu, demgemäß er vom übrigen gesondert werden könnte. Er bewegt nicht und wird nicht bewegt.«[186] Das Negativ-Attribut für den Höchsten auf der triadischen Stufenleiter – »unaussprechlich« – wird hier in einer Weise erklärt, die dem platonischen »Parmenides« abgeschaut ist. Doch bleibt Albinos nicht bei dieser Erklärung stehen. Er entwirft von ihr aus die drei Wege zu einer Idee vom Höchsten. Dabei beginnt er, da Gott, wie er gesagt hat, zwar nicht aussagbar, aber für den Geist begreiflich sein soll, mit dem Weg, der gerade methodisch konsequentes Neinsagen ist. »Die erste Einsicht über Ihn wird also die aufgrund der Verneinung *(aphaíresis) dieser* (scil. der aufgeführten Prädikate) sein, so wie wir einen Begriff von einem Punkt gewinnen durch Verneinung *(aphaíresis)* des sinnlich Wahrnehmbaren, indem wir (zunächst noch) eine Fläche denken, dann (nur noch) eine Linie und schließlich (nur noch) den Punkt.«[187] H. A. Wolfson hat es als sehr wahrscheinlich erwiesen, daß die Aphairesis, von der Albinos hier spricht, nicht als Abstraktion im engeren, sondern als Verneinung im weiteren Sinne (wie *apóphasis*) zu verstehen ist[188]. Auf diese Beschreibung der »via negationis« folgen bei Albin Beschreibungen der »via analogiae« und der »via eminentiae«[189]. Letztere entspricht wohl der bei Kelsos an erster Stelle genannten »Synthesis des ersten Wesens« mit allen anderen.

Die Lehre von den Wegen der Gotteserkenntnis ist im Neuplatonismus aufgegriffen worden. Plotin sagt, daß die »höchste Wissenschaft«,

186 Albinos, Didaskalos X, 4 (e.Ü.).
187 Ebd., X, 5 (e.Ü.).
188 H. A. Wolfson, Albinus and Plotinus on Divine Attributes: The Harvard Theological Review 45, Cambridge 1952, 118–121, kommt zu dem Resultat: »The implication of all these statements is that both Albinus and Plotinus use the term aphaireses in the technical sense of Aristotle's apophasis« (ebd. 121).
189 Albinos, Didaskalos X, 5 f. – Vgl. H. Dörrie, Die Frage nach dem Transzendenten im Mittelplatonismus . . ., a.a.O., 213: »Was Albinos nun gibt, ist gewiß nicht sein Eigentum, sondern längst geprägtes Lehrgut; in paralleler Bezeugung liegt es bei Kelsos VII, 42, bei Plotin VI, 7, 36, 8 und bei Maximos von Tyros, Diss. 17, vor. Es begegnen hier die *via negationis,* die *via analogiae* und die *via eminentiae.* Die beiden letzteren haben im Mittelplatonismus eine mehr hilfsweise Bedeutung; sie allein würden nicht zur Erkenntnis des Göttlichen führen; einzig die *via negationis* gilt ohne jede Voraussetzung. Sie wird aus sich selbst heraus entwickelt (Did., 10, 165, 25 f.); die beiden anderen werden dadurch empfohlen, daß Platon sie ging: In der Diotima-Rede (von Symp., 210 A an) ist die *via eminentiae* vorbereitet; das Sonnengleichnis (Staat, 508 D ff.) wird zum Muster für die *via analogiae.* Einzig die *via negationis* stellt eine selbständige logische Operation dar: Zum Göttlichen gelangt man durch möglichst vollkommene Abstraktion: *áphele pánta!*«

von welcher Platon sprach, durch »Analogien«, durch »Verneinungen« *(aphairéseis)* und durch Erkenntnis dessen, was aus dem Prinzip folgt, sowie durch »gewisse Aufstiege« erlangt werde[190]. Die beiden erstgenannten Wege zur Einsicht ins erste Prinzip sind offenkundig »via analogiae« und »via negationis«. Der Weg über die Erkenntnis dessen, was aus der höchsten Einsicht folgt, könnte mit der »via eminentiae« gleichzusetzen sein. Der von Plotin darüber hinaus erwähnte »Aufstieg« wird von ihm selbst anschließend sogleich als ein mystischer Aufstieg interpretiert[191].

I.1/5.2 Prinzipientheoretische Bedeutung des neuplatonischen Begriffs negativer Theologie

Die Differenz zwischen mystischer Erfahrung des göttlichen Prinzips und transzendentaler Reflexion auf sie ist den Neuplatonikern deutlich bewußt[192]. Jenes in der mystischen Einigung umfangene Eine steht über jedem denkbaren Einen. Plotin nennt das nur mystisch erfahrbare Eine »Jenes«. »Indem man ... Jenes in sich selbst ruhend erblickt, lasse man jeglichen Begriff beiseite: dann wird man es auf sich selber stellen ...«[193] – Die Neuplatoniker sagen in Anlehnung an Platon, »Jenes« sei »jenseits des Seins«[194]. Es sei »allein und bar aller anderen Dinge«[195]. Von ihm gebe es »keinen Begriff« und »keine

190 Plotinos, Enn. VI, 7, 36 (Ü. Harder).

191 Vgl. ebd., VI, 7, 36, 8 ff.: »Weggeleiter dahin sind Reinigung, Tugend und Läuterung, ›Wandeln‹ im geistigen Reich und in ihm Sitz und Stelle haben und Gast an seinem Tische sein, wie einer zugleich Beschauer und Schaunis wird, er selbst von sich selber und von den andern geistigen Dingen, und zu Substanz und Geist und ›allvollendetem Lebewesen‹ wird und sie nicht mehr von außen anschaut: und ist er das geworden, so ist er schon nahe bei, der nächste Schritt ist dann schon Jenes. Es ist bereits in der Nähe, das über allem Geistigen seinen Glanz breitet« (Ü. Harder).

192 Es verwundert, daß H. Theill-Wunder (Die archaische Verborgenheit, Die philosophischen Wurzeln der negativen Theologie, München 1970) zwar bemerkt: »... das zentrale Problem des plotinischen Denkens ist nicht mehr – wie wir sogleich sehen werden – die Frage eines reinen Erkennens des Ersten, sondern bei Plotin geht es um die Möglichkeit des Eins-Werdens mit dem höchsten Prinzip« (82), später aber doch wieder behauptet: »Die plotinische Lehre von der Unerkennbarkeit des Ersten, die ihren Ausdruck in der Verneinung aller Bestimmungen erhält, entsteht allein aus der philosophischen Frage nach der Struktur der Erkenntnis« (104).

193 Plotinos, Enn. VI, 8, 19, 3 f.; vgl. V, 3, 10; VI, 2, 3; VI, 8, 8; VI, 8, 9; VI, 8, 10; Proklos, In Parm., 1065; ders., In Platonis Theologiam II, 7; 97; 99; 12; II, 12; 112.

194 Vgl. Platon, Politeia, 509 b 9. – Die Platonstelle wird aufgegriffen bei: Plotinos, Enn. V, 4, 1; V, 5, 6; IV, 8, 8; VI, 8, 19; Proklos, In Plat. Theol. II, 12; 114

195 Vgl. Platon, Philebos, 63 b 7. – Zit. bei: Plotinos, Enn. V, 3, 14; V, 5, 13. Vgl. A. M. Frenkian, Les origines de la théologie négative de Parménide à Plotin: Rivista Classica 15, 1943, 11–58.

Wissenschaft«[196]. – Plotin versteigt sich sogar zu der schon für antike Beobachter befremdlichen Ansicht, daß das höchste Prinzip nicht denke, nichts wolle, ja, nicht einmal Selbstbewußtsein habe[197]. »Denn«, so meint Plotin, »es ist schon vorher sich selbst genug. Folglich wird es nicht denken.«[198] »... Auch dies ›was es will‹ hat es von sich gestoßen hinab ins Reich der seienden Dinge, es ist seinerseits größer als alles Wollen und weist dem Wollen einen Platz unter sich an«[199] »Was ... schlechthin Eines ist, wohin sollte das gehen, wenn es zu sich selber gehen will? Wozu sollte es eines Bewußtseins von sich selber bedürfen?«[200] Damit kritisiert Plotin die aristotelische Rede, daß das Prinzip »Einsicht der Einsicht« sei. Es sei eben »jenseits des Seins« und – wie Plotin hinzufügt – »jenseits der Einsicht«[201].

Aus dem deutlichen Bewußtsein von der unaufhebbaren Differenz zwischen mystischer Berührung und transzendentaler Reflexion ergibt sich für die Neuplatoniker eine prinzipientheoretische Folgerung: Reflexion auf eine wirkliche Einsicht ins Prinzip – in diesem Sinne »Prinzipientheorie« – kann prinzipientheoretisch letztlich nur in sein im Verweis. »Tu alle anderen Dinge fort, wenn du Ihn aussagen oder seiner innewerden willst! Wenn du nun alles fortgetan und nur Ihn selber belassen hast, dann suche nicht danach, was du ihm beilegen könntest, sondern danach, ob du vielleicht etwas noch nicht von ihm fortgetan hast, in deinem Denken. Denn auch du kannst ein Ding erfassen, über welches sich nichts anderes mehr sagen und vorstellen läßt.«[202] – Noch deutlicher drückt sich Proklos in seinem »Parmenidas«-Kommentar aus: »Es ist besser, wie dies Platon getan hat, bei den Negationen zu bleiben und durch diese das erhabene Übermaß des Einen zu zeigen.«[203] Auf diese Weise könne der *»eine theologische Hymnus* auf das Eine *durch die Negationen* emporgesandt«[204] werden. Hier klingt der spätere, patristische Terminus schon unüberhörbar an: »negative Theologie«. »Theologisch« bedeutet in diesem Zusammenhang: als

196 Vgl. Platon, Parmenides 142 a 3. – Vgl. Plotinos, Enn. V, 4, 1; V, 5, 6; VI, 7, 41; Syrianus, In Metaph., 55, 26 bei Proklos, In Plat. Theol. V, 28, 308.
197 Vgl. Plotinos, Enn. III, 9, 7: »Jenes aber seinerseits hat kein Denken« (Ü. Harder).
198 Ebd., V, 6, 2 (Ü. Harder); ferner: ebd., VI, 7, 37; aber: ebd., VI, 7, 39: »... Es wird sich in einem einfachen Akt der Intuition selber erfassen« (Ü. Harder).
199 Ebd., VI, 8, 9 (Ü. Harder).
200 Ebd., V, 6, 5 (Ü. Harder).
201 Ebd., V, 6, 6 (Ü. Harder).
202 Ebd., VI, 8, 21, 23–33 (Ü. Harder).
203 Proklos, In Parm., 1108, 19–25 (Ü. Beierwaltes). – Die Negationen sind nicht privativ, sondern im Sinne einer Eminenz des Ur-Einen zu verstehen; vgl. hierzu: ebd., 1069, 16; 1075, 76: »Wie das Eine Ursache des Ganzen ist, so sind auch die Verneinungen Ursachen der Bejahungen« (e.Ü.).
204 Ebd., 1191, 32–35 (Ü. Beierwaltes).

Gott aussagend. Das Eine soll als göttlich gepriesen werden im Verweis durch Negationen. Proklos bringt hier die Negationen des »Parmenides« wie alle Mittel- und Neuplatoniker in Zusammenhang mit der Aporie bei der Erkenntnis des Ursprungs und deutet diese Aporie religionsphilosophisch. Der prinzipienthoretische Verweis wird damit zum Inhalt des religionsphilosophischen Grundsatzes: *im Hinblick auf eine mystisch gelungene, vollkommene Bejahung des Göttlichen sind alle seine denkbaren Bestimmungen zu verneinen.* Außerdem scheint eine Verbindung der Worte »Verneinung« und »Theologie« der rechte Ausdruck für den begrifflichen Gehalt dieses Grundsatzes zu sein.

Wenn die Neuplatoniker das Göttliche nun doch noch als »Eines« oder als »Gutes« bezeichnen, so fügen sie hinzu, daß dies ein Notbehelf sei. »Wir sprechen über ein Unsagbares und geben ihm Namen, um es uns selber zu bezeichnen, so gut wir vermögen.«[205] »Wir sagen mit diesen Bezeichnungen gar nichts über (es) ... aus, sondern suchen (es) ... nur vor uns selbst nach Möglichkeit begreiflich zu machen.«[206] »Wir nennen es das Eine, notgedrungen, weil wir es einander bezeichnen müssen, wir wollen mit diesem Namen auf die Vorstellung des Ungeteilten hinleiten und die Seele zur Einheit führen ...«[207] »Weil das Hervorgegangene zum (Einen) seiner Natur gemäß zurückgewandt ist und sich nach dessen unsagbarem und unbegreifbarem Sein sehnt, nennen wir es das Gute; was nämlich ist das, wohinein alles zurückkehrt und was allem Seienden als Ziel des Strebens vorgesetzt ist, anderes als das Gute?«[208]

Setzt man aber einmal voraus, daß das Göttliche als das Eine bezeichnet werden darf, so läßt sich im nachhinein eine vermeintliche Begründung des Grundsatzes der negativen Theologie geben. Jede positive Bestimmung des Ur-Einen würde eine Hinzufügung bedeuten, das Ur-Eine zu einem vielfältigen Etwas und es als Urgutes zugleich zu einem Schlechteren pervertieren. – »Alle anderen Dinge muß man gänzlich fortlassen bei der höchsten Wesenheit, welche keiner Hilfe bedarf; was du auch hinzutust, du verminderst durch die Zutat sie, die keines Dinges bedarf.«[209] »... Die Aussage, daß vom Prinzip alle Dinge ausgehen, ist eine akzidentelle These, die dem Ersten eine Eigenschaft des Seins, das Vermögen der ursächlichen Wirkung zuspricht. Es gilt also auch diese Bestimmung aufzuheben, wenn wir dem Ersten

205 Plotinos, Enn. V, 5, 6 (Ü. Harder).
206 Ebd., II, 9, 1 (Ü. Harder).
207 Ebd., VI, 9, 5 (Ü. Harder); vgl. VI, 8, 13.
208 Proklos, In Plat. Theol. II, 6; 95, 15–20 (Ü. Beierwaltes).
209 Plotinos, Enn. VI, 7, 41 (Ü. Harder); vgl. V, 3, 13; VI, 4, 3; Proklos, In Parm., 1094, 11 ff.; 1177, 22 ff.; ders., In Plat. Theol. II, 10; 108.

gerecht werden wollen.«[210] – Doch, wie gesagt, solche Überlegungen begründen den Grundsatz negativer Theologie nur vermeintlich. Denn sie gehen von etwas aus, was nach ebendiesem Grundsatz nur uneigentlich gilt, daß nämlich das nur mystisch Berührbare Ur-Eines genannt werden darf.

Diese vermeintliche Begründung des Grundsatzes negativer Theologie scheint etwas mit einem verkehrten Gebrauch dieses Grundsatzes im Neuplatonismus zu tun zu haben. – Solcher Gebrauch deutet sich an, wo gesagt wird, daß eine höhere Stufe des Seins nicht mit den (Erkenntnis-)Möglichkeiten einer niederen zu erreichen sei. So heißt es etwa: die Seele »ist außerhalb und jenseits jeder körperlichen Natur«[211]. Das Eine, der Geist und die Seele sind »drei ursprüngliche Wesenheiten« und sich – je zwei von ihnen einander – jenseitig[212]. So verstanden, erscheint auch das Ur-Eine lediglich als Spitze einer Seinsstufenpyramide[213]. – Der religionsphilosophische Grundsatz negativer Theologie dient hier nicht mehr eigentlich dazu, die Differenz zwischen denkbarem und faktischem Prinzip im Verweis auf mystische Erfahrung offenzuhalten. Der Grundsatz hat hier nicht mehr seine eigentlich prinzipientheoretische Bedeutung. Er dient vielmehr verkehrterweise dazu, eine emanative Stufenordnung des Seins und des Erkennens spekulativ zu festigen. Der prinzipientheoretische Hinweis auf die Aporie des neuplatonischen Systems scheint sich in eine spekulative Regel zur Stabilisierung dieses Systems verkehrt zu haben. – Man wird sogar sagen müssen: der religionsphilosophische Grundsatz negativer Theologie, der vom Neuplatonismus zwar als prinzipientheoretischer Verweis begriffen wird, kann vom neuplatonischen Philosophieren, das immer Systemdenken sein will, gar nicht anders assimiliert werden als so, daß er im Sinne einer spekulativen Stabilisierung des Systems vereinnahmt wird. Der Neuplatoniker kann gleichsam die radikal prinzipientheoretische Bedeutung negativer Theologie, die er sehr wohl begreift, nicht in ihrer letzten Konsequenz ertragen. Was er gleichwohl wahrnimmt, ist ihr mystagogischer Sinn.

210 H. Theill-Wunder, Die archaische Verborgenheit, a.a.O., 103.
211 Plotinos, Enn. IV, 7, 3 (Ü. Harder).
212 Vgl. ebd., V, 1.
213 Vgl. besonders deutlich bei: Proklos, In Parm., 1191, 32–35: »Vielmehr ist es offenbar für diejenigen, die die Gattungen des Göttlichen wissenschaftlich einteilen, daß sie auf es (scil. Jenes Eine) verweisen als auf das, was höher ist als alle Stufen, indem sie durch diese Verneinungen den einen theologischen Lobpreis zum Einen emporsenden« (e.Ü.).

I.1/5.3 Mystagogischer Sinn des neuplatonischen Begriffs negativer Theologie

»So wie ... der Liebende sich eine Haltung zu geben versucht, die dem Geliebten möglichst gleicht ...: gleichermaßen begehrt die Seele nach Jenem, da sie von Anbeginn durch Ihn mit Liebesverlangen erfüllt wurde. Und die Seele, der das Verlangen leicht kommt, braucht sich nicht erst durch die schönen irdischen Dinge an Ihn gemahnen zu lassen, sondern sie hat das Verlangen, auch wenn sie nicht weiß, daß sie es hat, und ist immer auf der Suche, und da sie hinauf will zu Jenem, achtet sie die irdischen Dinge gering ... So eilt sie denn dorthin, eifrig im Ausfinden dessen, wonach sie ja verlangt, und nicht ablassend, ehe sie es ergriffen, wenn ihr nicht etwa einer eben das Verlangen nimmt.«[214] Die philosophische Seele sehnt sich nach der mystischen Einigung mit dem Göttlichen. Dazu aber muß sie sich läutern. »Legt doch ... die Seele, wenn sie von gespanntem Verlangen nach Jenem ergriffen ist, jede Form ab, die sie hat, auch jede geistige Form, die immer in ihr sein möge.«[215] Man muß von hier fliehen, um Gott ähnlich zu werden. Das sagte schon Platon.

Im neuplatonischen Bewußtsein von der Nichtidentität der Seele mit dem von ihr Ersehnten ergibt sich also nicht nur der Grundsatz negativer Theologie in seiner radikal prinzipientheoretischen Bedeutung, sondern zugleich entsteht ein Impuls zur Läuterung der Seele von allem, was sie an der mystischen Einigung mit dem Göttlichen hindert. Der Grundsatz negativer Theologie in seiner radikal prinzipientheoretischen Bedeutung erhält so einen mystagogischen Sinn: prinzipientheoretische Suche nach dem Göttlichen ist zusammen mit läuternder Askese Vorübung zu mystischer Erfahrung. – Gerade in diesem Sinn spricht Plotin an der schon erwähnten Stelle von Platons »höchster Wissenschaft«: »Die Erkenntnis oder das intuitive Erfassen des Guten ist das Höchste; und Platon sagt, daß dies ›die höchste Wissenschaft‹ ist, und meint mit ›Wissenschaft‹ nicht das Schauen auf Jenes, sondern etwas, das man zuvor über Es lernen soll. Die Lehrer dafür sind Analogie und Verneinung, die Erkenntnis dessen, was aus Ihm herstammt, und jene besonderen Stufen des (scil. mystischen) Aufstiegs; und Wegleiter dahin sind Reinigung, Tugend und Läuterung.«[216] – Der religionsphilosophische Grundsatz negativer Theologie hat in seiner prinzipientheoretischen Radikalität geradezu den Sinn, daß er das neuplatonische Philosophieren anweist, sich in Mystik aufzuheben. Dem

[214] Plotinos, VI, 7, 31 (Ü. Harder).
[215] Ebd., VI, 7, 34 (Ü. Harder).
[216] Ebd., VI, 7, 36 (Ü. Harder).

Ur-Einen hafte, wie Plotin erklärt, eine Schwierigkeit an, die uns immer wieder aus seiner Nähe zu werfen droht. »Diese Schwierigkeit beruht aber hauptsächlich darauf, daß man des Einen gar nicht auf dem Wege des wissenschaftlichen Erkennens, des reinen Denkens wie der übrigen Denkgegenstände inne werden kann, sondern nur vermöge einer Gegenwärtigkeit, welche von höherer Art ist als Wissenschaft.«[217]

Die mystische Erfahrung selber wird neuplatonisch durch Vokabeln aus den antiken Mysterienreligionen[218] sowie in paradoxen Formulierungen umschrieben. – »Gerade wenn wir im geistigen Sinn am tiefsten wissen, kommt es uns vor, als wüßten wir nichts, weil wir auf die Affektionen des Bewußtseins warten, welches meldet, daß es nicht gesehen hat; es hat ja wirklich nicht gesehen und kann ja wohl solche Dinge niemals sehen.«[219] »Die Verfassung (scil. der Seele) ist dann derart, daß sie auch das Denken, das sie doch sonst noch hielt, gering achtet... Denn, so sagt sie, auch Jener denkt nicht, den sie sehen will...; ... wenn sie aber plötzlich sieht, dann läßt sie alles fahren.«[220] »Stumm ist (die Seele) geworden und schweigend in einem inneren Schweigen. Und wie sollte sie sich dem Unsagbarsten von allem anders verbinden, als daß sie die Rede in ihr zum Schweigen brächte?«[221] – Paradox müssen Umschreibungen der mystischen Erfahrung deshalb klingen, weil nach der prinzipientheoretischen Bedeutung des neuplatonischen Begriffs negativer Theologie von ihr nur ihm Verweis zu reden ist. Gerade so aber hat dieser Begriff mystagogischen Sinn.

217 Ebd., VI, 9, 4 (Ü. Harder).
218 Vgl. ebd., V, 3, 14; V, 8, 10, 39–43; VI, 9, 11.
219 Ebd., V, 8, 11 (Ü. Harder).
220 Ebd., VI, 7, 35 (Ü. Harder).
221 Proklos, De providentia et fato et eo quod in Nobis: Tria Opuscula, Latine Guilelmo de Moerbeka vertente et Graece ex Isaacii Sebastocratoris aliorumque scriptis collecta, ed. H. Boese, II, 31, Berlin 1960, 140 f.

I.2 Der patristische Begriff negativer Theologie

Die Kirchenväter haben negative Theologie als eine Grundforderung an jeden Gottesbezug und an jede Besinnung auf ihn nur sehr allmählich begrifflich erfaßt. Erst gegen Ende der patristischen Periode ist negative Theologie als expliziter Terminus formuliert worden. Es erscheint als ratsam, die Herausbildung des impliziten Begriffs und die Formulierung des expliziten Terminus in zwei verschiedenen Kapiteln zu behandeln. In diesem *zweiten Kapitel* wollen wir der begriffsgeschichtlichen Entwicklung negativer Theologie von den frühen Apologeten bis Gregor von Nyssa mehr historisch folgen. Im folgenden *dritten Kapitel* werden wir ihre terminologische Festlegung bei Dionysios Areopagites mehr systematisch zu verstehen versuchen.
Schon in der Frühzeit der christlichen Theologie ist die Grundforderung negativer Theologie, wenn auch mehr oder weniger implizit, zur Begründung von Kritik an Nichtchristen und Irrlehrern herangezogen worden. Gerade eine neuzeitliche Untersuchung sollte Ansätze einer kritischen Anwendung negativer Theologie nicht übergehen. Die *beiden ersten Abschnitte des zweiten Kapitels* gehen deshalb den Anzeichen eines frühapologetischen bzw. katechetischen und eines antignostischen bzw. antihäretischen Gebrauchs negativer Theologie nach. – In einer späteren Phase patristischer Theologie wurde der im Mittel- und Neuplatonismus entwickelte Begriff negativer Theologie christlich rezipiert. Davon handelt der *dritte bis fünfte Abschnitt.*

I.2/1 Negative Theologie bei Apologeten und Katecheten des frühen Christentums

In apologetischen und katechetischen Texten der christlichen Frühzeit hat man bis in die neuere Zeit hinein eher Hinweise auf eine natürlich begründende als auf eine kritisch negative Theologie beachtet. Belege lassen sich jedoch auch für letztere finden. Vor allem die frühen Apologeten waren an einer Antikritik der landläufigen Kritik am jungen Christentum interessiert. Bald allerdings erwachte in ihnen auch katechetisches Interesse. Eine Versöhnung christlichen Glaubens mit griechischem Denken schien nun die wichtigere Aufgabe. In beiden Bemühungen hat negative Theologie, wenn auch implizit, eine nicht unbedeutende Rolle gespielt.
»Drei Beschuldigungen sind gegen uns gang und gäbe«, beklagt sich Athenagoras um 177 in seiner »Bittschrift für die Christen«, »Atheis-

mus, thyesteische Mahlzeiten, ödipodeische Beilager.«[222] Der jungen Christenheit warf man im römischen Reich also inzestöse Promiskuität vor. Damit spielte man wahrscheinlich polemisch auf die christliche Idee der Brüderlichkeit an. Hinzu gesellte sich ein gehässiges Mißverständnis der christlichen Eucharistiefeier. Den Christen wurde liturgischer Kannibalismus vorgeworfen. Solche Greuelmärchen ließen sich apologetisch verhältnismäßig leicht als haltlos erweisen. Die Apologeten brauchten nur die christliche Praxis darzustellen und zu erläutern. – Diese Vorwürfe bildeten aber gleichsam nur den polemischen Vorhof eines grundsätzlicheren Einwandes gegen die Christen. Man klagte sie der Gottlosigkeit an. Gemeint war, daß die Christen »nicht an die nämlichen Götter glauben wie der Staat«[223]. – Dieser Vorwurf erklärte sich aus einer religiösen Ideologie, welche die politische Ordnung des römischen Imperiums legitimierte. Danach bekundete man schon seine politische Loyalität, sofern man sich nur gewissen äußeren Pflichtübungen des Kaiserkultes unterzog. Die Christen kamen aufgrund ihres Monotheismus mit der Reichsideologie in Konflikt. Im Volke galten sie darum als Atheisten. – Christliche Apologeten versuchten, die Staatsgewalt dem Christentum dadurch günstig zu stimmen, daß sie – wie etwa schon Quadratus (125/126 n. Chr.), Aristides (zwischen 117 und 138) und Athenagoras – ihre Apologien ausdrücklich an den Kaiser richteten und an ihn appellierten. Oder sie bemühten sich, wie es etwa bereits in der Aristidesapologie oder noch im Diognetbrief (2. oder 3. Jahrhundert) nachzulesen ist, die politisch-gesellschaftliche Unbedenklichkeit oder sogar Nützlichkeit christlichen Handelns nachzuweisen. – Da man aber offiziell politische Loyalität am äußeren Bekenntnis zur Reichsideologie maß, schienen alle apologetischen Anstrengungen von nur zweifelhaftem Erfolg zu sein. Jede nur teilweise Identifikation mit der römischen Reichsideologie wirkte bereits politisch subversiv[224]. Das junge Christentum war in der Gesellschaft des

222 Athenagoras, Supplicatio pro Christianis (zit. E. Goodspeed, Die ältesten Apologeten, Göttingen 1914), 3,1 (Ü. Eberhard: BKV² 12, 1913); vgl. Minucius Felix, Octavius (ed. C. Halm: Corpus scriptorum ecclesiasticorum Latinorum 2, 1967), c. 8 – 13; A. v. Harnack, Der Vorwurf des Atheismus in den ersten drei Jahrhunderten: Texte und Untersuchungen, 28, 4a, 1905, 8–15; W. Speyer, Zu den Vorwürfen der Heiden gegen die Christen: Jahrbuch für Antike und Christentum, Münster 1963, 129–135; vgl. Justinus, 2. Apologie, c. 12 (zit. E. J. Goodspeed).

223 Athenagoras, Suppl., 13,1 (Ü. Eberhard: BKV² 12, 1913); cf. Justin, 2. Apol., c. 8.

224 Vgl. Tatianus, Oratio ad Graecos (ed. E. Schwartz, Texte und Untersuchungen zur Geschichte der altchristlichen Literatur IV, 1, Leipzig 1888) IV,2 (Ü. Kukula, BKV² 12, 1913): »Der Kaiser befiehlt, Steuern zu zahlen: ich bin bereit, sie zu leisten; der Herr verlangt, ihm zu dienen und zu gehorchen: ich kenne die Pflicht des Untertanen. Denn den Menschen muß man auf menschliche Weise ehren, Gott aber allein fürchten, ihn, der mit menschlichen Augen nicht gesehen und von keiner Kunst erfaßt werden kann. Nur wenn man mir befiehlt, ihn zu

Römischen Reiches also allein schon durch sein Dasein sowohl religions- als auch gesellschaftskritisch. In beiden Hinsichten war es dann aber auch angreifbar.
Literarische Angreifer wie etwa Fronto von Circa, Lukian von Samosata und Kelsos nutzten diese schwachen Stellen der christlichen Position weidlich aus. Sie untermauerten das volkstümliche Argument, daß die Christen im Sinne der Reichsideologie gottlos seien, religionsphilosophisch. – Die Verteidiger des Christentums konnten sich infolgedessen schließlich nicht mehr wie noch Athenagoras damit begnügen, die gängigen Vorwürfe einfach der Reihe nach zu entkräften. Sie versuchten nun, in einem eigenständigen Beweisgang die Front der gegnerischen Ansichten von ihrer ideologischen Flanke her aufzurollen und die Angreifer womöglich auf ihrem eigenen Felde zu schlagen. Dabei wandelten sich die apologetischen Bemühungen, je mehr religionsphilosophische Gedanken in sie einflossen, in katechetische. Schließlich rückte an die Stelle apologetischer Erwiderung auf populäre Vorwürfe und religionsphilosophische Einwände die katechetische Darlegung eines theoretischen Zusammenhangs zwischen hellenistischer Philosophie und christlicher Verkündigung.
In der apologetischen Argumentation hat negative Theologie eine religionskritische Rolle gespielt. Das läßt sich am logischen Gang apologetischer Argumentation ablesen. – Trotz vieler Modifikationen im Einzelfall ist nämlich ein Muster apologetischer Argumentation rekonstruierbar. In der sehr frühen Aristidesapologie und im sehr späten Diognetbrief wird es beschrieben. Offenbar hat es den Aufbau dieser Schriften bestimmt[225]. *Zunächst* wird *die Frömmigkeit* der im römischen Reich hervorragenden, religiösen Gruppen *am Maßstab einer negativ zu vermittelnden Gottesidee kritisch gemessen.* Dieser religionskritische Verweis gipfelt in der Feststellung, daß die Menschen Gott nicht erkannt und auch sonst keinen Zugang zu ihm gewonnen haben, weil er unbegreiflich und unverfügbar sei. Darum sei selbst für die Christen nicht theoretisch erweisbar, daß sie eine wahre Gottesidee und einen rechten Gottesbezug haben[226]. In einem *zweiten Argu-*

verleugnen, so werde ich nicht gehorchen, sondern lieber gleich sterben, damit ich nicht als Lügner und Undankbarer befunden werde.«
[225] Der Diognetbrief nennt zu Beginn drei Fragen, die er beantworten will: »... was das für ein Gott ist, dem vertrauend und dienend, sie alle die Welt geringschätzen und den Tod verachten und weder die von den Griechen anerkannten Götter als solche ansehen noch dem Aberglauben der Juden huldigen; ferner was das für eine Liebe ist, die sie gegeneinander hegen; endlich, warum diese neue Lebensart und Gottesverehrung erst jetzt und nicht früher in die Welt getreten ist« (Der Brief an Diognet, 1, vgl. H. I. Marrou, Sources Chrétiennes 33, Paris 1951; hier zitiert nach der Ü. Rauschen: BKV² 12, 1913).
[226] Vgl. Aristidesapologie (ed. J. Geffcken, Zwei griechische Apologeten, Leipzig-

mentationsschritt wird deshalb *auf eine allgemein ansprechende, christliche Praxis der Gottes- und Nächstenliebe hingewiesen,* die als solche *aus dem sittlichen Vermögen von Menschen kaum erklärt werden* könne[227]. In einem *dritten Argumentationsschritt* wird *diese Praxis darum aus der Kraft und dem Wirken eines heilsgeschichtlich sich offenbarenden Gottes erklärt*[228]. – Die drei apologetischen Argumentationsschritte spiegeln ein neutestamentliches Verständnis negativer Theologie wider. Der religionskritische Verweis bei den Apologeten entspricht dem religionskritischen Negationsmoment negativer Theologie, der Hinweis auf christliche Praxis dem Verweis auf eine eschatologische Affirmation, die wie bei Johannes als Gottes- und Nächstenliebe schon in der Gegenwart wirksam ist. Die heilsgeschichtliche Begründung der Möglichkeit solcher Praxis scheint etwas mit dem Grundmoment im biblisch-heilsgeschichtlichen Konzept negativer Theologie zu tun zu haben.

Je mehr bei der negativen Umschreibung der Gottesidee, die der apologetischen Religionskritik als Maßstab diente, religionsphilosophische Ansätze aufgegriffen wurden, desto mehr wandelte sich auch die Funktion negativer Theologie. Am Ende fungierte sie geradezu als der Ansatzpunkt einer philosophischen Vermittlung christlicher Verkündigung und Theologie. Zugleich löste sich die apologetische Argumentationsweise auf und wich katechetischer Darlegung. Diese Entwicklung soll nun mit dem Blick auf die jeweilige Funktion der Momente negativer Theologie an den einzelnen apologetischen Argumentationsschritten nacheinander verfolgt werden.

I.2/1.1 Religionskritischer Verweis auf eine negativ zu vermittelnde Gottesidee

Aristides umschreibt den apologetischen Argumentationsgang, wenn er sagt: »Daß ich forschen solle hinsichtlich seiner, der dieser Beweger von allem ist, wie beschaffen er sei – denn dieses ist mir deutlich: nicht begreiflich ist er in seiner Natur – und daß ich handeln solle von der Festigkeit seiner Ökonomie, daß ich sie ganz begriffe, ist nicht vorteilhaft für mich; denn niemand vermag sie vollkommen zu begreifen. Ich sage aber über den Beweger der Welt, daß er der Gott von allem ist, welcher alles wegen des Menschen gemacht hat. Und es erscheint mir, daß dieses nützlich ist, daß man Gott fürchte, den Menschen aber nicht bedrücke.«[229] – Hier ist offenbar das Negations-

Berlin 1907: G. Ruhbach [Hrsg.], Altkirchliche Apologeten: Texte zur Kirchen- und Theologiegeschichte, H. 1, Gütersloh 1966), c. 1–14; Diognetbrief, c. 1–4.

227 Vgl. Aristidesapologie, 15 – 16, 4; Diognetbrief, 5–6.

228 Vgl. ebd., 16, 5 – 17, 8; Diognetbrief, 7–9; vgl. 10–12.

229 Aristidesapologie, 1, 2 f. (Ü. Geffcken).

moment negativer Theologie im Spiel. Es läßt, wie gesagt wird, nur noch den Glauben an einen Schöpfergott stehen, der die Ökonomie zum Heil der Menschen lenkt. Mit solchem Glauben hängt Liebe zusammen. Das Liebesgebot wird so gedeutet, daß Gottesfurcht das Bedrücken von Menschen gerade ausschließt. – Ob sich in diesem Gedankengang nicht Kritik an der religiösen Reichsideologie ausspricht, nach welcher der Kaiserkult imperialer Unterdrückung Vorschub leistete? Aristides spricht sich nicht deutlicher aus. – Nach einer negativen Umschreibung der Gottesidee eröffnet er vielmehr seine Kritik an den Religionen im römischen Reiche: »Da also über Gott ist gesprochen worden, soweit ich über ihn zu sprechen vermochte, wollen wir nun zum Menschengeschlecht kommen, um zu sehen, welche hiervon an der Wahrheit teilhaben, von der wir gesprochen, und welche am Irrtum.« [230] – Aristides erhebt also ausdrücklich eine negativ allein zu vermittelnde Gottesidee zum Maßstab seiner Kritik an den im römischen Imperium bekannten Formen von Volksreligion. Dabei deutet er sofort an, daß er auf eine Erfüllung des christlichen Gebotes der Nächstenliebe hinweisen wird, die nur aus dem Wirken eines heilsgeschichtlichen Gottes und aus dem Glauben an ihn zu erklären sein wird. Diesen Zusammenhang der Schritte apologetischer Argumentation scheint er also schon vorweg entworfen zu haben.
Kritik an Volksreligionen und später auch an der in der Popularphilosophie sich äußernden Volksreligiosität, verbunden mit einem Verweis auf eine negativ zu vermittelnde Gottesidee, findet sich auch bei Justin († 165)[231], bei Athenagoras († um 177)[232], bei Theophilus († nach 181)[233], bei Clemens von Alexandrien († nach 215)[234] und bei späteren. Daß dabei oft auch ein biblisch-heilsgeschichtliches Verständnis negativer Theologie mit seinem religionskritischen Negationsmoment nachwirkt, bezeugen Berufungen auf das atl. Bilderverbot oder auf die Areopagrede[235]. Doch verliert bei diesen Apologeten oder auch Katecheten der religionskritische Verweis an Gewicht, weil er nur noch als ein Argument unter anderen vorgetragen wird[236].

[230] Ebd., 2: (Ü. Julius: BKV² 12, 1913).
[231] Vgl. Justin, 1. Apol., 9.
[232] Vgl. Athenagoras, Suppl., 13–30.
[233] Vgl. Theophilus, Ad Autolycum (G. Bardy: Sources Chrétiennes 20, Paris 1948), 1, 9–11.
[234] Clemens Alex., Protrepticus (zit. O. Stählin, GCS 1, 1936²) II, 23, 1: M. 8, 89 B (Ü. Stählin, BKV² 7, 1934).
[235] Vgl. Diognetbrief, 2–3; Athanasius, Contra gentes X: M. 25, 21 C; XVIII bis XIX: M. 25, 37 A – 40 A; XXV: M. 25, 49 D; Basilius Caes., Regulae fusius tractatae XX,2: M. 31, 972 C; Gregor. Naz., Oratio 28, 14–15: M. 36, 44 C – 45 C.
[236] Vgl. Clemens Alex., Protr. IV, 51, 6: M. 8, 144 C; IV, 55, 4 f.: M. 8, 152 C; IV, 62, 2: M. 8, 161 B; VI, 69, 3: M. 8, 176 A; Paidagogus (zit. O. Stählin, GCS 1, 1936²) II, 73, 2: M. 8, 485 A; II, 126, 2: M. 8, 549 C; Strom. (zit. O. Stählin, GCS

Das religionskritische Maß – die negativ zu vermittelnde Gottesidee – wird in der apologetischen Argumentation meist noch durch Negativ-Prädikationen umschrieben, die denen der Gnosis ähneln. Apologeten bezeichnen Gott als ungeworden, unvergänglich, unbegreiflich, ohne Namen . . .[237] Katechetisches Interesse führt aber mehr und mehr dazu, in Anlehnung an hellenistische – besonders an stoische und dann auch mittelplatonische Philosophie –, klassische Formulierungen der Ursprungsaporie auf die Unmöglichkeit der Gotteserkenntnis zu beziehen. – Clemens von Alexandrien greift das Xenophaneswort von der ethnischen Relitivität aller Gottesvorstellung auf[238] und zitiert einen kynischen Philosophen Antisthenes: »Gott ist niemand gleich; deshalb kann ihn niemand aus einem Bilde erkennen.«[239] Minucius Felix übernimmt von Xenophon, die Gestalt des wahren Gottes könne nicht wahrgenommen und dürfe deshalb nicht erforscht werden[240]. Einen Ehrenplatz in der katechetischen Zitation erhalten aber die auch im Mittel- und Neuplatonismus gerühmten und erklärten Platonworte vom Vater und Schöpfer des Alls, der schwer zu finden und unmöglich allen zu verkünden sei[241] und der sogar jenseits des Seins throne[242]. – Die Kluft zwischen hellenistischen und biblischen Transzendenzaussagen sucht der Alexandriner Clemens wie einst Philon von Alexandrien durch allegorische Bibeldeutung zu überbrücken. Schon vor Clemens hat Justin behauptet, die – so gedeuteten – biblischen Transzendenzaussagen seien älter als die griechischen. Ja, letztere seien von ersteren sogar abhängig[243]. – Damit ist nicht nur ein hellenistisches Konzept negativer Theologie an die Stelle eines heilsgeschichtlich biblischen getreten. Auch von einer religionskritischen Reserve, die das apologetische Argumentieren kennzeichnet, ist bei den Katecheten – wenigstens gegenüber der heidnischen Religionsphilosophie – weniger zu spüren.

2–3, 1906) III, 89,1: M. 8. 1189 B; VI, 44, 1: M. 9, 265 A. – Mit einer Berufung auf das atl. Bilderverbot und die Areopagrede verbindet sich allerdings eine ursprünglich griechische Abscheu vor Versklavung an Götzen *(deisidaimonía)*: vgl. Justin, 1. Apol., 2 (ed. E. J. Goodspeed): M. 6, 329 B; Clemens Alex., Protrept. II, 25, 1: M. 8, 93 A; II, 40, 1: M. 8, 976 A.

237 Vgl. Aristidesapologie, 1, 4 f.; Justin., 1. Apol., 10: M. 6, 340 f.; 61, 11: M. 6, 421 B; 2. Apol., 6, 2 f.: M. 6, 453 AB; Athenagoras, Suppl., 10; Theophil., Ad Autol., 1, 3 f.

238 Clemens Alex., Strom. VII, 22, 1: M. 9, 428 C. Vgl. oben S. 25, Anm. 35!

239 Ders., Protr. VI, 71, 1: M. 8, 176 C.

240 Minucius Felix, Octavius, 19, 13.

241 Athenagoras, Suppl., 6; Minucius Felix, Octav., 19, 14; Clemens Alex., Protr. VI, 68,1: M. 8, 172 C; Strom. V, 78, 1: M. 9, 116 B; V, 92, 3: M. 9, 136 AB.

242 Justinus, Dialogus cum Tryphone Judaeo (zit. E. J. Goodspeed, a.a.O., 1914), 4, 1.

243 Vgl. ders., 1. Apol., 59; 63.

Katechetisches Interesse motiviert nun eher eine Bejahung der Philosophie. An sie knüpft die christliche Verkündigung bei gebildeten Zuhörern an. Justin findet christliche Gedankenkeime auch bei heidnischen Denkern. Clemens schreibt: »Wenn die griechische Philosophie die Wahrheit auch nicht in ihrer ganzen Größe erfaßt und außerdem nicht die Kraft hat, die Gebote des Herrn zu erfüllen, so bereitet sie doch wenigstens den Weg für die im höchsten Sinn königliche Lehre, indem sie irgendwie zum Nachdenken veranlaßt, die Gesinnung beeinflußt und zur Aufnahme der Wahrheit geeignet macht.«[244] Die Katecheten scheinen es nicht mehr als dringlich zu empfinden, einen Verweis auf eine negativ zu vermittelnde Gottesidee in einem Hinweis auf heilsgeschichtlich zu begründende Praxis abzustützen.

I.2/1.2 Hinweis auf heilsgeschichtlich zu begründende Praxis

Bei Aristides folgt, wie soeben erklärt, sogleich zu Beginn seiner Apologie schon auf eine Aussage über die Unbegreiflichkeit Gottes ein Hinweis auf christliche Gottes- und Nächstenliebe. Im Diognetbrief wird vom religionskritischen Abschnitt zu dem über das christliche Leben mit den Worten übergeleitet: »Von solcher all-gemeinsamen Torheit, Verblendung und jüdischen Betriebsamkeit und Prahlerei enthalten sich darum die Christen mit Recht. Ich denke, dich darüber genügend belehrt zu haben. Was aber das eigentliche Geheimnis ihrer Gottesverehrung betrifft, so kannst du nicht erwarten, es durch Menschen kennenzulernen. Denn die Christen unterscheiden sich weder durch Heimat noch durch Sprache von den übrigen Menschen; ... sie fügen sich den Sitten des Landes in Kleidung, Speise und übriger Lebensart, indem sie aber zugleich einen wundersamen und anerkannterweise paradoxen Wandel in ihrer Lebensart an den Tag legen.«[245] Die Paradoxie christlicher Praxis erklärt der Diognetbrief sodann aus einem »Ja – aber« der Christen zur sonst üblichen Praxis. – Der Diognetbrief stellt also wie die Aristidesapologie einen ausdrücklichen Zusammenhang zwischen dem religionskritischen Verweis auf eine negativ zu vermittelnde Gottesidee und einem Hinweis auf eine heilsgeschichtlich zu begründende, christliche Praxis her. Im Diognetbrief wird dieser Zusammenhang noch dadurch verdeutlicht, daß an der christlichen Praxis ihr gesellschaftlich kritischer Charakter hervorgehoben wird.

244 Clemens Alex., Strom. I, 80, 6: M. 8, 796 A.
245 Diognetbrief, 4 f. (Ü. B. Widmer, Griechische Apologeten des zweiten Jahrhunderts, Einsiedeln 1958).

I.2/1.3 Zurückführung christlicher Praxis auf heilsgeschichtliche Offenbarung oder logos-theologische Begründung der Offenbarung

Wird der religionskritische Verweis auf eine negativ zu vermittelnde Gottesidee konsequent durchgesetzt, so kann keinerlei Theorie über Gott und Gottesbezug mehr als gültig anerkannt werden. Gott kann nur noch in einer Praxis wahrhaft gefunden, rechter Gottesbezug nur noch an einer Praxis vorgeführt werden. Aus dem religionskritischen Verweis der frühchristlichen Apologeten ergibt sich darum geradezu folgerichtig ihr Hinweis auf christliche Praxis. Praxis aber, die Gottesbezug vermitteln soll, wird von den Apologeten auf eine heilsgeschichtliche Offenbarung Gottes zurückgeführt. – Aristides sagt: »Die Christen leiten ihre Abkunft von Jesus Christus her. Dieser wird der Sohn des höchsten Gottes genannt . . .«[246], und er resümiert die wichtigsten Fakten der Heilsgeschichte. Im Diognetbrief wird die heilsgeschichtliche Reduktion christlicher Praxis noch deutlicher durchgeführt. »Es hat der Menschen keiner Gott je gesehen noch ihn erkannt, vielmehr hat er sich selber offenbart«[247], heißt es in Kapitel 8. Doch ist es nach Kapitel 7 schon gerade die gesellschaftlich kritische – wenn nicht gar politisch subversiv wirkende – Praxis christlicher Liebe, welche von Gottes Dasein und Wirken Zeugnis gibt: »Siehst du nicht, wie sie vor die wilden Tiere geworfen werden, auf daß sie den Herrn verleugnen, und wie sie doch standhaft bleiben? Und siehst du nicht, wie sie zahlreicher werden, je mehr von ihnen hingerichtet werden? Das aber ist augenscheinlich nicht das Werk eines Menschen, sondern die Kraft eines Gottes, seiner Gegenwart Zeugnis.«[248]

Im frühapologetischen Argumentationsgang wurde Praxis als das Medium anerkannt, in welchem sich sowohl der religionskritische Verweis bewähren als auch die heilsgeschichtliche Begründung bewahrheiten muß. Auch die letztere bezog also Glaubwürdigkeit und Sinn aus einer auffallenden und doch ansprechenden Praxis christlicher Liebe. – Sobald nun wie bei den Katecheten theoretische Argumente dem Argument aus der Praxis vorgezogen wurden, vergaß man auch, was Praxis als Verifikationsmedium leisten kann. Die heilsgeschichtliche Begründung christlicher Praxis, die zunächst von dieser Praxis her beglaubigt und gedeutet werden konnte, wurde nach dem Verlust des Praxisargumentes von neuem einer Deutung – und sogar einer Begründung – bedürftig. Beides schien jetzt nur noch theoretisch möglich zu sein. – Die Katecheten haben hierfür an die stoische sowie mittel-

246 Aristidesapologie, 15, 1. – Vgl. ebd., 15, 1–3.
247 Diognetbrief, 8 (Ü. Widmer).
248 Ebd., 7.

platonische Lehre vom Logos als dem vernünftigen Prinzip einer Weltordnung angeknüpft. Er galt schon bei den Philosophen als der in der Welt und in den Menschen wirksame Mittler zwischen dem jenseitigen Gott und der diesseitigen Welt. Schon im Johannesprolog sowie bei Ignatius von Antiochien war dieser Logos mit Christus gleichgesetzt worden[249]. Unter dem Einfluß katechetischen Interesses entstand nun eine Christus-Logos-Lehre[250]. Clemens von Alexandrien faßt ihren Grundgedanken kurz so zusammen: »Noch namenlos war Gott der Herr, da er noch nicht Mensch geworden war... Angesicht Gottes aber ist der Logos, durch den Gott sichtbar gemacht und offenbart wird.«[251] Eine logostheologische Christologie ist aber nicht mehr so sehr heilsgeschichtliche, als vielmehr metaphysische Christologie.

1.2/2 Negative Theologie in der christlichen Gnosis- und Häresiekritik

Die Anhänger von Volksreligionen und Religionsphilosophien bildeten nicht die einzige Gruppe im römischen Reich, mit welcher christliche Theologen der Frühzeit sich auseinanderzusetzen hatten. Für das junge Christentum bedeutete die Gnosis vielleicht eine noch gefährlichere Bedrohung. Sie schien dem Bedarf der jungen Christenheit an Glaubensreflexion entgegenzukommen, war vielleicht sogar aus solchem Bedürfnis entstanden[252]. Zugleich aber hob sie Glauben in Erkenntnis auf und ebnete wegen ihrer Berufung auf mystische Heilserfahrungen die heilsgeschichtliche Einmaligkeit und Erhabenheit der im christlichen Glauben angenommenen Offenbarung ein. – Kirchlich engagierte und seelsorglich interessierte Theologen erkannten, daß man der gnostischen Versuchung institutionell begegnen müsse, damit die einzelnen Christen ihr nicht erlägen. So aber kam es, daß die christliche Gnosiskritik von vornherein nicht so sehr an einer Auseinandersetzung mit der Gnosis, sondern vielmehr an einer kirchlichen Absicherung des Glaubens interessiert war. – Sie entwickelte einen kirchlich dogmatischen Begriff normativer Herkunftsgeschichte, für den die Stichworte »göttliche Offenbarung« und »apostolisch-kirchliche Überlieferung« einer »formulierten Heilswahrheit« kennzeichnend sind. Dieser Begriff

249 Vgl. Ignatius Antiochenus (zit. J. A. Fischer (ed.), Die apostolischen Väter, München 1959[2]), Ad Ephesios, 3, 2; Ad Magnesios, 8, 2; Ad Romanos, 8, 2.
250 Vgl. auch im Diognetbrief, 11.
251 Clemens Alex., Paid. I, 57, 2: M. 8, 317 D – 320 A.
252 Vgl. H. Langerbeck, Aufsätze zur Gnosis, hrsg. v. H. Dörrie, Göttingen 1967, 44.

einer den Glauben normierenden Herkunftsgeschichte konnte nicht nur gegenüber gnostischen, sondern auch gegenüber allen häretischen Vorstellungen in Anschlag gebracht werden. Die Berufung auf einen durch die Begriffe Offenbarung und Überlieferung bestimmten, kirchlich dogmatischen Begriff der Herkunftsgeschichte soll hier als »Offenbarungs-Überlieferungs-Argument« bezeichnet werden.
Das antignostische Offenbarungs-Überlieferungs-Argument ist von einer gegenreformatorisch und später neuzeitlich apologetisch eingestellten Patrologie dankbar aufgegriffen und bevorzugt erforscht worden[253]. Doch muß ernsthaft bezweifelt werden, ob damit allein schon die altkirchliche Gnosiskritik von ihrem ursprünglichen Ansatz her erfaßt wurde. – Irenäus († ca. 202) entwickelt das Offenbarungs-Überlieferungs-Argument erst im 3. Buch seiner »Widerlegung der lügnerisch sog. ›Erkenntnis‹«. Seine Gnosiskritik setzt jedoch schon im 2. Buch ein, und zwar mit einer Kritik am gnostischen Verständnis von Transzendenz. Das voraufgehende 1. Buch enthält ein Referat verschiedener gnostischer Sagen, die Irenäus freilich offenbar als Lehraussagen bzw. als Systeme mißversteht. – Daß die christliche Gnosiskritik ursprünglich beim gnostischen Transzendenzbewußtsein ansetzte, war schon aufgrund der Tatsache zu erwarten, daß von Christen wie von Gnostikern Negativ-Prädikationen zur Umschreibung des göttlichen Prinzips gebraucht wurden. So konnte Gnosis mit Glauben verwechselt werden. Kirchliche Theologen mußten daran interessiert sein, solche Quellen der Verwirrung zu verstopfen. – Das gnostisch-mystische Konzept negativer Theologie enthält, wie sich im ersten Kapitel ergeben hat, als Grundmotiv eine mystische Heilserfahrung, die sich in die paradoxale Affirmation eines göttlichen Selbst hinein auslegt; diese erzwingt zugleich eine antithetische Negation der Welt. Das biblisch-heilsgeschichtliche Konzept negativer Theologie gründet hingegen letztlich eben in heilsgeschichtlicher Erinnerung; diese motiviert eine religions- bzw. ideologiekritische Negation, die Verweis ist auf eine eschatologische bzw. eine theologische Affirmation. Nur wenn die christliche Gnosiskritik die Divergenz der Konzepte negativer Theologie aufarbeitete, konnte sie eine Auseinandersetzung mit der Gnosis bestehen und deren verführerische Macht bannnen. Das jedenfalls soll als These hier vertreten werden.
Wieweit nun diese These berechtigt ist und inwieweit den altkirchlichen Kritikern im Sinne dieser These Erfolg beschieden war, kann hier nur an Texten der christlichen Gnosiskritik geprüft werden. Zunächst sei auf antignostische Texte mit christlicher Kritik am gnosti-

[253] Neuere Literatur hierzu siehe bei: B. Altaner – A. Stuiber, Patrologie, Freiburg–Basel–Wien 1966[7], 115.

schen Transzendenzbewußtsein, dann kurz auf Texte mit dem Offenbarungs-Überlieferungs-Argument eingegangen. Drittens sei ein Ausblick auf den antihäretischen Gebrauch negativer Theologie im Zusammenhang mit dem Offenbarungs-Überlieferungs-Argument versucht.

I.2/2.1 Christliche Kritik gnostischen Transzendenzbewußtseins

Gnostisches Transzendenzbewußtsein kann nur in seiner mythologischen Artikulation vernommen und kritisiert werden. Kirchliche Theologen nahmen wahr, daß die Gnostiker Bibeltexte als Sagen erzählten, die als Aussage eine abartige Auffassung von Transzendenz zu enthalten schienen. Die Gnostiker erzählten vor allem von einem unbekannten, guten Prinzip jenseits dieser so schlechten Welt. Ja, sie setzten dieses Prinzip gegen ein böses Weltprinzip. – »Zwar der Schöpfer«, so gibt Irenäus gnostische Sagen wieder, »sei von den Propheten gesehen worden; das Wort aber ›keiner wird Gott sehen und leben‹ (vgl. Ex 33,20) sei gesagt von der unsichtbaren und allen unbekannten Größe ...«[254] Das Herrenwort: »Keiner kennt den Sohn als der Vater und keiner den Vater als der Sohn ...« (Mt 11,27) verfälschten sie zu: »Keiner kennt den Vater als der Sohn und keiner den Sohn als der Vater und, wem es der Sohn offenbaren will«, und »sie deuten es so, als ob der wahre Gott von keinem erkannt worden sei vor der Ankunft unseres Herrn; und der von den Propheten verkündete Gott sei nicht der Vater Christi«[255]. – Diese markionitische bzw. gnostische Schriftauslegung versteht Irenäus so, als sei darin nur von einem Dualismus des guten und des bösen Prinzips die Rede und nicht auch davon, daß in der Gnosis paradoxal die Findung eines göttlichen Selbst gelinge.

Daß in der gnostischen Position eine Paradoxalität steckt, bemerkten die christlichen Gnosiskritiker allerdings sehr wohl. – Irenäus fragt: »Wie ist unerkennbar, der von ihnen erkannt wird? Was nämlich (auch nur) von wenigen erkannt wird, ist nicht unerkennbar.«[256] Dem Gnostiker Markus hält Irenäus entgegen: »Wer wird deine Sigé (eine Emanation des guten Prinzips mit den griechischen Namen ›Schweigen‹: Anm. des Verfassers) ertragen, die solcherlei schwätzt, die den Unnennbaren benennt, den Unaussprechbaren ausspricht, den Un-

[254] Irenaeus, Adversus haereses I, 19, 2 (zit. nach der Ed. W. Harvey, 2 Bde., Cambridge 1857): M. 7, 649 (Ü. hier nach: E. Norden, Agnostos Theos ..., a.a.O., 74).
[255] Ebd., IV, 6, 1: M. 7, 987 A (Ü. Norden).
[256] Ebd., IV, 6, 4: M. 7, 988 B.

ergründlichen ergründet.«[257] Oder Irenäus erklärt: »Da ... (Jesu) Geburt unaussprechlich ist, so übernehmen die, welche sich bemühen, seine Geburt und Hervorbringung zu beschreiben, sich selbst, indem sie versprechen, das Unaussprechliche auszusprechen.«[258] – Die christliche Kritik am gnostischen Transzendenzbewußtsein läßt sich demnach auf die Formel bringen: die Gnostiker geben vor, das, was sie unerkennbar nennen, in ihrer Gnosis schon erkannt zu haben[259]. Dem Gnosiskritiker Irenäus scheint aufgegangen zu sein, daß Widersprüchlichkeit wesentlich zum gnostischen Konzept negativer Theologie gehört. Entgangen ist ihm allerdings, daß es sich dabei wohl um eine Paradoxalität der gnostischen Selbstaffirmation handelt.

Irenäus und die christlichen Gnosiskritiker empfinden die Widersprüchlichkeit der Rede von einer Erkenntnis des unerkennbaren Gottes als ein Indiz für gotteslästerliche Anmaßung. – »Wenn jene, die doch nur Menschen sind, über den, der höher ist als sie, nachdenken, und ihn gleichsam als den Vollkommenen schon begreifen und in seine Kenntnis eingedrungen sind, dann sagen sie doch keineswegs von sich, daß sie sich im Leiden der Verwirrung befänden, sondern vielmehr in der Erkenntnis und der Erfassung der Wahrheit.«[260] »Welcher Dünkel ist aber größer, als wenn einer wähnt, er sei besser und vollkommener als der, welcher ihn gemacht hat, ihm den Hauch des Lebens und das Dasein selbst gegeben hat?«[261] »Erklären sie doch das Schriftwort ›Sucht, so werdet ihr finden!‹ dahin, daß sie über dem Weltschöpfer sich selber finden, sich als höher und hehrer erklären als Gott ... Mögen sie aus ihren Werken ihre Überlegenheit über den Weltenschöpfer dartun! Nicht durch Worte nämlich, sondern durch die Wirklichkeit muß man seine Überlegenheit dartun.«[262] Darum »ist es besser und nützlicher, wenig oder gar nichts zu wissen und dabei Gott durch Liebe nahezukommen, als sich einzubilden, viel zu wissen und viele Erfahrungen gesammelt zu haben, und dabei als Lästerer und Feind seines Gottes erfunden zu werden ...«[263]. Ein solcher Dünkel sei nicht nur gotteslästerlich, er sei dumm. Die Gnostiker, sagt Irenäus, »kennen weder Gott noch sich selbst, sind unersättlich und undankbar, wollen nicht zuerst das sein, als was sie erschaffen wurden: Menschen, die

257 Ebd., I, 15, 5: M. 7, 625 AB (Ü. auch im folgenden: Klebba, BKV² 3 f., 1912).
258 Ebd., II, 28, 6: M. 7, 808 f.
259 Vgl. Constitutiones apostolorum (4. Jahrh.): F. X. Funk, Didascalia et Constitutiones Apostolorum, Paderborn 1905, 6, 10: »daß sie (scil. die Gnostiker) den allherrschenden Gott lästern, ihn als den Unerkennbaren ..., Unsagbaren, Unaussprechlichen, Unnennbaren lehren« (e.Ü.).
260 Irenaeus, Adv. haer. II, 18, 6: M. 7, 770 B.
261 Ebd., II, 26, 1: M. 7, 800 B.
262 Ebd., II, 30, 2: M. 7, 816 A.
263 Ebd., II, 26, 1: M. 7, 800 B.

den Leiden unterworfen sind; sondern indem sie das Gesetz des Menschengeschlechtes übergehen und bevor sie noch Menschen werden, wollen sie schon dem Schöpfergott ähnlich sein und keinen Unterschied sein lassen zwischen dem unerschaffenen Gott und dem (erst) jetzt erschaffenen Menschen. Sie sind unverständiger als die stummen Tiere«[264].

Der Gnosiskritiker mißt das gnostische Verständnis negativer Theologie, so wie er es versteht, zunächst einmal gleichsam an sich selbst und konstatiert seine Widersprüchlichkeit. Da das, was der Kritiker vom gnostischen Transzendenzbewußtsein wahrnimmt, aber nicht originär gnostisch, sondern von der eigenen Transzendenzauffassung mitbestimmt ist, mißt er das gnostische Verständnis negativer Theologie auch an seinem eigenen. Dabei muß ihm die Arroganz gnostischen Transzendenzbewußtseins in die Augen springen. – Der gnosiskritische Gebrauch negativer Theologie wirkt aber nun nicht mehr kritisch befreiend wie etwa der religionskritische bei den frühen Apologeten, sondern eher polemisch erdrückend: der Mensch scheint von sich niedrig denken zu sollen, damit er von Gott um so höher denken könne. Ist das von der Gnosiskritik vorausgesetzte Konzept negativer Theologie ebenso biblisch-heilsgeschichtlich wie das von den frühen Apologeten zugrunde gelegte?

Die christlichen Gnosiskritiker berufen sich für das von ihnen gegen das gnostische Transzendenzbewußtsein eingewandte Verständnis negativer Theologie auf die Heilige Schrift. Dabei zitieren sie oft dieselben Stellen wie die Gnostiker, setzen deren gnostischer Auslegung aber einfach eine orthodoxe entgegen. – Irenäus hält den Gnostikern vor: »Ihr behauptet in euerer törichten Aufgeblasenheit ganz frech, daß ihr die unaussprechlichen Geheimnisse Gottes wüßtet, wohingegen der Herr, der der Sohn Gottes selbst ist, die Kenntnis des jüngsten Tages und seiner Stunde nur dem Vater zuschreibt, indem er ausdrücklich sagt: ›Den Tag aber und die Stunde weiß niemand, auch nicht der Sohn, sondern nur der Vater ...‹ (vgl. Mt 11,27).«[265] Anderswo beruft sich Irenäus auf die Gnosiskritik bei Paulus: »Der Geist des Erlösers, der in ihm ist, durchforscht freilich alles, auch die Tiefen Gottes (vgl. 1 Kor 2,10). Bei uns aber sind die Gnadengaben verschieden und die geistlichen Verrichtungen und die Wunderkräfte (vgl. 1 Kor 12,4ff.) und, solange wir auf Erden sind, ist, wie der hl. Paulus sagt, Stückwerk unser Erkennen und Stückwerk unser Prophezeien (vgl. 1 Kor 13,9).«[266] Dem arroganten, gnostischen Bewußt-

264 Ebd., IV, 38, 4: M. 7, 1108 f. (Ü. Brox, Offenbarung, Gnosis ..., a.a.O., 194f.).
265 Ebd., II, 28, 6: M. 7, 808f.
266 Ebd., II, 28, 7: M. 7, 809 f.

sein von Transzendenz wird eine sich bescheidende, biblische Auffassung gegenübergestellt: »... Gott ist nicht wie ein Mensch (vgl. Num 23,19), und seine Gedanken sind nicht wie die Gedanken der Menschen (vgl. Jes 55,8).«[267] Der Mensch muß sich mit dem zufriedengeben, was ihm Gott aus Gnade zukommen läßt, »nicht nur in dieser, sondern auch in der zukünftigen Welt, so daß Gott immer Lehrer, der Mensch aber immer Schüler bleibt«[268]. Sofern sich der Mensch damit bescheidet, kann er Gott in dem ihm zukommenden Maße erkennen. »In seiner Größe und wunderbaren Herrlichkeit ›wird niemand Gott sehen und leben‹ (vgl. Ex 33,20). In seiner Liebe und Freundlichkeit aber läßt er sich, weil er alles kann, von denen sehen, die ihn lieben, wie es die Propheten verkündeten. Denn ›was unmöglich ist bei den Menschen, ist möglich bei Gott‹ (vgl. Lk 18,27).«[269] – Damit hat nun Irenäus dem gnostischen Konzept negativer Theologie wenigstens andeutungsweise ein heilsgeschichtlich-biblisches Konzept entgegengesetzt.
Als Ergebnis unseres Überblicks über die Kritik des Irenäus am gnostischen Transzendenzbewußtsein fassen wir zusammen: Der kritische Ansatz des Kirchenvaters, die Gnosis hebe sich in ihrer Transzendenzauffassung selber auf, und das Urteil, sie sei dabei arrogant, trifft mehr das mythologische Artikulationsbild der Gnosis als ihren mystischen Kern. Doch dient die Entgegensetzung eines biblisch-heilsgeschichtlichen Konzeptes wenigstens einer Klärung der Front zwischen Christentum und Gnosis. Das vom Gnosiskritiker angewandte Konzept negativer Theologie wird allerdings nicht mehr in der Absicht eingesetzt, zu kritischem Denken zu befreien, sondern lediglich, in der Intention, zu gläubigem Gehorsam aufzurufen. – Damit hängt zusammen, wie der kirchliche Gnosiskritiker sich eine rechtgläubige Absicherung der Schriftauslegung in der Kirche denkt.

I.2/2.2 Die rechtgläubige Absicherung einer Offenbarung des unbegreiflichen Gottes in einer kirchlichen Überlieferung

»Irenäus und Plotin antworten auf gnostisches Selbstbewußtsein mit dem bis in den Wortlaut hinein ähnlichen Argument, daß der Mensch, sofern er sich nicht von vornherein jeder Wahrheitsfindung begeben will, sich dort sehen muß, wo er tatsächlich innerhalb der Seinsordnung steht, mit seinen Grenzen und geringen Möglichkeiten angesichts der

[267] Ebd., II, 13, 3: M. 7, 743 f.
[268] Ebd., II, 28, 3: M. 7, 805 f.
[269] Ebd., IV, 20, 5: M. 7, 1034 f.

Unfaßlichkeit des ›Gegenstandes‹, über den er Aussagen zu machen wagt.«[270] Mit diesem Argument soll eben das gnostische Konzept negativer Theologie kritisiert werden, wonach letztlich der gnostische Mensch sein unerkennbares Selbst mystisch schon erkannt haben will. Gegen dieses Bewußtsein muß eingewandt werden: »Der Mensch bedarf der Auskunft von anderer Seite.«[271] – Die Neuplatoniker räumten dem menschlichen Erkennen in einer emanativen Seins- und Erkenntnisstufenordnung den dritten und letzten Platz ein. Die kirchlichen Theologen reihten den rechten Glauben in einem heils- und wahrheitsgeschichtlichen Gefälle hinter das Ereignis einer göttlichen Offenbarung und die ununterbrochene Kette kirchlicher Überlieferung ein[272]. – Die Mittel- und Neuplatoniker konzipierten in gnosiskritischer Absicht einen Begriff negativer Theologie, der nichts anderes ist als der prinzipientheoretische Verweis auf mystische Erfahrung eines göttlichen Prinzips, vereinnahmten diesen Begriff aber spekulativ zur Legitimierung ihres Emanationssystems. Die christlichen Gnosiskritiker beriefen sich auf ein biblisch-heilsgeschichtliches Konzept negativer Theologie, stützten es aber ab im Offenbarungs-Überlieferungs-Argument. Die heils- und wahrheitsgeschichtliche Stufung von Offenbarung, Überlieferung und Glauben allein schien nun ein rechtgläubiges Verständnis von Transzendenz zu gewährleisten. Man kann also umgekehrt auch sagen: das kirchliche System einer Ordnung des Heils und der Wahrheit legitimierte sich im Hinblick auf den antignostischen Gebrauch negativer Theologie.

Nach antignostischer, kirchlicher Lehre ist die Offenbarungsgeschichte in Jesus Christus an einen unüberbietbaren Höhepunkt gelangt. Nach Irenäus ist Christus der einzige und wahre Gnostiker[273]. Clemens von Alexandrien beschreibt ihn als unübertrefflichen Lehrer und Erzie-

270 N. Brox, Antignostische Polemik bei Christen und Heiden . . ., a.a.O., 288.
271 Ebd.
272 Clemens von Alexandrien konzipiert sogar schon eine Heilsstufenordnung: Vgl. Clemens Alex., Strom. VII, 9, 3: M. 9, 413 A: »3. Denn von einem Uranfang, der nach dem Willen Gottes wirkt, hängt das Erste und das Zweite und das Dritte ab; sodann haben am äußersten Ende der sichtbaren Welt die seligen Engel ihren Platz, und dann kommt bis zu uns selbst herab eine Reihenfolge, bei der die einen immer tiefer als die anderen stehen, aber alle auf Veranlassung und durch Vermittlung eines einzigen gerettet werden und selbst retten« (Ü. Stählin).
Ferner: IV, 107, 2: M. 9, 328 f.: ». . . denn wie ich glaube, sind auch die hier auf der Erde in der Kirche vorhandenen Rangstufen von Bischöfen, Ältesten und Diakonen (Abbilder) der Herrlichkeit der Engel und jener Heilsordnung, die nach den Worten der Heiligen Schrift diejenigen zu erwarten haben, die nach dem Vorbild der Apostel in vollkommener Gerechtigkeit nach den Geboten des Evangeliums gelebt haben.« – Dionysios Areopagites wird diese Heilsstufenordnung »Hierarchie« nennen.
273 Vgl. Irenaeus, Adv. haer. III, 11, 6: M. 7, 883 BC; III, 18, 7: M. 7, 937 B; IV, 6, 4: M. 7, 988 BC; IV, 9, 2: M. 7, 997 f.

her[274]. – Die Offenbarung muß ferner in der Kirche autoritativ und öffentlich überprüfbar überliefert werden[275]. Gnostische Geheimlehren können keinerlei Glaubwürdigkeit beanspruchen[276]. – Der Gläubige schließlich ist Gnostiker aus Gottes Gnade, insofern er an die ihm durch die Kirche überlieferte, göttliche Offenbarung glaubt[277]. – Damit ist das Offenbarungs-Überlieferungs-Argument in seinen wesentlichen Momenten beschrieben.

Dabei scheint nun aber eine Aporie auf, die bis heute kaum je ernsthaft untersucht, geschweige denn aufgelöst worden ist. Die antignostische Bezugnahme auf ein heilsgeschichtlich-biblisches Konzept negativer Theologie mußte, wie es scheint, abgesichert werden durch das Offenbarungs-Überlieferungs-Argument, und dieses schien also im Hinblick auf den antignostischen Gebrauch negativer Theologie legitim. Doch scheint es, als trage das Offenbarungs-Überlieferungs-Argument schon bei Irenäus die Tendenz in sich, das biblisch-heilsgeschichtliche Konzept negativer Theologie zu entschärfen oder gar aufzuheben. – Dies deutet sich in der Weise an, in welcher Irenäus Joh 1,18 interpretiert: »Gott sah niemand jemals außer dem eingeborenen Sohn, der im Schoß des Vaters ist; der hat es erzählt.«[278] Irenäus scheint sich, auch wenn er diese Stelle zitiert, zunächst nur auf ein heilsgeschichtlich-biblisches Konzept negativer Theologie zu stützen. Nach Irenäus erstreckt sich nämlich das »Erzählen« des Sohnes vom Anfang der Geschichte bis zur Menschwerdung des Sohnes. »Wo Zusammenhang, da auch Beständigkeit, wo Beständigkeit, da ist auch alles zur rechten Zeit, wo alles zur rechten Zeit, da ist auch Nutzen. Deswegen verteilte der Logos die Gnaden des Vaters zum Nutzen und traf wegen der Menschen seine gesamten Anordnungen, indem er ihnen Gott zeigte und sie dem Herrn darstellte. Dennoch bewahrte er aber die Unsichtbarkeit Gottes, damit der Mensch Gott nicht verachte und nicht aufhöre, nach ihm zu streben.«[279] Doch mit der Offenbarung in Jesus

274 Vgl. Clemens Alex., Strom. VII, 6, 1: M. 9, 409 A, sowie: Clemens Alex., Paidag. (passim).

275 Vgl. Hegesipp bei Eusebius, Historia ecclesiastica (ed. Schwartz, GCS 2, 1903–1908) IV, 22, 3: M. 20, 377 D; Irenaeus, Adv. haer. I, 10, 2: M. 7, 552 A; III, 1, 1: M. 7, 844 AB; III, 3, 1: M. 7, 848 A; III, 4, 1: M. 7, 855 AB; IV, 26, 2: M. 7, 1054 f.; IV, 33, 8: M. 7, 1077 B; vgl. Clemens Alex., Strom. V, 64, 1: M. 8, 100 A.

276 Vgl. Irenaeus, Adv. haer. I, 10, 3: M. 7, 553 B ff.; II, 27, 1: M. 7, 802 f.; III, 2, 1 f.: M. 7, 846 f.; vgl. Clemens Alex., Strom. VII, 96, 4: M. 9, 533 B.

277 Vgl. Clemens Alex., Strom. II, 16, 2: M. 8, 948 A; II, 31, 2: M. 8, 968 A; II, 46, 1: M. 8, 981 B; VI, 68, 2: M. 9, 289 B; VII, 55, 1: M. 9, 477 C.

278 Irenaeus, Adv. haer. IV, 20, 6: M. 7, 1036 f.

279 Irenaeus, Adv. haer. IV, 20, 7: M. 7, 1037 f. – Zum Fortschritt der Offenbarung nach Irenaeus vgl. N. Brox, Offenbarung, Gnosis und gnostischer Mythos . . ., a.a.O., 182–184. Ebd., 183: ». . . der eine und derselbe Herr erteilt durch seine An-

Christus scheint die Heilsgeschichte nach Irenäus in das Stadium ihrer Endgültigkeit eingetreten. Die Offenbarung liegt nun in der kirchlichen Überlieferung als der Regel des Glaubens endgültig und unveränderlich vor. »Da wir als Regel die Wahrheit selbst haben und das offen vorliegende Zeugnis über Gott, dürfen wir nicht durch die Lösung von Fragen zu immer neuen Erklärungen abweichen, indem wir das zuverlässige und wahre Wissen über Gott verwerfen.«[280] Diese Worte scheinen die im Verweis negativer Theologie nach biblisch-heilsgeschichtlichem Verständnis angezielte eschatologische oder auch theologische Affirmation zur gegenwärtig verfügbaren zu erklären und ebendadurch negative Theologie aufzuheben. Irenäus fährt zwar fort: »... mehr aber müssen wir die Erklärung der Fragen geziemenderweise darauf richten, das Geheimnis und die Heilsordnung des wahrhaftigen Gottes zu ergründen.«[281] Doch fragt sich, wie weit theologisches Bemühen gegenüber der kirchlichen Glaubensregel noch frei ist und inwiefern diese Regel selber noch als geschichtlich gilt[282]. – Im Rückblick auf die kirchliche Auseinandersetzung mit der Gnosis stellt sich also das Problem, wie sich die christliche Grundforderung der negativen Theologie für Glauben und Glaubensreflexion verhält zur christlichen Grundvoraussetzung einer positiven Offenbarung sowie einer autoritativen Überlieferung, gleich wie man beides genauerhin denken mag.

kunft den Späteren (scil. den Christen) ein größeres Schenken der Gnade, als im Alten Testament gewesen ist (IV, 11, 3); seine Ankunft ›brachte reichere Gnade und größere Gaben denen, die ihn aufnahmen‹ (IV, 11, 4). An beiden Stellen wird beteuert, daß es sich dabei ›nicht um eine Veränderung der Erkenntnis‹ und ›nicht um die Erkenntnis eines anderen Vaters‹, sondern eben um das fortschreitende Handeln desselben Gottes gemäß den Verheißungen der Propheten handelt.«
Vgl. auch Irenaeus, Adv. haer. IV, 11, 2: M. 7, 1002 A: »Gott ist in allem vollendet, sich selbst gleich und ähnlich, ganz Licht, ganz Verstand, ganz Wesenheit und die Quelle aller Güter, der Mensch aber schreitet fort und wächst Gott entgegen. Wie nämlich Gott immer derselbe ist, so schreitet der Mensch, der in Gott erfunden wird, immer weiter fort zu Gott.« Hier werden offenbar philonische Gedanken an einen unendlich fortschreitenden Menschen, dessen Ziel der unendliche Gott ist, aufgegriffen. Doch Irenaeus schließt sofort jedes geschichtlich relativierende Verständnis von Offenbarungswahrheit aus: »Sehr viel also versprach er, denen zu geben, die jetzt Frucht bringen, indem er die Gnaden vermehrt, aber nicht die Erkenntnis verändert« (Irenaeus, Adv. haer. IV, 11, 3: M. 7, 1002 C). – Gregor von Nyssa erst wird die Position des Irenaeus überschreiten.

280 Irenaeus, Adv. haer. II, 28, 1: M. 7, 804 B.

281 Ebd., II, 28, 1: M. 7, 804 B.

282 Vgl. etwa Äußerungen wie die bei Irenaeus, Adv. haer. III, 24, 1: M. 7, 966 A: »Die Predigt der Kirche aber ist in jeder Hinsicht unveränderlich und gleichmäßig; sie hat für sich, wie nachgewiesen, das Zeugnis der Propheten und Apostel und aller Jünger wie am Anfang der Zeiten, so in der Mitte und am Ende, die ganze Heilsordnung Gottes hindurch und in alledem, was er zum Heil der Menschen zu tun gewohnt war, wie unser Glaube es lehrt. Diesen haben wir von der Kirche empfangen und bewahren ihn so auf.«

I. 2/2.3 Antihäretischer Gebrauch negativer Theologie

Der antignostische Gebrauch negativer Theologie sowie seine Abstützung im Offenbarungs-Überlieferungs-Argument wurde fortgesetzt in der Art und Weise der patristischen Häresiekritik.

Eines ihrer wichtigsten Argumente lautet, die Häretiker vergötzten ihre eigenen Ideen. Gregor von Nyssa († 394) schreibt gegen Eunomius und die Arianer: »Ihr ganzes sophistisches Gerede davon, daß der wahrhaft Seiende einmal nicht gewesen sei, ... erklären wir als einen Abfall zum Götzendienst.«[283] Ja, Gregor bezeichnet die Arianer geradezu als diejenigen, »die ihre eigene Ansicht vergötzten«[284]. Auch Apollinaris habe sich götzenhaft einen fleischgewordenen Gott eingebildet[285]. Epiphanius († 403) schreibt allgemein: »Die Häresie« ist »ihr selbst unbewußt Götzendienerin«[286]. – Die Häretiker werden nicht nur für götzendienerisch, sondern auch für blasphemisch arrogant gehalten wie einst die Gnostiker. Gregor von Nyssa wendet sich gegen den Wissensstolz des Eunomius, der gegen diejenigen kämpfe, »die bekennen, daß die menschliche Natur beim Erfassen des Unbegreiflichen versagt«[287]. – Doch läßt sich an der Art der Berufung auf negative Theologie allein Häresiekritik nicht von Orthodoxiekritik unterscheiden. So klagt Basilius († 379), daß Eunomius Gott »unvergleichlich« nenne, »um zu zeigen, daß der Sohn gleich sei der Schöpfung«[288]. Ebenso verurteilt aber Apollinaris († ca. 390) »jene, die dadurch gottlos sind, daß sie einen Menschen in den göttlichen Lobpreis aufnehmen«[289]. Negative Theologie scheint argumentativ gegen Orthodoxe wie gegen Häretiker gleicherweise brauchbar zu sein. Ihr orthodoxer Gebrauch muß offenbar abgesichert werden.

Hierzu wird auf das Offenbarungs-Überlieferungs-Argument zurückgegriffen, und zwar auf zweierlei Weise. – *Einmal* wird aus der Grundforderung negativer Theologie der Imperativ erschlossen: ordne dich gläubig unter, indem du auf die kirchlich überlieferte Lehre hörst! Dabei wird es nicht ohne einen Denkverzicht abgehen. »Wer mehr ... sucht und ergründen will«, schreibt Athanasius († 373) an Serapion, »hört nicht auf den, der spricht: ›Suche nicht zuviel auszuklügeln,

[283] Gregor. Nyss., Contra Eunomium VIII: Jaeger III, 6, 9: M. 45, 772 B (e.Ü.).
[284] Ders., C. Eunom. XII: Jaeger II, 100: M. 45 944 C (e.Ü.).
[285] So: ders., Adv. Apollinarum, 19 (ed. F. Müller, Greg. Nyss. oper. III, 1, Leiden 1958): M. 45, 1160 C.
[286] Epiphanius, Panarion, 9, 2: 41, 224 BC (e.Ü.).
[287] Gregor. Nyss., C. Eunom. X: Jaeger III, 8, 1: M. 45, 825–828 C (e.Ü.).
[288] Basilius Caes., Adv. Eunom., 1, 27: M. 27: M. 29, 569 C (e.Ü.).
[289] Apollinarius Laodicenus, Fides secundum partem 31 (zit. H. Lietzmann, Apollinarius von Laodicea und seine Schule, Tübingen 1904), 179, 6: M. 10, 1117 A (e.Ü.).

damit du nicht zu Fall kommst‹ (Pred 7,17). Denn das, was durch den Glauben überliefert ist, darf man nicht nach Art menschlicher Weisheit, das muß man vielmehr durch gläubiges Hören erfassen. Welche Worte könnten das, was über die geschaffene Natur erhaben ist, würdig erklären? Oder welches Ohr könnte überhaupt erfassen, was Menschen weder zu hören noch zu sagen gestattet ist? So redete Paulus zwar über das, was er gehört hatte, von Gott selbst aber sagte er: ›Wie unerforschlich sind seine Wege! Denn wer hat den Sinn des Herrn erkannt und wer ist sein Ratgeber gewesen!‹ (Röm 11,34).«[290] Es ist trotz der Bibelzitate eindeutig nicht mehr ein biblisch-heilsgeschichtliches Konzept negativer Theologie, aus dem hier die Pflicht zum Gehorsam gegenüber der überlieferten Lehre abgeleitet wird, sondern eher ein neuplatonisches, nach welchem das Göttliche nur durch Negation aller seiner Denkbestimmungen umschrieben werden kann. Aus diesem Konzept schließt man nun häresiekritisch, im Glauben müsse man auf das Begreifen verzichten. Kennzeichnend dafür ist die Bemerkung des Basilius († 379): »Wenn wir nämlich alles nach dem Begreifen messen und annehmen wollten, daß (etwa) etwas, was durch Gedanken nicht faßbar ist, überhaupt nicht existiere, dann würde der Lohn des Glaubens schwinden.«[291] – Die Häresiekritik greift auf das Offenbarungs-Überlieferungs-Argument im Zusammenhang mit einer Berufung auf den Grundsatz negativer Theologie *zweitens* bei der positiven Ausformulierung der kirchlichen Lehre zurück. Unter dem Einfluß eines mehr philosophischen Verständnisses negativer Theologie erhalten dabei die Glaubenssätze einen überwiegend metaphysischen Sinn. Gott kann als unbegreifliches Prinzip aller Wirklichkeit nur ein Einziger sein[292]. Der unbegreifliche Gott muß, da er in sich eine Dreiheit offenbart, eine einzige unbegreifliche Wesenheit sein, die in drei gleich unbegreiflichen Personen lebt[293]. Aus der Unbegreiflichkeit der »Zeugung«[294] und der »Hauchung«[295] in Gott ergibt sich

[290] Athanasius Alex., Epistulae ad Serapionem, 1, 17: M. 26, 569–572 A (Ü. Lippl, BKV² 13, 1913).
[291] Basilius Caes., Adv. Eunom., 2,24: M. 29, 628 A (e.Ü.).
[292] Vgl. Irenaeus, Adv. haer. II, 1, 2: M. 7, 710 B; Basilius Caes., Epistulae 234, 1: M. 32, 869 A.
[293] Vgl. Athanasius Alex., Epistulae ad Serapionem, 1, 17: M. 26, 572 C; Gregor. Nyss., Adversus Graecos ex communibus notionibus: M. 45, 177 A–D; Gregor. Nyss., Epistulae (ed. G. Pasquali, Berlin 1925), 24: M. 46, 1089 C; Gregor. Nyss., Oratio catechetica magna, 4, 1 f. (ed. J. H. Srawley, Cambridge 1903): M. 45, 13 A–C.
[294] Vgl. Athanasius Alex., Orationes tres adversus Arianos, 1, 23: M. 26, 60 B; 2, 36: M. 26, 224 A; Basilius Caes., Adv. Eunom. 2, 24: M. 29, 628 A; Gregorius Naziazenus: Orationes (theologicae) (ed. A. J. Mason, Cambridge 1899), 29, 8 (Mason 84, 6: M. 36, 84 B); 29, 16 (Mason 98, 6: M. 36, 96 A).
[295] Vgl. Athanasius Alex., Epistulae ad Serapionem, 1, 29: M. 26, 597 A; 1, 31: M. 26, 601 A.

nämlich die Gleichwesentlichkeit des Sohnes und des Geistes. Auch von Schöpfung und Erlösung ist nur das ursprünglich heilsgeschichtliche »daß«, nicht das »wie« erkennbar. Doch wird auch dieses »daß« als metaphysische Tatsache gefaßt[296]. Statt der heilsgeschichtlichen Gottestat der Schöpfung und des göttlichen Waltens in der Geschichte hat man vor allem die ontologische Differenz zwischen dem göttlichen Sein und dem geschöpflichen Seienden, statt der heilsgeschichtlichen Fakten des Lebens, des Sterbens und der Auferstehung Jesu Christi hat man vor allem die hypostatische Union der göttlichen und der menschlichen Natur in Christus im Auge[297]. Negative Theologie in philosophischem, besonders neuplatonischem Verständnis fördert eine metaphysische Reduktion der kirchlich überlieferten, heilsgeschichtlichen Glaubensgeheimnisse.

I. 2/3 Patristische Rezeption des prinzipientheoretisch-mystagogischen Begriffs negativer Theologie

Bei den Kirchenvätern hat sich ein eigentlicher Begriff negativer Theologie erst unter dem Einfluß ihres neuplatonischen Begriffs herausgebildet. – Für die Neuplatoniker war negative Theologie die religionsphilosophische Grundforderung, wonach auf eine mystische Affirmation des göttlichen Prinzips gerade durch eine totale Negation aller seiner denkbaren Bestimmungen verwiesen werden soll. Der neuplatonische Begriff negativer Theologie hebt in seiner prinzipientheoretischen Bedeutung das Denken in Mystik auf und hat insofern auch

296 Vgl. Cyrillus Hieros., Catecheses illuminandorum, 11, 8: M. 33, 700 BC (Ü. Häuser, BKV² 41, 1922): »Die Geburt Christi darfst du dir nicht nach Menschenart vorstellen ... Die Behauptung, er habe nicht gewußt, was er erzeuge, wäre die größte Gottlosigkeit. Und die gleiche Gottlosigkeit wäre es, zu behaupten, es habe ihm erst einige Überlegung gekostet, ehe er Vater geworden sei. Denn nicht war Gott ehedem ohne Sohn, und nicht ist er erst später, in der Zeit, Vater geworden. Vielmehr ewig hat er seinen Sohn, welchen er nicht nach Menschenart geboren hat, sondern in einer Weise, die allein ihm bekannt ist, der vor aller Zeit ihn als wahren Gott geboren hat.« – Vgl. Gregor. Nyss., Orat. cat. magn., 11, 1 f. (ed. J. H. Srawley, Cambridge 1903): M. 45, 44 AB: »... *daß* zwar Gott in der menschlichen Natur geboren wurde, bezweifeln wir wegen der berichteten Wunder nicht, das *Wie* aber zu erforschen, lehnen wir, als unseren Verstand übersteigend, ab ... so lassen wir uns ... keineswegs dazu verleiten, das Woher oder das Wie zu durchforschen, lassen aber die Art und Weise der Erschaffung des Universums unerörtert, weil sie unaussprechlich und nicht erklärlich ist« (Ü. Weiß, BKV² 56, 1957).
297 Vgl. etwa: Theodoretus Cyrrhensis, Eranistes dialogus, Proemium (ed. J. L. Schultze – J. A. Noesselt, Halle 1769–1774), 4, 3: M. 83, 29 A (e.Ü.): »Daß sie der Gottheit Christi Leiden zugeschrieben, haben sie aus der Blasphemie des Arius und des Eunomius entwendet.« – Vgl. auch: Joannes Chrysostomus, De incomprehensibili dei natura seu contra Anomoeos: M. 48, 701 ff.

mystagogischen Sinn. In seiner spekulativen Bedeutung hingegen legitimiert er die Konzeption eines emanativen Systems. – Die Kirchenväter standen letzterer aufgrund ihres Schöpfungsglaubens mehr oder weniger kritisch gegenüber. Darum haben sie – zunächst recht unauffällig – die prinzipientheoretisch-mystagogische Bedeutungskomponente des neuplatonischen Begriffs negativer Theologie mitsamt ihrer systemkritischen Tendenz rezipiert.

Die christlichen Katecheten hatten sich für heidnische Philosophie aufgeschlossener gezeigt als die frühchristlichen Apologeten. Die systematischen Theologen seit Origenes († ca. 254) blieben Freunde der Philosophie. Nur sichteten sie deren Gedanken kritischer als die Katecheten. Sie maßen wie die Apologeten die Religionsphilosophie ihrer Zeit am Maßstab negativer Theologie, deren Konzept sie allerdings von den Religionsphilosophen besonders des Mittel- und Neuplatonismus übernahmen. Sie versuchten also eine immanente Kritik der heidnischen Religionsphilosophie. – Bei ihrer kritischen Rezeption des religionsphilosophischen Begriffs negativer Theologie setzten sie wie selbstverständlich Philons Identifikation der jüdischen Jahwe-Vorstellung mit der griechischen *arché*-Idee voraus. Ihr zufolge gingen sie auch von einer geistigen Verwandtschaft zwischen Bibel und platonischer Philosophie aus. Allegorese schien wenigstens den alexandrinischen Theologen die geeignete Methode zu sein, um die Bibel platonisierend zu deuten. – Origenes schreibt gegen Kelsos: »Wir wollen nun (aus den hl. Schriften) einige Stellen anführen, um sie mit dem zu vergleichen, was von Platon recht überzeugend gesagt worden ist, ohne daß freilich hierdurch der Philosoph veranlaßt worden wäre, in einer ihm angemessenen Weise die Frömmigkeit gegenüber dem Schöpfer des Alls zu pflegen. Diese hätte er nicht mit dem entstellen und beflecken dürfen, was wir als Götzendienst bezeichnen, und was die große Menge, wenn sie sich des Namens bedient, Aberglauben nennt.«[298] Origenes kritisiert hier die Autorität, auf welche der Mittelplatoniker Kelsos sich beruft. Er konstatiert einen Widerspruch zwischen dem, was er für Platons Religionsphilosophie hält und mit Aussagen der Hl. Schrift vergleichen möchte, einerseits und einem von Platon bezeugten götzendienerischen und abergläubischen Verhalten andererseits. Diese Platonkritik soll aber eigentlich den zeitgenössischen Platoniker treffen. Er soll mit seinen eigenen Waffen geschlagen werden. Eine wichtige Waffe ist dabei anscheinend das von den Gegnern übernommene Konzept negativer Theologie. Als Erwiderung auf die Lehre des Kelsos von den drei Wegen zur Gotteserkenntnis schreibt

[298] Origenes, Contra Celsum (ed. P. Koetschau, GCS 1–2, 1899), 6, 17: M. 11, 1316 B (Ü. Koetschau, BKV[2] 53, 1927).

Origenes: »Gott aber, glaub' ich, sah die Prahlerei oder die Überhebung derjenigen, die auf ihre eigene Gotteserkenntnis und Ergründung der göttlichen Dinge, die sie der Philosophie verdanken, stolz sind, aber ganz ähnlich wie die ungebildetsten Leute zu den Götterbildern und ihren Tempeln und den Mysterien, die in aller Munde sind, fortstürzen. Deshalb ›wählte er, was der Welt töricht ist, aus‹, nämlich die einfachsten unter den Christen, die aber ein sittsameres und reineres Leben als viele Philosophen führen, ›um die Weisen zu beschämen‹ (vgl. 1 Kor 1,27), die sich nicht scheuen, mit leblosen Dingen wie mit Göttern oder mit Abbildern von Göttern zu verkehren.«[299] An dieser Stelle spürt man, wie die Auseinandersetzung des christlichen Theologen mit dem mittelplatonischen Religionsphilosophen in einer Tradition steht, in welche der eschatologisch-kritische Gebrauch negativer Theologie bei Paulus und der frühapologetische Hinweis auf heilsgeschichtlich zu begründende, christliche Praxis eingegangen sind. Doch ist wohl zu beachten, daß Origenes nicht eigentlich ein philosophisches Konzept negativer Theologie an den Pranger stellt, sondern gerade diejenigen Philosophen, die ein solches Konzept zwar zu besitzen behaupten und doch Götzendienst betreiben. Die Religionsphilosophen werden gestellt. Ihr Verständnis negativer Theologie aber wird anscheinend akzeptiert.

Die Kirchenväter haben den mittel- und neuplatonischen Begriff negativer Theologie vor allem in seiner prinzipientheoretischen Bedeutung übernommen. An ihr haben sie zunächst besonders den mystagogischen Sinn geschätzt. – Wie die Neuplatoniker und die Gnostiker unterschieden die Kirchenväter am Menschen einen zu negierenden Teil – den Leib sowie die Sinnlichkeit – und einen zu affirmierenden – die Seele sowie die Geistigkeit. Die Seele ist wie das göttliche Prinzip nichtleiblich und unsichtbar. Gott und Seele galten den Theologen wie den Religionsphilosophen als – vermittelt über Logos bzw. Geist *(nûs)* – einander zugeordnet[300]. – Die Aufforderung Platons, Gott ähnlich zu werden, verstand man als Aufruf zum Streben nach mystischer Vereinigung und nach der Gottesschau. »Man muß alles sinnlich Wahrnehmbare, Vergängliche und, was man sieht, geringachten, alles aber tun, um die Gemeinschaft mit Gott zu erlangen und die Schau des Geistigen und Unsichtbaren«[301], schreibt schon Origenes. Über die Gottesschau sagt Gregor von Nyssa († 394): »Die Anschauung Gottes

299 Ebd., 7, 44: M. 11, 1484 D (Ü. Koetschau, BKV² 53, 1927).
300 Vgl. ebd., 6, 71: M. 11, 1405 C; 7, 37 f.: M. 11, 1473 AB; ders., De principiis (ed. P. Koetschau, GCS 5, Einzelausgabe 1913) I, 1, 5: M. 11, 124; ders., Exhortatio ad martyrium, 44 (ed. P. Koetschau, GCS 1, Einzelausgabe 1899): M. 11, 621 A; 47: M. 11, 629 B.
301 Ders., Contra Celsum, 3, 56: M. 11, 993 C (e.Ü.).

jedoch ereignet sich im Bereich weder des Hörens noch Sehens; auch wird sie nicht von einer der gewöhnlichen Überlegungen erreicht. Denn ›kein Auge hat gesehen, kein Ohr hat gehört‹, und ›es ist auch nichts von dem, was gewöhnlich ins Herz des Menschen aufsteigt‹ (1 Kor 2,9). Vielmehr ist es nötig, daß derjenige, welcher zur Erkenntnis des Hohen gelangen will, sein Leben von aller sinnlichen und tierischen Regung reinigt und jede Meinung, die aus einer sinnlichen Wahrnehmung entstanden ist, aus seinem Herzen verbannt . . .«[302] – Schon bei Philon ist Offenbarung als eine mystische Erfahrung gedeutet. Für Origenes ist Offenbarung eine mystische Erfahrung, die Gott verdankt wird: »Offenbarung geschieht, wenn der Geist aus dem Irdischen heraustritt und abtut alles fleischliche Handeln durch Gottes Kraft; wer dies erreicht hat, ist in der Offenbarung.«[303] Die hl. Schriften, meint Gregor von Nyssa, dienten dazu, das in solcher Offenbarung Angedeutete aufzuschließen, aber so, daß es wiederum letztlich nur mystisch erfaßt werden kann: »Da der Prophet das Buch Genesis ja zur Einführung in die Gotteserkenntnis verfaßt hat, geht es Moses auch darum, die an die sinnliche Wahrnehmung Versklavten durch die Erscheinungsbilder zu dem zu führen, was über dem Bereich sinnlicher Erfassung liegt.«[304]

Doch, wollte man nicht völlig dem Neuplatonismus verfallen, so mußte – und zwar philosophisch einleuchtend – auch das Unverwechselbare an der Offenbarung in Christus herausgestellt werden. Besonders die alexandrinischen Väter verknüpften hierzu – platonisierend – zwei Schriftaussagen miteinander. Einmal heißt es vom Menschen, daß er Ebenbild Gottes sei (vgl. Gen 1,26). Die Väter deuteten diese Aussage neuplatonisch nur auf den nach ihrer Ansicht allein zur Gottesschau berufenenTeil des Menschen: die Seele. Zum anderen heißt es, Christus sei das Abbild des unsichtbaren Gottes (Kol 1,16; vgl. 2 Kor 4,4; Hebr 1,3). Mit Hilfe einer platonisierend gedachten »Urbild«-, »Abbild«-, »Ebenbild«-Proportion meinte man, die beiden Schriftaussagen in eine Aussagenreihe ordnen zu können. »Denn«, so sagte schon Clemens von Alexandrien: »Abbild Gottes ist sein Logos, und echter Sohn des Geistes ist der göttliche Logos, ein Licht, das Urbild; Abbild des Logos aber ist der eigentliche (!) Mensch, der Geist im Menschen, von dem es deswegen heißt, daß er nach dem ›Bilde Gottes und seiner Ähnlichkeit‹ geschaffen worden sei, der durch das Denken

302 Gregor. Nyss., De vita Moysis (ed. H. Musurillo, G. N. opera VII, 1, Leiden 1964), 2: M. 44, 373 D (Ü. M. Blum: Gregor von Nyssa, Der Aufstieg des Moses, übersetzt und eingeleitet von M. Blum, Freiburg i. Br. 1962).

303 Origenes, Fragmenta ex commentariis in 1 Cor. (ed. C. Jenkins): The Journal of Theological Studies 10, 1908, 36 (e.Ü.).

304 Gregor. Nyss., Apologia in hexaemeron: M. 44, 69 D (e.Ü.).

in seinem Herzen dem göttlichen Logos ähnlich und dadurch vernünftig geworden ist.«[305] Offenbarung und Erlösung im christlichen Sinne konnten dann gedeutet werden als Gleichgestaltung der Seele als des Ebenbildes mit dem Abbild Gottes – mit Christus. »Das wahre ... Abbild ... ist der Sohn selber; naturhafte Verähnlichung mit dem Sohn ist der Geist. Auf ihn hin werden auch wir umgestaltet durch die Heiligung und so mit der Gestalt Gottes selber umkleidet«[306], schreibt Kyrill von Alexandrien († 444). – Doch selbst in der Urbild-, Abbild-, Ebenbild-Proportion blieb die Dreistufigkeit des prinzipientheoretisch-mystischen Aufstiegs neuplatonischer Prägung unverkennbar erhalten.

I.2/4 Theologiekritische Anwendung des prinzipientheoretischen Begriffs negativer Theologie bei Gregor von Nazianz

Den vom Neuplatonismus rezipierten Begriff negativer Theologie hat Gregor von Nazianz († ca. 390) theologiekritisch gedeutet und angewandt. Gregor übte aktuelle Kritik am zeitgenössischen Betrieb theologischer Diskussion, stellte aber auch die grundsätzlich theologiekritische Bedeutung des prinzipientheoretisch-mystagogischen Begriffs negativer Theologie heraus. Dabei gewann dieser Begriff eine latreutische Tendenz.

Gregor kritisiert in seiner 20. Rede die Disputierlust der Theologen seiner Zeit: »Wenn ich die Geschwätzigkeit unserer Zeit wahrnehme und die Eintagsphilosophen und die durch Stimmenzahl (durch Wahl: Anm. des Verfassers) gewordenen Theologen, die nur dem Wollen ihre Einsicht verdanken, sehe, dann sehne ich mich nach der himmlischen Weisheit und suche mit Jeremia (vgl. Jer 9,2) einen entlegenen Platz auf, um für mich allein zu sein ...«[307] – Gregor hat nicht die Absicht, mitsamt diesen Theologen die Theologie als solche abzuurteilen. »Ich behaupte selbstverständlich nicht«, sagt er in seiner 27. – der ersten »theologischen« – Rede, »daß man niemals an Gott denken soll ... An Gott denken ist wichtiger als atmen. Man darf sozusagen nichts anderes tun ... Demnach verbiete ich nicht, ständig an Gott zu denken, wohl aber, über Gott zu diskutieren. Ich verbiete selbst nicht, über Gott zu diskutieren, als ob das eine Tat der Gottlosigkeit wäre, sondern nur das unpassende Diskutieren, nicht, über

[305] Clemens Alex., Protr. X, 98, 4: M. 8, 212 C – 213 A (Ü. Stählin, BKV² 7, 1934).
[306] Cyrill. Alex., De trinitate dialogi, 7 (ed. J. Aubert, Cyrilli opera, Paris 1638, 5¹, 639 B): M. 75, 1089 A (e.Ü.).
[307] Gregor. Naz., Oratio 20, 1: M. 35, 1065 A (Ü. Häuser, BKV² 59, 1928).

Gott zu lehren, sondern nur das maßlose Lehren ...«[308] – Offenbar ist es der vom Neuplatonismus rezipierte, prinzipientheoretisch-mystagogische Begriff negativer Theologie, der an solchen Stellen theologiekritisch angewendet wird. Gregor spricht dies gegen Ende seiner 20. Rede deutlich genug aus: »Wenn du auf mich, einen von Verwegenheit freien Theologen hören willst, ...: Durch Reinigung erwirb dir das Reine! Willst du einmal Theologe werden und der Gottheit würdig sein, dann beobachte die Gebote, schreite durch Satzungen vorwärts! Handeln führt zum Schauen. Diene der Seele durch den Leib! Sollte es einer so weit wie Paulus bringen können, dann beachte er jedoch, daß Paulus sagt, er schaue durch einen Spiegel und durch Rätsel und es komme eine Zeit, da werde er schauen von Angesicht zu Angesicht (vgl. 1 Kor 13,12). Solltest du im Reden gescheiter als andere sein, auf jeden Fall stehst du hinter Gott zurück. Vielleicht bist du weiser als andere, aber der Abstand zwischen dir und der Wahrheit ist so groß wie der zwischen deinem Sein und Gottes Sein ...«[309] Maßstab oder Grundsatz der Theologiekritik Gregors ist offenbar ein Konzept negativer Theologie. In ihm geht es unverkennbar um eine Gottesschau, die durch Theologie allein nicht erreicht werden kann. Wenn in dem hier zitierten Gregortext nun auch der gnosiskritische Gebrauch negativer Theologie bei Paulus sowie das frühapologetische Praxisargument anklingt, so verrät die Betonung von Gottesschau und Askese doch den mystagogischen Sinn des ausgewerteten Verständnisses negativer Theologie. Dieser Sinn aber ist ein Moment der prinzipientheoretischen Bedeutung des neuplatonischen Begriffs.

Gregor von Nazianz hat in seiner 28. – der zweiten »theologischen« – Rede die theologiekritische Bedeutung des prinzipientheoretisch-mystagogischen Begriffs negativer Theologie auch grundsätzlich herausgestellt. Er beginnt nach mittel- und neuplatonischem Vorbild mit einem – allerdings kritischen – Kommentar zu dem Platonwort aus »Timaios« 28 C. »Es ist schwer, Gott zu begreifen«, sagt Gregor, »und es ist unmöglich, ihn in Worte zu fassen, wie es ein griechischer Theologe gut ausgedrückt hat. Diese Behauptung scheint mir nicht ungeschickt zu sein, denn er gab sich damit den Anschein, als habe er etwas erfaßt, was schwer auszudrücken ist, und er entging dem Vorwurf, sich weiter nicht ausgelassen zu haben, weil es eben unaussprechlich ist. Meiner Meinung nach ist es zwar unmöglich, auszusprechen (was Gott

308 Ders., Oratio 27 (theologica 1), 4: M. 36, 16 CD (Ü. J. Barbel, Gregor von Nazianz, Die fünf theologischen Reden, Text, Übersetzung und Kommentar, Düsseldorf 1963).
309 Ders., Oratio 20, 12: M. 35, 1080 AB (Ü. Häuser, BKV² 59, 1928).

ist), aber es ist noch unmöglicher, ihn zu begreifen. Wenn man nämlich etwas verstanden hat, dann kann man es, nehme ich an, auch in Worten ausdrücken, wenn nicht in entsprechender, so doch in dunkler Weise, vorausgesetzt, daß man sich an Menschen wendet, die weder taub noch schwachsinnig sind.«[310] – Gregor gibt das Platonwort ungenau wieder. »Platon spricht vom Finden, nicht vom Erfassen.«[311] Auch scheint der ursprüngliche Sinn des Platonwortes nicht so weit von dem entfernt zu sein, was Gregor kritisch gegen es einwendet, – nicht so weit wenigstens, wie die Formulierung Gregors vermuten läßt. »Was das Begreifen Gottes angeht, so würde Platon wohl mit Gregor einiggehen.«[312] Dieser jedenfalls akzeptiert mit dem Tenor der Platonstelle auch den prinzipientheoretisch-mystagogischen Begriff negativer Theologie, den Mittel- und Neuplatonismus in ihr umschrieben gesehen haben. Gregors kritische Attitüde wird nicht so sehr gegen diesen Begriff als solchen gerichtet sein, als vielmehr darauf, ihn christlich zu radikalisieren. – Daß Gregor eher dies beabsichtigt, zeigt sich im folgenden, wenn er zwischen der Möglichkeit, Gottes Dasein aus der Schöpfung zu erkennen, und der Unmöglichkeit, das Wesen Gottes selbst zu begreifen, unterscheidet. Gott in sich ist auch aller Theologie unbegreiflich. »Das Bild (von Gott), das wir damit gewonnen, uns selbst geformt und mit unserer Vernunft skizziert haben, ist keineswegs (das Wesen) Gottes. Wenn aber jemand ihn bis zu einem gewissen Grade begriffen haben will, wo ist der Beweis dafür? Wer ist in dieser Weise bis zum Zielpunkt der Erkenntnis gelangt? Wer ist jemals einer solchen Gnade gewürdigt worden? Wer hat jemals den Mund seiner Einsicht so geöffnet und den Geist so auf sich gezogen, daß dieser Geist, der das All erforscht und selbst die Tiefen Gottes kennt, es ihm verstattet, Gott zu umgreifen? Ein solcher Mensch bedürfte keines Fortschritts mehr. Er besäße schon den höchsten Gegenstand seiner Wünsche, zu dem hin das ganze Leben und Denken der Hochgesinnten gehen.«[313] Der prinzipientheoretisch-mystagogische Begriff wird hier erstens dadurch radikalisiert, daß aus ihm die grundlegende theologische Folgerung gezogen wird: Gottes Wesen bleibt trotz der Möglichkeit, sein Dasein aus der Schöpfung zu erschließen, unbegreiflich. Der Begriff wird zweitens dadurch radikalisiert, daß aus ihm für alles Theologisieren als solches die Folgerung gezogen wird: die Erkenntnis Gottes ist ein endloses Bemühen. Beide Folgerungen sind schon bei Philon vorbereitet.

310 Ders., Oratio 28 (theologica 2), 4: M. 36, 29 C – 32 A (Ü. Barbel).
311 J. Barbel, Gregor von Nazianz, ebd., 70, Anm. 13.
312 Ebd.
313 Gregor. Naz., Oratio 28 (theologica 2), 6: M. 36, 32 C – 33 B (Ü. Barbel).

Gregor scheint in der zitierten Rede eher dazu zu neigen, dieses Bemühen aufzugeben und sich auf einen Lobpreis Gottes zu verlegen. »Weil sein Aufstieg ausweglos und endlos war«, sagt er schließlich von Paulus, »und weil seine Wißbegierde nicht zu einem festen Ziel kam, denn immer tauchte ein ungreifbarer Rest auf – o Wunder, möchte ich doch dasselbe erfahren! –, beschloß er staunend seine Erörterung, nennt das Gebiet (das er überblickt hat) den Reichtum und die Tiefe Gottes und preist die Unbegreiflichkeit der Ratschlüsse Gottes . . .«[314] – Negative Theologie ist hier zum Grundsatz einer kritischen Reflexion auf christliches Theologisieren als solches geworden: Gotteserkenntnis kann an kein Ende kommen und muß darum irgendwann in Gotteslob übergehen. Der prinzipientheoretisch-mystagogische Begriff negativer Theologie gewinnt eine latreutische Tendenz und wird, so verstanden, zum grundlagentheoretischen Prinzip für alle Theologie schlechthin. – Gregor hat eine Hymne gedichtet, die den Lobpreis Gottes zum Ausdruck bringt, in den alle theologische Bemühung einmünden muß:

»Jenseits von allen! Wie anders dürfte ich Dich preisen?
Wie soll Dich rühmen ein Wort? Denn Du bist jedem Worte unsagbar.
Wie soll Dich schauen eine Einsicht? Denn Du bist jeder Einsicht unfaßbar.
Unbenannt Du allein: denn Du schufest jede Benennung.
Unerkannt Du allein: denn Du schufest jede Einsicht.
Alles, was reden und nicht reden kann, preist Dich.
Alles, was einsehen und nicht einsehen kann, ehrt Dich.
Denn das gemeinsame Verlangen, die gemeinsamen Wehen aller
Richten sich auf Dich. Zu Dir fleht alles! Einsehend Dein Zeichen
Singt Dir alles eine schweigende Hymne!
In Dir Einem bleibt alles; zu Dir drängt alles zugleich.
Du bist das Ziel aller, und Einer, und Alles, und Niemand,
Nicht Eines seiend, nicht alles. Allnamiger, wie Dich rufen,
Einzig Unbenannter? Welche himmlische Einsicht durchdringt
Die über den Wolken liegenden Schleier? Sei Du mir gnädig!
Jenseits von allem ! Wie anders dürfte ich Dich preisen?«[315] –

Ähnlich wie Gregor von Nazianz denken auch seine theologischen Freunde. Der Kappadokier Basilius von Caesarea († 379) schreibt: »Das ist das Wissen . . . des göttlichen Wesens: die Wahrnehmung sei-

314 Ebd., 21: M. 36, 53 C (Ü. Barbel).
315 Ders., Carmen 29: M. 37, 507 f. (Ü. H. Theill-Wunder, Die archaische Verborgenheit . . ., a.a.O., 141).

ner Unbegreiflichkeit.«[316] Kyrill von Jerusalem († 386) sagt: »Unmöglich ist es, die Natur Gottes ganz zu erforschen; möglich dagegen ist es, Gott auf Grund seiner sichtbaren Geschöpfe Lobpreisungen emporzusenden.«[317]

I.2/5 Negative Theologie als die Grundform eines sich selbst überschreitenden Denkens bei Gregor von Nyssa

Gregor von Nyssa († 394) hat aus der Einsicht, daß die Erkenntnis Gottes an kein Ende kommen kann, die Idee einer unendlichen Selbstüberschreitung des Menschen in seinem Gottesbezug entwickelt. – Wenn man E. Mühlenberg folgen darf, so hat Gregor von Nyssa den Begriff des Unendlichen auf unerhört neue Weise gedacht. Platon kannte das Unendliche nur im Sinne des Unbegrenzten, Unbestimmten oder Gestaltlosen[318]. Für Aristoteles war das Unendliche etwas, »außerhalb dessen immer noch etwas ist«[319]. Mit einem so verstandenen Unendlichen ist in einer Logik nichts anzufangen, nach welcher man alle Aussagen auf ein Prinzip zurückführen soll. Ein solches Prinzip darf nicht erst unendlich weit gesucht werden müssen. Aristoteles lehnte darum einen »regressus in infinitum« ab. – Die Idee einer unendlichen, niemals überwindbaren Kluft zwischen dem Gottsucher und seinem Gott ist schon bei Philon[320] aufgetaucht und wurde z. B. von Clemens[321] aufgegriffen. Schon für Philon ist Moses, der den Berg zu Jahwe hinaufsteigt und Gott doch nie eigentlich erblickt, der Prototyp des Gottsuchers. Aber Philon und alle, die seine Idee aufnahmen, scheinen sich mit der Unbegreiflichkeit Gottes mehr oder weniger abgefunden zu haben. Sie haben aus ihr jedenfalls nicht die Folgerung gezogen, daß Gott zu erkennen eine unendliche *Aufgabe* sei. Und selbst Gregor von Nazianz, der diese Konsequenz wohl sah, tat sich aber offenbar schwer, vor einer solchen Aufgabe nicht zu resignieren. – Erstmals Gregor von Nyssa wendete die Idee von der Selbstüberschreitung des Menschen in seinem Bezug zu Gott ins Affirmative.

316 Basilius Caes., Epistula, 234, 2: M. 32, 869 C (e.Ü.).
317 Cyrill. Hieros. Catech. 9, 3 (ed. K. Reischl, München 1848): M. 33, 641 A.
318 Vgl. E. Mühlenberg, Die Unendlichkeit Gottes bei Gregor von Nyssa, Göttingen 1966, 41 f.
319 Aristoteles, Physik (ed. W. D. Ross, Oxford 1960), 267 a 1. Vgl. E. Mühlenberg, a.a.O., 43 ff.; vgl. ebd., 165–167.
320 Philon, De posteritate Caini, 13–21. – Vgl. E. Mühlenberg, a.a.O., 168 f.
321 Vgl. Clemens Alex., Strom. V, 71, 3 und 5: M. 9, 109 A: ». . . dann werden wir uns . . . nähern und erkennen, *nicht, was er ist, sondern, was er nicht ist.*« Irenaeus, Adv. haer. IV, 11, 2: M. 7, 1002 AB; vgl. E. Mühlenberg, a.a.O., 73–76.

Dabei radikalisierte sich noch einmal die prinzipientheoretisch-mystagogische Bedeutung des neuplatonischen Begriffs negativer Theologie. Der neuplatonische Verweis auf mystische Erfahrung des göttlichen Prinzips durch Negation aller seiner Denkbestimmungen wurde von Gregor als eine nie adäquat erfüllbare Aufforderung interpretiert, als eine immer neu einzuschärfende Anweisung zu einer unablässigen Selbstüberschreitung des menschlichen Geistes in seinem Gottesbezug. Mit dieser Interpretation hat Gregor neuplatonisches Systemdenken radikal gesprengt. – Der sprachlichen Abkürzung wegen soll im folgenden hier anstatt von Selbstüberschreitung des menschlichen Geistes einfach auch von »relativer Transzendenz« geredet werden. Die jenseitige Stellung Gottes im Gottesbezug des sich unendlich überschreitenden, menschlichen Geistes heiße hier kurz auch »absolute Transzendenz«.

1.2/5.1 Unendliches Streben

Gregor von Nyssa hat nach Mühlenberg erst in der Auseinandersetzung mit dem Arianer Eunomius erfaßt, daß wir, wenn wir Gott unendlich nennen, nicht nur seine Unbegrenztheit oder gar Unbestimmthat, sondern einen affirmativen Gehalt meinen. »Wenn jemand eine Deutung, eine begriffliche Umschreibung und eine Auslegung des göttlichen Wesens verlangt«, sagt Gregor, »so werden wir nicht leugnen, daß wir von einer solchen Wissenschaft nichts verstehen. Dies allein bekennen wir, daß es entsprechend seiner Natur nicht möglich ist, das Unbegrenzte durch einen in Worte faßbaren Gedanken zu ergreifen.«[322] Gregor hat damit das Negationsmoment negativer Theologie so umschrieben, wie es auch Neuplatoniker umschreiben könnten. Einige Seiten später bemerkt Gregor ferner: »Wir drücken das Unvergleichliche seiner Größe dadurch im rechten Verhältnis aus, daß wir sie nicht durch denkerische Bemühungen erreichen können.«[323] Eine endlose Gotteserkenntnis als unendliches Bemühen verweist hier auf eine affirmative Unendlichkeit Gottes an und für sich. Unendliche – das bedeutet: endlose – Negation verweist auf die theologische Affirmation eines wahrhaft Unendlichen[324]. Die prinzipientheoretische Dif-

[322] Gregor. Nyss., C. Eunom. III: Jaeger III, 1, 103: M. 45, 601 (Ü. Mühlenberg).
[323] Ebd.: Jaeger III, 1, 109: M. 45, 604 (Ü. Mühlenberg).
[324] Damit aber überwindet Gregor von Nyssa nicht die Grundforderung der negativen Theologie, wie Mühlenberg meint, wenn er etwa fragt: »Was versteht Gregor unter dem Unbegrenzten, das er über die Aussagen der negativen Theologie stellt?« (E. Mühlenberg, Die Unendlichkeit Gottes . . ., a.a.O., 106). Denn zum Konzept einer negativen Theologie als eines metatheoretischen oder spekulativen Prinzips für allen Gottesbezug gehört nicht nur ein Negations-, sondern auch ein Affirmationsmoment. Nur wenn man »negative Theologie« in abgelei-

ferenz der Neuplatoniker zwischen jedem Bedenken und einem mystischen Erfahren des göttlichen Prinzips wird bei Gregor zu einer vor dem unablässigen Sucher Gottes sich unaufhörlich neu auftuenden Distanz zum unendlichen Gott.
»Die Vorstellung vom unendlichen Gott setzt Gregor in seinen späteren Schriften voraus und wiederholt zum Teil ihre Begründungen. Aber weit bedeutender ist, daß er in seinen späteren Schriften Folgerungen entfaltet, die er in »Contra Eunomium« kaum streift: Die Angleichung des Menschen an Gott, welche die platonische wie christliche Bestimmung des Lebens ist, soll nun an den unendlichen Gott geschehen.«[325] – Gregor formuliert die Idee unendlicher Selbstüberschreitung des Menschen in seinem Bezug zum unendlichen Gott nach philonischem Vorbild im Kommentar zum Hohen Lied so: »Der, dessen Majestät der Glorie ohne Ende ist, wie der Prophet bezeugt, verhält sich immer auf gleiche Weise: Er wird immerdar im gleichen Abstand der Höhe erblickt.«[326] Schon David habe im Psalm 83 sagen wollen, »daß in der ganzen Dauer der endlosen Ewigkeit der auf ... (Gott) Zulaufende, immer weiter und höher über sich hinaus wächst ... Das Je-Begriffene ist ewig größer als das früher Durchfaßte und begrenzt doch nie in sich das Gesuchte, sondern die Grenze des Gefundenen wird den Steigenden zum Ausgang höheren Findens. Und niemals steht der Wanderer nach oben still, er empfängt Beginn aus Beginn, und es schließt sich nicht in sich selber der Anfang des Immer-je-Größeren ...«[327] – Das Neue bei Gregor von Nyssa ist die Entdeckung eines unendlichen Strebens nach Selbstüberschreitung. W. Jaeger erklärt: »Der Prozeß des stetigen Wachstums und der stufenweisen Umformung der menschlichen Seele, durch den die ›Verähnlichung mit Gott‹ stattfindet, wird charakterisiert durch das Lieblingswort des Gregor *epekteínesthai*. Es ist unübersetzbar: es ist das Sich-

tetem Sinne allein als die verneinende Weise der Gottesaussage auffaßt, erfordert sie weiter nichts als Negationen. Daß dies aber nicht der im Verhältnis zu Gregors Unendlichkeitsbegriff adäquate Sprachgebrauch sein kann, läßt sich schon daran sehen, daß der affirmative Begriff der Unendlichkeit Gottes auch bei Gregor das Un- bzw. ἀ- einer Negativ-Prädikation als Signum des Verweises vermittels von Negation an sich trägt. Die Unendlichkeit Gottes als affirmative ist gerade nach Gregor von Nyssa nicht in ihrem »an sich« zu begreifen, sondern eben nur im Zusammenhang mit dem Verweis der negativen Theologie, der sich in einer nie an ein Ende kommenden Gotteserkenntnis aktualisiert. »Unendlichkeit Gottes« steht bei Gregor also nicht über der negativen Theologie, sondern artikuliert das Affirmationsmoment ihres Begriffs.

325 E. Mühlenberg, Die Unendlichkeit Gottes ... a.a.O., 92.

326 Gregor. Nyss., Homiliae in Canticum (ed. H. Langerbeck, G. N. opera VI, 1960): M. 44, 941 A (Ü. H. Urs von Balthasar: Gregor von Nyssa, Der versiegelte Quell, Auslegung des Hohen Liedes, in Kürzung übertragen und eingeleitet von H. Urs von Balthasar, Einsiedeln 1954²).

327 Ebd., 8: M. 44, 941 B/C (Ü. Urs von Balthasar).

dehnen und -strecken nach dem Ziel der Bahn in nimmer nachlassendem Eifer, über den schon erreichten Punkt hinauszudringen. Doch da das Ziel das Absolute ist, kann es in Wirklichkeit niemals erreicht werden.«[328]

Der Gedanke, daß der Unbegreiflichkeit sowie der Unendlichkeit Gottes ein unendliches Streben im Menschen nach Gotteserkenntnis entspreche, war in der Antike und selbst bei christlichen Theologen keineswegs selbstverständlich. Gregor von Nyssa empfindet es als notwendig, ihn zu rechtfertigen. Einmal sei, so argumentiert er, nach der christlichen Schöpfungslehre eine so große Kluft zwischen Schöpfer und Geschöpf anzusetzen, daß eine geschöpfliche Findung des unerschaffenen Prinzips, wie sie bereits im Neuplatonismus als erforderlich angesehen worden ist, nur in einem unendlichen Rückstieg des Geschöpfes zu seinem Schöpfer denkbar sei. Überdies habe der Mensch durch die Ursünde seine ursprüngliche Einheit mit dem Schöpfer samt seiner eigenen Identität so radikal verloren, daß eine Rückkehr in den ursprünglichen Heilszustand auch aufgrund der Erlösungsgnade nur als ein unendliches Bemühen zu denken sei[329]. Und da der Mensch seine

328 W. Jaeger, Die asketisch-mystische Theologie des Gregor von Nyssa (1956): Humanistische Reden und Vorträge, Berlin 1960², 279f. – Vgl. etwa Greg. Nyss., Homilia in Psalmum 6: M. 44, 608 (Ü. siehe Anm. 340).

329 Vgl. W. Jaeger, Die asketisch-mystische Theologie des Gregor von Nyssa ..., a.a.O., 275f.: »So wird in Gregors Theorie der Areté als Verähnlichung des Menschen mit Gott dieser platonische Gedanke, den ein Proklos genau so hätte aussprechen können und tatsächlich als das Ziel aller Philosophie ausgesprochen hat, verknüpft mit der jüdisch-christlichen Idee der Schöpfung des Menschen nach dem Ebenbilde Gottes. Ähnlichkeit mit Gott ist seine göttliche Bestimmung, und er besaß sie einst, bevor er seinen ursprünglichen Paradiesesstand verlor. Eine zweite Modifikation des platonischen Grundschemas folgt aus dem christlichen Glauben an die Fleischwerdung des Logos in Christus. Nachdem der Mensch durch den Fall Adams seinen ursprünglichen Rang als Ebenbild Gottes verloren hat, kann er nicht wiederhergestellt werden ohne die göttliche Initiative zur Erlösung des Menschen. Um es kurz mit Gregors eignen Worten zu sagen: Der Gott mußte Mensch werden, damit der Mensch Gott werden konnte. Gregors Idee der Vergottung des Menschen griff über die antik-philosophische Forderung seiner Vergöttlichung kühn hinaus.« – J. Zemp, Die Grundlagen heilsgeschichtlichen Denkens bei Gregor von Nyssa, München 1970, 206f., faßt zusammen:
»1. Die Grundstruktur des Werdens der Menschheit und des Menschen ergibt sich aus Gregors Vorstellung von der Erschaffung der Menschheit und des Menschen. Von Gott her gesehen, in der idealen Ordnung oder in der Ordnung des Geistes, steht die vollendete, pleromatische Menschennatur am Anfang. Vom Menschen her gesehen, in der realen Ordnung oder in der Ordnung von Raum und Zeit (die sich in gewissen Texten deckt mit der auf die Sünde hin angelegten Ordnung), steht die vollendete pleromatische Menschennatur am Ende. Das zeitliche Werden der Menschheit in dieser Zeit ist gleich der Wiedergewinnung der *arché* der Menschheit in ihrem *télos*.
...3. Ein zweiter positiver Sinn des linearen Ablaufs der Zeit der Menschheit liegt in der zeitlichen Überwindung des Bösen. Dieser Vorgang unterliegt einer Notwendigkeit, die darin gründet, daß das Böse metaphysisch gesehen zum Bereich des Kreatürlichen, und somit zum Bereich des Endlichen gehört. Die Vor-

Gottebenbildlichkeit nur verwirkliche, indem er sich selbst überschreite und dem göttlichen Logos Christus als dem Abbild des Unsichtbaren nachfolge und ihm sich gleichgestalte, werde seine Verähnlichung mit Gott zu einer unendlichen Aufgabe. – Woher nimmt der Mensch aber die Kraft zur unendlichen Überschreitung seiner selbst?

1.2/5.2 Gottes Offenbarung und unendliche Selbstüberschreitung des Menschen

Im Kommentar zum Hohenlied vergleicht Gregor von Nyssa den Bräutigam und die Braut mit Christus und der Kirche. Die Braut werde getroffen von der Liebe des Bräutigams und so stets zu neuem und noch größerem Liebesverlangen angeregt. »Dies erwägend, sagte ich mir: die also Erhöhte muß nun den Gipfel der Seligkeit erstiegen haben. Und doch scheint das bisher Vollbrachte nur das Vorspiel des Aufstiegs zu sein. Denn jenes ganze Emporschreiten nennt sie nicht Schau, sondern Stimme des Begehrten, die sich wohl dem Gehör durch ihr Eigentümliches unverwechselbar kundgibt, sich aber nicht der vollen Erkenntnis zur Einsicht und zum Genuß darreicht.«[330] Unter Braut versteht Gregor auch die gläubige Seele und schreibt: »Weil also der gute Liebhaber unserer Seele Seine eigene Liebe bewies, als Christus für uns, da wir noch Sünder waren, starb, deshalb weist die Braut, den Liebenden wiederliebend, auf den in ihr tief innen steckenden Pfeil der Liebe, das ist die Teilnahme an Seiner Gottheit ...«[331] Die Kirche teilt ihren Gliedern die zur Wiederliebe anregende Liebe Christi mit. »Durch solche Hinweise weiht die Braut die Jungfrauen ins Geheimnis ein, denn unser Denken gelangt nicht glücklich zum Unfaßbaren und Grenzenlosen, wenn es nicht zuvor durch den Glauben das Sichtbare mit fester Faust gefaßt hat.«[332] In Vergleichen zwar, doch nicht unverständlich spricht Gregor demnach aus, daß der unendliche Selbstüberschritt nur durch einen der Offenbarung in Christus entstammenden Antrieb ermöglicht werden kann. Die Braut »erfährt«, sagt Gregor, »daß eben der ewige Fortschritt des Suchens und das Nie-Ruhende des Aufstiegs die wahre Stillung der Sehnsucht sei, wo jede zu Rand erfüllte Sehnsucht ein frisches Sehnen nach dem Höhern erzeugt«[333]. »Siehst du wohl, wie denen, die zu Gott hin empor-

stellung ewig-zyklischen Wechsels von Aufstieg und Abfall wird zu überwinden versucht durch den Gedanken des unaufhörlichen Aufstiegs des Geistes zum unendlichen Guten, bzw. zu Gott, und der Unmöglichkeit, darin zu einer Sättigung zu gelangen.«

330 Gregor. Nyss., In Cant., 5: M. 44, 859 A (Ü. Urs von Balthasar).
331 Ebd., 13: M. 44, 1044 (Ü. Urs von Balthasar).
332 Ebd., 13: M. 44, 1052 B (Ü. Urs von Balthasar).
333 Ebd., 12: M. 44, 1037 B (Ü. Urs von Balthasar).

steigen, der Lauf grenzenlos ist, wie das Erfaßte je Eingang zum Darüberliegenden ist?«[334] Die Offenbarung in Christus ist etwas, »dessen Genuß die Begierde nicht mit Übersättigung schlägt, sondern durch die Teilnahme an dem Ersehnten weit eher den Durst nährt«[335]. – Der Sinn der Vergleiche von Liebeserfüllung und Sehnsucht, von Stillung und Durst ist unverkennbar der, daß eine Offenbarung Gottes als des Unendlichen gerade eine unendliche Selbstüberschreitung des Menschen auf Gott hin ermöglicht. Dabei scheint Offenbarung als eine mystische Begegnung mit Christus konzipiert zu sein. Gregor muß als Voraussetzung für seine These von der Ermöglichung unendlicher Selbstüberschreitung des Menschen durch Gottes Offenbarung in Christus Offenbarung als ein stets anwesendes Angebot an den Menschen verstehen, das ihm je nach seiner jeweiligen Disposition der Grund wird, sich zu neuer Überschreitung seiner selbst in seinem Gottesbezug hinreißen zu lassen[336].
Doch ist das wirklich Offenbarung zu nennen? Wie soll Offenbarung in Christus endgültig geschehen sein, wenn Gotteserkenntnis weiterhin an kein Ende kommen soll? Anders gefragt: Ist die Unendlichkeit Gottes, die sich so offenbaren kann, eigentlich dieselbe wie die, die im Verweis, welcher unendlicher Aufstieg zu Gott ist, erst entworfen wird? Es stellt sich also nicht nur die Frage nach Begriff und Möglichkeit der unendlichen Selbstüberschreitung des Menschen, sondern auch die nach der Entwerfbarkeit und der Idee der wahren Unendlichkeit Gottes. Offenbarung aber müßte so konzipiert werden, daß ihr Begriff einer Beantwortung beider Fragen nicht im Wege steht, sondern das Wechselverhältnis von relativer und absoluter Transzendenz gerade begründet.

I.2/5.3 Relative und absolute Transzendenz

Nach Gregor von Nyssa ist, wie schon angedeutet, relative auf absolute Transzendenz beziehbar. Im Kommentar zum Hohenlied sagt er: »Wenn also die einfache und lautere Natur (scil. Gottes) eine Menschenseele in ihre Gemeinschaft hineinzieht, liegt sie im gleichen Verhältnis zu deren je-höher strebendem Über-hinaus stets über sie erhaben hinaus. Während die Seele immer je-größer als sie selber wird durch Teilnahme am Über-hinaus und ihres Wachstums kein Ende ist, bleibt das teilgebende Gute sich immer gleich, von der immer voller

[334] Ebd., 11: M. 44, 997 D (Ü. Urs von Balthasar).
[335] Ebd., 14: M. 44, 1084 C/D (Ü. Urs von Balthasar).
[336] Vgl. ebd., 3: M. 44, 828 D – 829 A; 9: M. 44, 956 B; ders., De vita Moysis, 2: M. 44, 344 C/D; ebd., M. 44, 368 C.

Teilnehmenden als das immer unveränderte Über-hinaus erfunden...«[337] Die in relativer Transzendenz begriffene Seele kann unablässig in ihr verbleiben und weiterstreben nur dann, wenn sie »über sich« die absolute Transzendenz Gottes wahrnimmt. – Deren Wahrnehmung aber ist, wie soeben dargelegt, vermittelt über Gottes Offenbarung in Christus. Die Gottesoffenbarung vermittelt eine Wahrnehmung Gottes als des Unendlichen – d. i. als des Unbegreiflichen. Zur Gottesoffenbarung an Moses (vgl. Ex 33) schreibt Gregor: »Da das Göttliche wesenhaft lebenzeugend ist, sein ihm eigentümliches Kennzeichen aber ist, jenseits aller Kennzeichnung zu liegen, hat derjenige, der das Göttliche für erkennbar hält, kein Leben, als ob er sich vom seiend Seienden weg zum bloß Gemeinten hinwendete. Denn das seiend Seiende ist das wahre Leben. Es ist der Erkenntnis unerreichbar. Wenn nun die lebenspendende Natur Gottes alles Begreifen übersteigt, dann kann etwas Begriffenes nicht Leben sein. Was aber nicht Leben ist, kann auch kein Leben geben. So wird für Moses das Verlangen erfüllt, indem zugleich seine Sehnsucht ungestillt bleibt.«[338] Moses »sieht« – wie Gregor dies in einem Bilde ausdrückt – Gott in seiner Offenbarung nur, indem er Gottes Rücken sieht und ihm nachfolgt[339]. Denn nach der Schrift sehe niemand Gott (von vorne) und bleibe am Leben. Gottes absolute Transzendenz offenbart sich, indem sie sich zugleich als unbegreifliche entzieht. So greife Moses zwar nach ihr. Was er aber begreife, sei nicht sie selbst. Darum könne er sich mit dem Ergriffenen nicht zufriedengeben und strebe danach, mehr zu begreifen[340]. – Gregor schildert so in Vergleichen, wie bei Moses aufgrund der Offenbarung absoluter Transzendenz unentwegte, relative Transzendenz in Gang gehalten wird. Gregor deutet auf diese Weise an, daß relative Transzendenz aufgrund von Offenbarung auf absolute Transzendenz beziehbar und nur so als unaufhörliche, relative Transzendenz denkbar ist.

Umgekehrt gilt aber auch: absolute Transzendenz zeigt sich zwar in ihrer Offenbarung, ist aber nur im Vollzug unendlich relativer Transzendenz so entwerfbar, daß ihre Offenbarung verstanden werden kann. Im Hohenliedkommentar erklärt Gregor, »daß es für den Geist

[337] Ders., In Cant., 5: M. 44, 876 A (Ü. Urs von Balthasar).
[338] Ders., De Vita Moysis, 2: M. 44, 404 B (Ü. Blum).
[339] Ders., In Cant., 12: M. 44, 1025 D; ders., De Vita Moysis: M. 44, 404 A – 409 A; vgl. Gregor. Naz., Oratio 28 (theologica 2), 3: M. 36, 29 AB (Vgl. J. Barbel, Die fünf theologischen Reden . . ., a.a.O., 66–71).
[340] Vgl. Gregor. Nyss., In Psalmum (ed. J. McDonough – P. Alexander, Greg. Nyss. opera V, Leiden 1962), 6: M. 44, 608 C: »So streckt er sich immer nach dem aus, was darüber liegt, und wird niemals mit dem guten Aufstieg aufhören, da er durch die (schon) hohen Begriffe stets zum Greifen nach den (noch) darüber Liegenden geführt wird« (e.Ü.).

nur eine Weise gibt, die ihn übersteigende Macht zu erkennen: nie beim Begriffenen stehenzubleiben, sondern ruhelos immerdar nach dem Mehr-als-Begriffenen zu suchen ...«[341]. Eine Grundüberzeugung, wonach die Gotteserkenntnis an kein Ende kommt, läßt sich als Verweis auf die Unendlichkeit Gottes auslegen. Diese Grundüberzeugung muß nicht notwendig so affirmativ ausgelegt werden. Aber wenn in einer Geschichte von Gottesoffenbarungen Erfahrungen sich zeitigen, in welchen eine solche Auslegung sich verifiziert, dann erweist sie sich als berechtigt. – Gerade dies drückt Gregor in dem etwas seltsamen Bilde von der Nachfolge des Logos aus, der Christus ist: »... ich glaube, daß der nach der Schau Gottes sich Sehnende das Ersehnte nur in der steten Nachfolge erblickt: Das nie-erlahmende Gehen auf Ihn hin *ist* die Schau seines Antlitzes, die nur gerade dann nach vorne gelingt, wenn wir hinter dem Logos in Seinen Fußstapfen gehen.«[342] Gregor wendet dieses Bild auch auf die Gottesoffenbarung an Moses an: »Moses soll unendlich nach der Gottesschau trachten, figürlich gemeint: laufen. Wenn Moses aber das Gesicht Gottes zu sehen bekäme, so würde das bedeuten, daß Moses in eine andere Richtung als Gott laufen würde.«[343] Der Mensch muß gleichsam endlos hinter der Unendlichkeit Gottes herlaufen.

An dem sich selbst überschreitenden Denken, wie es Gregor konzipiert, lassen sich nun drei Momente unterscheiden, die zusammen seine Grundform ausmachen. Das sich selbst überschreitende Denken wird *begründet* durch Offenbarung: nur wenn relative Transzendenz sich von der Offenbarung absoluter Transzendenz tragen und leiten läßt, ist unendliche, relative Transzendenz so möglich, daß in ihrem Vollzug absolute Transzendenz entwerfbar wird. Offenbarung begründet das sich selbst überschreitende Denken als unablässige *Negation* seiner selbst: nur wenn der Mensch sich in seinem Gottesbezug unaufhörlich selbst überschreitet, wird ihm im Vollzug dieser unendlichen, relativen Transzendenz die Unendlichkeit Gottes so entwerfbar, daß er ihre Offenbarung versteht. Das sich in unablässiger Negation selbst überschreitende Denken verweist auf *eine theologische wie auch eschatologische Affirmation* des angezielten Unendlichen: nur wenn im Vollzug relativer Transzendenz absolute Transzendenz entworfen und bejaht werden kann, wird deren Offenbarung so verständlich, daß sie die relative Transzendenz als unablässige begründet. – Grundmoment, Negations- und Affirmationsmoment, die hier die Grund-

341 Ders., In Cant., 12: M. 44, 1024 B (Ü. Urs von Balthasar).
342 Ebd., 12: M. 44, 1025 D – 1028 A (Ü. Urs von Balthasar).
343 J. Escribano-Alberca, Von der Gnosis zur Mystik: Der Übergang vom 3. zum 4. Jahrhundert im alexandrinischen Raum: Münchener Theologische Zeitschrift 19, 1968, 291 f.

form eines sich selbst überschreitenden Denkens ausmachen, sind bekanntlich die begrifflichen Momente negativer Theologie. Was sagt Gregor von Nyssa zu diesem Begriff?

I.2/5.4 Dekalog und negative Theologie

Gregor von Nyssa scheint einer der ersten gewesen zu sein, die im Dekalog einen Begriff negativer Theologie umschrieben fanden. Gregor kommt in »De vita Moysis« auf den Dekalog zweimal zu sprechen. An der ersten Stelle referiert er innerhalb einer Erzählung der Exodus- und Sinaiereignisse, die freilich schon von der Deutung beeinflußt ist, die er nachher geben wird, auch über den Dekalog. An der zweiten Stelle legt er den Dekalog aus – und zwar im Zusammenhang mit einer ausführlichen Deutung des überlieferten Faktums, daß Moses in das Dunkel eintrat, in dem Gott war (vgl. Ex 19).
In seinem Dekalogreferat skizziert Gregor kurz Inhalt und Aufbau des Dekaloges. »Dort (scil. im Dunkel auf dem Sinai) empfing er (scil. Moses) die göttlichen Anordnungen. Diese bestanden in einer Lehre der Tugend, deren Hauptsache die Ehrfurcht und geziemende Vorstellungen von der Natur Gottes sind, da diese jenseits alles erkennenden Verstehens und jenseits aller Beispiele liegt, mit nichts zu vergleichen, was erkannt wird. Es wird nämlich angeordnet, bei den Meinungen über Gott sich nicht an Begriffenes zu wenden und nicht mit etwas, das aus der Wahrnehmung erkannt wird, die Natur zu vergleichen, die alles übersteigt, sondern zu glauben, daß sie ist, und nicht zu fragen, wie beschaffen, wie groß, auf welche Weise, woher sie ist, da sie ja doch unerreichbar ist. Das Wort fügt hinzu, was die sittlichen Pflichten sind, und es lehrt allgemeine und besondere Gesetze. Allgemein nämlich ist das Gesetz, das sich gegen alles Unrecht wendet, indem es befiehlt, das Verwandte zu lieben. Aus diesem Gesetz ergibt sich völlig folgerichtig, daß niemand seinem Nächsten etwas Schlimmes zufügt. Bei den Einzelgesetzen wird die Achtung vor den Eltern befohlen, und es findet sich dort das Verzeichnis der verwerflichen Taten.«[344] – Gregor faßt den Dekalog offenbar als Tugendlehre in zwei Teilen auf. Im zweiten Teil wird das Gebot der Nächstenliebe, im ersten, in dem nach Gregor die Hauptsache steht, das Gebot der Ehrfurcht vor Gott behandelt. – Die im ersten Teil ausgesprochene Hauptsache bestimmt, wenn dies Gregor auch nicht ausdrücklich sagt, implizit das im zweiten Teil umschriebene Liebesgebot[345]. Der erste

344 Gregor. Nyss., De vita Moysis, 1: M. 44, 317 B/C (Ü. Blum).
345 Zum unauflösbaren Verhältnis von rechtem Erkennen und Handeln siehe: ebd., 2: M. 44, 392 C/D (Ü. Blum): »... es ist notwendig, die Philosophie des

Teil enthält also nicht nur die Grundanweisung für jeden Gottesbezug, sondern auch für alles sittliche Verhalten. – Diese Grundanweisung betrifft nach Gregor nicht nur jeden Gottesbezug, sondern, wie Gregor ausführt, auch jede theologische Besinnung auf diesen Bezug. Der Gläubige wird angewiesen, sich »geziemende Vorstellungen« von Gott zu bilden. Dies soll so geschehen, daß durch Verneinung aller begrifflichen Bestimmungen wie aller sinnlichen Eindrücke einfach auf den Glauben an den durch keine Erkenntnis erreichbaren Gott und an sein Dasein verwiesen wird. – Gregors Formulierung der Grundforderung an Frömmigkeit und Theologie spiegelt deutlich die Struktur des prinzipientheoretisch-mystagogischen Begriffs negativer Theologie der Neuplatoniker wider. Gregor findet im ersten Teil des Dekalogs also das, was die Neuplatoniker negative Theologie nennen. Allerdings findet er es dort in einem radikaleren Begriff, als die Neuplatoniker ihn denken. Das zeigt sich an seiner weiteren Dekalogdeutung.

In seiner Dekalogauslegung an der zweiten Stelle aus »De vita Moysis« scheint Gregor den Begriff negativer Theologie so zu umschreiben, wie er ihn selber konzipiert. – »Das Wort Gottes verbietet am Anfang, daß von den Menschen das Göttliche irgend etwas Erkanntem verglichen wird, da jeder Begriff, der in Geist und Verstand über Gott gebildet wird, nur ein Götzenbild Gottes gibt, Gott selbst aber nicht verkündet.«[346] Gregor liest im Dekalog, daß auch jeder Begriff, der Gott abbildet, schon ein Götzenbild ist. Neuplatoniker würden Begriffe von Gott zwar auch für unzureichend halten, aber immerhin als verweisende Hinweise auf Gott gelten lassen. Nach Gregor verbietet der Dekalog jeden Vergleich Gottes mit irgend etwas Bekanntem und erklärt dieses zu einem Götzenbild[347]. Gregor entdeckt im Dekalog ein Verständnis negativer Theologie, welches das neuplatonische

Tuns mit der Philosophie der Betrachtung zu verbinden ...«; vgl. ders., In Cant., 14: M. 44, 1085 C.

346 Ders., De vita Moysis, 2: M. 44, 377 B (e.Ü.).

347 Nach A. Lieske (Die Theologie der Christusmystik Gregors von Nyssa: Zeitschrift für katholische Theologie 70, 1948, 152) »ist Gregors *theologia negativa* und seine entschiedene Betonung geschöpflicher Endlichkeit großenteils nur Reaktionserscheinung gegen die rationalistischen Entstellungen der Arianer und Eunomianer.« – Gregor sagt von diesen Häretikern, daß sie das Göttliche in »eine Umschreibung pressen und ihren eigenen Begriff nicht nur zum Götzenbild machen, indem sie die sich bei dem Wort ›Ungezeugtheit‹ einstellende Vorstellung für göttlich erklären, – und zwar nicht als eine, die nur in gewissem Sinne Gott zugedacht wird, sondern als eine, die (wirklich) Gott sei, ja das Wesen Gottes« (Gregor. Nyss., C. Eunom. XII: Jaeger II, 100: M. 45, 944 C, e.Ü.). Vgl. Gregor. Nyss., De vita Moysis, 2: M 44, 320 D – 321 A (Über die Perikope vom Goldenen Kalb); ferner: Gregor. Nyss., In Cant., 3: M. 44, 820 C (Ü. Urs von Balthasar): »Die ganze Lehre über das unaussprechliche Wesen ist, auch wenn sie durchaus gottwürdige und hohe Gedanken darzubieten scheint, *Gold-Gleichnis*, nicht Gold selbst.«

radikalisiert und überbietet. – Er fährt in seiner Auslegung fort mit den Worten: »Aber die Tugend der Frömmigkeit hat zwei Seiten: den Bezug auf Gott und die Hinsicht auf die sittliche Lebensordnung.«[348] Gregor spricht hier deutlich aus, daß er das sittliche Leben als ein Ganzes sieht, dessen Hauptsache die Gottesfurcht ist. Dann aber regelt die Grundforderung für den Gottesbezug indirekt auch das gesamte sittliche Leben. – »Zuerst lernen wir, was von Gott zu erkennen nötig ist: dieses Erkennen besteht darin, auf ihn nichts anzuwenden, was mit menschlicher Auffassungskraft erkannt wird; ...«[349] Gott soll erkannt werden vermittels eines Verweises, der in einer unaufhörlichen Abweisung aller sich einstellenden Vorstellungen und Begriffe vollzogen wird. Dies ist offenbar der Verweis, der gerade in der unendlichen Selbstüberschreitung des Menschen in seinem Bezug zum unendlichen Gott realisiert wird. Was sich uns vorher als die Grundform des sich selbst überschreitenden Denkens bei Gregor ergab, umschreibt er bei seiner Dekalogdeutung selber als den Gehalt negativer Theologie. – »... die andere Seite der Tugend lehrt uns, auf welche Weise wir unser Leben der Tugend vervollkommnen können.«[350] Gregor legt Wert auf die Formulierung, daß das sittliche Leben »vervollkommnet« werden muß. Wie das Gott-Erkennen unabschließbar ist, so ist das sittliche Leben unvollendbar. »Es ist völlig unmöglich«, sagt Gregor an anderer Stelle, »das Vollkommene zu erreichen, weil die Vollkommenheit ... unbegrenzt ist und die Tugend nur eine Grenze hat – ihre Grenzenlosigkeit ... Sich so verhalten, daß man im Guten immer mehr zu haben strebt, das ist die Vollkommenheit der menschlichen Natur.«[351] »Das vollkommene Leben ist jenes, dessen Bestimmung den Fortschritt nicht hindert.«[352] Gregor begreift unendliche, relative Transzendenz, die auf absolute Transzendenz verweist und von deren Offenbarung in Gang gebracht und gehalten wird, also nicht nur als theoretische, sondern auch als praktische Selbstüberschreitung des Menschen. Der Begriff Gregors von negativer Theologie enthält nicht nur die Grundform eines sich selbst überschreitenden Denkens, sondern die der sich selbst ins Unendliche transzendierenden Existenz des Menschen überhaupt.

[348] Gregor. Nyss., De vita Moysis, 2: M. 44, 377 B/C (e.Ü.).
[349] Ebd., 2: M. 44, 377 C (Ü. Blum).
[350] Ebd., 2: M. 44, 377 C (Ü. Blum).
[351] Ebd., 1: M. 44, 301 B/C (Ü. Blum).
[352] Ebd., 2: M. 44, 425 A (e.Ü.).

I.3 Der explizite Terminus der apophatischen Theologie

Die Verbindung der Worte *apóphasis* (Verneinung) und *theología* (Theologie) ist in der Patristik erst von einem Autor des ausgehenden 5. Jahrhunderts hergestellt worden. Unter dem Pseudonym des in der Apostelgeschichte (17,34) erwähnten Dionysios Areopagites haben seine Schriften in der Folgezeit fast kanonisches Ansehen gewonnen. Mit ihnen ist auch der patristische Begriff negativer Theologie dem Mittelalter vererbt worden.

Die Abfassungszeit der unter dem Namen des Dionysios Areopagites bekannten Schriften läßt sich nach neueren Forschungen auf einen Zeitraum von 20–50 Jahren eingrenzen. Als »terminus post quem« darf nach den Untersuchungen H. Kochs und J. Stiglmayrs[353] etwa das Todesjahr des Neuplatonikers Proklos 484 n. Chr. gelten. Denn von dessen Schriften sind die des Dionysios, wie heute unbezweifelbar feststeht, literarisch abhängig. Als »terminus ante quem« gilt heute entweder das Patriarchat des Severus von Antiochien (512–518) – in seinen Werken sind Anklänge an die des Dionysios nachzuweisen – oder jedenfalls das Religionsgespräch zu Konstantinopel im Jahre 532. Denn auf ihm wurden die dionysianischen Schriften, da die Monophysiten sich auf sie beriefen, von dem Führer der Orthodoxen, Hypatius von Ephesus, als unecht abgelehnt. Erst eine rechtgläubige Interpretation häretisch klingender Stellen durch Maximus Confessor († 662) verschaffte ihnen später doch noch Anerkennung. Das vierte Konzil von Konstantinopel (869/70) zitiert aus ihnen bereits fast wie aus der Bibel[354]. Schon zuvor hatte der Abt Hilduin von St. Denis († 844) den Paulusschüler und vermeintlichen Verfasser der genannten Schriften, Dionysios vom Areopag, legendarisch mit dem Märtyrer Dionysius

[353] Vgl. H. Koch, Proklus als Quelle des Pseudo-Dionysius Areopagites in der Lehre vom Bösen: Philologus 54, 1895, 438–454; ders., Der pseudepigraphische Charakter der Dionysischen Schriften: Theologische Quartalschrift 77, 1895, 353 bis 420; J. Stiglmayr, Das Aufkommen der pseudodionysischen Schriften und ihr Eindringen in die christliche Literatur bis zum Laterankonzil 649: IV. Jahresbericht des öffentlichen Privatgymnasiums an der Stella Matutina zu Feldkirch, Feldkirch 1895, 3–66; ders., Der Neuplatoniker Proklus als Vorlage des sog. Dionysius Areopagita in der Lehre vom Übel: Historisches Jahrbuch 16, 1895, 253–273; 721–748; H. Koch, Pseudo-Dionysius Areopagita in seinen Beziehungen zum Neuplatonismus und Mysterienwesen, Mainz 1900; vgl. N. Nilles, Zu Stiglmayrs areopagitischen Studien; Heortologischer Nachtrag: Zeitschrift für katholische Theologische Theologie 20, 1896, 395–399.

[354] Vgl. Concilium Constantinopolitanum IV (14. 10. 869 – 28. 2. 870): DS 651: Quapropter et has (scil. sanctorum Patrum definitiones et sensus) ut »secunda eloquia« secundum magnum et sapientissimum Dionysium arbitrantes et existimantes, etiam de eis cum divino David promptissime canamus: »Mandatum Domini lucidem illuminans oculos« (Ps. 18, 9) etc.

von Paris (3. Jahrhundert) identifiziert. Um 850 übersetzte Scotus Eriugena die dionysianischen Schriften ins Lateinische. Diese und einige noch folgende mittelalterliche Übersetzungen ermöglichten den starken Einfluß, den die Schriften gerade auch auf das abendländische, mittelalterliche Denken gewonnen haben. – In einer Untersuchung zur negativen Theologie ist es weder möglich noch notwendig, einen kompetenten Beitrag zur Lüftung des berühmten Pseudonyms zu leisten. Die dionysianischen Schriften sollen hier allerdings auch im Hinblick darauf gelesen werden, daß sie patristisches Erbe unter recht ausgiebigem Gebrauch neuplatonischer Terminologie an das Mittelalter vermittelt haben. Was zum Terminus der apophatischen Theologie bei Preudodionysius herausgearbeitet wird, dürfte für ein Verständnis etwa auch der Lehre vom Weg der Verneinung bei Thomas von Aquin nicht unwesentlich sein.

Doch soll hier die Frage nicht ausgeklammert werden, ob die Wahl gerade dieses Pseudonyms nicht auch etwas über die Programmatik der dionysianischen Schriften verrät[355]. In der Areopagrede, in deren Anschluß ein gewisser Dionysios vom Areopag erwähnt wird, ist die Rede vom unbekannten Gott. Er ist Thema auch der apophatischen Theologie. Darf man vermuten, daß der unbekannte Autor – wenigstens auch – deshalb unter dem Namen des Areopagiten geschrieben hat, weil er dieses Thema nach Art der Areopagrede, so wie er sie jedenfalls verstand, behandeln wollte?[356] – Wie in der Areopagrede

355 Zur Pseudonymität im Altertum vgl. J. A. Sint, Pseudonymität im Altertum, Ihre Formen und Gründe, Innsbruck 1960, S. 163: »Aus der Eigenart mythischen Denkens und echter religiöser Ergriffenheit gewinnt der Verfasser für sein Vorgehen eine solche Überzeugungskraft, daß von bewußter Täuschung keine Rede sein kann, ja daß ihm die moralische Wahrheitsfrage gar nicht zum Problem wird und er darum seine Entlarvung nicht befürchten konnte. Zum andern Teil sind die psn. Schriften auf literarische Gestaltungskräfte zurückzuführen, die im Laufe der Entwicklung zu festen Literaturformen erstarrt sind, weithin ohne daß darin noch wahrhaft dichterische Schöpfungskraft am Werke war.« – Vgl. K. Aland, The Problem of Anonymity and Pseudonymity in Christian Literature of the First Two Centuries: Journal of Theological Studies 12, Oxford 1961, 39–49.

356 Zur negativen Theologie bei Dionysios Areopagites vgl. V. Lossky, La théologie apophatique dans la doctrine de Denys l'Aréopagite (Russisch): Seminarium Kondakovianum 3, Prag 1929, 133–144; ders., La théologie négative dans la doctrine de Denys l'Aréopagite: Revue de Sciences philosophiques et théologiques 28, Paris 1939, 204–221; C. Pera, Il metodo di Dionigi il Mistico nella ricerca della verità: Humanitas 2, 1947, 355–363; W. Völker, Kontemplation und Ekstase bei Pseudo-Dionysius Areopagita, Wiesbaden 1958; R. Roques, Contemplation, Extase et Ténèbre chez le Pseudo-Denys: Dictionnaire de Spiritualité ascétique et mystique 2, Paris 1952, 1885–1911; ders., De l'implication des méthodes théologiques chez le Pseudo-Denys: Revue d'ascétique et de mystique 30, Toulouse 1954, 268–274; A. Brontesi, L'incontro misterioso con Dio, Saggio sulla teologia affermativa e negativa nello Pseudo-Dionigi, Note di una lettura, Brescia 1970; H. Theill-Wunder, Die archaische Verborgenheit, Die philosophischen Wurzeln der negativen Theologie, München 1970.

wird auch bei Pseudodionysius ein philosophisch geprägter Begriff negativer Theologie aufgegriffen, um von ihm zu einem christlichen Verständnis dieses Begriffs überzuleiten. Bei Pseudodionysius ist es allerdings nicht ein gnostischer oder popularphilosophischer, sondern der schon von den christlichen Theologen vor ihm rezipierte, neuplatonische Begriff vor allem in seiner prinzipientheoretisch-mystagogischen Bedeutung. Diesem Begriff gibt Dionysios den von Proklos entlehnten Namen »apophatische Theologie«. – Im Verlauf der Untersuchung[357] wird sich allerdings herausstellen, daß bei Dionysios Areopagites deutlich auch diejenige Bedeutungskomponente negativer Theologie wirksam geworden ist, die bei den Neuplatonikern ein emanatives System zu legitimieren schien. Der Terminus der apophatischen Theologie erweist sich bei Pseudodionysius jedenfalls als eingespannt in ein hierarchologisches Denken. – Apophatische Theologie in prinzipientheoretisch-mystagogischer Bedeutung sowie als hierarchologischer Begriff bringt schließlich charakteristische, theologische Konsequenzen hervor und hat in diesem Sinne auch auf die Formulierung kirchenamtlicher Lehre eingewirkt.

I.3/1 Apophatische Theologie als prinzipientheoretisch-mystagogischer Terminus

Dionysios Areopagites führt »apophatische Theologie« ein als einen Namen für den höchsten Grundsatz einer Reflexion auf die Methoden, die bei jeder theologischen Besinnung auf den Bezug zum Prinzip von Sein und Erkennen anzuwenden sind. Dieses Prinzip ist für Dionysios die Dreieinigkeit Gottes an und für sich, und der Bezug zu ihm ist auf ein Hervortreten Gottes aus sich selbst gegründet.
Dies soll nun Schritt für Schritt anhand einzelner Texte dargelegt werden. Dabei wird auf folgende Aussagekomplexe eingegangen. Im zweiten Kapitel der Schrift »Über die himmlische Hierarchie« spricht Dionysios über Symbole in der Theologie. Er führt die Methode

357 Der Einfachheit halber werden im Folgenden die Werke des Dionysios Areopagites in Abkürzungen benannt:

CH	De caelesti hierarchia
EH	De ecclesiastica hierarchia
DN	De divinis nominibus
MT	De mystica theologia
Ep.	Epistula
Ü. Stiglmayr	(Ü. J. Stiglmayr, BKV² 2, 1911/1933)
Ü. Ivánka	(zit. Dionysius Areopagita, Von den Namen zum Unnennbaren, Auswahl und Einleitung v. E. v. Ivánka, Einsiedeln o. J.).

symbolischer Umschreibungen in der Hl. Schrift auf einen Grundsatz zurück, nach welchem für die Erkenntnis Gottes das Verneinen dem Bejahen vorzuziehen ist. Im dritten Kapitel der Schrift »Über die mystische Theologie« benutzt Dionysios die Termini »kataphatische« und »apophatische Theologien« und deutet an, welche Funktion das Verneinen und welche das Bejahen in der Theologie hat. Hier und noch ausführlicher in der Schrift »Über die göttlichen Namen« kommt er auch auf eine theologische Grundlagenlehre zu sprechen. Dabei zeigt sich, daß für Dionysios Verneinung der letztlich allein mögliche Weg zur Erkenntnis des dreifaltigen, göttlichen Urgrundes ist. Apophatische Theologie erweist sich so als grundlagentheoretischer Begriff und hat prinzipientheoretische Bedeutung. Aus der Gesamtschrift »Über die mystische Theologie« ist dann zu entnehmen, daß apophatische Theologie auch mystagogischen Sinn hat.

1.3/1.1 »Symbolische Theologie«

»Ungekünstelt hat die Offenbarung« – Dionysios sagt *theología* – »für die gestaltlosen Geister (scil. die Engel) die dichterischen, heiligen Wortgebilde benutzt, weil sie ... auf unser Geistvermögen Rücksicht nahm, für die ihm verwandte und entsprechende Emporführung sorgte und ihm die hinaufführenden, heiligen Schriften anpaßte.«[358] Dieser Satz ist wie fast alle bei Dionysios wortreich und unübersichtlich. Zum leichteren Verständnis behelfe man sich – wenigstens vorläufig – damit, daß man alles[359], was mehrfach ausgedrückt ist, auf einen einzigen Ausdruck zusammenstreicht. Dann ergibt sich etwa folgende Aussage: die Offenbarung hat in Bildworten gestaltlos Geistiges ausgesagt; denn ihre Schriften haben sich unserer Fähigkeit angepaßt, von Sinnenhaftem zu Geistigem aufzusteigen. – Der Dionysiostext spricht demnach von symbolischer Rede über Gestaltloses. Solche Rede finde sich in der autoritativen Quelle christlichen Glaubens – in den Offenbarungsschriften. Gerechtfertigt wird sie neuplatonisch: sie entspreche einer Veranlagung der Seele, das Sinnliche zu fliehen und das Geistige zu suchen. – Für die Deutung einzelner biblischer Symbole hat Dionysios mehrfach auf eine Abhandlung hingewiesen, die er »Symbolische Theologie«[360] nennt. Sie ist inzwischen verschollen oder – was noch wahrscheinlicher ist – schon von Dionysios fingiert. Vom Inhalt dieser

358 CH 2, 1: M. 3, 137 B.
359 Dabei kann die bei Dionysios oft festzustellende Dreigliedrigkeit der Syntax zur Orientierung dienen.
360 Vgl. CH 15, 6: M. 3, 336 A; DN 1, 8: M. 3, 597 BC; DN 4, 5: M. 3, 700 C; DN 9, 5: M. 3, 913 B; DN 13, 4: M. 3, 984 A; MT 3: M. 3, 1033 AB; Ep. 9, 1: M. 3, 1104 B; Ep. 9, 6: M. 3, 1113 BC. –

Schrift sagt Dionysios immerhin so viel, daß man annehmen darf: in ihr soll die symbolische Rede der Hl. Schrift allegorisch aufgeschlüsselt werden. Symbolische Theologie ist dann Bezeichnung sowohl für das symbolische Umschreiben als auch für das allegorische Auslegen. Symbolische Theologie im Sinne des Areopagiten verfolgt also konsequent eine Absicht, welcher jeder Symbolgebrauch in Bibel und Theologie dienen soll: bei Bildhaftem anzufangen, um zu Gestaltlosem zu führen und schließlich auf Göttliches zu verweisen.
Diese Absicht scheint in sich widersprüchlich. Dionysios empfindet dies offenbar auch selber. Denn er wendet – wieder recht umständlich – gegen sich selbst und seine Auffassung von der symbolischen Theologie ein: »Aber wie, (1) wenn nun jemand damit einverstanden wäre, die heiligen figürlichen Darstellungen zwar gelten zu lassen, weil das an sich Einfache unerkennbar und unsichtbar ist, – aber doch (2) der Meinung ist, die bildlichen Beschreibungen der heiligen Geister, welche in den heiligen Schriften enthalten sind, seien unpassend und überhaupt sei, so zu sagen, dieser ganze Apparat der Engelnamen absonderlich, – und wenn er (3) sagt, die Verfasser der inspirierten Schriften müßten, wenn sie an die körperhafte Darstellung ganz körperloser Dinge herantreten, sie in entsprechenden und nach Möglichkeit naturverwandten Formen von den bei uns geehrtesten und sozusagen stofflosen und höherstehenden Wesen entnehmen, nicht aber die Wesen von himmlischer und gottähnlicher Einfachheit mit dem gemeinsten Gestaltenreichtum, der auf Erden zu treffen ist, umkleiden?«[361] Die in drei Frageabschnitte aufteilbare Wortfülle dieses Textes versuchen wir wieder durch geschicktes Zusammenstreichen zu reduzieren. Dann wird, wie es scheint, eingewendet: »(1) Zwar sind Sinnbilder für Gestaltloses brauchbar, (2) aber die biblischen Bilder sind zu sinnenhaft und deshalb unpassend. (3) Könnte man das Himmlische nicht passender durch Begriffe mit unstofflichem Sinn ausdrücken?« Wenn man ferner davon absieht, daß zwischen der Gestaltlosigkeit der Engel und der Gottes nach Dionysios noch einmal ein Unterschied besteht, und einfach auf die Gestaltlosigkeit des göttlichen Bereichs abhebt, so könnte man den Einwand des Dionysios gegen seine eigene symbolische Theologie noch kürzer in der Frage zusammenfassen: »Sollte man über den göttlichen Bereich nicht von vornherein schon in möglichst vergeistigten Begriffen nachdenken und gar nicht erst bei sinnbildlichen Umschreibungen ansetzen?« – Damit wird nun aber der Widerspruch in der Intention der symbolischen Theologie deutlich, den, wie gesagt, Dionysios selber bemerkt: einerseits soll die Erkennt-

[361] CH 2, 2: M. 3, 137 BC (e.Ü. + Ü. Stiglmayr); ähnlich: EH 3, 3, 1: M. 3, 428 AB.

nis des göttlichen Bereichs bei den Sinnen beginnen, andererseits sollen in ihrem Vollzug die Sinne gerade abgetan werden. Dieser Widerspruch kann offenbar nur in einem neuplatonischen Denken aufscheinen, das sich biblischer Aussagen bemächtigen will. – Die Hinweise, die Dionysios im folgenden gibt, lösen den Widerspruch in seiner symbolischen Theologie nicht auf. Indem er erstens auf die Notwendigkeit menschlicher Erkenntnis hinweist, von den Sinnen auszugehen[362], kehrt er gegen sein an sich platonisches Erkenntniskonzept ein aristotelisches und verschärft so nur noch den Widerspruch. Indem er sich zweitens auf die Forderung einer Arkandisziplin beruft, wonach das Heilige vor der unverständigen Menge verborgen zu halten sei, widerspricht er dem Tenor der Bibel[363]. – Auch Dionysios scheint zu spüren, daß zur Auflösung des Selbstwiderspruchs in seinem Konzept der symbolischen Theologie eine gründlichere Methodenreflexion vonnöten ist.

I.3/1.2 »Im Hinblick auf Göttliches sind Verneinungen wahr, Bejahungen unzureichend«

Dionysios beginnt seine methodologische Besinnung damit, daß er – wie übrigens schon in dem soeben besprochenen Selbsteinwand angedeutet – zwischen zwei Arten der symbolischen Theologie unterscheidet. »Die eine nimmt, wie es sich geziemt, ihren Weg durch die ähnlichen, heilig geformten Bilder, die andere Art durch die unähnlichen Gestaltungen und formt diese in einer Weise, daß sie ganz ungeziemend und unpassend scheinen.«[364] Kurz: die eine Art umschreibt das Gestaltlose durch Sinnbegriffe, die ihm entsprechen – wie »Logos«, »Nous«, Wesenheit usw.[365] –, die andere durch Sinnbilder, die eigentlich nicht zu ihm passen. – Diese beiden Redeformen bezeichnet Dionysios an anderen Stellen als »offenbar – philosophische«

362 Vgl. CH 2, 2: M. 3, 140 A; vgl. auch: CH 1, 2f.: M. 3, 121 B – 124 A; EH 1, 2: M. 3, 373 B; EH 2, 3, 2: M. 3, 397 C; EH 2, 3, 7: M. 3, 404 B; EH 3, 3, 1: M. 3, 428 A; EH 3, 3, 5: M. 3, 432 B; EH 4, 3, 4: M. 3, 477 B; EH 5, 1, 5: M. 3, 505 B; DN 1, 4: M. 3, 592 D/C; DN 2, 8: M. 3, 645 C; DN 9, 5: M. 3, 912 D; Ep. 9, 1: M. 3, 1104 B/C; Ep. 10: M. 3, 1117 B. – Die Fülle der Belege beweist, als wie gängig das Argument bei Dionysios erscheint.

363 Vgl. CH 2, 2: M. 3, 140 B. Dionysios bezieht sich auf 1 Kor 8,7: »Denn nicht jeder ist heilig und nicht aller ist, wie die Schrift sagt, die Erkenntnis.« – Paulus hat in 1 Kor 8,7 aber davon gesprochen, daß diejenigen Christen, die sich durch geschickte Interpretation des Götzendienstverbotes zum Genuß von Götzenopferfleisch berechtigt glauben, sich nicht über andere erheben und das »scandalum pusillorum« vermeiden sollen. Paulus plädiert so gegen ein geistig elitäres Bewußtsein, Dionysios dafür.

364 CH 2, 3: 140 C (Ü. Stiglmayr).

365 Vgl. ebd.

und als »verborgen–mystische«[366]. Unter ersterer versteht er dort eine philosophisch-systematische, unter letzterer eine biblisch-liturgische Ausdrucksweise für die christliche Offenbarung. Als »symbolisch« – in einem strengeren Sinne – gilt ihm da übrigens nur die biblisch-liturgische. – An unserer Stelle aber merkt Dionysios ausdrücklich an, daß die Sinnbegriffe einer philosophisch-systematischen Theologie »zwar ehrwürdiger sind und über die stofflichen Gestaltungen in gewisser Weise erhaben zu sein scheinen«, aber eben auch nur »figürliche, heilige Bezeichnungen« sind, »die hinter einer wirklichen Adäquatheit mit der Urgottheit zurückbleiben. Denn sie ist über jegliche Wesenheit und jegliches Leben entrückt; kein Licht gibt es, das sie kennzeichnen mag, gar kein Gedanke *(lógos)* und gar kein Geist *(nûs)* ist mit ihr zu vergleichen und reicht an eine Ähnlichkeit mit ihr heran.«[367] Hier ist nicht mehr nur von der Gestaltlosigkeit der Engel, sondern von der Unerkennbarkeit des göttlichen Prinzips selbst die Rede. Zu seiner Erfassung reicht auch kein Sinnbegriff aus. Diese Feststellung muß für einen Kenner der dionysianischen Schriften besonders deshalb auffällig sein, weil durch sie auch alles das als unzureichend abqualifiziert ist, was Dionysios in seiner Abhandlung »Über die göttlichen Namen« gerade als mögliche Bezeichnungen Gottes anerkennt. – Die Urgottheit wird, wie Dionysios fortfährt, »aber auch von ebendenselben (scil. biblischen) Schriften mit Prädikaten negativer Art überweltlich gefeiert, wenn sie dieselbe nämlich als Unsichtbares, Unermeßliches, Unbegrenztes bezeichnen und das hervorheben, woraus nicht abzunehmen ist, was sie ist, sondern was sie nicht ist«[368]. So ähnlich hatte schon Clemens von Alexandrien gesprochen[369]. Dionysios fügt hinzu: »(Wir) sagen die Wahrheit, wenn wir behaupten, daß die Gottheit nicht nach Art eines bestehenden Dinges existiere, daß wir aber ihre überwesentliche, unerkennbare und unaussprechliche Unbegrenztheit nicht kennen.«[370] – Damit ist nun eigentlich nicht auf die Bibel rekurriert, sondern vielmehr die »via negationis« des Mittelplatonismus formuliert. Dionysios entnimmt auch seine Kennzeichnung der philosophischen Weise, von der Urgottheit zu reden, anscheinend mehr der mittel- und neuplatonischen Lehre von den Wegen der Affirmation bzw. der Analogie als einer Analyse biblischer Redeformen, wie er vorgibt. – Immerhin läßt sich daraus, daß die »via negationis« die am meisten angemessene Weise der Rede über Gott ist,

366 Vgl. Ep. 9, 1: M. 3, 1105 D; vgl. ferner Ep. 9, 3: M. 3, 1109 B.
367 CH 2, 3: M. 3, 140 CD (Ü. Stiglmayr + e.Ü.).
368 CH 2, 3: M. 3, 140 D (Ü. Stiglmayr).
369 Clemens Alex., Strom. V: Stählin 71, 3: M. 9, 109 A.
370 CH 2, 3: M. 3, 140 D – 141 A (Ü. Stiglmayr + e.Ü.).

begründen, daß auch in der symbolischen Theologie diejenige Redeform vorzuziehen ist, die unähnliche Sinnbilder verwendet. Dionysios spricht dies in dem Bedingungsgefüge aus: »Wenn also die verneinenden Aussagen in bezug auf das Göttliche wahr, die bejahenden dagegen unzutreffend sind, so ist dem Dunkel der unaussprechlichen Dinge die Offenbarung vermittels der unähnlichen Gebilde im Gebiet des Unsichtbaren mehr angemessen.« [371]

In dem Bedingungssatz von den wahren Verneinungen und den unzutreffenden Bejahungen ist nach Dionysios nun offenbar der methodologische Grundsatz einer symbolischen Theologie ausgesprochen. Er meint, diese in der Hl. Schrift zu finden. Doch ist sie der Sache nach eher ein Nachkomme philonischer Allegorese. So wird man sagen müssen, daß Dionysios in Wahrheit nur sie auf ihr methodologisches Prinzip zurückgeführt hat. – Dafür spricht auch, daß und wie Dionysios im folgenden die beiden vorher gegebenen Hinweise zur Auflösung des Widerspruchs in der symbolischen Theologie von diesem Prinzip her begründet und erläutert. Nach dem Satz von den wahren Verneinungen und den unzutreffenden Bejahungen ist zu vermeiden, daß das Auszusagende mit dem verwechselt werde, was auszusagen möglich ist [372]. Eine Theologie, die unähnliche Sinnbilder verwendet, verführt, wie Dionysios jetzt erklärt, das menschliche Erkennen weniger leicht dazu, in den Symbolen schon das Symbolisierte zu sehen. Um diesen Schluß aus dem methodologischen Grundsatz vom Vorzug des Verneinens gegenüber dem Bejahen in der Theologie ziehen zu können, muß offenbar eine zweite – neuplatonische – Prämisse hinzugenommen werden. Es muß noch vorausgesetzt werden, daß die Seele von sich aus den Drang hat, sich über das Sinnliche zu erheben und nach dem Göttlichen zu streben. Nur innerhalb neuplatonischen Denkens ergibt sich also aus dem Grundsatz von den wahren Verneinungen die Folgerung, daß die symbolische Theologie gerade bei unpassenden Sinnbildern ansetzen müsse. – Nur in diesem Denken vermag symbolische Theologie vermittels unähnlicher Symbole auch der Forderung einer geistig aristokratischen Arkandisziplin zu genügen: die meisten Menschen bleiben bei den Symbolen hängen und treten so dem Göttlichen nicht mit blasphemischen Vorstellungen zu nahe; eine geistige Elite hingegen übersteigt von selbst den Bereich der Bilder und tritt in den des Gestaltlosen und schließlich in den des Göttlichen ein [373]. – Als notwendige Folge ergibt sich im Denken des Dionysios

371 CH 2, 3: M. 3, 141 A (Ü. Stiglmayr).
372 CH 2, 3: M 3, 141 A–C.
373 Vgl. CH 2, 5: M. 3, 145 A–B. – Arkandisziplin fordert vor Dionysios schon: Cyrill. Hieros., Catech., 6, 29. Arkandisziplin deutet im Sinne einer geistig-sittlichen Aristokratie Gregor. Naz., Oratio 20, 4; 20, 10; Oratio 27 (theologica 1),

gerade auf diese Weise, »daß das Göttliche geehrt wird durch wahre Verneinungen«[374]. Der Satz von den wahren Verneinungen und den unzutreffenden Bejahungen ist also in neuplatonischem Denken ein methodologischer Grundsatz für theologische Prinzipientheorie und zwar mit latreutischer Tendenz[375]. – Um ihn noch besser zu verstehen, ist zu berücksichtigen, was Dionysios sonst noch zum Verneinen und zum Bejahen in einer theologischen Reflexion auf den Bezug zu Gott sagt.

I.3/1.3 »Kataphatische« und »apophatische Theologien«

Das dritte Kapitel der Schrift »Über die mystische Theologie« steht unter der Überschrift: »Was bejahende und was verneinende Gottesaussagen sind«[376]. In dieser Überschrift taucht erstmalig – wenn auch im Plural – der Ausdruck »apophatische Theologie« auf. Allerdings wird er dem Ausdruck »kataphatische Theologie« – wieder im Plural – sozusagen als gleichberechtigt koordiniert. Die Überschrift verspricht eine Aussage über die Funktionen des Bejahens und des Verneinens in der Theologie.

Deutlich kommt Dionysios hierauf aber erst am Ende des Kapitels zu sprechen: »Warum beginnen wir mit der göttlichen Verneinung bei (der Verneinung) des Äußersten(-Letzten), während wir die göttlichen Setzungen, von dem Ersten(-Höchsten) anfangend, aussagen? – Weil wir, wenn wir setzen, was über alle Setzung ist, die voraussetzende Bejahung mit dem beginnen müssen, was ihm am meisten verwandt ist. Wenn wir aber von dem, was über alle Verneinung ist, verneinen, müssen wir mit der Verneinung bei dem anfangen, was am meisten von ihm entfernt ist.«[377] Aus diesem Text läßt sich über den Sinn des Bejahens und des Verneinens in der Theologie folgendes entnehmen:

1. Das Verneinen geschieht auf dem Wege einer Reflexion auf den Bezug zum göttlichen Prinzip, das Bejahen hingegen auf einem Weg, auf dem die Wirkungen dieses Prinzips rekonstruiert werden. Bejahen und Verneinen sind also prinzipientheoretische Methoden beim Aufstieg zum und beim Abstieg vom göttlichen Ursprung.

2f.; vgl. 28 (th. 2), 1; vgl. Gregor. Nyss., De Vita Moysis, 2: M. 44, 388 A. – Dionysios wiederholt die Forderung immer wieder: EH 1, 1: M. 3, 371 A; EH 1, 4: M. 3, 376 C; EH 1, 5: M. 3, 377 A; EH 2, 1: M. 3, 392 B/C; EH 3, 3, 7: M. 3, 436 A; EH 7, 3, 10: M. 3, 565 C; Ep. 9, 1: M. 3, 1105 C.

[374] CH 2, 5: M. 3, 145 A (e.Ü.).

[375] Vgl. DN 1, 3: M. 3, 589 AB: Darum »müssen wir die über alles Denken und über alles Sein erhabene Verborgenheit Gottes mit heiliger Scheu des Geistes unerforscht lassen, das Unaussprechliche mit demütigem Schweigen verehren, ...«

[376] MT 3: M. 3, 1032 C (e.Ü.).

[377] MT 3: M. 3, 1033 C (e.Ü.).

2. Beim Verneinen werden dem göttlichen Prinzip alle vorstellbaren und denkbaren Bestimmungen abgesprochen, beim Bejahen Auswirkungen des Göttlichen voraus-gesetzt. Dionysios greift hier offensichtlich die mittelplatonischen Methoden der *Verneinung* (Albin) und der *Vergleichung* (Kelsos) auf. Vom Neuplatonismus übernimmt er die Wortzusammenstellung *apophatikè theología* (Proklos) und bezeichnet damit etwas, was seinem Sinn nach mit dem neuplatonischen Begriff negativer Theologie verwandt ist: auf eine (mystische?) Affirmation des göttlichen Prinzips muß durch Negation aller seiner Denkbestimmungen verwiesen werden.
3. Beim Verneinen beginnt man mit einer Bestimmung, die Gott sehr unähnlich ist, und steigt zu ähnlicheren auf. Beim Bejahen setzt man umgekehrt zunächst einen Begriff voraus, der Gott sehr ähnlich scheint und steigt zu unähnlicheren herunter. Bejahen und Verneinen können in diesem Verstande also einen grundlagentheoretischen Unterbau für die symbolische Theologie liefern, bei welcher sich, wie vorher festgestellt, ja auch eine verborgen mystische und eine offen philosophische Art unterscheiden läßt.
4. Das Verneinen wie das Bejahen reflektiert und rekonstruiert den Bezug zum göttlichen Prinzip über Stufen. Der Mehrzahl von Stufen entspricht ein Plural von Verneinungen und Bejahungen. Die Überschrift des hier besprochenen 3. Kapitels der »Mystischen Theologie« redet deshalb von kataphatischen und apophatischen Theologien im Plural[378]. Sollte die Stufung im Vollzug kataphatischer bzw. apophatischer Theologie etwas mit der emanativen Stufung von Erkennen und Sein im neuplatonischen Systemdenken zu tun haben? Diese Frage muß hier noch offenbleiben. Nur so viel sei jetzt schon gesagt: der Plural der Verneinungen und der Bejahungen verrät, daß Dionysios hierarchologisch denkt.

Auch in dem Grundsatz von den wahren Verneinungen und den unzutreffenden Bejahungen findet sich der Plural. Wenn in der Überschrift von den bejahenden und den verneinenden Theologien nicht einfach eine Gleichrangigkeit von Bejahen und Verneinen ausgesprochen wäre, könnte man annehmen, der Grundsatz und die Überschrift hätten ein- und dasselbe zum Thema. – So aber entsteht die Frage: ist apophatische Theologie nur eine prinzipientheoretische Methode, die gleichberechtigt neben kataphatischer Theologie steht, wie die Überschrift nahelegt[379], oder ist sie ein grundlagentheoretisch-methodolo-

378 MT 3: M. 3, 1032 C.

379 So hat der Dionysioskommentator Maximus Confessor offenbar gedacht, wenn er (zu CH 2, 3) sagt: ». . . doch theologisieren wir fortan nach einer anderen Methode, indem wir sagen, was Gott nicht ist; – Dionysios nennt dies: ›vermittels des Unähnlichen‹« (Maximus Confessor, Scholia in CH 2, 3: M. 4, 41 BC). Viele

gisches Prinzip theologischer Prinzipientheorie überhaupt? Für letzteres scheint der Grundsatz von den wahren Verneinungen und den unzureichenden Bejahungen zu sprechen. – Um diese Frage zureichend beantworten zu können, muß in einer Vorüberlegung weiter ausgeholt werden.

Im dritten Kapitel der »Mystischen Theologie« erläutert Dionysios den Unterschied zwischen kataphatischer und apophatischer Theologie an einer ab- bzw. einer aufsteigenden Reihung seiner theologischen Abhandlungen:

»In der ›*theologischen Grundlegung*‹ haben wir die hauptsächlichen Punkte der *kataphatischen Theologie* vorgetragen, inwiefern die göttliche und gute Natur eine einzige genannt wird, inwiefern eine dreifaltige ...; wie der überseiende Jesus in menschgenaturter Wahrheit Wesenheit annahm ...;

in dem Buch ›*Von den göttlichen Namen*‹ aber, wie (Gott) gut genannt wird, wie seiend, wie Leben und Weisheit, wie Kraft, und was es noch anderes an geistiger Gottbenennung gibt;

in der ›*Symbolischen Theologie*‹ schließlich, was die von den sinnlichen Dingen auf das Göttliche übertragenen Namen zu bedeuten haben ...«[380].

Bis hierher folgt Dionysios bei der Aufzählung und inhaltlichen Beschreibung seiner theologischen Abhandlungen einer vom göttlichen Prinzip zur menschlichen Erkenntnis absteigenden Linie. Es ist die Linie einer metatheoretischen Betrachtung, die, wie Dionysios ja ausdrücklich sagt, den Weg der kataphatischen Theologie nachgeht. – Plötzlich verfolgt diese Betrachtung aber die entgegengesetzte Richtung. Dionysios erklärt jetzt, »warum das Äußerste, Letzte wortreicher ist als das Erste. Es müssen ja die ›Theologische Grundlegung‹ und die ›Erklärung der göttlichen Namen‹ wortkarger sein als die ›Symbolische Theologie‹. Denn je mehr wir in die Höhe emporstreben, umso mehr

– auch moderne – Dionysiosinterpreten sind Maximus in diesem Punkte gefolgt. Noch bei H. Theill-Wunder (Die archaische Verborgenheit ..., a.a.O., 162) werden kataphatische und apophatische Theologie als zwar gegensätzlich gerichtete, aber doch gleichberechtigte Methoden nebeneinandergestellt: »Dionysios Areopagita unterscheidet die kataphatische und apophatische Theologie also durch die Analyse ihrer Entwicklungsrichtungen: die bejahende Theologie setzt sich bestimmte Prinzipien und entwickelt sich, von diesen ersten Namen und Bestimmungen ausgehend, in Richtung auf eine Vielfalt von Definitionen, welche sich aus den Prinzipien ergeben; die apophatische Theologie entwickelt sich von der Vielfalt zu einem ersten Prinzip, indem sie von der Verneinung der mannigfachen Attribute Gottes zu der Negation der prinzipiellen Namen Gottes vordringt. Oder kurz gesagt: die positive Theologie wird durch die deduktive, die negative Theologie durch die induktive Methode strukturiert.« – Hier soll darüber hinaus die These vertreten werden, daß »negative Theologie« schon bei Dionysios wenigstens der Tendenz nach sogar das Prinzip einer theologischen Grundlagentheorie bedeutet.

[380] MT 3: M. 3, 1032 D – 1033 B (Ü. Ivánka).

verengt sich in dem Maße, wie sich die Umschau im Geistigen erweitert, der Bereich der Worte, wie wir auch jetzt, in das übergeistige Dunkel uns versenkend, nicht wortkarge Rede, sondern Redelosigkeit und Denklosigkeit vorfinden werden.«[381] Die Linie aufsteigender, metatheoretischer Betrachtung der theologischen Reflexion zeichnet offenbar den Weg apophatischer Theologie nach, der sich schließlich in Mystik verläuft. Bei solchem Aufstieg kommen die prinzipientheoretischen Abhandlungen des Dionysios in umgekehrter Reihenfolge in Blick. Man befindet sich also der Reihe nach auf »der materiellen (oder Symbol-)Stufe, der intellektualen (oder vorwiegend positiv aussagenden) Stufe und der göttlichen (vorwiegend negativ aussagenden) Stufe.«[382] – Die durch apophatische Theologie zuletzt erreichbare und durch kataphatische Theologie zuerst vorausgesetzte, höchste, theoretische Ebene ist dann jene, auf der Dionysios die prinzipientheoretische Abhandlung lokalisiert, die er »Theologische Grundlagen« bzw. »Theologischen Grundriß«[383] nennt.

Apophatische Theologie hat nun dann einen grundlagentheoretischen Vorrang vor kataphatischer Theologie, wenn als das Ziel des prinzipientheoretischen Aufstiegs – d. i. als Fluchtpunkt apophatischer Theologie – ein Rest stehenbleibt, der beim Abstieg – d. i. als Ausgangspunkt kataphatischer Theologie – nicht mehr ohne weiteres vorausgesetzt werden darf. Dann aber muß die Frage nach einem grundlagentheoretischen Vorrang apophatischer Theologie schon im Blick auf den

381 MT 3: M. 3, 1033 B (Ü. Ivánka + e.Ü.).
382 H. Urs von Balthasar, Dionysius: Herrlichkeit II, Einsiedeln 1972, 181.
383 Den Inhalt der *Theologikaì Hypotypóseis* rekonstruiert H. Urs von Balthasar, ebd., 160 f. – Nach ihm empfiehlt es sich, das schon aus der »Mystischen Theologie« zitierte Kurzreferat über die »Theologische Grundlegung« durch Informationen aus der Schrift »Über die göttlichen Namen« zu ergänzen. Denn die *Theologikaì Hypotypóseis* sind wie die »Symbolische Theologie« eine von Dionysios fingierte Schrift. Ihr Inhalt ist nach DN »die Unerkennbarkeit des dreieinigen Gottes« (DN 1, 5), die »ausführliche Erörterung« seiner »gemeinsamen Namen« (die sich mit den in DN behandelten im wesentlichen decken). Darüber hinaus behandelt der »Theologische Grundriß« »die (Namen) der ›geschiedenen Bezeichnungen‹ für die einzelnen Personen in Gott selber und in seiner Menschwerdung (was als nicht zum Thema gehörend in DN anfangs kurz angedeutet, dann ausgeschieden wird: DN 2, 3; in 2, 4 wiederum ein Rückverweis auf das erste Werk). In 2, 7 wird eine doppelte theologische Methode des ›Grundrisses‹ unterschieden, entsprechend der doppelten, offenbaren und verborgen-andeutenden Redeweise der Heiligen Schrift: ruhende Anschauung der der Schau dargebotenen Geheimnisse und Aufschwung zu den jenseits aller Erkenntnistätigkeit der mystischen Einigung dargebotenen. Nach 11, 5 hätte der ›Grundriß‹ über die biblischen Namen Jesu gehandelt, die seine ›übernatürlichen Gaben‹ bezeichnen, wie daß er unser ›Friede‹ sei (man wird dabei an die von den Vätern so oft behandelten Namen wie Hirt, Türe, Auferstehung, Licht der Welt zu denken haben, deren Exegese im vorhandenen Corpus empfindlich fehlt), Namen, die gegenüber den in DN behandelten philosophischen Gottesnamen sich deutlich abgrenzen« (H. U. v. Balthasar, Herrlichkeit II, Einsiedeln 1962, 160 f.).

Theoriebereich der grundlegenden Abhandlung des Dionysios allein entschieden werden können. – Diese handelt vom Gott der Juden und Christen, und zwar sowohl davon, wie er in sich als dreieiniger ist, als auch davon, wie er in Schöpfung und Menschwerdung aus sich hervortritt. Das Prinzip der dionysianischen Prinzipientheorie ist also von vornherein nicht ein nur mystisch erfahrbarer und transzendental reflektierbarer Ursprung von Erkennen und Sein, sondern der Gott Abrahams, Isaaks und Jakobs und der Vater Jesu Christi. Allerdings reflektiert Dionysios auf das Hervortreten dieses Gottes eben doch wie auf das Hervortreten eines Ursprungs von Sein und Erkennen. So erscheint bei Dionysios die Heilsgeschichte als reduziert auf das Hervortreten eines in sich unbegreiflichen, göttlichen Prinzips. – Das Geheimnis, auf das Dionysios Areopagites sich in seinem Konzept negativer Theologie bezieht, ist darum nicht eigentlich ein heilsgeschichtliches, sondern der Reduktionsgrund solcher Geheimnisse: die in sich verbleibende und aus sich heraustretende Dreifaltigkeit Gottes selber. Es geht Dionysios darum, »daß wir sowohl die Übergeeintheit in (der Gottheit) als auch das Göttlich-Zeugende preisen ... (Von ihr ist) kein Name, kein Begriff, der ihr gemäß wäre – so ist sie über alles Sein ins Unzulängliche entrückt ... Daher ziehen (die Theologen) auch den Aufstieg zu ihr vor, der durch die Verneinungen geschieht, weil er die Seele dem ihr Seinsverwandten entrückt, und sie hinwandernd durch alle göttlichen Erkenntnisse, über die der allen Namen, allen Begriffen und allem Erkennen Unzugängliche hoch erhaben ist, schließlich ihm gänzlich verbindet, soweit es für uns überhaupt möglich ist, mit ihm verbunden zu werden.«[384] – Weil das Geheimnis, auf das Dionysios sich in seinem Konzept negativer Theologie bezieht, die in sich verbleibende und aus sich heraustretende Gottheit der Juden und Christen ist, darum kann auch das Grundmoment negativer Theologie bei Dionysios weder ein heilsgeschichtlich erinnernder noch einfach nur ein

384 DN 13, 3: M. 3, 980 D – 981 B (Ü. Ivánka in Auswahl). – Gott in seinem Aus-Sich-Heraustreten wird in der – wie Dionysios sich ausdrückt – Theologie des Geschiedenen in Gott *(diakekriméne theología)* vorausgesetzt. Gott in seinem In-Sich-Verbleiben wird in seiner ursprunghaften Einheit reflektiert *(henoméne theología)*. – Vgl. hierzu: DN 2: M. 3, 636 B. V. Lossky, La théologie négative dans la doctrine de Denys l'Aréopagite, 207, schreibt: »L'opposition entre la théologie négative et la théologie positive n'implique pas l'illégitimité d'une d'elles, car cette opposition trouve son fondement réel en Dieu même: la différence entre les Unions divines *(henóseis)* et les Processions révélables *(diakríseis)* ... Les *henóseis* sont ›de mystérieux et non révélables fondements d'une stabilité plus qu'inexprimable et inaccessible‹; c'est la superessentielle nature divine recouverte des ténèbres de l'ignorance; elle ne se manifeste à personne, c'est le Repos *(Hesychía)*, le Silence *(Sigé)*, l'Inexpression *(Aphthenxía)* de Dieu qui ne se révèle par aucune extériorisation. Les *diakríseis*, au contraire, sont de devines Processions *(próodoi)* et Manifestations *(ekphánseis)* dans la mesure où Dieu s'y révèle et se laisse connaître.«

mystisch gnostischer Bezug zum Geheimnis sein. Der Bezug auf das trinitarische Gottesgeheimnis an und für sich, der durch das Aus-Sich-Hervortreten dieses Geheimnisses ermöglicht wird, muß vielmehr ein gläubig voraussetzender und ein theologisch reflektierender sein. – Im voraussetzend-reflektierenden Bezug auf die aus sich hervortretende Lebensfülle des dreieinigen Gottes an und für sich hat aber nun apophatische Theologie eine größere Reichweite, als sich kataphatische Theologie für ihren Start aufgrund dieses Hervortretens voraussetzen kann. Denn der voraussetzend-reflektierende Bezug auf das innergöttliche Geheimnis ermöglicht nicht nur die positive Voraus-setzung und Formulierung des göttlichen Hervortretens durch kataphatische Theologie, er regt auch noch zur Hinterfragung solcher Positionen auf das hervorgetretene Geheimnis hin durch apophatische Theologie an. Apophatische Theologie fragt sozusagen immer noch einmal mehr, als kataphatische Theologie beantworten kann. – Daran aber zeigt sich der grundlagentheoretische Vorrang apophatischer Theologie. Negative Theologie übergreift metatheoretisch noch positive Theologie. Diese ist für sie genau das, was sie sich als ihr erstes Moment voraussetzt. Positive Theologie formuliert den voraussetzend-reflektierenden Bezug auf das göttliche Hervortreten.

1.3/1.4 Apophatische Theologie – grundlagentheoretisch

Apophatische Theologie ist bei Dionysios ein methodologischer Grundbegriff theologischer Erkenntnis, der metatheoretisch auch noch die prinzipientheoretische Methode der kataphatischen Theologie übergreift. Apophatische Theologie als dieser formale Grundbegriff theologischen Erkennens soll nun in seinen einzelnen Momenten entfaltet werden, soweit diese sich aus Dionysiostexten belegen lassen.
Daß kataphatische Theologie das voraussetzt, was Gott in seinem Hervortreten von sich kundtut und was gläubig vorausgesetzt sowie theologisch reflektiert werden muß, wurde soeben schon festgestellt. – Es ist auch in dem bereits zitierten Text aus MT 3 deutlich ausgesprochen. Danach gehört zu den »hauptsächlichen Punkten« »der kataphatischen Theologie . . ., inwiefern die göttliche und gute Natur eine einzige genannt wird, inwiefern eine dreifaltige; was in Bezug auf sie Vater- und Sohnschaft bedeutet; was die Gottesbezeichnung des Geistes bedeuten will; wie aus dem unstofflichen und unteilbaren Guten die im Herzen der Güte wohnende (Vielfalt der) Lichter entsprungen ist, und doch ohne Hervorgang aus der mit dem Entspringen gleichewigen Ruhe jedes (der Lichter) in ihm (dem Guten), jedes in sich und jedes in dem anderen geblieben ist, wie der überseiende Jesus in mensch-

genaturter Wahrheit Wesenheit annahm ...«[385] Kataphatische Theologie setzt demnach voraus, was aufgrund eines Hervortretens Gottes aus sich von ihm geglaubt werden darf. Dabei muß allerdings auf diesen Glauben reflektiert werden. – *Kataphatische Theologie heißt demnach das methodische Moment im formalen Grundbegriff theologischer Prinzipientheorie, wodurch diese voraus-setzt und positiv formuliert, was aufgrund eines Hervortretens des göttlichen Prinzips – sei es in der Schöpfung, sei es in einer besonderen Offenbarung – zur gläubigen Erkenntnis des Menschen gelangen kann.* Durch die Methode solchen Voraussetzens und Formulierens ist theologische Prinzipientheorie momentan positive Theologie. – Doch der voraussetzend-reflektierende Bezug zu dem aus sich heraustretenden Gott an sich ermöglicht nicht nur die Formulierung von Positionen, sondern auch noch die Infragestellung dieser Positionen und sogar die der Methode positiver Theologie. »Denn all die göttlichen Dinge, auch jene, welche uns geoffenbart sind, werden nur aus Mitteilungen (der Gottheit) erkannt. Das Göttliche selbst aber, wie es in seinem eigenen Ursprung und Stand beschaffen ist, liegt über jedem Verstand und jeder Wesenheit und Erkenntnis ... An die Gottheit selbst tasten wir nur nach Aufhebung aller Denktätigkeit heran ...«[386] Insofern der geheimnisvolle Gott *an und für sich* hervortritt und gläubig erkannt wird, darf die Theologie nicht beim methodologischen Moment positiver Theologie stehenbleiben, sondern muß dieses Moment im Hinblick auf das hervortretende Geheimnis noch hinterfragen.

Die Hinterfragung aller theologischen Positionen und selbst der positiven Theologie geschieht in dem methodischen Moment theologischer Prinzipientheorie, das Dionysios apophatische Theologie nennt. Hinterfragt wird im Hinblick auf das An-und-für-Sich Gottes, auf das sich der voraussetzend-reflektierende Bezug letztlich bezieht. – Dionysios nennt diesen Bezugspunkt das »Geeinte« in Gott. »Das Geeinte in der ganzen Gottheit ist, wie wir dies in der ›Theologischen Grundlegung‹ ausführlich aus den heiligen Sprüchen nachgewiesen haben, das Übergute, das Übergöttliche, das Überseiende, das Überlebendige, das Überweise und was zu der (über alle Bestimmtheit) hinausliegenden Verneinung (aller bestimmten Eigenschaften) gehört.«[387] Verneinung – auch in der Theologie – war vor Dionysios oft nur die Absprechung alles dessen, was einem Gegenstand eben nicht zukommt[388]. Bei Dio-

[385] MT 3: M. 3, 1032 D – 1033 A (Ü. Ivánka).
[386] DN 2, 7: M. 3, 645 A (Ü. Stiglmayr).
[387] DN 2, 3: M. 3, 640 B (Ü. Ivánka).
[388] Vgl. etwa Basilius Caes., Adv. Eunom. 1, 10: M. 29, 536 B (e.Ü.): »Wie ... die Worte eine Absprechung *(athétesín tina)* dessen, was Gott fremd ist, anzeigen, so deuten hier Bejahungen *(théseis)* das Vorhandensein dessen, was Gott eigen ist,

nysios aber wird Verneinung in der Theologie neben einer Thesis zu einer diese und alle Positionen übersteigenden Verneinung. – *Apophatische Theologie heißt in Opposition zur kataphatischen Theologie demnach das methodische Moment theologischer Prinzipientheorie, wodurch diese aufgrund eines voraussetzend-reflektierenden Bezugs auf das aus sich hervortretende, göttliche Prinzip an und für sich ihre eigenen Positionen sowie sich selbst als positive Theologie korrigierend übersteigt.* Durch die Methode der Verneinungen verneint sie die Einsichtigkeit ihrer Voraus-setzungen in ihrem An-und-für-Sich-Sein und ist auf diese Weise negative Theologie.

Doch zwingt der voraussetzend-reflektierende Bezug auf das aus sich als Dreieinigkeit hervortretende, göttliche Prinzip dazu, auch noch die Positivität des in Opposition zum Momente positiver Theologie gesetzten Momentes negativer Theologie übersteigend zu verneinen. Man darf also auch nicht bei negativer Theologie als prinzipientheoretischer Methode stehenbleiben. – Dem »Geeinten der Dreieinigkeit« – der innergöttlichen Lebensfülle an und für sich – entspricht »die Bejahung von allem, die Verneinung von allem, die Erhabenheit über jegliche Bejahung und jegliche Verneinung«[389]. »Man muß inbezug auf sie (scil. die jenseitige Ursache) alle Aussagen setzen und zugleich verneinen, da sie Ursache von allem ist, und (wiederum) alle in vollerem Sinne von ihr verneinen, da sie über allem überseiend ist . . .«[390] Mit der Radikalisierung und Totalisierung apophatischer Theologie muß man sogar so weit fortfahren, daß schließlich die Opposition von kataphatischer und apophatischer Theologie selber aufgehoben wird und also für diesen Fall der Nichtwiderspruchsatz nicht mehr gilt. ». . . und man darf nicht glauben, daß (inbezug auf den jenseitigen Ursprung) die Verneinungen den Bejahungen entgegengesetzt sind, sondern daß sie vor allem (Bejahen und Verneinen) über allen Einschränkungen und über allem Verneinen und Bejahen steht.«[391] Negative Theologie ist – in letzter Konsequenz – das in aller Prinzipientheorie anzustrebende Ende der Prinzipientheorie. – *Der voraussetzend-reflektierende Bezug auf das aus sich hervortretende, göttliche Prinzip in seinem An-und-für-Sich-Sein soll demnach eine Negation gründen, wodurch die theologische Prinzipientheorie alle ihre eigenen Voraussetzungen der Reihe nach kritisch so negiert, daß sie sich schließlich*

an.« Zur Bezeichnung des Vaters als *agénnetos* und des Sohnes als *génnetos* sagt auch Gregor. Nyss., Contra Eunomium I: Jaeger I, 648: M. 45, 452 A (e.Ü.): . . . angezeigt wird, »welcher Art von Worten die Setzung *(thésis)* eines Gedankens ist und welcher Art die Aufhebung des Gesetzten *(tèn tû tethéntos anhaíresin)*.«

389 DN 2, 4: M. 3, 641 A (e.Ü.).

390 MT 1, 2: M. 3, 1000 B (e.Ü.).

391 MT 1, 2: M. 3, 1000 B (e.Ü.); vgl. MT 5: M. 3, 1048 B.

dabei selbst übersteigt und aufhebt. Das, wohinein sie sich aufhebt, ist nach Dionysios nicht ein Nihilismus im Angesichte eines Nichts, sondern die über die Maßen gesteigerte Bejahung Gottes an und für sich, »so daß das Göttliche durch die wahren Verneigungen geehrt wird« [392].

Man hat das, wohinein die Theologie nach Dionysios sich aufheben soll, oft als Eminenztheologie bezeichnet oder es sogar als ›via eminentiae‹ neben eine ›via affirmationis‹ und eine »via negationis« gestellt [393]. »In Wirklichkeit« gibt »es nicht eigentlich drei Wege« [394]. Mit O. Semmelroth wird man vielmehr sagen müssen: »Kataphatische Theologie allein widerspräche der Wahrheit, da die Dinge nur Symbole der Gottheit sind, in denen gewisse Züge auf Gott hinweisen und deshalb von Gott positiv ausgesagt werden. Aber diese Züge tragen stets die Unähnlichkeit des Symbols an sich und müssen deshalb durch Verneinung richtiggestellt werden. Dann aber muß auch diese Verneinung wieder verneint werden durch eine neue Aussage, die Steigerung ins Ungemessene ist. In dieser Steigerung der Eminenz sind Kataphase und Apophase zu einer höheren Steigerung zusammengebunden.« [395]

Apophatische Theologie besagt nach allem in ihrem folgerichtig vollzogenen Begriff bei Dionysios eine alle einfachen Bejahungen (Positionen) übersteigende Verneinung, die auf eine über alles gesteigerte Bejahung (Affirmation) zielt. Negative Theologie in ihrem umfassen-

392 CH 2, 5: M. 3, 145 B.

393 Dieses Mißverständnis ist sicherlich nicht schon bei Thomas von Aquin anzutreffen: »Deus in hac vita non potest a nobis videri per suam essentiam, sed cognoscitur a nobis ex creaturis secundum habitudinem principii, et per modum excellentiae, et remotionis« (Thomas v. Aquin, Summa theologiae I, 13, 1); vgl. Thomas v. Aquin, Summa contra gentiles I, 14: »Quod ad cognitionem Dei oportet uti via remotionis.« Der »modus« bzw. die »via« »remotionis« bzw. »negationis« kann allerdings von den anderen Modi bzw. Viae isoliert gedeutet werden. – Nach V. Lossky (Die mystische Theologie der morgenländischen Kirche, Graz–Wien–Köln 1961, 34 f.) »faßt der hl. Thomas von Aquin die beiden Wege des Dionysius zu einem einzigen zusammen, indem er aus der verneinenden Theologie ein Korrektiv der bejahenden machte ... Demnach würden sich die Verneinungen auf den modus significandi, die Bejahung aber auf die res significata beziehen, auf die Vollkommenheit, die man ausdrücken möchte, und die in Gott auf andere Weise existiert als in den Geschöpfen (Qu. disp. I, De potent., qu. 7, a. 5). Man kann sich aber fragen, in welchem Maße dieser glückliche philosophische Schachzug dem Gedanken des Dionysius entspricht. Wenn für den Verfasser der areopagitischen Schriften bereits eine Antinomie zwischen den beiden von ihm unterschiedenen ›Theologien‹ besteht, gibt es dann für ihn eine Synthese dieser beiden Wege? Kann man sie überhaupt einander so gegenüberstellen, daß man beide auf die gleiche Ebene stellt? Wiederholt Dionysius nicht unermüdlich, daß die verneinende Theologie höher stehe als die bejahende?«

394 O. Semmelroth, Gottes überwesentliche Einheit, Zur Gotteslehre des Pseudodionysius Areopagita: Scholastik 25, 1950, 222.

395 Ebd., 222 f.

den areopagitischen Begriff ist der Verweis von positiver Theologie auf affirmative Theologie und ist so selber das prinzipiierende Telos aller theologischen Prinzipientheorie: »Im Hinblick auf das Göttliche sind die Verneinungen wahr und die Bejahungen unzureichend ..., so daß das Göttliche durch die wahren Verneinungen geachtet wird.« – Der volle, grundlagentheoretische Begriff negativer Theologie ist dann so zu formulieren: *Eine theologische Prinzipientheorie ist nur so möglich, daß aufgrund eines voraussetzend-reflektierenden Bezugs auf das aus sich selbst hervortretende, göttliche Prinzip Voraussetzungen positiv formuliert werden (= Grundmoment oder positive Theologie als Methode), diese aber so grundsätzlich und allgemein auf das Göttliche an und für sich hinterfragt und übersteigend verneint werden (= Negationsmoment oder negative Theologie als Methode), daß auf eine ins Unermeßliche gesteigerte Bejahung Gottes in seinem aus sich heraustretenden An-und-Für-Sich-Sein (= Affirmationsmoment oder affirmative Theologie bzw. Eminenztheologie als Ziel) gezielt oder auch verwiesen wird.*

1.3/1.5 Prinzipientheoretische Bedeutung und mystagogischer Sinn

Die Forschung hat das Verhältnis zwischen negativer Theologie und mystischer Erfahrung bei Dionysios nicht einhellig bestimmt. Die einen haben wie V. Lossky negative Theologie einfach als eine mystische Theologie interpretiert: »Die verneinende Theologie ist demnach ein Weg zur mystischen Vereinigung mit Gott, dessen Wesen uns unerkennbar bleibt.«[396] Andere – wie R. Roques und W. Völker – bemerken vor allem zwei Unterschiede zwischen negativer Theologie und mystischer Erfahrung. Sie bestehen darin, daß »negative Theologie sich der logischen Schlußfolgerungen bedient und zugleich die Korrektur der positiven ist, während die Ekstase jenseits dieser beiden theologischen Formen steht und alles diskursive Verfahren grundsätzlich hinter sich gelassen hat«[397]. – Ein Problem ergibt sich offenbar,

[396] V. Lossky, Die mystische Theologie ..., a.a.O., 37 f.

[397] W. Völker, Kontemplation und Ekstase bei Pseudo-Dionysius Areopagita, Wiesbaden 1958; 214; vgl. R. Roques, Contemplation, Extase et Ténèbre selon le Pseudo-Denys: Dictionnaire de Spiritualité ascétique et mystique 2, Paris 1952, 1894: »... il subsiste entre théologie négative et contemplation mystique deux différences essentielles et d'ailleurs rattachées entre elles. La première, c'est que la théologie négative reste une démarche discursive de l'intelligence, tandis que la contemplation mystique se situe au delà du discours. La deuxième, c'est qu'il n'y a de théologie négative qu'en référence à une théologie affirmative dont elle limite et corrige les formulations.« Vgl. auch A. Brontesi, L'incontro misterioso con Dio, Saggio sulla teologia affermativa e negativa nello Pseudo-Dionigi, Note di una lettura, Brescia 1970, 161: »Ecco invece i momenti caratteristici del cammino mistico-teologico quali si rilevano dallo studio della MT in se stessa, e in armonia

wenn man Einheit und Unterschied von negativer Theologie und mystischer Erfahrung zugleich in den Griff bekommen will. Die Differenz wird zu sehr betont, wenn man negative Theologie nur als theologische Methode begreift. Dann gewinnt mystische Erfahrung ein zu eigenständiges Wesen: negative Theologie und mystische Erfahrung werden auseinandergerissen. Die Einheit von negativer Theologie und Mystik wird aber überbetont, wenn man in aller Theologie nur eine Vorstufe mystischer Erfahrung sieht. – Es scheint nun, daß die Differenzeinheit von negativer Theologie und mystischer Erfahrung bei Dionysios gerade dann ohne Schwierigkeit bestimmt werden kann, wenn man negative Theologie als grundlagentheoretisches Prinzip für alle Theologie versteht. Apophatische Theologie verweist dann aufgrund eines voraussetzend-reflektierenden Bezugs auf den aus sich hervortretenden Gott durch eine die eigenen wie alle fremden Voraussetzungen übersteigende Verneinung auf eine mystische Affirmation dieses Gottes in seinem Anundfürsichsein. Im Verweis apophatischer Theologie ist mystische Erfahrung als Affirmationsmoment so schon anvisiert, und anders kann sie theoretisch nicht erfaßt werden als in diesem Verweis. – Diese These über den mystagogischen Sinn apophatischer Theologie sei nun an Texten des Dionysios belegt.
Dionysios beginnt seine mystische Theologie mit einer Anrufung der allerheiligsten Dreifaltigkeit. Er bezeichnet sie als die »Leiterin und Hüterin der Gottesweisheit der Christen« [398]. Der voraussetzend-reflektierende Bezug auf den dreifaltigen Gott wird unüberhörbar ausgesprochen. »Führe uns auf den über-unerkennbaren, über-leuchtenden höchsten Gipfel der mystischen Sprüche Gottes ...« [399] Die Aussagen der Hl. Schrift gelten also als Voraussetzungen, die zur Reflexion auf den Gottesbezug anregen. »Führe uns ... dorthin, wo die einfachen, absoluten, unwandelbaren Geheimnisse der Theologie in dem überlichthaften Dunkel des mysterienverbergenden Schweigens verhüllt sind (bzw. aus dem Dunkel des mysterienverbergenden Schweigens enthüllt werden) ...« [400] Das »Anundfürsichsein« dessen, worum es dem Gottesbezug geht, auf den die Theologie reflektiert, ist in Schweigen verhüllt bzw. muß daraus enthüllt werden. – Der Bezug auf das innertrinitarische Geheimnis Gottes ist nicht nur einer, der das Hervortreten Gottes gläubig voraussetzt und darauf theologisch reflektiert, sondern auch einer, der auf mystische Begegnung mit diesem Gott

con il Corpus: thesis mediante la katáphasis, apháiresis mediante la apóphasis, hénosis nella agnosia. La perfezione posta mediante la affermazione viene superata mediante la negazione, in modo che si realizzi l'unione nella ignoranza.«
398 MT 1, 1: M. 997 A (e.Ü.).
399 Ebd.
400 MT 1, 1: M. 3, 997 AB (Ü. Iványka + e.Ü.).

zielt. Das Grundmotiv apophatischer Theologie ist dann genauerhin ein voraussetzend-reflektierend-*mystischer* Bezug. Er verleiht apophatischer Theologie mystagogischen Sinn. Mystische Erfahrung kann dann nicht anders umschrieben werden als im Verweis der apophatischen Theologie. Dies sei an drei charakteristischen Aussagen bei Dionysios verdeutlicht.

1. Katharsis ist Vorbereitung zum Eintritt in das mystische Dunkel. »Wenn du dich um die mystische Schau strebend bemühst, verlaß die sinnliche Wahrnehmung und die Denktätigkeit, alle Sinnendinge und Denkinhalte, alles Nicht-Seiende und Seiende und strebe erkenntnislos zum Geeintwerden – soweit dies möglich ist – mit dem über allem Sein und Erkennen Liegenden empor!«[401] Katharsis ist als Negation mystagogisch. Apophasis verweist auf mystische Erfahrung.

2. Das mystische Dunkel kann nur vorgreifend – und zwar als vollendet entworfene Apophasis – umschrieben werden. »In diesem mystischen Dunkel zu sein, wünschen wir und durch Nichtsehen und Nichterkennen zu sehen und zu erkennen das über dem Schauen und über der Erkenntnis stehende Nicht-sehen und Nicht-erkennen – denn das ist das wahrhafte Sehen und Erkennen – und den Überseienden auf überseiende Weise zu besingen dadurch, daß man alles Sein ihm abspricht.«[402] Das »überseiende Besingen des Überseienden« besagt wohl, daß es sich bei der mystischen Erfahrung um eine enthusiastische Affirmation handelt. Diese aber kann nur als vollendet gedachter Verweis im Vorbegriff entworfen werden.

3. Zum Vollbegriff apophatischer Theologie nach Dionysios gehört mystische Erfahrung als das, worauf verwiesen wird. Apophatische Theologie hat bei Dionysios Areopagites von vornherein mystagogischen Sinn. Es ist nämlich die Schrift von der »Mystischen Theologie«, in welcher der schon zitierte Satz steht: »Man muß in bezug auf (die Gottheit) alle Aussagen setzen und zugleich verneinen ... und (wiederum) alle in vollerem Sinn von ihr verneinen ... und man darf nicht glauben, daß die Verneinungen den Bejahungen entgegengesetzt sind, sondern daß sie (scil. die Gottheit) vor allem über allen Einschränkungen und über allem Absprechen und Aussagen steht.«[403] In bezug auf den in mystischer Erfahrung Berührbaren sind alle Attribute zugleich zu bejahen und zu verneinen. Ja, er ist nur vermittels einer alle Aussagemöglichkeiten übersteigenden Verneinung zu umschreiben. Die mystische Theologie des Dionysios bricht darum auch vor dem Eintritt in das mystische Dunkel ab mit den Worten: »Daß

[401] MT 1, 1: M. 3, 997 B (Ü. Ivánka).
[402] MT 2: M. 3, 1025 (Ü. Ivánka).
[403] MT 1, 2: M. 3, 1000 B (e.Ü.).

es über ihn überhaupt keine Aussage und keine Verneinung gibt, sondern daß wir, wenn wir das von ihm aussagen oder das von ihm verneinen, was unter ihm liegt, von ihm selber nichts ausgesagt, nichts verneint haben, weil die völlige und einige Ursache von allem über jeder Aussage steht, und die Erhabenheit des von allem Gelösten, jenseits von allem Stehenden über aller Verneinung ist.«[404] Das letzte Wort vor dem Versinken in mystische Sprachlosigkeit spricht unmittelbar vor ihr apophatische Theologie.

Wie aber kann die in negativer Theologie angezielte Aufhebung der Entgegensetzung von positiver und negativer Theologie denn noch ausgewiesen werden als eine – wenn auch mystische – Affirmation? Warum stürzt negative Theologie die Theologie nicht in nichtige Bewußtlosigkeit? – Dionysios empfindet hier kein Problem, auch sein Kommentator Maximus Confessor nicht[405]. Noch Pachymeres (1242 bis 1310) erklärt zu dem Dionysiossatz, daß die Verneinungen im Hinblick auf den mystisch zu Erfahrenden den Bejahungen nicht entgegengesetzt seien: »Man muß . . . alles, was von ihm bejaht wurde, verneinen, da er ja über dem Seienden ist. Denn im Jenseits hat der Widerspruchssatz keinen Platz wie im Diesseits . . .«[406] – Heute aber müssen wir fragen: wenn für den Bereich mystischer Erfahrung logische Gesetze nicht mehr gelten, wie soll dann von ihm überhaupt noch geredet werden? Apophatische Theologie als Grundgesetz theologischer Prinzipientheorie mit mystagogischem Sinn muß für modernes Denken geradezu zum Prinzip einer Grundlagenkrise solcher Theologie werden. – Wenn Dionysios nicht zu dieser Konsequenz gekommen ist, so muß er einen spekulativ-logischen Rahmen zur Verfügung gehabt haben, innerhalb dessen sich der Gottesbezug so reflektieren ließ, daß dabei auf eine mystische Erfahrung sinnvoll verwiesen werden konnte, obwohl sich diese erst jenseits des Geltungsbereiches formaler Logik einstellt. Dieser spekulativ-logische Rahmen war, wie es scheint, ein hierarchologisches Denken.

I.3/2 Hierarchologischer Begriff apophatischer Theologie

Dionysios hat Bücher über eine himmlische und über eine kirchliche Hierarchie verfaßt. Überdies kennt er eine atl. und eine ntl. Hierarchie.

404 MT 5: M. 3, 1048 B (Ü. Ivánka).
405 Vgl. Dionysios Areop., MT 2: M. 3, 1025 B; vgl. Maximus Confessor, Scholia in MT 2: M. 4, 424 BC; ferner: Dion. Ar., MT 3: M. 3, 1033 CD; vgl. Maximus Confessor, Schol. in MT 3: M. 4, 425 D – 428 C.
406 Paraphrasis Pachymerae in Dion. Ar. MT 1, 2 (cf. M. 3., 1000 AB): M. 3, 1020 B.

Die Wortbildungen *hierarchéo, hierárches, hierarchía, hierárchikos* gehören zu den von Dionysios am meisten gebrauchten Vokabeln. Sehr wahrscheinlich hat er die Verbindung der Worte *hierós* und *arché* zu *hierarchía* erst selber neu geschaffen.

Eine Deutung des neubgebildeten Wortes als »heiliger Anfang« oder als »heilige Herrschaft« bleibt zu vage. Dionysios selber definiert weitschweifig: »Hierarchie im allgemeinen ist, gemäß unserer ehrwürdigen Überlieferung, das Gesamtsystem der vorhandenen Heilsmomente, der umfassendste Inbegriff der heiligen Dinge dieser oder jener Hierarchie.«[407] Durch Zusammenstreichen auf das Wesentliche erhält man: *»Hierarchie im allgemeinen ist* – gemäß unserer ... Überlieferung – *das Gesamtsystem der vorhandenen Heilsmomente.«* Hierarchie heißt nach Dionysios also ein überlieferter Logos – und zwar ein umfassender – derjenige, nach dem die vorhandenen, heiligen Dinge geordnet sind. Ein umfassender Ordnungbegriff ist eine begriffliche Form – kurz: eine Kategorie. Die hier zur Frage stehende Kategorie ordnet das Heil, das quantifiziert – als »heilige Dinge« im Plural – gedacht ist. Nimmt man nun alles Gesagte zusammen, so ergibt sich: Hierarchie ist begriffliche Form für eine Ordnung des Heils – die Kategorie der Heilsordnung. – Dionysios erklärt genauer, daß es sich dabei um eine gestufte Ordnung handelt: »Die Hierarchie ist nach meiner Ansicht eine heilige Stufenordnung, Erkenntnis und Wirklichkeit ...«[408] Hierarchie ist eine Kategorie, wonach Heilserkenntnis sowie Heilswirkung gestuft gedacht werden muß. – Solche Stufung hat nach Dionysios zum Ziel: »... die ununterbrochene Liebe zu Gott und zu göttlichen Dingen ..., zuvörderst aber die vollständige und unwiderrufliche Abkehr vom Gegenteil ... (und schließlich) die gotterfüllte Teilnahme an der eingestaltigen Vollendung, ja an dem Einen selbst, soweit es möglich ist ...«[409] Hierarchische Stufung soll – wie es scheint – gerade den voraussetzend-reflektierend-mystischen Bezug zu dem aus sich hervortretenden Gott an und für sich ermöglichen, von dem hier vorher die Rede war. – Ein solcher Bezug kann nach Dionysios nur von Gott gestiftet werden. Darum muß auch die Heilsordnung, die ihn ermöglichen soll, von Gott, insofern er aus sich hervortritt und doch in sich verbleibt, begründet werden. Hierarchie als Kategorie einer gestuften Heilsordnung ist also nur zu denken, wenn eine Idee von Gott vorausgesetzt ist, nach welcher er aus sich heraustritt und zugleich in sich verbleibt. Dionysios sieht diese Idee ausgelegt durch

407 EH 1, 3: M. 3, 373 C (Ü. Stiglmayr).
408 CH 3, 1: M. 3, 164 D (Ü. Stiglmayr).
409 EH 1, 3: M. 3, 376 A (Ü. Stiglmayr); vgl. CH 3, 2: M. 3, 165 A (Ü. Stiglmayr): »Zweck der Hierarchie ist also die möglichste Verähnlichung und Einswerdung mit Gott.«

das Dogma von der Dreieinigkeit Gottes: »Den Ausgangspunkt dieser Hierarchie bildet die Quelle des Lebens, die wesenhafte Güte, die eine Trias, welche aller Dinge Ursache ist, von der sie durch Güte nicht bloß das Dasein, sondern auch das glückliche Dasein haben. Diese ... hat ... die geistige Wohlfahrt unserer Natur wie der über uns stehenden Wesen zum Gegenstand ihres Wollens. Es kann aber unsere Wohlfahrt auf keine andere Weise erfolgen als durch die Vergöttlichung der Geretteten. Vergöttlichung hinwieder ist das höchstmögliche Ähnlich- und Einswerden mit Gott.«[410] Der dreifaltige Gott wirkt hierarchisch – über eine gestufte Ordnung – Heil. Das Heil wird nach Art einer mystischen Einigung mit Gott gedacht. – Das hierarchische Heilswirken Gottes denkt sich Dionysios – offenbar nach dem Vorbild des neuplatonischen Emanationsdenkens – triadisch gestuft. Zu unterscheiden ist zwischen Heilsmittlern, Heilsmitteln und Heilsempfängern und bei allen dreien wieder zwischen höchsten, mittleren und untersten Stufen. – Doch übernimmt Dionysios das neuplatonische Prinzip der triadischen Stufung nicht für Sein und Erkennen überhaupt, sondern nur für sein Verständnis von einer Heilsökonomie. Sie wird von Dionysios nicht nach dem Vorstellungsmuster einer Heilsgeschichte, sondern nur nach dem Schema eines triadischen Heilsstufensystems gedacht. Dieses ist bei Dionysios freilich immer noch emanativ mißzuverstehen und bedarf einer korrigierenden Verdeutlichung, wie sie von Maximus Confessor dann auch gegeben worden ist. Wichtig ist aber die Feststellung, daß auch Dionysios unter Hierarchie nicht eine *Erkenntnis-* und *Seins*stufenordnung überhaupt, sondern nur eine *Heils*stufenordnung – eine *Hier*archie – meint, in welcher jede Stufe ihr Dasein vom Schöpfer und ihr Heil-Sein vom Erlöser gnadenhaft geschenkt erhält. Entsprechend hat auch das neuplatonische Prinzip des denkerischen bzw. des demiurgischen Kreises bei Dionysios nur soteriologischen Sinn.

Die Theologen nach Dionysios haben die kategoriale Bedeutung von Hierarchie oft verkannt. Sie verstanden unter Hierarchie meist nur eine kirchliche Amtsstufenordnung oder gar nur den Episkopat[411]. – Für Dionysios ist Hierarchie ganz offenbar eine Begriffsform theologischer Prinzipienreflexion überhaupt. Diese Kategorie ermöglicht es, den geschaffenen Geist so zu denken, daß er sich in seinem Gottesbezug selbst überschreitet, ohne sich über das ihm von Gott gesetzte

410 EH 1, 3: M. 3, 373 CD (Ü. Stiglmayr).

411 Vgl. etwa Cyrillus Scythopolitanus († 558), Vita Cyriaci: E. Schwartz, Texte und Untersuchungen zur Geschichte der Altchristlichen Literatur 49², Leipzig 1939, 224; Evagrius Scholasticus († ca. 600), Historia ecclesiastica, 1, 16: M. 86, 2468 A; Joannes Damascenus, De fide orthodoxa, 4, 11: M. 94, 1133 A.

Maß zu erheben. Theologie muß nach Dionysios also vermittels eines Logos betrieben werden, der von der Kategorie der Hierarchie geformt ist. Kurz: Dionysios will hierarchologisch theologisieren. Das besagt genauerhin: er theologisiert in dreigliedrig gestuften Auf- und Abstiegen[412]. – Hier interessiert besonders, wie Transzendenz des Geistes bzw. Deszendenz Gottes hierarchologisch gedacht wird und welche Rolle apophatische Theologie dabei spielt.

I.3/2.1 Hierarchologisches Verständnis von Transzendenz

Für Gregor von Nyssa gab es nur eine einzige, unüberbrückbare Transzendenz-Differenz: die zwischen relativer und absoluter Transzendenz. Anders ist es nun bei Dionysios. In der Heilsstufenordnung beinhaltet jede höhere Stufe etwas, was niederen Stufen vorenthalten wird. Für sie bleibt jede höhere Stufe darum letztlich unzugänglich und unbegreiflich. »Auch die der Natur der Engel geziemenden (scil. mystischen) Einigungen, die man je nachdem Ausstrahlung oder Empfang der überunerkennbaren und überhellen Güte nennen kann, sind (scil. den Menschen und d. i. auf einer niederen Stufe) unaussprechbar und unerkennbar, und nur den Engeln innewohnend, die auf eine über der Erkenntnis liegende Weise ihrer gewürdigt werden.«[413] – Wenn nun schon jeder Unterschied zwischen zwei Heilsstufen unaufhebbar ist, dann – so läßt sich nach einem Schluß von Geringerem auf

412 Triadische Stufung aufgrund der Kategorie der Hierarchie zeigt sich bei Dionysios
a) an der Weise, wie Dionysios sich das Denken selbst denkt. – Er konzipiert wie die Neuplatoniker drei Bewegungsformen des Geistes: eine kreisförmige als Bild gottähnlichen Rückgangs des Geistes in sich selbst, eine geradlinige als Bild vorsehungsähnlichen Ausgangs des Geistes aus sich und eine spiralförmige Bewegung als Bild dessen, daß dieser Ausgang sich als Moment einer Rückkehr des Geistes in sich selbst ereignet. – Vgl. hierzu vor allem: DN 4, 8–10: M. 3, 704 D – 705 C; DN 7, 2: M. 3, 868 BC; DN 9, 9: M. 3, 916 CD; vgl. bei Proklos: In Plat. Tim. II, 243; 257; 314 f.; III, 21; Proklos, In Platonis Rem publicam II, 46; Proklos, In primum Euclidis elem. libr., 164 und oft.
b) an der Vorliebe des Dionysios für eine Dreigliedrigkeit der Sprache. – Schon oft ist über die Schwülstigkeit des areopagitischen Stils geklagt oder auch seine schier übermenschliche Sprache gepriesen worden. Bereits Thomas von Aquin bemerkt im Prolog seines Kommentars zu DN, »quod beatus Dionysius in omnibus libris suis abscuro utitur stylo«.
Hier sei noch einmal darauf hingewiesen, daß die Dreigliedrigkeit in Ausdruck und Syntax an Dionysiostexten oft so sehr in die Augen springt, daß sie bei der Aufgliederung der sonst oft unübersichtlichen Texte ausgenutzt werden kann. W. Tritsch (Die Hierarchien der Engel und der Kirche, München-Planegg 1955, 128–132) hat versucht, die Dreigliedrigkeit der areopagitischen Sprache in seiner Übersetzung von CH 8 (M. 3, 237 A – 241 C) nachzuahmen. Orientiert man sich an der dreigliedrigen Syntax, so erkennt man, daß Dionysius in gedanklichen Dreischritten denkt. Dabei wird ein Thema mehr umkreist als direkt angegangen.
413 DN 1, 5: M. 3, 593 B (Ü. Ivánka + e.Ü.).

Größeres erschließen – muß die Kluft zwischen allem Seiendem und seinem jenseitigen Seinsursprung erst recht unaufhebbar und unüberwindlich sein. »Denn wie das Sinnenhafte nicht das Geistig-Denkbare fassen kann, und das Geformte und Gestaltete nicht das Einfache und Gestaltlose, das Ungestaltet-Formlose – so steht, nach demselben Wahrheitsspruche, die Unbestimmbarkeit der Überwesenhaftigkeit jenseits aller (bestimmten) Wesenheiten, und die übergeistige Einheit jenseits aller Geister, und so ist undenkbar für alles Denken das über dem Denken stehende Eine, und ist unaussprechlich für jederlei Wort das über alle Worte erhabene Gute . . .«[414] Hierarchologisch scheint also die höchste mit anderen Transzendenz-Differenzen vergleichbar. Kennzeichnend für solchen Vergleich ist der Schluß von einer niederen auf eine höhere sowie die höchste Transzendenz-Differenz. Pachymeres hat diesen Schluß auf die einprägsame Formel gebracht: »Um wie viel erhabener ist Gott!«[415] – So erscheint die »überwesenhafte und verborgene Gottheit« zwar noch als »allen Wesen unzugänglich, weil sie überwesentlich über alles erhaben ist«[416]. Doch scheint sie selbst in ihrer absoluten Transzendenz wenigstens noch als die Spitze einer Heilsstufenpyramide anvisierbar[417]. Gottes Transzendenz soll unermeßlich sein und ist hierarchologisch doch entwerfbar.

Umgekehrt überbrückt der aus sich hervortretende und zugleich in sich verbleibende, dreifaltige Gott die Kluft zu seinen Geschöpfen und Kindern nach hierarchologischem Denken so, daß er seine Auswirkungen und Ausstrahlungen über die niederen Transzendenz-Differenzen der Reihe nach vermitteln läßt. Ein jeder erhält schließlich das Heil seiner Fassungskraft gemäß *(analógōs)*. »Das Göttliche offenbart sich jeweils gemäß dem (aufnehmenden) Geiste.«[418] »Das allheilige Gesetz der Urgottheit ist dies, daß die Wesen zweiter Ordnung durch die der ersten Ordnung zum göttlichsten Lichte emporgeführt werden . . .«[419] »So wird jede Stufe der hierarchischen Ordnung gemäß ihrem entsprechenden Range zur Mitwirksamkeit mit Gott erhoben . . .«[420] – Dies ist nach hierarchologischem Denken nicht mehr und nicht weniger als gerecht. Denn »man muß wissen, daß die göttliche

414 DN 1,1: M. 3, 588 B (Ü. Ivánka).
415 Paraphrasis, Pachymerae in DN 1, 1: M. 3, 612 D (e.Ü.).
416 DN 1, 2: M. 3, 588 C (Ü. Ivánka).
417 Vgl. CH 6, 1: M. 3, 200 C (Ü. Stiglmayr): »Denn für uns ist es unmöglich, die Geheimnisse der überhimmlischen Geister und ihre heiligsten Vollkommenheiten zu erkennen, außer insoweit, als uns die Urgottheit durch die Engel selbst, die ja mit den eigenen Eigentümlichkeiten wohl vertraut sind, in diese eingeweiht hat.«
418 DN 1, 1: M. 3, 588 AB (e.Ü.).
419 EH 5, 1, 4: M. 3, 504 D (Ü. Stiglmayr).
420 CH 3, 3: M. 3, 168 AB (Ü. Stiglmayr).

Gerechtigkeit hierin in Wahrheit und Wirklichkeit eine echte Gerechtigkeit ist, weil sie allen Geschöpfen das Eigentümliche gemäß der betreffenden Würdigkeit zuerteilt und die Natur jedes Dinges auf der ihm zukommenden Stufe der Ordnung und der Macht erhält«[421].
Das hierarchologische Verständnis des Areopagiten von Transzendenz läßt sich kurz dann etwa so umschreiben: zwischen den Stufungen göttlicher Herablassung wie zwischen den Stufen empfangenen Heils bestehen Transzendenz-Differenzen derart, daß ihr umgreifendes Ganzes als Heilsstufenordnung – d. i. als theologisch-soteriologischer Kosmos – verständlich wird. Im hierarchologischen Denken wird Transzendenz spekulativ funktionalisiert. Welche Bedeutung bleibt aber dann noch apophatischer Theologie?

I.3/2.2 Spekulative Bedeutung apophatischer Theologie

Apophatische Theologie erwies sich als ein Terminus von prinzipientheoretischer Bedeutung mit mystagogischem Sinn. In dieser Bedeutung ist apophatische Theologie der grundlagentheoretische Inbegriff einer Grundforderung an allen Gottesbezug und an jede Theologie. Wenn ihr nun bei Dionysios auch eine spekulative Bedeutung innerhalb des hierarchologischen Denkens zugeschrieben wird, so heißt das nicht, daß Dionysios zwei verschiedene Begriffe negativer Theologie verwendet hätte. Vielmehr hat bei ihm ein und derselbe Begriff zwei verschiedene Bedeutungskomponenten. Die hierarchologisch-spekulative Bedeutungskomponente haben wir hier bislang mehr oder weniger ausgeklammert. – Eine prinzipientheoretisch-mystagogische und eine emanativ-spekulative Bedeutungskomponente besaß auch der neuplatonische Begriff negativer Theologie. Die hierarchologisch-spekulative Deutung apophatischer Theologie bei Dionysios dürfte aus der Absicht zu erklären sein, die emanativ-spekulative Bedeutungskomponente des neuplatonischen Begriffs christlich zu adaptieren.
An einer soeben noch zitierten Stelle sagt Dionysios, daß die mystischen Einigungen der Engel mit Gott Geistern einer niedrigeren Stufe unerreichbar bleiben. Der darauf folgende Satz formuliert nun die prinzipientheoretisch-mystagogische Bedeutung, allerdings für den Standort einer Reflexion auf das göttliche Prinzip, die erst noch von den Engeln als Heilsmittlern vermittelt werden muß. Dabei zeigt sich, daß der in negativer Theologie gemeinte Verweis auf Affirmation auf der Heilsstufe der Engel schon ein gutes Stück weiter eingelöst ist als auf niedrigeren Heilsstufen. »Auch die gottförmig gewordenen Geister,

421 DN 8, 7: M. 3, 896 B (Ü. Stiglmayr).

die, soweit es möglich ist, in Nachahmung der Engel mit diesen (scil. Ausstrahlungen des Göttlichen) geeint werden, besingen es – da ja diese Einigung der vergotteten Geister mit dem übergöttlichen Licht durch das Aufhören aller geistigen Tätigkeit geschieht – am zutreffendsten durch die Absprechung aller Seinsweisen, da sie durch die selige Einigung mit ihm in Wahrheit und überschwenglich darüber erleuchtet sind, daß es die Ursache von allem Seienden ist, selbst aber keines (der seienden Dinge), da es über alles (Seiende) überwesenhaft entrückt ist.«[422] Die Affirmation, auf die durch Apophasis verwiesen wird, scheint hiernach den vergöttlichten, niederen Geistern aufgrund dessen, daß sie die Engel nachahmen, schon im himmlischen Lobpreis gelungen, aber nur ein Stück weit; denn auch in diesem Stand ihrer Vollendung werden sie noch auf eine höhere Affirmation dessen verwiesen, der »über alles überwesenhaft entrückt« bleibt. – Innerhalb eines hierarchologischen Denkens vermag sich die Theologie – wenigstens ein Stück weit – in die Affirmation aufzuheben, auf die sie gemäß apophatischer Theologie erst verweisen sollte. Die angezielte Affirmation wird hierarchologisch-spekulativ entwerfbar.

Umgekehrt gewinnt aber auch apophatische Theologie innerhalb des hierarchologischen Denkens selber eine spekulative Funktion für dieses Denken. Apophatische Theologie dient dazu, die Abstufungen göttlicher Herablassung und geschöpflichen Heils als geordnete Heilsökonomie überschaubar zu machen. – Dionysios spricht dies unmittelbar im Anschluß an den gerade zitierten Text überraschend deutlich aus. Die laut apophatischer Theologie eigentlich für unbegreiflich zu haltende Erhabenheit Gottes hat hierarchologisch gerade zur Folge, daß alles in der ihm jeweils gemäßen Weise nach seinem Heil strebt, »die Geistwesen und Denkwesen auf erkennende Weise, die niedrigeren Wesen auf sinnliche Weise und die übrigen durch ihre lebendige Bewegung und schließlich durch ihre bloß wesenmäßige und mit Eigenschaften versehene Beschaffenheit«[423]. – Die Neuplatoniker legitimierten durch ihren emanativ-spekulativen Begriff negativer Theologie eine Seins- und Erkenntnisstufenordnung. Dionysios sieht durch apophatische Theologie in hierarchologisch-spekulativer Bedeutung eine Heilsstufenordnung legitimiert.

Versuchen wir zum Abschluß noch, die hierarchologisch-spekulative Bedeutung bei Dionysios auch in sich kurz zu umschreiben. – »Ist es nicht richtig zu sagen«, meint Dionysios, »daß wir Gott überhaupt

422 DN 1, 5: M. 3, 593 BC (Ü. Ivánka).
423 DN 1, 5: M. 3, 593 D (Ü. Ivánka). – Dieser Text ist nach Stiglmayr (Das Aufkommen der pseudodionysischen Schriften ... a.a.O., 32) von Prokl., Inst. th. c. 39, abhängig.

nicht aus seiner eigenen Natur erkennen – denn sie ist unerkennbar, über jedes Verstehen und Denken erhaben –, sondern daß wir nur *von der Ordnung des Alls,* die aus ihm hervorgeht und Abbilder und Gleichnisse der göttlichen Urbilder in sich enthält, nach bestem Vermögen *schrittweise zu dem emporsteigen, was jenseits von allem ist, dadurch, daß wir der Ursache alles Seienden alles absprechen und über alles uns erheben«*[424]. –
Im hierarchologischen Denken, in welchem Heilsökonomie in der Form einer Heilsstufenordnung gedacht wird, wächst negativer Theologie demnach die Bedeutung zu, daß eine alle Aussagemöglichkeiten übersteigende Verneinung auf eine ins Unermeßliche gesteigerte Bejahung des – in Schöpfung und Menschwerdung – hervortretenden, an und für sich dreieinigen Gottes verweist.

I.3/3 Theologische Konsequenzen apophatischer Theologie

Der hierarchologische Begriff apophatischer Theologie hat bei Dionysios unverkennbar theologische Konsequenzen für die Gotteslehre, die Ethik und den Entwurf einer Ordnung für die kirchliche Heilsgemeinschaft.

I.3/3.1 Trinitätslehre und Christologie

Bei Dionysios sind die heilsgeschichtlichen Geheimnisse hierarchologisch reduziert auf ihren metaphysischen Ermöglichungsgrund: das aus sich hervortretende und doch in sich verbleibende, innertrinitarische Geheimnis Gottes an und für sich. Dies läßt sich als eine Konsequenz aus dem prinzipientheoretischen sowie hierarchologischen Begriff negativer Theologie verstehen. – Auf das dreifaltige Gottesgeheimnis bezieht sich apophatische Theologie voraussetzend, reflektierend und mystisch schon in ihrem Grundmoment. Der von apophatischer Theologie nach hierarchologischem Verständnis geforderte Verweis auf eine über die Maßen gesteigerte Affirmation muß sich theologisch erst recht in der Tendenz auswirken, alles Heilsgeschichtliche als gestuftes Hervortreten und Wirken des Dreieinigen nur noch in seiner Transparenz auf Ihn selbst hin zu sehen. Schließlich hat Theologie nur noch den dreifaltigen Gott in seinem Anundfürsichsein sowie in seinem Hervortreten zu ihrem eigentlichen Thema.

424 DN 7, 3: M. 3, 869 CD (D. Stiglmayr).

Von hier aus erklärt sich, wieso Dionysios des Monophysitismus verdächtigt werden konnte. Die Inkarnation vermag Dionysios nämlich gerade in einer Verlängerung der innergöttlichen Hervorgänge, in denen Gott an und für sich selber lebt, nur so zu sehen, daß Gott in der Menschwerdung des Logos wie schon bei der Erschaffung der Welt aus sich hervortritt als derjenige, der in sich selber verbleibt. So gelangt Dionysios zu christologischen Formulierungen, in denen fast nur noch das *göttliche Wesen* Jesu Christi ausgesprochen wird. – »Wo immer Theologie gelehrt wird, wirst du sehen, daß die Urgottheit als Eine und als Einheit gepriesen wird ... und als Dreiheit ...; als Ursache alles Seins ...; insbesondere aber als menschenliebend, weil sie mit einer der Personen, die in ihr sind, wahre und volle Gemeinschaft mit unserem Wesen eingegangen ist, zu sich berufend und sich aufladend unsere erbärmliche Menschennatur, wodurch in unaussprechlicher Weise der einheitliche Jesus entstand, so daß der Ewige in die Zeit einging, und der über alle Ordnungen der Natur Erhabene in die Grenzen unserer Natur eintrat und doch unverändert und unvermischt (jede Natur) das ihr Eigene bewahrte.« [425] Den Teilnehmern des Religionsgespräches zu Konstantinopel vom Jahre 532 erschien eine solche Formel als mißverständlich, weil sich auf sie sowohl Monophysiten als auch Anhänger der Zwei-Naturen-Lehre von Chalkedon berufen konnten. Für heutiges Empfinden kennzeichnet diese Formel eine Theologie, welche die Leiden und Wünsche Jesu wie auch aller der Menschen wenig berücksichtigt, die an ihn glauben sollen. – Seltsam mutet es auch an, wenn Dionysios von der Menschenfreundlichkeit Jesu Christi – dem hierarchologischen Verständnis negativer Theologie gemäß – anscheinend nichts Wesentlicheres zu sagen weiß als, »daß das, was hinsichtlich der Menschenfreundlichkeit Jesu bejaht wird, eine Aussagekraft übersteigender Verneinung besitzt ...« [426]. Dionysios kommt es hier nämlich darauf an festzustellen, daß Jesus »verborgen bleibt, auch nachdem er sich geoffenbart hat ...« [427]. »Denn«, so erklärt er, »das Mysterium Jesu bleibt verborgen und ist keinem Begriff und keinem Geist in seinem Ansichsein verfügbar; selbst wenn man es ausspricht, bleibt es unsagbar, und wenn man es in Gedanken faßt, bleibt es unwißbar.« [428] – So berechtigt solche Aussagen gemäß apophatischer Theologie in sich auch sein mögen, sie reduzieren doch in gefährlicher Weise die grundlegende, theologische Bedeutung des Christusgeheimnisses, wenn nichts anderes mehr gesagt

425 DN 1, 4: M. 3, 589 D – 592 B (Ü. Ivánka).
426 Ep. 4: M. 3, 1072 B (e.Ü.).
427 Ep. 3: M. 3, 1069 B (Ü. Ivánka).
428 Ep. 3: M. 3, 1069 B (e.Ü.).

wird als eben dies. Denn dann wird nahegelegt, das Geheimnis Jesu Christi nur noch als eines seiner göttlichen Natur aufzufassen und auch dieses Mysterium gleichsam nur noch als ein Fenster, durch welches man auf das innertrinitarische Geheimnis des aus sich hervortretenden Gottes selber schaut. So ist es auch symptomatisch für eine hierarchologische Reduktion der Christologie, wenn Dionysios anderswo sagt: ». . . auch das offensichtlichste Faktum aller Offenbarung, die unserer Natur entsprechende Gottbildung Jesu« – (eine ohne Zweifel monophysitisch deutbare Ausdrucksweise!) – »ist unaussprechlich für jede Rede, unerkennbar für jeden Geist, auch für den ersten der vornehmsten Engel.«[429] – Daß christliche Theologie über ein Jahrtausend lang immer wieder der Versuchung ausgesetzt war, einem Monophysitismus zu erliegen, und daß sie eher zu dem neigte, was man heute eine »Christologie von oben«, als zu dem, was man eine »Christologie von unten« nennen würde, dürfte in nicht geringem Maß auf den Einfluß eines hierarchologisch konzipierten Begriffs negativer Theologie zurückzuführen sein.

I.3/3.2 Zur Lehre vom sittlichen Leben

Gemäß der prinzipientheoretischen Bedeutung apophatischer Theologie ist für Dionysios theologische Ethik vor allem Mystagogik: Lehre von der Einführung in Mystik. Da Dionysios hierarchologisch denkt, lehrt er Mystagogie in den drei Stufen der Reinigung, der Erleuchtung und der Einigung. – Solche Dreistufigkeit bestimmt nicht nur die sittliche Qualifikation der Christen, sondern auch den Status ihrer Hirten: »Durch die Stufenordnung der Hierarchie ist es bedingt, daß die einen gereinigt werden, die anderen reinigen, daß die einen erleuchtet werden, die anderen erleuchten, daß die einen vollendet werden, die andern vollenden. Und wie nach diesem Gesetze einem jeden das Nachbild Gottes angemessen sein wird, so wird er zur Teilnahme an Gottes Wirken erhoben werden.«[430]
Auch die theologische Reflexion auf den Gottesbezug soll sich apophatischer Theologie gemäß in eine mystische Begegnung mit dem Dreieinigen hinein aufheben. – Von seinem angeblichen Lehrer Hierotheos sagt Dionysios, daß und wie ihm dies gelungen sei. Seine »Erkenntnis mag jener Lehrer (1) entweder von den heiligen ›Theologen‹ (scil. den Hagiographen) überkommen oder (2) aus der wissenschaftlichen Erforschung der heiligen Schriften infolge langer, eingehender Beschäftigung mit ihnen gewonnen haben oder er ist (3) durch irgend-

429 DN 2, 9: M. 3, 648 B (Ü. Stiglmayr).
430 CH 3, 2: M. 3, 165 B (Ü. Stiglmayr).

eine göttlichere Inspiration darin eingeweiht worden, indem er Göttliches *nicht nur erlernte, sondern sogar erlebte* und infolge der Sympathie mit dem Göttlichen, wenn man so sagen darf, zum unlehrbaren und mystischen Einswerden und Glauben vollendet wurde«[431]. – Der voraussetzend-reflektierend-mystische Bezug zum Gottesgeheimnis wird vom idealen Theologen, als welcher Hierotheos von Dionysios vorgestellt wird, gleichsam völlig aufgearbeitet. Hierarchologisch übereinandergestuft erscheinen einfaches Voraussetzen von Schriftaussagen, reflektierendes Hinterfragen bzw. negatives Übersteigen solcher Positionen und schließlich der Eintritt in mystisches Erfahren. – Der hierarchologische Begriff apophatischer Theologie drängt Theologie dazu, sich selbst zu überholen und in Mystik aufzuheben. Es scheint nicht von ungefähr, daß besonders östliche Theologen schließlich alle Theologie nur als eine Vorstufe zur Mystik anzusehen vermochten.

I.3/3.3 Kirchliche Ordnung als Hierarchie

Vielleicht am offensichtlichsten ist die Auswirkung des hierarchologischen Begriffs negativer Theologie auf den areopagitischen Entwurf einer kirchlichen Ordnung. Er hat mittelalterliches Ordnungsdenken in Kirche und Gesellschaft ohne Zweifel maßgeblich geprägt. – Nach hierarchologischem Begriff negativer Theologie sind verschiedenen Heilsmittlerstufen auch in der Kirche unterschiedliche Grade der Einweihung in das Gottesgeheimnis zuzugestehen. Je nach diesem Grad aber ist ihre Würde in einer ständischen Ordnung der Kirche zu bestimmen. »So haben die Männer, welche zunächst Gott schauen, die Aufgabe, die Mitglieder des zweiten Rangs in demselben entsprechenden Maße neidlos die heilig von ihnen selbst geschauten Betrachtungsbilder sehen zu lassen. Ihnen, die in alle Geheimnisse ihrer Hierarchie mit vollkommener Wissenschaft bestens eingeweiht sind, steht es zu, andere in die hierarchischen Dinge einzuweihen, da sie dazu auch die vollendende Gewalt der mystischen Einführung besitzen. Und nur denen, welche mit tieferem Erkennen und im vollen Umfange der Hochstufe des Priestertums teilhaft geworden sind, kommt es zu, das Heilige auch andern mitzuteilen.«[432]

In einer hierarchischen Ordnung, wie der Areopagite sie versteht, ist für Spontaneität oder Kritik wenig Raum. Deren Wirkung wäre für diese Ordnung verhängnisvoll. »Wenn ... das vernunftbegabte Wesen die Grenzen dessen überschreiten wollte, was ihm nach bestimmten

431 DN 2, 9: M. 3, 648 AB (Ü. Stiglmayr + e.Ü.). Dionysios sagt in einem Wortspiel: *u mónon mathṑn, allà kaí pathṑn tà theîa.*
432 EH 5, 1, 4: M. 3, 504 D – 505 A (Ü. Stiglmayr).

Maße zu sehen vergönnt ist, und vermessen zu den Strahlen emporzuschauen wagte, welche seine Sehkraft übersteigen, so wird das Licht zwar keine seiner Natur widersprechenden Wirkungen hervorbringen; das vermessene Geschöpf aber, das trotz seiner Unvollkommenheit sich auf das Vollkommene wirft, wird einerseits das ihm nicht Zugehörige doch nicht erreichen, andrerseits infolge der unziemlichen Überhebung auch des ihm gebührenden Anteils durch eigene Schuld verlustig gehen.«[433] Dionysios versteigt sich zu der Maxime: »Mithin ist es nicht einmal erlaubt ..., das Rechte auf ungeziemende Weise zu vollziehen. Jeder muß ... achtgeben, daß er nicht zu Hohes und zu Tiefes im Sinne trage und nur das erwäge, was ihm nach Gebühr zugeordnet ist.«[434] – Apophatische Theologie, die in ihrer prinzipientheoretisch-mystagogischen Bedeutung sogar offenbarungskritisch zu sein schien, legitimiert in ihrem hierarchologisch-spekulativen Begriff im kirchlichen Leben kritiklose Bravheit.

I.3/4 Zur Überlieferungsgeschichte apophatischer Theologie

Der Einfluß areopagitischen Denkens auf die mittelalterliche Theologie in seinen vielfältigen Verästelungen ist so ausgiebig erforscht worden, daß sogar ein nur einigermaßen umfassender Forschungsbericht den Rahmen dieser Arbeit sprengen würde. Nur auf zwei herausragende Ereignisse in der Überlieferungsgeschichte des hierarchologischen Begriffs negativer Theologie sei noch kurz eingegangen. Maximus Confessor († 662) hat versucht, durch verdeutlichende Korrekturen am hierarchologischen Denken des Dionysios Areopagites die Gefahr seiner emanativen Deutung auszuschalten. Das vierte Laterankonzil (1215) hat einen auf diese Weise korrigierten, hierarchologischen Begriff negativer Theologie in die offizielle Lehre der lateinischen Kirche aufgenommen.

I.3/4.1 Orthodoxe Korrektur am hierarchologischen Denken bei Maximus Confessor

Das hierarchologische Denken des Dionysios konnte emanativ mißverstanden werden. Dionysios unterscheidet die Offenbarungs- und Heilsstufen, die er meint, kaum von den Erkenntnis- und Seinsstufen, von denen die Neuplatoniker gesprochen haben. Wenn Dionysios unter

433 EH 2, 3, 3: M. 3, 397 D – 400 A (Ü. Stiglmayr).
434 Ep. 8, 1: M. 3, 1089 D – 1092 A (Ü. Stiglmayr).

Hierarchie auch bereits eine gnadenhafte Heilsstufenordnung versteht, so merkt er doch noch nicht deutlich genug an, daß der Status der Stufen, von denen er redet, von dem in Schöpfung und Menschwerdung hervortretenden Gott *gnadenhaft geschenkt* ist. Überdies macht sich Dionysios durch seine neuplatonische wie auch seine monophysitisch klingende Terminologie verdächtig, Heiden und Irrlehrern zu viel nachgegeben zu haben. – Maximus Confessor war bemüht, verdächtige Aussagen und gefährliche Lehren des Areopagiten rechtgläubig zu deuten. Seine Deutungen laufen insgesamt auf eine Betonung der prinzipientheoretisch-mystagogischen – und d. i. der ursprünglich systemkritischen – gegenüber der hierarchologisch-spekulativen Bedeutungskomponente des Begriffs negativer Theologie hinaus. »Grundlage dieser Deutungen ist« nach H. Urs von Balthasar »der ›Abgrund‹ *(chásma)*, der zwischen ungeschaffener und geschaffener Natur klafft. Seine Überbrückung kann nur durch einen freiwilligen schöpferischen Akt Gottes geschehen sein, keineswegs durch bloße ›Ausflüsse‹ ...«[435] Maximus modifiziert das Denken des Areopagiten *ontologisch*, indem er annimmt, daß schon die Ideen aller Dinge in Gott vorgeformt sind und zwar zusammengefaßt im göttlichen Logos. »Wenn nun die höchste und negative Theologie des (scil. göttlichen) Logos in ihrer Transzendenz betrachtet wird, der gemäß er weder ausgesagt noch gedacht wird noch irgendeines der miterkannten Dinge ist, weil er überwesentlich ist und von niemandem auf solche Weise immer teilgenommen wird: so sind die vielen Ideen der eine Logos.«[436] – Da dieser Logos absolut transzendent ist wie Gott überhaupt, so ist die Verwirklichung der Dinge, die er ihrer idealen Möglichkeit nach in sich begreift, der schöpferischen Freiheit Gottes anheimgestellt. »Die Dinge, von deren Wesen Ideen bei Gott vorausbestehen, sind eben jene, die nach göttlichem Ratschluß ins Dasein treten sollen.«[437] – So wird einem emanativen Mißverständnis des hierarchologisch gedachten Hervorgangs der Dinge aus Gott vorgebaut durch Rückgriff auf das Schöpfungsdogma und seine christologische Ausdeutung.

Ferner deutet Maximus die bei Dionysios emanativ klingenden, göttlichen Namen und hierarchischen Abstufungen *gnoseologisch* um. Was bei Dionysios wie ein ontologischer Emanationsprozeß aussieht, wird von Maximus »auf eine Reihenfolge von Erkenntnisphasen gebracht, die vom verworrenen ersten Eindruck von Wirklichsein überhaupt sich allmählich verdeutlicht bis zur Vollerkenntnis des einzelnen Gegen-

435 H. Urs von Balthasar, Kosmische Liturgie, Das Weltbild Maximus' des Bekenners, Einsiedeln 1961², 111.
436 Maximus Confessor, Ambiguorum liber: M. 91, 1081 AB (Ü. Urs von Balthasar, a.a.O., 113).
437 Ebd., M. 91, 1329 (Ü. Urs von Balthasar, ebd., 115).

standes«[438]. Stufen gibt es dann, wenn überhaupt, nur im Gang geschöpflicher Erkenntnis, nicht beim Hervorgang von geschaffenen Seiendem aus seinem ungeschaffenen Ursprung.
Maximus »transponiert« schließlich *theologisch* »den platonischen Teilnahmebegriff, den Dionysios auf das geschaffene Sein als solches anwandte, auf die Sphäre der übernatürlichen Gnade«[439]. Schon für Dionysios war Hierarchie eine Heilsstufenordnung; sie konnte jedoch noch ontologisch-emanativ mißverstanden werden. Maximus interpretiert das Heil wie auch seine hierarchologische Stufung strikt gnadenhaft-soteriologisch.

I. 3/4.2 Die Formel des IV. Laterankonzils

Das IV. Laterankonzil hat einen Begriff negativer Theologie formuliert, der von dem der apophatischen Theologie des Dionysios abhängig ist und die Korrekturen des Maximus am areopagitischen Denken in sich aufgenommen hat. – Zuvor werden vom Konzil wie bei Dionysios das Unterschiedene in Gott (distinctiones ... in personis) und das Geeinte in ihm (unitas in natura) deutlich von einander abgehoben[440]. Sodann unterscheidet das Konzil scharf zwischen der Dreieinigkeit Gottes an und für sich und dem heilsökonomischen Hervortreten Gottes. Diese Unterscheidung entspricht der Intention des Maximus Confessor.
Dabei wird klar gesagt, daß die Gläubigen an der Einheit und der Vollkommenheit Gottes nur gnadenhaft teilhaben. »Wenn ... die Wahrheit (scil. Christus) für die Gläubigen zum Vater betet: ›Ich will, daß sie in uns eins seien, wie auch wir eins sind‹ (Joh 17,22), so wird hier das Wort ›eins‹ für die Gläubigen in dem Sinn genommen, daß darunter die Liebeseinheit in der Gnade, für die göttlichen Personen aber, daß darunter die Einselbigkeit der Natur verstanden wird. So sagt ja auch an einer anderen Stelle die Wahrheit: ›Seid vollkommen, wie euer himmlischer Vater vollkommen ist‹ (Mt 5,48), gleichsam als ob sie deutlicher sagen würde: Seid vollkommen in der Vollkommenheit der Gnade, wie euer himmlischer Vater vollkommen ist in der Vollkommenheit der Natur, jeder eben auf seine Weise ...«[441] Es fällt auf, daß die ontologischen Bedeutungen von Einheit und Vollkommenheit auf die Seite Gottes, die soteriologischen auf die Seite der begnadeten Menschen geschlagen werden. Alles Heil der Menschen

438 H. Urs von Balthasar, ebd., 119.
439 Ebd.
440 DS 804; vgl. R. Foreville, Lateran. I–IV, Mainz 1970.
441 DS 806 (Ü. J. Neuner – H. Roos).

ist auf die Dreieinigkeit Gottes zurückgeführt wie schon bei Dionysios, aber es ist nur von einer gnadenhaften Teilnahme am Heil die Rede wie bei Maximus Confessor.

Zur Bestimmung des Verhältnisses zwischen dem Sinn von Einheit und Vollkomenheit in Gott und dem bei den Gläubigen formuliert nun das Konzil ein offenbar allgemeiner gedachtes Grundgesetz für alle theologischen Vergleiche zwischen Schöpfer und Geschöpf. »Denn zwischen Schöpfer und Geschöpf kann keine Ähnlichkeit ausgesagt werden, ohne daß eine *noch größere* Unähnlichkeit zwischen ihnen auszusagen wäre.«[442] – Explizit werden von negativer Theologie nur das Grundmoment (potest similitudo notari) und das Negationsmoment (non . . ., quin . . . maior sit dissimilitudo notanda) formuliert. Vom Negationsmoment wird gesagt, daß es eine Verneinung enthält, die alle Aussagemöglichkeiten übersteigt: man darf keine Ähnlichkeit zwischen Schöpfer und Geschöpf voraussetzen, ohne daß man sie nicht auch noch negieren und eine Unähnlichkeit »notieren« müßte. – Diese Unähnlichkeit muß sogar als »eine größere« angemerkt werden. Das deutet darauf hin, daß jeweils immer noch ein Schluß »a minori ad maius« vorzunehmen ist. Ein solcher Schluß ist, wie wir gesehen haben, kennzeichnend für ein hierarchologisches Verständnis von Transzendenz. – Allerdings handelt es sich bei dem Schluß, den das Konzil vorschreibt, nicht um einen von einer niedrigeren Transzendenz-Differenz auf die erhabenste, nicht – um mit den Worten des Laterankonzils zu reden – um einen Schluß von einer kleineren auf eine größere Unähnlichkeit, sondern sogar um einen Schluß von jedweder Vergleichbarkeit auf eine noch größere Unvergleichlichkeit. Das bedeutet, daß das Konzil den hierarchologischen Begriff negativer Theologie gegenüber seiner ersten Fassung bei Dionysios ganz im Sinne von Maximus Confessor über alle Maßen verschärft hat. Dem Konzil vom Lateran kommt es nun nicht mehr nur darauf an, daß man bei Gott sagt, seine Transzendenz sei erhabener als jede Vorstellung von ihr, sondern darauf, daß man hervorhebt, daß im Hinblick auf Gottes Transzendenz alles Vergleichen überhaupt versagt.

In der Formulierung des Laterankonzils ist negative Theologie in die traditionellen, katholisch-theologischen Lehrbücher eingegangen[443].

442 DS 806 (e.Ü.): quia inter creatorem et creaturam non potest similitudo notari, quin inter eos maior sit dissimilitudo notanda.

443 Monographien zur Rede vom Unbekannten Gott und zur negativen Theologie: E. W. Platzeck, Das Unendliche affirmativer und negativer Theologie, Rahmen der Seinsanalogie: Franziskanische Studien 32, 1950, 313–346; R. Ruyer, Dieu et les valeurs négatives: Revue de Théologie et de Philosophie 90, Lausanne 1957, 243–253; W. L. King, Negation as a Religious Category: The Journal of Religion 37, Chicago 1957, 105–118; G. Vallin, Essence et formes de la Théologie négative: Revue de métaphysique et de morale 63, Paris 1958, 167–201; V. White, Dieu

Dabei wurde ihr hierarchologischer Verstehenshintergrund meist implizit mitübernommen. Wo dies nicht geschehen ist oder wo dieser Hintergrund verblaßt, da wirkte und wirkt die Formel überraschend theologiekritisch.

l'Inconnu, Tournai 1957; J. Jocz, The Invisibility of God and the Incarnation: Judaica 14, Zürich 1958, 193–203; J. Squadrani, Ignoto Dio e Uomo, Idole e Maschere, Turin 1959; F. Shehadi, Ghazali's Unique Unknowable God (Diss. Princeton University 1959); I. Hausherr, Ignorance infinie ou science infinie?: Orientalia Christiana periodica 25, Rom 1959, 44–52; F. van Steenberghen, Dieu Caché, Löwen 1961; H. Graef, Der unbegreifliche Gott, Frankfurt a. M. 1901; L. Dehay, L'inéluctable Absolu, Bruges–Paris 1964; E. Przywara, Deus semper maior, Theologie der Exerzitien; mit Beigabe Theologumenon und Philosophumenon der Gesellschaft Jesu, München 1964; J. H. Nicolas, Dieu connu comme inconnu, Essai d'une critique de la connaissance théologique, Paris 1966; F. van Steenberghen, Ein verborgener Gott, Wie wissen wir, daß Gott existiert? (Vom Verfasser autorisierte Übertragung aus dem Französischen und Nachwort von G. Remmel), Paderborn 1966; N. S. Arseniev, Au Dieu inconnue (Russisch): Messager . . ./ Vestnik russkogo studenčeskogo christionaskogo dviezenija 84, Paris–New York 1967, 12–17; G. P. Widmer, Intelligibilité et incomprehensibilité de Dieu: Revue de Théologie et de Philosophie 101, Lausanne 1968, 145–162; W. Stählin, Vom Geheimnis Gottes, Kassel 1970.

II ZUR NEUZEITLICHEN VERMITTLUNG DES BEGRIFFS NEGATIVE THEOLOGIE

Solange das neuplatonische Ordnungsschema einer triadischen Stufung auf die christliche Theologie einwirkte, war das theologische Gottes- und Wirklichkeitsverständnis hierarchologisch. Solange schien auch negative Theologie als Grundlagenbegriff der Theologie problemlos. In jeder Stufenordnung gibt es ja eine Skala von »höher« und »tiefer«. Eine Verneinung, welche die Aussagbarkeit aller Seins- und Heilsstufen übersteigen soll, konnte also als der Verweis auf eine unendlich gesteigerte oder noch zu steigernde Bejahung eines absolut transzendenten Schöpfers und Erlösers interpretiert werden. Ja, so verstanden konnte negative Theologie sogar dazu dienen, hierarchologisches Denken nicht nur in Theologie und Kirche, sondern auch in Wissenschaft und Gesellschaft zu konservieren. Denn lange Zeit hindurch lieferte die Theologie allgemein gültige Definitionen für Wirklichkeit und Werte. – Innerhalb des hierarchologischen Denkens, dessen man sich im übrigen kaum bewußt war, entfaltete man konsequent die prinzipientheoretisch-mystagogische Bedeutungskomponente negativer Theologie. Gerade deren mystagogischer Sinn schien ja für hierarchologisches Denken gefahrlos. Zumindest dem ersten Eindruck nach richtete er auf mystische Erfahrung aus und nicht auf kritische Veränderung. Wenn die prinzipientheoretisch-mystagogische Bedeutung negativer Theologie allerdings radikalisiert wurde wie etwa von Meister Eckehart und dabei das hierarchologische Denken bei der Bestimmung des Verhältnisses Gottes zur Welt und zum Menschen in Frage gestellt schien, griff kirchliche Lehrautorität korrigierend ein[1]. – Seitdem nun die mittelalterlich-hierarchischen Ordnungen aufgelöst werden, verliert auch das hierarchologische Denken seine frühere Überzeugungskraft. Seitdem kann eine Verneinung, die alle Aussagemöglichkeiten übersteigt, nicht mehr ohne weiteres als ein Verweis auf eine unendlich zu steigernde Bejahung verstanden werden. Der überkommene Begriff negativer Theologie muß neu vermittelt werden.

Die nun folgenden Überlegungen sollen einen Beitrag zur neuzeitlichen Vermittlung des Begriffs leisten. Vorgegangen wird in drei Schritten. Zunächst wird das Problem einer Vermittlung allgemein- sowie transzendental-logisch erörtert. Dann soll der Versuch einer negativ-dialektischen Vermittlung angeregt werden. Zum Schluß sollen Glaubensfragen aufgegriffen und als Ansatzpunkte einer kritisch-praktischen Vermittlung des Begriffs negativer Theologie gedeutet werden.

II.1 Zum Problem einer Vermittlung des überkommenen Begriffs Negative Theologie

Am überkommenen Begriff negative Theologie scheint auch heute zweierlei klar.

1. Negative Theologie verlangt, Unsagbares als solches zu sagen.
2. Negative Theologie bestimmt gerade damit grundlegend die sprachliche Aufgabe der Theologie. –

Das erste erscheint heute sprachtheoretisch als ein Paradox. Eine Vermittlung dieses Begriffes scheint nur schwer möglich. Das Vermittlungsproblem läßt sich aufzeigen, indem man versucht, rein sprachtheoretisch Begriff und Sinn von negativer Theologie zu rekonstruieren. Dies soll hier allgemein logisch sowie transzendentallogisch vorgeführt werden. – Der überkommene Begriff erweist sich sprachtheoretisch jedenfalls als problematisch und signalisiert so ein grundlegendes Vermittlungsproblem neuzeitlicher Theologie.

II.1/1 Negative Theologie und allgemeine Logik

Fragen an den überkommenen Begriff negativer Theologie ergeben sich heute vor allem vom Standpunkt allgemeiner Logik aus. Darunter sei hier verstanden die »Lehre von der Folgerichtigkeit, ihren Bedingungen und Anwendungen«[2]. Auf der Grundlage allgemeiner Logik sind an den überlieferten Begriff negativer Theologie besonders drei Fragen zu stellen. –

1. Ist der Begriff negativer Theologie widerspruchsfrei?

Ein Verweis durch eine Verneinung auf eine Bejahung scheint auf Beliebiges oder gar auf Absurdes zu verweisen. Die gestellte Frage richtet sich zunächst auf die folgerichtige Struktur des Begriffs und ist, so gesehen, eine formal-logische Frage. Die Struktur des Begriffes analysiert man am besten auf die Weise, daß man die Struktur seiner Formulierung syntaktisch untersucht. Mit der formal-logischen Frage nach der Widerspruchsfreiheit des Begriffs hängt also die syntaktische Frage nach der Struktur seiner Formulierung aufs engste zusammen. –

2. Welche inhaltliche Bedeutung hat negative Theologie in sich und

1 Papst Johannes XXII. zensurierte z. B. in der Konstitution »In agro dominico« vom 27. März 1329 »Irrtümer Eckeharts über die Beziehung Gottes zur Welt und zum Menschen« (vgl. DS 958; 960; 961; 962; 963; 971; 972; 974).

2 J. M. Bocheński, Logik der Religion, Köln 1968, 153.

insbesondere die Affirmation, auf welche in negativer Theologie verwiesen wird?
Damit ist eine semantische Frage gestellt. Während nämlich die Beziehung zwischen dem Negations- und dem Affirmationsmoment im Begriff negativer Theologie vor allem formal-logisch bzw. syntaktisch analysiert werden muß, kann das Moment der Begründung dafür, daß diese Beziehung nicht inhaltsleer ist, nur anhand einer allgemeinen Bedeutungslehre bzw. aufgrund einer Theorie der Beziehungen zwischen (sprachlichen) Zeichen und Bezeichnetem geprüft werden. Dies ist notwendig, seitdem eine alle Aussagemöglichkeiten übersteigende Verneinung nicht mehr wie früher im hierarchologischen Denken von selbst als eine über die Maßen gesteigerte Bejahung interpretiert wird. –
3. Welche formale Bedeutung hat negative Theologie?
Gemeint ist: welchen funktionalen Sinn hat negative Theologie für Reflexionen auf religiöse Bezüge wie für alles Reflektieren überhaupt und – das bedeutet – für religiöses Sprechen wie für alles Sprechen überhaupt? So ist schon deshalb zu fragen, weil die überkommene, prinzipientheoretisch-mystagogische wie auch die hierarchologisch-spekulative Bedeutung negativer Theologie diese als einen formalen Grundbegriff für das Reflektieren auf einen religiösen Bezug wie auch für alles Denken überhaupt konstituieren. Gerade als dieser Grundlagenbegriff müßte negative Theologie modernem Denken dann auch vermittelt werden können. Es wird sich herausstellen, daß die Frage nach dem funktionalen Sinn negativer Theologie nur in einer Pragmatik – das bedeutet: in einer Theorie der Beziehungen zwischen Zeichen und ihren Benutzern – erörtert werden kann. – Daß diese drei Fragen vom Standpunkt der allgemeinen Logik aus an den Begriff negativer Theologie gerichtet werden müssen, besagt nicht, daß sie auf dem Boden allgemeiner Logik allein endgültig beantwortet werden könnten. Ohne die Kompetenzgrenzen einer theologiehistorischen und systematisch-theologischen Untersuchung überschreiten zu wollen, versuchen wir aber, wenigstens ansatz- und andeutungsweise auch allgemein-logische Antworten zu entwickeln.

II.1/1.1 Versuch einer formallogischen bzw. syntaktischen Analyse

Der Begriff negative Theologie kann formal-logisch untersucht werden, indem seine Formulierung syntaktisch analysiert wird. – Vorweg ist nach einer syntaktisch analysierbaren Formulierung negativer Theologie zu suchen. Vielleicht wird man hierfür den in negativer Theologie gemeinten Verweis als Implikation – das bedeutet: als eine »Wenn-dann«-Beziehung – zwischen dem Negations- und dem Affirmationsmoment auffassen dürfen. Dann läßt sich der Begriff negativer Theologie etwa in folgendem Wenn-dann-Satz formulieren: »Wenn alles Aussagbare und sogar alle Aussagbarkeit verneint wird, dann wird eben dadurch Unaussagbares über alle Maßen bejaht.« Was dieses Unaussagbare beinhaltet, muß und kann in diesem Zusammenhang noch offenbleiben, ebenso, was »über alle Maßen bejahen« bedeutet. Immerhin mag es erlaubt sein, dafür auch »affirmieren« bzw. »Affirmation« zu sagen. – Eine syntaktische Analyse der Formulierung negative Theologie ergibt: im Bedingungssatz werden alle denkbaren Aussagen im Hinblick auf Unaussprechbares für unzureichend – und d. i. formal-logisch: für falsch – erklärt. Formalisiert bedeutet das: alle Aussagen der Form »p« werden zu Aussagen der Form »non-p«[3]. Doch damit nicht genug. Es bedeutet auch, daß die Klasse aller denkbaren Aussagen, sofern diese samt und sonders für falsch erklärt werden[4], eine Implikation enthält. Im bedingten Satz wird Unaussagbares über die Maßen bejaht – kurz: affirmiert. Was das bedeutet, ist – rein logisch jedenfalls – nicht anzugeben. Immerhin hat die Formulierung negativer Theologie syntaktisch folgende Struktur: die Negation aller denkbaren Aussagen impliziert eine Affirmation von Unaussagbarem.

Diese Formulierung ist nun nach Form und Inhalt einem der beiden klassischen »paradoxalen« Gesetze der materialen Implikation[5] verwandt. Es lautet: eine falsche Aussage impliziert jede Aussage[6]. Die formale und inhaltliche Verwandtschaft dieses Gesetzes mit der soeben versuchten Formulierung negativer Theologie tritt noch deutlicher hervor, wenn man berücksichtigt, daß das Gesetz ja für alle falschen Aussagen gilt: jede falsche Aussage impliziert, jede für sich genommen, demnach jede beliebige Aussage. Aber auch die Unterschiede zwischen beiden Formulierungen sind unübersehbar. – *Erstens* wird bei der syntaktischen Formulierung negativer Theologie gerade ausgeschlossen, daß irgendeine Aussage nicht für falsch erklärt werden müßte. Bei der Paradoxie der Implikation hingegen wird nicht ausdrücklich ausgeschlossen, daß es auch wahre Aussagen gibt. Indem bei der Formulierung negativer Theologie alle denkbaren Aussagen

3 Kurz geschrieben: $\bar{p}$ bzw. $\sim p$.
4 $\forall x \overline{f(x)} \wedge \overline{\exists} x f(x)$.
5 Vgl. J. M. Bocheński, Formale Logik, Freiburg 1956[1], 1970[3], 242, formuliert nach dem Scholastiker Buridan als »die zwei klassischen ›paradoxalen‹ Gesetze der materialen Implikation:
(31.401) Wenn P falsch ist, dann: aus P folgt Q.
(31.402) Wenn P wahr ist, dann: aus Q folgt P.«
6 Ebd., 397 (formalisiert: $\bar{p} \rightarrow \cdot\, p \rightarrow q$).

außer Kraft gesetzt werden, wird aber die Gültigkeit der formalen Logik wie auch der Syntaktik gerade ausgeklammert. Denn die formale Logik befaßt sich mit folgerichtigen Strukturen und die Syntaktik mit den Beziehungen von Zeichen untereinander. In dem Fall nun, in dem alle nur denkbaren Aussagen im weitest nur denkbaren Sinne für falsch gehalten werden sollen, kann auch die Untersuchung ihrer Struktur wie auch ihrer Beziehungen untereinander nicht von Interesse sein. Für diesen Fall wird also auch von der Gültigkeit formaler Logik bzw. der Syntaktik abzusehen sein. Das Außerkraftsetzen aller denkbaren Aussagen kann deshalb nicht noch einmal eine formallogisch oder syntaktisch sinnvolle Bedeutung haben. Falls sie doch eine – möglicherweise auch für die formale Logik – sinnvolle Bedeutung haben sollte, so kann diese jedenfalls nicht mehr innerhalb der formalen Logik, sie muß vielmehr in einer anderen Theorie – möglicherweise auch der allgemeinen Logik – gefunden werden. – Eine Analyse des *zweiten* Unterschiedes zwischen den Formulierungen negativer Theologie und der Paradoxie der Implikation bestätigt und vervollständigt dieses Ergebnis. Jede falsche Aussage impliziert formal-logisch Beliebiges. Die Für-falsch-Erklärung aller nur denkbaren Aussagen soll nach der syntaktischen Formulierung negativer Theologie eine Affirmation von Unaussagbarem implizieren. Wenn nun schon aus einer falschen Aussage jede beliebige folgt, wie soll dann – formal-logisch bzw. syntaktisch wenigstens – daraus, daß alle denkbaren Aussagen für falsch erklärt werden, etwas Bestimmtes folgen können?

Der Begriff negativer Theologie sieht also formal-logisch und ihre Formulierung sieht syntaktisch aus wie die Universalisierung einer Paradoxie der Implikation und ist darum formal-logisch bzw. syntaktisch nicht mehr faßbar. Dessen war sich offenbar schon Dionysios Areopagites bewußt. Denn er bemerkte, daß die in negativer Theologie angezielte Affirmation jenseits des Widerspruchs von Position und Negation zu suchen sei[7].

II.1/1.2 Das semantische Problem

Dann aber ist die semantische Frage zu stellen: Welche Bedeutung hat der Begriff negativer Theologie in sich? Oder ist er inhaltsleer? Was besagt ein Satz, in dem negative Theologie formuliert oder wenigstens umschrieben wird? Läßt sich zumindest entscheiden, ob ein solcher Satz wahr oder falsch ist? – Daß über Sinn oder Unsinn negativer

7 Vgl. Dionysios Areopagites, MT 1, 2: M. 3, 1000 B.

Theologie jedenfalls nicht mehr formal-logisch bzw. syntaktisch entschieden werden kann, wurde soeben nachgewiesen. In welcher Theorie erhält ein Verweis auf die Affirmation von Unaussagbarem Sinn? Gibt es etwa eine Theorie des Unaussprechlichen? Auf die letzte Frage sind verschiedene Antworten gefunden worden. Zwei sollen hier kurz referiert werden.

Eine heute schon als klassisch anzusehende, negative Antwort ist von L. Wittgenstein in seinem »Tractatus logico-philosophicus« gegeben worden. Der letzte Satz des »Tractatus« lautet: »Wovon man nicht sprechen kann, darüber muß man schweigen«[8]. Wittgenstein war nicht der Meinung, daß es nichts Unaussprechliches gebe oder geben dürfe. »Es gibt allerdings Unaussprechliches. Dies zeigt sich, es ist das Mystische.«[9] Aber man kann dieses unaussprechliche Mystische nach der Ansicht von Wittgenstein nur verweisend anzielen. Man muß alle wissenschaftlich bzw. formal-logisch kontrollierbaren Sätze durchgehen und erkennen, daß sie den Sinn des Lebens nicht enthalten. »Meine Sätze«, schreibt Wittgenstein, »erläutern dadurch, daß sie der, welcher mich versteht, am Ende als unsinnig erkennt, wenn er durch sie – auf ihnen – über sie hinausgestiegen ist. (Er muß sozusagen die Leiter wegwerfen, nachdem er auf ihr hinaufgestiegen ist.) Er muß diese Sätze überwinden, dann sieht er die Welt richtig. – Wovon man nicht sprechen kann, darüber muß man schweigen.«[10] Nach dem Tractatus gibt es also zwar keine Theorie des Unaussprechbaren, wohl aber das Außerkraftsetzen aller kontrollierbaren Aussagen als den Verweis auf die Affirmation von Unaussagbarem. Der Tractatus endet anscheinend – formal gesehen – mit negativer Theologie, schließt aber gerade aus, daß von ihr ein Begriff oder daß der Sinn der von ihr angezielten Affirmation angegeben werden könnte. Negative Theologie, wie sie am Ende des Tractatus auftaucht, kann nicht einmal als negative *Theologie* identifiziert, geschweige denn als Grundlagenbegriff einer Theologie angesetzt werden. Das, »wovon man nicht sprechen kann«, ist prinzipiell nicht mitteilbar und nicht auslegbar. Man muß darüber schweigen.

Eine etwas andere Antwort auf die Frage nach der Möglichkeit einer »Theorie des Unaussprechbaren« und nach dem Sinn negativer Theologie gibt J. M. Bochenski in »Logik der Religion«. Eine »Theorie des Unaussprechbaren« hält Bochenski für nicht widerspruchsvoll – d. h. für formal-logisch möglich –, aber für nicht hinreichend als Theorie

8 L. Wittgenstein, Tractatus logico-philosophicus (zitiert nach: Schriften I, Frankfurt a. M. 1969), Nr. 7.
9 Ebd., Nr. 6.522.
10 Ebd., Nr. 6.54–7.

für religiöses Sprechen – d. h. in einer angewandten Logik für nicht möglich[11]. Rein formal-logisch läßt sich leicht ein Gegenstand finden, der in einer Sprache ›l‹ ein unaussprechlicher Gegenstand ist[12]. Es ist z. B. ganz klar, »daß es in der Schach-Sprache kein Wort für Kuh gibt, d. h. der Gegenstand Kuh ist hier unaussprechbar«[13]. Es gibt also Fälle der Unaussprechlichkeit[14]. Dies läßt sich sogar verallgemeinern in dem Sinne, daß ein Ding ›d‹ in jeder Sprache unaussprechbar ist[15]. Denn es ist »nicht widerspruchsvoll, in *einer* Sprache zu behaupten, daß d unaussprechbar in einer anderen Sprache ist oder in einer Sprache, die Element einer Klasse von Sprachen ist, sofern die Sprache, in der die Behauptung formuliert ist, selbst kein Element dieser Klasse ist«[16]. Man sieht, daß Bochenski sich auf die Möglichkeit zurückzieht, zu jeder Sprache, in der das Ding d unaussprechbar sein soll, noch eine Metasprache zu finden, in der die Unaussprechbarkeit von d durch die Sprache l formuliert werden kann. Nun muß aber, wie der spätere Wittgenstein erkannt hat[17], jede Metasprache in ihrer Bedeutung umgangssprachlich bestimmt werden. Umgangssprache fungiert also als die Metasprache aller Metasprachen. Dann aber müßte, wenn die »Theorie des Unaussprechbaren« widerspruchsfrei bleiben soll, das auch umgangssprachlich Unaussprechbare in der Umgangssprache selber noch einmal als unaussprechlich formuliert werden können. Das aber ist undenkbar, sofern es sich um das Unaussprechbare handelt, auf dessen Affirmation in negativer Theologie verwiesen wird. Denn laut negativer Theologie ist selbst die Aussage, das gemeinte Unaussprechbare sei unaussprechbar, für falsch zu erklären, insofern damit eine adäquate Aussage über das Gemeinte gelungen sein soll. Das gemeinte Unaussprechbare ist darum auch nicht unter die Kategorie eines Dings d oder auch nur unter die eines Objektes der Religion (Bochenski kürzt ab: ›OR‹[18]) zu subsumieren. Die Feststellung Bochenskis, daß eine Theorie des Unaussprechbaren nicht hinreichend sei für das religiöse Sprechen (Bochenski kürzt ab: ›RS‹[19]), weil sie im Widerspruch stehe zum tatsächlichen religiösen Sprechen[20], ist im

11 J. M. Bocheński, Logik der Religion . . ., a.a.O., 37–41.
12 Ebd., 38. – Bocheński schreibt: ›Un (x,l)‹ für: ›x ist in der Sprache l ein unaussprechlicher Gegenstand‹.
13 Ebd., 38.
14 Ebd. (formalisiert: $\exists$ x,l · Un (x,l)).
15 Ebd. (formalisiert: $\forall$ l · Un (d,l)).
16 Ebd., 39.
17 Vgl. L. Wittgenstein, Philosophische Untersuchungen: Schriften I, Frankfurt a. M. 1969, Nr. 120: »Wenn ich über Sprache (Wort, Satz etc.) rede, muß ich die Sprache des Alltags reden.«
18 J. M. Bocheński, a.a.O., 37.
19 Ebd., 20.
20 Ebd., 39.

Hinblick auf das in negativer Theologie angezielte Unaussprechbare selber nicht hinreichend. Gegenüber der Radikalität des in negativer Theologie ausgesprochenen Verweises dürfte ein Rekurs auf faktisches, religiöses Sprechen nicht durchschlagen. – Über die Radikalität dessen, was negative Theologie meint, scheint sich Bochenski in seiner »Logik der Religion« allgemein nicht so klar zu sein wie Wittgenstein im »Tractatus«. Die Art, wie Bochenski seine Ablehnung der negativen Theologie letztlich begründet[21], bestätigt diesen Eindruck. Gegen die negative Theologie können nach Bochenski schließlich »dieselben Einwände erhoben werden, wie schon früher gegen die Theorie des Unaussprechbaren. Wenn auch kein Widerspruch im Rahmen der allgemeinen Logik entsteht, so ergibt sich dieser doch mit dem RS als Ganzem. Denn offensichtlich schreibt das RS dem OR Eigenschaften erster Stufe zu, und einige davon auch in seinem aussageartigen Teil; und soweit der nicht aussageartige Teil betroffen ist, setzt dieser voraus, daß dem OR solche Eigenschaften durch die Benutzer von RS zugeschrieben werden ... Man kann nicht etwas verehren, von dem man nur annimmt, daß ihm keine positiven Eigenschaften zugeschrieben werden können. Deshalb muß die Theorie der Negativen Theologie, so wie sie (scil. bei Bochenski) formuliert wurde, abgelehnt werden«[22]. Bochenski kann keine für den Begriff negativer Theologie zureichende Theorie formuliert haben, wenn er meint, den Anspruch negativer Theologie mit Hinweis auf die Eigenschaften eines im faktischen, religiösen Sprechen gemeinten Objektes der Religion entkräften zu können. Der von ihm immerhin konstatierte Widerspruch zwischen dem von ihm formulierten Begriff negativer Theologie und dem faktischen, religiösen Sprechen könnte höchstens darauf hindeuten, daß letzteres aufgrund negativer Theologie kritisch geläutert werden müßte.

Gegenüber der Ansicht Bochenskis in »Logik der Religion« ist also der Wittgensteins in seinem »Tractatus« recht zu geben darin, daß bei Überschreitung des wissenschaftlich und logisch kontrollierbaren Aussagebereiches wohl ein Konzept negativer Theologie anvisiert werden kann, daß ihre Bedeutung und besonders diejenige der in ihr angezielten Affirmation aber in keiner semantisch oder überhaupt irgendwie sprachtheoretisch kontrollierbaren Theorie umgreifend und eindeutig begriffen werden kann[23]. Die dafür benötigte Theorie müßte ja gerade die des Unaussprechbaren sein.

21 Ebd., 98–101. 22 Ebd., 100 f.

23 Vgl. L. Wittgenstein, Tractatus ..., a.a.O., Nr. 6.52: »Wir fühlen, daß selbst, wenn alle *möglichen* wissenschaftlichen Fragen beantwortet sind, unsere Lebensprobleme noch gar nicht berührt sind. Freilich bleibt dann eben keine Frage mehr; und eben dies ist die Antwort.

Welchen funktionalen Sinn hat dann negative Theologie für religiöses Sprechen und für alles Sprechen überhaupt? – Wie soeben festgestellt, läßt sich ja schon keine zureichende, formale Analyse des Begriffs negativer Theologie in sich durchführen. Ebensowenig ist linguistisch eine hinreichende Theorie des Unaussprechbaren so möglich, daß in ihr über Sinn oder Unsinn negativer Theologie und der in ihr angezielten Affirmation entschieden werden könnte. Ein Nachweis, daß negative Theologie etwa metatheoretisches Axiom einer Theorie bzw. einer Logik der Religion wäre, ist überhaupt nicht rein sprachtheoretisch zu erbringen. Die Entscheidung über eine etwa formal grundlegende Bedeutung negativer Theologie kann nur in der Praxis religiösen Sprechens oder des Sprechens allgemein fallen, obwohl, wie schon angedeutet, faktisches, religiöses Sprechen auch nicht alleiniger Maßstab für den Begriff negativer Theologie sein darf. Dann ist aber die Frage nach einem funktionalen Sinn negativer Theologie für religiöses Sprechen oder alles Sprechen überhaupt allgemeinlogisch nur noch in einer Pragmatik zu stellen – das bedeutet: in einer Theorie, in welcher die Beziehungen zwischen (sprachlichen) Zeichen und ihren Benutzern untersucht werden. Man wird dabei etwa so fragen: In welchen Sprachspielen spielt negative Theologie eine Rolle, und welche Rolle spielt sie darin? Denn in bestimmten Sprechsituationen könnte ein Verweis vermittels umfassender Verneinung für bestimmte, kompetente Sprecher durchaus einen bestimmten, affirmativen Sinn ergeben. Umgekehrt könnten bestimmte Sprechsituationen gerade durch diesen Verweis spezifisch strukturiert sein. – Denkbar wäre etwa, daß negative Theologie als der Qualifikator (»qualifier«) bestimmter, überlieferter religiöser oder konfessioneller Sprech- bzw. genauerhin bestimmter Erzählmodelle aufgefaßt werden muß, der diese Modelle als »kosmische Erschließungssituiationen« (»situations of cosmic disclosure«) fungieren läßt, d. h. als solche, die jeweils alles »Beobachtbare und (immer noch) mehr« erschließen[24]. – Religiöses Sprechen ist in

6.5.21: Die Lösung des Problems des Lebens merkt man am Verschwinden dieses Problems. (Ist nicht dies der Grund, warum Menschen, denen der Sinn des Lebens nach langen Zweifeln klar wurde, warum diese dann nicht sagen konnten, worin dieser Sinn bestand.)«

24 In diesem Zusammenhang wäre vor allem an die sprachanalytischen Überlegungen von Jan Ramsey anzuknüpfen: vgl. etwa J. T. Ramsey, Logical Empirism and Patristics: Studia Patristica V, Papers presented to the 3rd Intern. Confer. on Patr. Studies held at Christ Church, Oxford 1959, Part III, ed. F. L. Cross, Berlin 1962; J. T. Ramsey, Religious Language, An Empirical Placing of Theological Phrases, London 1967. – Zu Ramseys Analyse des religiösen Sprechens vgl. T. Y. Mullins, Disclosure, A Literary Form in the NT: Novum Testamentum 7, Leiden 1964, 44–50; J. H. Gill, J. Ramsey's Interpretation of Christian

einer säkularisierten Gesellschaft freilich in der Gefahr, sinnlos zu werden. In ihr ist auch ernsthaft daran zu zweifeln, daß immer noch mehr erschlossen als beobachtet werden kann. Darum darf man sich nicht damit begnügen, nach dem funktionalen Sinn negativer Theologie für religiöses Sprechen und Reflektieren zu fragen. Es ist auch zu fragen nach der grundsätzlichen, formalen bzw. funktionalen Bedeutung negativer Theologie für das neuzeitliche Sprechen und Reflektieren überhaupt. So anmaßend generell diese Frage auch klingen mag, von einer Antwort auf sie hängt ab, ob negative Theologie wie religiöses Sprechen heute und in Zukunft noch eine Chance hat, verstanden zu werden. – Die Frage nach dem funktionalen Sinn negativer Theologie ist also – wenn man hier einen Gedanken von J. Habermas[25] aufnehmen darf – die nach einer Strukturregel, nach welcher heute Menschen, die zur Kommunikation fähig sind – Habermas sagt: »kommunikativ kompetente Sprecher«[26] –, Situationen möglicher religiöser Rede so hervorbringen können, daß diese für alle, die sich der so geschaffenen Situation aussetzen, als religiöse Rede verständlich ist. Nach dem funktionalen Sinn negativer Theologie für religiöses Sprechen muß also gefragt werden in einer Theorie, wie J. Habermas sie als »Universalpragmatik« vorschlägt. »Aufgabe dieser Theorie ist die Nachkonstruktion des Regelsystems, nach dem wir Situationen möglicher Rede überhaupt hervorbringen oder generieren.«[27]

Das Erfordernis einer Universalpragmatik ist der Sache nach schon längst vor Habermas erkannt worden. Lange Zeit aber hat man »universal« ohne weiteres mit »a priori notwendig« gleichgesetzt. So konnte man meinen, die Strukturgesetze (sprachlicher) Zeichen ließen sich a priori aus subjektiven Möglichkeitsbedingungen, die in den Zeichenbenutzern mit Notwendigkeit angelegt seien, erklären und sogar verständlich machen. Man hat dafür seit Kant die Theorie der sog. transzendentalen Logik entwickelt. Transzendentale Logik ist aber nicht mehr eine Theorie, die nur der Logik angehört, sondern genaugenommen eine philosophische Theorie. Sie ist als ein Versuch anzusehen, die philosophischen Voraussetzungen und Konsequenzen der Logik aufzuhellen[28]. – Sofern transzendentale Logik rein apriorisch vor-

Language (Diss. Duke Univ. 1966); G. Cossée de Maulde, Analyse linguistique et langage religieux, L'approche de Jan T. Ramsey dans ›Religious Language‹: Nouvelle Revue Théologique, Année 101 (= Tome 91), 1969, 169–202; Vim A. de Pater, Theologische Sprachlogik, München 1971.

25 Vgl. J. Habermas, Vorbereitende Bemerkungen zu einer Theorie der kommunikativen Kompetenz: J. Habermas – N. Luhmann, Theorie der Gesellschaft oder Sozialtechnologie, Frankfurt am Main 1971, 101–141.

26 Ebd., 102 f.

27 Ebd., 102.

28 Vgl. J. M. Bocheński, Logik der Religion ..., a.a.O., 153.

geht, ist nicht zu erwarten, daß sie den funktionalen Sinn negativer Theologie zureichend erfassen könnte. Denn als rein apriorische geht sie auch rein theoretisch vor. Zu erwarten ist nach den bisherigen Überlegungen jedoch, daß man bei der Suche nach einem funktionalen Sinn negativer Theologie die faktische Praxis des Sprechens und besonders des religiösen Sprechens berücksichtigen muß. Dann aber kann die funktionale und wahrscheinlich auch die inhaltliche Bedeutung negativer Theologie nicht a priori eingesehen werden. Dies soll nun am Versuch einer transzendentallogischen Konstruktion des Begriffs negativer Theologie aufgezeigt werden.

II.1/2 Negative Theologie und transzendentale Logik

»Transzendental« heißt nach Kant die Erkenntnis, »die sich nicht so wohl mit Gegenständen, sondern mit unserer Erkenntnisart von Gegenständen, sofern diese a priori möglich sein soll, überhaupt beschäftigt«[29]. Kant entwirft unter dem Namen des Transzendentalen eine philosophische Forschungsrichtung, die nach der apriorischen Möglichkeit von Gegenstandserkenntnis fragt. Die Philosophie soll über sich selbst aufgeklärt werden, damit sie sich nicht eine Erkenntnis von metaphysischen Gegenständen anmaßt, die jenseits ihrer Reichweite liegen. Kant will vermeintliches Wissen aufheben, um, wie er sagt, für den Glauben Platz zu bekommen[30]. Das Programm der transzendentalen Erkenntniskritik Kants ist also getragen von dem Verweis durch eine Negation auf eine Affirmation. Es hat, wie es scheint, mit negativer Theologie zu tun. – Die Kantische Idee der transzendentalen Erkenntniskritik wird aufgegriffen von E. Husserl. Ihm geht es um eine philosophische – und das heißt für ihn: nicht psychologische – Begründung der Logik. Er ist der Ansicht, »daß alle *subjektiv gerichteten Sinnprobleme,* die für die Wissenschaft und Logik in Frage sind und in Frage sein müssen, *nicht Probleme der natürlichen menschlichen Subjektivität,* also *psychologische Probleme* sind, sondern Probleme der *transzendentalen Subjektivität*«[31]. Man erkennt, daß Husserl mit dem Hinweis auf eine transzendentale Subjektivität Metalogie betreibt. Husserl will die in jedem Subjekt vorhandenen logischen Gesetzmäßigkeiten, ohne welche auch keine objektive Wissenschaft ar-

29 I. Kant, Kritik der reinen Vernunft (zit. nach der 2. Auflage, Riga 1787), 25.
30 Vgl. ebd., XXX.
31 E. Husserl, Formale und transzendentale Logik, Versuch einer Kritik der logischen Vernunft, Halle 1929, 11.

beiten kann, auf ein in allen erkennenden Subjekten angelegtes Substrat zurückführen, das die apriorische Bedingung der Möglichkeit solcher Gesetzmäßigkeiten sein soll. Dieses Substrat ist für ihn die »Subjektivität, die dem Sein der Welt als ihren Seinssinn in sich konstituierende vorhergeht, und die demnach ihre Realität ganz und gar in sich trägt als in ihr aktuell und potenziell konstituierte Idee«[32]. – Kants und Husserls Gebrauch transzendentaler Erkenntniskritik sind Modelle für eine Beschäftigung mit transzendentaler Philosophie, die in unserem Zusammenhang weiterhelfen könnte. Kant läßt sich von einem metaphysikkritischen Interesse leiten, das dem Verweis in negativer Theologie verwandt scheint. Husserl interessiert sich für metalogische Begründung. Hier interessiert die Frage, ob negative Theologie als der Verweis durch Negation auf Affirmation selber metalogisch erhellt werden kann. – Kant und Husserl entwickeln eine Methode, die sie transzendental nennen. Sie besteht darin, daß faktische Erkenntnisweisen auf ihren apriorischen Möglichkeitsgrund kritisch hinterfragt werden. Im Rückblick vor allem auf das Philosophieren Kants ist der Anwendungsbereich der transzendentalen Methode noch weiter zu fassen. Kant schrieb bekanntlich nicht nur eine Kritik der reinen, sondern auch eine der praktischen Vernunft. Danach soll nicht nur die rechte Art der Gegenstandserkenntnis, sondern auch das Gesetz sittlichen Handelns aus einem apriorischen Möglichkeitsgrund hergeleitet werden können. In der transzendentalen Philosophie werden also das wahre Erkennen und das sittliche Handeln als solche auf ihre letzte, apriorische Möglichkeitsbedingung zurückgeführt sowie aus ihr hergeleitet. – Dabei werden kognitive und operative Strukturen, die normative Bedeutung haben und sich in sprachlichen Zeichen niederschlagen, a priori begründet und aufgehellt. Gerade dies soll hier als die Aufgabe einer transzendentalen Logik angesehen werden. Die Frage, die uns interessiert, kann dann lauten: ist negative Theologie sprachliches Zeichen einer normativen Struktur, die transzendentallogisch ergründet und verstanden werden kann?

II.1/2.1 Transzendentallogische Vorüberlegungen

Eine formal-logische bzw. syntaktische Strukturanalyse negativer Theologie hat erbracht, daß in negativer Theologie eine radikal universelle Negation auf eine Affirmation verweist. Eine semantische Untersuchung ergab, daß der Sinn negativer Theologie gerade eine Überschreitung des wissenschaftlich und logisch kontrollierbaren **Aussagebereichs,** – anders gesagt: – daß negative Theologie ein Grenzbegriff der Er-

[32] Ebd., 237.

kenntnis sein muß. Transzendentallogisch ist dann zu fragen, wie sich Negation und Affirmation sozusagen an der Grenze der Erkenntnis zueinander verhalten und ob dort ein Verweis von Negation auf Affirmation a priori einen Sinn gewinnt. – »An der Grenze der Erkenntnis« – das kann transzendentallogisch nur bedeuten: im apriorischen Möglichkeitsgrund wahrer Erkenntnis und sittlichen Handelns. Denn dieser Grund ist die einzige Grenze, von der transzendentales Philosophieren weiß: hinter ihn kann nicht zurückgefragt werden. In unserem Falle ist also zu untersuchen, ob im apriorischen Möglichkeitsgrund Negation und Affirmation aufeinander verweisen. Wenn dies der Fall sein sollte, dann würde transzendentale Logik jenseits einer radikalen Negation, welche die allgemeine Logik gleichsam erblinden läßt, noch einer Affirmation ansichtig. – Demnach ist in drei Schritten vorzugehen. Zuerst ist der apriorische Sinn von Affirmation und Negation zu erhellen. Dann ist ihr apriorisches Verhältnis zueinander zu bestimmen. Dabei kann es sich im Rahmen dieser Untersuchung um kaum mehr als um vielleicht recht willkürlich anmutende, transzendentallogische Vermutungen handeln. Auch ist es unmöglich, das zu Entwikkelnde durch Belege aus einschlägiger Literatur völlig abzusichern. Die verschiedenen Bemühungen transzendentaler Logik divergieren in ihrer Intention und in ihrem konkreten Vorgehen zu sehr voneinander. Die hier vorgetragenen Thesen mögen also für – oder gegen – sich selbst sprechen.
Dem transzendentalen Denken entspricht es, wie sich zeigen wird, zuerst den Sinn von Affirmation und dann erst den von radikaler Negation aufzusuchen. – Welchen Sinn hat Affirmation im Zusammenhang mit dem apriorischen Möglichkeitsgrund, auf welchen die transzendentale Logik alle allgemein gültigen, subjektiv zeichenhaften Strukturen zurückführen will? Man wird antworten dürfen: der apriorische Möglichkeitsgrund muß a priori gesetzt werden. Affirmation dürfte gleichbedeutend sein mit apriorischer Setzung. – Was muß a priori gesetzt – kurz: affirmiert – werden? Jetzt wird gefragt nach dem Gehalt des apriorischen Möglichkeitsgrundes. Die Antwort kann kurz lauten: eine apriorische Synthesis. – Kant sprach »von der ursprünglich-synthetischen Einheit der Apperzeption«, und er umschrieb sie als das »Ich denke«, das »alle meine Vorstellungen« muß »begleiten können«. Die Vorstellung des »Ich denke« »aber ist ein »Actus der *Spontaneität,* d. i., sie kann nicht als zur Sinnlichkeit gehörig angesehen werden«. Kant nennt »sie die *reine Apperzeption,* um sie von der *empirischen* zu unterscheiden, oder auch die *ursprüngliche Apperzeption,* weil sie dasjenige Selbstbewußtsein ist, was, indem es die Vorstellung *Ich denke* hervorbringt, die alle andere muß begleiten können, und in

allem Bewußtsein ein und dasselbe ist, von keiner weiter begleitet werden kann«. Er nennt »auch die Einheit derselben die *transzendentale* Einheit des Selbstbewußtseins, um die Möglichkeit der Erkenntnis a priori aus ihr zu bezeichnen«[33]. Demnach wird in einem ursprünglich spontanen Akt die transzendentale Einheit des Selbstbewußtseins als die Zusammensetzung von »Ich denke« und vorgestellter Gegenständlichkeit gesetzt. – Fichte meint, Kants »synthetische Einheit« auf eine »analytische Einheit« zurückführen zu können[34]. Die spontane Selbstsetzung des Ich, bei der es erst als das Ich des »Ich denke« Kants sichtbar wird, ist das »dem Philosophen angemutete Anschauen seiner selbst beim Vollziehen des Aktes, wodurch ihm das Ich entsteht«[35]. Es handelt sich dabei um eine »reine Tätigkeit, die kein Objekt voraussetzt, sondern es selbst hervorbringt, und wo sonach das Handeln unmittelbar zur Tat wird«[36]. Fichte spricht von »Tathandlung«[37] im Gegensatz zu dem, was man sonst »Tatsache« nennt, oder auch von »intellektueller Anschauung«[38]. Fichte deutet die apriorische Einheit, die als der von der transzendentalen Logik letztlich aufzuhellende, apriorische Möglichkeitsgrund affirmiert werden muß, also als die ursprüngliche Akteinheit einer spontanen Selbstanschauung und der Setzung des transzendentalen Ich (denke). – In der Affirmation wird demnach eine – gleichwie genauer zu bestimmende – ursprüngliche Einheit von Selbstfindung und Weltsetzung a priori bejaht. »In der Affirmation vergewissert sich das Ich, indem es sich des Selbstseins des Sachverhaltes vergewissert, des eigenen Selbstseins.«[39] Das »in einem hervorgebrachte Selbstsein und Erscheinen des Ich wie des Seienden ist der transzendentale Begriff der Wahrheit«[40]. – Bevor nun umgekehrt gefragt wird, was denn die Affirmation des apriorischen Möglichkeitsgrundes als solche selber – transzendentallogisch gesehen – ermöglicht, muß erst noch auch nach dem apriorischen Sinn von radikaler Negation geforscht werden.

Welchen Sinn hat radikale Negation[41] im Zusammenhang mit dem affirmierten, apriorischen Möglichkeitsgrund, aus welchem transzen-

33 I. Kant, Kritik der reinen Vernunft, 131–132.

34 So in einer Vorlesung von 1812: J. G. Fichte, Über das Verhältnis der Logik zur Philosophie oder transzendentale Logik: Nachgelassene Werke, hrsg. v. J. H. Fichte, Leipzig 1834, 177–179.

35 So schon in: J. G. Fichte, 2. Einleitung in die Wissenschaftslehre (1797[1]), Hamburg 1954, 49.

36 Ebd., 54.

37 Ebd., 46; 82.

38 Ebd., 49.

39 H. Krings, Transzendentale Logik, München 1964, 317.

40 Ebd.; vgl. 330.

41 Vgl. zum transzendentalen Begriff der Negation: W. Flach, Negation und Andersheit, Ein Beitrag zur Problematik der Letztimplikation, München–Basel

dentale Logik allgemein gültige, kognitive und operative Strukturen herleiten will? – In radikaler Negation wird statt des in der Affirmation apriorisch gesetzten Möglichkeitsgrundes von Erkenntniswahrheit und Sittlichkeit des Handelns a priori die Möglichkeit von Nichtigkeit und Leere sowohl erfahren als auch verneint. Die ursprünglichen Erwartungsintentionen, welche die Dynamik von Erkennen und Handeln antreiben, werden von ihrem Ursprung her enttäuscht[42]. Statt der Möglichkeit von Welt wird die des Nichts, statt der des Selbst die des Todes gesichtet und zugleich gefürchtet[43]. »In dieser Negation erfährt sich der Akt in seiner baren Formalität, die, sofern sie gesetzt ist, als die gänzliche Negation des Seienden wie des Erkennens gesetzt ist.«[44] – Es könnte so scheinen, als würde die radikale Negation hier einfach als das konträre Gegenbild zur Affirmation gezeichnet. Der Gegensatz von Ja- und Neinsagen ist aber transzendentallogisch später als die Differenz von Affirmation und radikaler Negation. Zu fragen ist also, wie sich Affirmation und radikale Negation ursprünglich zueinander verhalten und Ja und Nein ermöglichen.

Dazu ist aber nun vor allem die Frage zu beantworten, was Affirmation einerseits und radikale Negation andererseits im Zusammenhang mit dem apriorischen Möglichkeitsgrund, aus dem transzendentale Logik deduzieren will, überhaupt unterscheidend ermöglichen. – Als Aufgabe war der transzendentalen Logik gestellt, kognitive und operative Strukturen und Gesetzmäßigkeiten, die sich in Zeichen niederschlagen, aus dem apriorischen Möglichkeitsgrund zu erklären. Hier soll nun eine tranzendentallogische These aufgestellt werden, die das, was die transzendentale Logik erklären soll, wenigstens als plausibel erscheinen läßt: Affirmation und radikale Negation ermöglichen im Bezug auf den apriorischen Möglichkeitsgrad a priori unterscheidend sittliches Handeln und wahres Erkennen. – *Die apriorische Möglichkeitsbedingung von sittlichem Handeln als solchem ist die durch Vor- oder auch Rückgriff in jedem Akt mitvollzogene, unbedingte Bejahung – Affirmation – eines Gelingens der Selbstheit des Ich und zugleich der Heilsidentität der Welt.*

Dieser Satz scheint transzendentallogisch einleuchtend. Denn daß dieses Gelingen unbedingt bejaht werden muß, ist evident. Und wie sollte transzendentallogisch anders autonome Sittlichkeit begründet werden als im Vorgriff oder Rückgriff auf eine unbedingte Bejahung solchen Gelingens? Gleichsam suspendiert wird das Gesetz des Handelns im-

1959; vgl. auch Kl. Heinrich, Versuch über die Schwierigkeit nein zu sagen, Frankfurt a. M. 1964.

42 Vgl. E. Husserl, Formale und transzendentale Logik . . ., a.a.O., 50.

43 Vgl. M. Heidegger, Sein und Zeit, Tübingen 1963[10], 257.

44 H. Krings, Transzendentale Logik . . ., a.a.O., 330.

mer erst in den Fällen, in denen radikale Negation die apriorische Möglichkeit des Mißlingens erfährt und sich dagegen sträubt. – *Die apriorische Möglichkeitsbedingung von wahrem Erkennen als solchem ist ein durch Vor- und Rückgriff in jeder Reflexion mitthematisiertes, unbedingtes Sichsträuben (radikale Negation) gegen das möglicherweise eintretende Scheitern aller Bemühung um Selbstheit des Ich und um die Heilsidentität der Welt.*

In der Distanz gegenüber dem Gelingen ist Re-flexion vonnöten, damit auf neue Weise nach Affirmation ausgelangt werden könne. – Affirmation und Negation schließen einander transzendentallogisch also nicht aus, sie bedingen vielmehr polar einander. Jede Bezugnahme auf radikale Negation in einer Reflexion degradiert allerdings kritisch eine als unbedingt ausgegebene Bejahung zu einer bedingten, genannt: Position; diese muß dann erneut auf eine sie gründende Affirmation hinterfragt werden. Umgekehrt relativiert jedes Bezugnehmen auf Affirmation durch eine Position, die in sittlichem Sichentscheiden und Handeln gesetzt wird, eine zur Abstraktion radikalisierte Reflexion und führt sie zu konkreterer Bestimmtheit zurück. Transzendentallogisch sind also Erkennen und Handeln, sofern sie verantwortet sein sollen, über den Verweis einer radikalen Negation der Möglichkeit prinzipiellen Scheiterns auf eine Affirmation letztlichen Gelingens von Selbstfindung und Heilsvollendung miteinander verknüpft. Es scheint so, daß man bei radikaler Negation nicht stehenbleiben kann, sondern a priori zur Affirmation übergehen muß. Daraus erklärt sich transzendentallogisch, wieso man eine wahre Erkenntnis nicht haben kann, wenn man nicht auch zu sittlichem Handeln kommt oder sogar zu ihm übergeht. Ein Verweis vermittels radikaler Negation auf Affirmation scheint also transzendentallogisch funktionalen Sinn zu haben: er ermöglicht, einen Zusammenhang von Theorie und Praxis a priori als sinnvoll zu verstehen. Hiervon kann offenbar auch der Gedanke an einen Sinn negativer Theologie ausgehen. Zuvor muß jedoch auch darüber gesprochen werden, wie transzendentallogisch Widersprüche in der Form des Gegensatzes von »Nein« zu »Ja« erklärlich sind.

II.1/2.2 Die transzendentallogische Antinomie

Der Widerspruch heißt in seiner transzendentallogischen Wurzel seit Kant »Antinomie«. Zur Bestimmung ihres transzendentalen Wesens ist aufschlußreich, was Kant über sie sagt. – In der »transzendentalen Elementarlehre« seiner »Kritik der reinen Vernunft« unterscheidet er zwischen transzendentaler Ästhetik und transzendentaler Logik. Als die Möglichkeitsbedingung für diese Unterscheidung benennt er den Unterschied zwischen der Rezeptivität der Eindrücke und der Spontaneität der Begriffe[45]. Für diese Unterscheidung gibt er keinen Möglichkeitsgrund mehr an, wenngleich er die Rezeptivität der Eindrücke einerseits durch die Anschauungsformen von Raum und Zeit und die Spontaneität der Begriffe andererseits durch die reinen Verstandesbegriffe – die Kategorien – geregelt sein läßt. Für den Unterschied zwischen Anschauungsformen und Kategorien bleibt er aber eine transzendentallogische Erklärung schuldig. Sollten in den Ausdrücken Rezeptivität und Spontaneität – die doch die Grundfähigkeiten theoretischen und praktischen Vernunftgebrauchs meinen – Pole der Antinomie in ihrer transzendentalen Grundgestalt benannt sein? – In der »Transzendentalen Dialektik« seiner »Kritik der reinen Vernunft« behandelt Kant im zweiten der drei Hauptstücke, die insgesamt »Von den dialektischen Schlüssen der reinen Vernunft« handeln, die »Antinomie der reinen Vernunft«[46]. Obwohl er von ihr in der Überschrift im Singular redet, gibt er nirgendwo eine Begriffsbestimmung von Antinomie als solcher und benennt auch nicht nur eine Antinomie, sondern zählt deren vier auf. In unserem Zusammenhang scheint nur die dritte von Bedeutung. Kant formuliert sie in Thesis und Antithesis: »Thesis: Die Kausalität nach Gesetzen der Natur ist nicht die einzige, aus welcher die Erscheinungen der Welt insgesamt abgeleitet werden können. Es ist noch eine Kausalität der Freiheit zur Erklärung derselben anzunehmen notwendig. – Antithesis: Es ist keine Freiheit, sondern alles in der Welt geschieht lediglich nach Gesetzen der Natur.«[47] Kant »hebt« – wie die anderen Antinomien – auch die dritte, indem er sie auf das zurückführt, was er »dialektischen Schein« nennt. Er entstehe, wie Kant erklärt, dadurch, daß die reine Vernunft beim Denken der absoluten Totalität sich verführen lasse, die Grenzen möglicher Erfahrung zu überschreiten und die jenseits dieser Grenzen vorgegaukelten – nur »intelligiblen« – Gegenstände wie empirische Objekte zu betrachten. In einer solchen Überschreitung ihrer Erfahrungsgrenzen komme die reine Vernunft unter anderem auch zu dem Trugschluß, Verursachung nach Naturgesetzen und Verursachung aus Freiheit stünden einander antinomisch gegenüber. In Wahrheit lasse sich über das Verhältnis beider Verursachungen zueinander nichts aussagen[48]. An dieser Überlegung Kants ist für unseren Zusammenhang

45 Vgl. I. Kant, Kritik der reinen Vernunft, a.a.O., 74; vgl. 33.
46 Ders., 435.
47 Ebd., 471–473.
48 Vgl. ebd., 560–586; vgl. B. 534: »So wird demnach die Antinomie der reinen Vernunft bei ihren kosmologischen Ideen gehoben, dadurch, daß gezeigt wird, sie sei bloß dialektisch und ein Widerstreit eines Scheins, der daher entspringt, daß man die Idee der absoluten Totalität, welche nur als eine Bedingung der Dinge an sich selbst gilt, auf Erscheinungen angewandt hat, die nur in der Vor-

einmal von Interesse, daß der Unterschied von Rezeptivität der Eindrücke und Spontaneität der Begriffe der Sache nach in dem unvermeidlichen Zwist der Vernunft mit sich selbst wiederkehrt, einerseits Kausalität nach Gesetzen der Natur und andererseits Kausalität aus Freiheit denken zu müssen. Es fällt auf, daß Kant dieser Antinomie unter den Antinomien der reinen Vernunft keinen besonderen Stellenwert verleiht. Zum anderen ist interessant zu bemerken, daß Kant die Entstehung von unvermeidlichen Zwisten der Vernunft mit sich selbst aus einer Grenzüberschreitung erklärt. In unserem Zusammenhang drängt sich die Frage auf: könnte nicht der transzendentallogisch feststellbare funktionale Sinn der Grenzüberschreitung, welche in negativer Theologie angedeutet scheint, auch darin bestehen, daß sie gerade die Antinomie hervorbringt? – In seiner »Kritik der praktischen Vernunft« spricht Kant nur von einer einzigen Antinomie. Allerdings formuliert er sie dort nicht straff in Thesis und Antithesis, sondern entwickelt sie in einem längeren Gedankengang. Schon vorher hat er von einem »höchsten Gut« gesprochen, das unbedingt zu bejahen ist. Es scheint, daß Kant damit die Affirmation als Möglichkeitsbedingung sittlichen Handelns angesprochen hat. Denn er hat dort gesagt, daß »Tugend und Glückseligkeit zusammen den Besitz des höchsten Gutes in einer Person, hierbei aber auch Glückseligkeit, ganz genau in Proportion der Sittlichkeit (als Wert der Person und deren Würdigkeit glücklich zu sein) ausgeteilt, das *höchste* Gut einer möglichen Welt ausmachen«[49]. Die Antinomie der praktischen Vernunft entwickelt Kant nun auf folgende Weise. »Es ist a priori (moralisch) notwendig, das *höchste Gut durch Freiheit des Willens hervorzubringen;* es muß also auch die Bedingung der Möglichkeit desselben lediglich auf Erkenntnisgründen a priori beruhen.«[50] Anders gesagt: transzendentallogisch ergibt sich a priori als moralisch notwendig und sittlich möglich, das höchste Gut allein durch Freiheit des Willens hervorzubringen. Dies führt nun aber zur Antinomie, die Kant so formuliert: »Es muß . . . entweder die Begierde nach Glückseligkeit die Bewegursache zu Maximen der Tugend, oder die Maxime der Tugend muß die wirkende Ursache der Glückseligkeit sein . . .«[51] Daß darin das grundlegend Antinomische der praktischen Vernunft besteht, zeigt sich daran, daß, wie Kant sofort erklärt, beide Seiten der Alternative Unmögliches zum Inhalt haben. »Das erste ist *schlechterdings* unmöglich:

stellung und, wenn sie eine Reihe ausmachen, im sukzessiven Regressus, sonst aber gar nicht existieren.«

49 Ders., Kritik der praktischen Vernunft (zitiert nach den Seitenzahlen der ersten Auflage, Riga 1788), 199.

50 Ebd., 203.

51 Ebd., 204 f.

weil (wie in der Analytik bewiesen) Maximen, die den Bestimmungsgrund des Willens in dem Verlangen nach seiner Glückseligkeit setzen, gar nicht moralisch sind, und keine Tugend gründen können.«[52] Das erste – daß das Glückseligkeitsverlangen sittliche Normen hervorbringe – ist also unmöglich nach Kants Kritik der praktischen Vernunft, die jeden Hedonismus oder Eudaimonismus bei der Begründung des Sittlichen ablehnt. »Das zweite (scil. daß sittliche Normen die Glückseligkeit hervorbringen) ist aber auch unmöglich, weil alle praktische Verknüpfung der Ursachen und der Wirkungen in der Welt, als Erfolg der Willensbestimmung sich nicht nach moralischen Gesinnungen des Willens, sondern der Kenntnis der Naturgesetze und dem physischen Vermögen, sie zu seinen Absichten zu gebrauchen, richtet, folglich keine notwendige und zum höchsten Gut zureichende Verknüpfung der Glückseligkeit mit der Tugend in der Welt, durch die pünktlichste Beobachtung der moralischen Gesetze, erwartet werden kann.«[53] Der langen Rede kurzer Sinn ist der, daß das zweite – daß nämlich durch sittliche Normen Glückseligkeit hervorgebracht wird – unmöglich ist nach Kants Kritik der reinen Vernunft, in welcher eben neben die Kausalität durch Freiheit des Willens die nach den Gesetzen der Natur gestellt wird. Das Grunderfordernis praktischen Vernunftgebrauchs ist also die Hervorbringung des höchsten Gutes durch Freiheit des Willens. Das Grunderfordernis theoretischen Vernunftgebrauchs aber ist die Einsicht, daß dies nicht möglich ist.
Damit scheint nun die Antinomie in ihrer transzendentallogischen Grundgestalt ans Licht gebracht. Die Vernunft gerät in einen antinomischen Zwist mit sich selbst, wenn sie die unbedingte Bejahung des höchsten Gutes – wie Kant sagt – bzw. des Gelingens der Selbstfindung des Ich sowie der Heilschaffung für die Welt, die sie als die apriorische Möglichkeitsbedingung sittlichen Handelns ansehen muß, vergleicht mit der unbedingten Verneinung, die ihr widerfährt angesichts der Unmöglichkeit, dieses höchste Gut zu verwirklichen, die aber als solche apriorische Möglichkeitsbedingung verantwortlichen Erkennens ist. – Radikale Negation und Affirmation bedingen zwar polar einander und begründen so transzendentallogisch den Verweis von Theorie auf Praxis und umgekehrt. Dies gilt aber nur, sofern man entweder die radikale Negation oder die Affirmation transzendentallogisch für sich betrachtet. Dann tritt jeweils ein Verweis auf den anderen Pol auf. Sobald man aber transzendentallogisch beide Pole zugleich anzielt, erscheint die Antinomie. Der Vernunftgebrauch zur Ermöglichung sittlicher Praxis als solcher schließt den Vernunftgebrauch zur Ermög-

[52] Ebd.
[53] Ebd.

lichung wahrer Theorie als solcher aus und umgekehrt. Die letzte Einsicht transzendentaler Logik scheint also nicht ein wechselseitiger Verweis von Affirmation und radikaler Negation zu sein, sondern vielmehr ihr antinomischer Gegensatz. Er dürfte der letzte, apriorische Möglichkeitsgrund für den formallogischen Nichtwiderspruchssatz sein, wonach man in jedem Falle zu einem bestimmten Sachverhalt und in einer bestimmten Hinsicht entweder ja oder nein sagen muß.
Dann aber wird auch der transzendentallogisch erhebbare, funktionale Sinn negativer Theologie, sofern diese als Verweis durch radikale Negation auf Affirmation aufgefaßt werden kann, sich schließlich doch in den Widersinn der Antinomie verflüchtigen.

II.1/2.3 Sinn und Widersinn eines a priori transzendentalen Begriffs negativer Theologie

Radikale Negation ist – als solche transzendentallogisch für sich betrachtet – apriorische Möglichkeitsbedingung verantwortbarer Reflexion und Verweis auf Affirmation. In einer transzendentallogisch umfassenderen Betrachtung von radikaler Negation und Affirmation zugleich aber bricht der Zwist der Vernunft zwischen den Erfordernissen ihres theoretischen und denen ihres praktischen Gebrauchs auf. Die eine transzendentallogische Betrachtungsweise geht beinahe unvermeidlich in die andere über. Der a priori transzendentale Begriff negativer Theologie scheint dabei zunächst sinnvoll zu sein, wird schließlich aber widersinnig.
Radikale Negation sei zu Beginn einmal nur für sich gesehen als die apriorische Möglichkeitsbedingung einer Reflexion und als der Verweis auf Affirmation. Als die Möglichkeitsbedingung einer Reflexion ermöglicht sie eine Theorie; insofern sie Verweis auf Affirmation ist, ermöglicht sie eine Theorie der Affirmation. Worauf wird in einer Theorie der Affirmation genauerhin reflektiert? – Nach Kant sind die Axiome einer Theorie der Affirmation Postulate der praktischen Vernunft. Insofern nämlich sittliches Handeln ein immer noch anzustrebendes Ziel hat – die Hervorbringung des höchsten Gutes durch nichts als die Freiheit des Willens –, muß nach Kant die Unsterblichkeit der Seele postuliert werden[54]. Insofern sittliches Handeln ein unerreichbar bleibendes Ziel hat – das Hervorbringen des höchsten Gutes durch Freiheit allein, obwohl dies in Ansehung der Naturkausalität unmöglich ist –, muß auch das Dasein Gottes als »eines intelligiblen Urhebers

[54] Vgl. ebd., 219 ff.

der Natur«[55] postuliert werden[56]. Die beiden Postulate der praktischen Vernunft sind die Axiome einer Ethiko-Theologie[57], in welcher auf eine »Religion innerhalb der Grenzen der bloßen Vernunft«[58] reflektiert wird. – Die von radikaler Negation als Verweis auf Affirmation a priori ermöglichte Reflexion auf die Affirmation ist demnach eine Religionsphilosophie bzw. Theologie, die auf Postulaten der praktischen Vernunft beruht. Man wird sagen können: *radikale Negation ermöglicht als Verweis auf Affirmation eine Theorie der Affirmation, insofern auf diese in jedem sittlichen Handeln zurück- oder auch vorgegriffen und dabei eine unendliche, sittliche Aufgabe sowie deren absolute Ermöglichung, Beurteilung und Vollendung unbedingt bejaht (= postularisch affirmiert) werden muß.*

Radikale Negation als Verweis auf Affirmation hat, transzendentallogisch für sich gesehen, also einen grundlegend funktionalen Sinn für alle Reflexion auf Affirmation. Dieser Sinn kann transzendentallogisch als der apriorische Begriff negativer Theologie angesprochen werden. – Schon Kant schrieb: »Ich mußte das Wissen aufheben, um zum Glauben Platz zu bekommen.«[59] Ein Motiv seiner transzendentalen Erkenntniskritik war – zumindest auch – dieses, den Anspruch negativer Theologie in dem Sinne zur Geltung zu bringen, daß die Vernunft nicht über die ihr gesetzten Grenzen möglicher Erfahrung hinausschießen und etwa eine metaphysisch-spekulative Theologie begründen dürfe. »Die Einschränkung der Vernunft, in Ansehung aller unserer Ideen vom Übersinnlichen«, heißt es in der »Kritik der Urteilskraft«, »auf die Bedingungen ihres praktischen Gebrauchs hat, was die Idee von Gott betrifft, den unverkennbaren Nutzen: daß sie verhütet, daß *Theologie* sich nicht in *Theosophie* ... versteige, oder zur Dämonologie herabsinke; daß *Religion* nicht in *Theurgie* ... oder in *Idolatrie* ... gerate«[60]. Die Einschränkung der Vernunft hinsichtlich ihrer Ideen vom Übersinnlichen, von welcher Kant hier spricht, ist das Ergebnis einer Kritik der reinen Vernunft; die Vernunfteinschränkung auf die Bedingungen ihres praktischen Gebrauchs das Resultat einer Kritik der praktischen Vernunft. Beides zusammengenommen meint eine radikale Negation reinen Gebrauchs der Vernunft als Verweis auf eine Affirmation ihres praktischen Gebrauchs. Der so begriffenen radikalen

55 Ebd., 207.
56 Vgl. ebd., 223 ff.
57 Vgl. ders., Kritik der Urteilskraft (zitiert nach der 2. Auflage, Berlin 1793), 410–416: »Von der Ethikotheologie«.
58 Vgl. ders., Die Religion innerhalb der Grenzen der bloßen Vernunft, Königsberg 1793¹, 1794².
59 Ders., Kritik der reinen Vernunft ..., a.a.O., XXX.
60 Ders., Kritik der Urteilskraft ..., a.a.O., 439 f.

Negation wird ein »Nutzen« zugesprochen, wie er traditionell negativer Theologie zugeschrieben worden ist. Nebenbei wird angedeutet, daß die so verstandene negative Theologie eine verantwortbare Theologie ermögliche. – *Negative Theologie hat dann transzendentallogisch als die apriorische Möglichkeitsbedingung einer Reflexion und als der Verweis auf Affirmation den Sinn, daß sie angesichts der aktuell erfahrenen und radikal negierten Möglichkeit eines völligen Scheiterns allen Bemühens um Selbstheit des Ich und um Heilsidentität der Welt zwingt, eine unendliche, sittliche Aufgabe sowie deren absolute Ermöglichung, Beurteilung und Vollendung zu postulieren und in diesem Sinne zu affirmieren.* Negative Theologie impliziert, so verstanden, einmal, daß das im Postulat bzw. in der Affirmation Bejahte auf keine Weise adäquat eingeholt werden kann, – zum andern, daß auf dem unendlichen Wege der Bewahrheitung und Verwirklichung des in der Affirmation bzw. im Postulat Gemeinten Erkennen allein nicht ausreicht, sondern auch Handeln erforderlich ist. Letzteres gilt, obwohl dies von Kant nicht so deutlich herausgestellt worden ist, offenbar auch umgekehrt.

Doch ist transzendentale Logik eben nicht bloß eine Reflexion auf radikale Negation allein. Gerade wenn sie dieser als dem Verweis auf Affirmation nachsinnt, verbreitert sie sich fast unvermeidlich zur Reflexion auf radikale Negation und Affirmation zugleich. In dieser Reflexion aber muß der radikale Gegensatz zwischen den Erfordernissen theoretischen und praktischen Vernunftgebrauchs hervorbrechen. Theoretischer Vernunftgebrauch erfordert grundsätzlich die Einsicht, daß das zu Affirmierende undenkbar und unmöglich sei; praktischer erfordert den grundlegenden Entschluß, es gerade zu affirmieren. – Radikale Negation ist, insofern sie letztlich auch die apriorische Möglichkeitsbedingung aller transzendentalen Logik ist, schließlich selber noch als der Möglichkeitsgrund für das Aufbrechen der Antinomie anzusehen. Radikale Negation als Verweis auf Affirmation schlägt so um in den antinomischen Gegensatz von radikaler Negation und Affirmation[61]. Aus dem Sinn negativer Theologie wird unvermeidlich ihr

61 Krings (Transzendentale Logik . . ., a.a.O., 325) erkennt nicht, daß es sich bei der negativen Theologie nach transzendentalem Verständnis im Ansatz um *radikale* Negation handeln muß. – Er unterscheidet drei Radikalitätsgrade des transzendentalen Begriffs der Negation. Vom 2. Grad sagt er: »Die Negation hat eine andere Valenz, wenn das Seiende als Terminus zwar vernommen und vorgestellt, aber nicht urteilsartig erkannt ist, wenn also die Negation über keine kategorial bestimmte, affirmative Basis verfügt. Der transzendentale Aktus, den Terminus vernehmend und im Vorgriff habend, geht in sich zurück und findet sich als nicht an sein Ziel gekommen. Der Aktus bleibt schlechthin unvollendet. Die Verneinung bezieht sich darum nicht nur auf einen Sachverhalt, sondern auf das urteilsartige Erkennen selbst (›Ich erkenne nicht, was es ist.‹). Das Vernommene wird zwar

Widersinn: radikale Negation ermöglicht nicht mehr eine Theorie der Affirmation, sie schließt eine solche sogar aus. – Das transzendental-logische »Nacheinander« von Sinn und Widersinn negativer Theologie ist, formallogisch gesehen, ein »Zugleich«. Hierher rührt es, daß negative Theologie der Wortbedeutung nach sowohl als Grundlagenbegriff der Theologie wie auch als Inbegriff der Negation aller Theologie verstanden werden kann. Der Versuch einer transzendentallogischen Vermittlung negativer Theologie endet also zusammen mit dem ihrer allgemeinlogischen Vermittlung in einer Aporie[62].

als Gegen-Stand festgehalten; darum kann auch geurteilt werden, es sei dieses nicht und jenes nicht. Was das Vernommene aber ist, bleibt verborgen. Die Endlichkeit des transzendentalen Vollzugs radikalisiert sich zum Wahrheitsentzug.« Krings merkt nun an (ebd. 235, Anm. 6): »Dieser Begriff von Negation ist in dem Fachausdruck »negative Theologie« enthalten. Negative Theologie bedeutet nicht nur, daß das Geheimnis Gottes nicht durch ein endliches Urteilen zu eröffnen ist, sondern auch, daß dem Erkennenden ein Selbstsein vorenthalten bleibt, das er einzig gewinnen kann, wenn er Gott erkennt.« – Krings bestimmt die Negation, nach welcher negative Theologie »negativ« heißt, danach als einen defizienten Modus derjenigen Affirmation, auf die transzendental in jedem »Aktus« schon vorgegriffen sein soll. Dabei verkennt er, daß ein solcher Vorgriff nur im Verweis von Negation auf Affirmation geschehen könnte und daß dabei negative Theologie ebendieser Verweis wäre. Die negative Theologie nach ihrem traditionellen Begriff soll gerade eine »ignorantia« erzeugen, die »ignorantia docta« ist, und nicht schon »docta«, bevor sie noch »ignorantia« war. – Wenn es überhaupt einen transzendentalen Begriff negativer Theologie geben soll, dann muß negative Theologie »negativ« sein in dem Sinne eines letztradikalen Grades von Negation. Krings (a.a.O., 326) bestimmt diesen Grad selber so: »Das transzendentale Wesen der Negation liegt ... letztlich darin, daß die reflexive Transzendenz das Wissen auch ihres eigenen Nichtwissens realisiert.« Krings sieht nicht, daß die mit negativer Theologie verbundene »docta ignorantia« gerade dieses »Wissen des Nichtwissens« sein muß. Zur »docta ignorantia« vgl. Nicolaus Cusanus, De docta ignorantia (und ähnliche Schriften): Philosophisch-theologische Schriften, hrsg. v. L. Gabriel, übersetzt v. D. u. W. Dupré, Wien 1964, Bd. I.

62 Dies läßt sich schon bei Kant nachweisen. Den traditionellen Begriff der negativen Theologie führt Kant nämlich auf »die Unerforschlichkeit der Idee der Freiheit« (Kritik der Urteilskraft, a.a.O., 125) zurück. Sie nennt er in einem Atemzug mit dem jüdischen Gebot: »Du sollst dir kein Bildnis machen, noch irgend ein Gleichnis ...« (ebd., 124). Er interpretiert dieses Gebot, und mithin negative Theologie, indem er eine »reine, seelenerhabende, bloß negative Darstellung der Sittlichkeit« fordert (ebd., 125). Sie »bringt keine Gefahr der Schwärmerei, welche ein Wahn ist, über alle Grenze der Sinnlichkeit hinaus etwas sehen, d. i. nach Grundsätzen träumen (mit Vernunft rasen) zu wollen; eben darum, weil die Darstellung bei jener bloß negativ ist. Denn die Unerforschlichkeit der Idee der Freiheit schneidet aller positiven Darstellung gänzlich den Weg ab: das moralische Gesetz aber ist an sich selbst in uns hinreichend und ursprünglich bestimmend, so daß es nicht einmal erlaubt, uns nach einem anderen Bestimmungsgrunde außer demselben umzusehen« (ebd., 125). Die Antinomie ergibt sich bei der Durchsetzung des so gedeuteten Grundsatzes der negativen Theologie, wenn man genauer bedenkt, daß die »Idee der Freiheit« bei Kant für theoretischen Vernunftgebrauch zwar unerforschlich, für praktischen Vernunftgebrauch aber »die einzige unter allen Ideen der reinen Vernunft sein soll, deren Gegenstand Tatsache ist, und unter die Scibilia mit gerechnet werden muß« (ebd., 457).

Die allgemein-logische Suche nach einem Begriff negativer Theologie hat allerdings auf die Einsicht geführt, daß die Frage nach dem funktionalen Sinn negativer Theologie universalpragmatisch gestellt werden muß. Eine Universalpragmatik ist eine Theorie, in welcher die Regeln erforscht werden, nach welchen kommunikativ kompetente Sprecher Situationen möglicher Rede überhaupt hervorbringen oder generieren. Es sollte gefragt werden, ob negative Theologie sich als eine Strukturregel interpretieren läßt, nach welcher Situationen möglicher religiöser Rede überhaupt generiert werden können. – In einer transzendentalen Logik als einer apriorischen Universalpragmatik muß diese Frage verneint werden, weil der Versuch, a priori transzendental den Sinn negativer Theologie zu konstruieren, schließlich auf den Widersinn der Antinomie führt: auf den radikalen Gegensatz zwischen den Erfordernissen theoretischen und praktischen Vernunftgebrauchs.

Die konsequente Durchsetzung negativer Theologie nach Kantischem Verständnis läßt dann im Begriff der Freiheit den antinomischen Zwist zwischen den Erfordernissen theoretischen und praktischen Vernunftgebrauchs hervorbrechen.

II.2 Versuch einer negativ-dialektischen Vermittlung des Begriffs Negativer Theologie

Negative Theologie könnte ihren transzendental aufweisbaren Sinn behalten, wenn die Antinomie, wie schon Kant gefordert hat, durch praktischen Vernunftgebrauch unablässig überschritten würde. In der Forderung Kants steckte das Konzept einer unaufhörlichen, relativen Transzendenz. – Die deutschen Idealisten haben Kants Forderung aber gleichsam als die Einladung zu einer spekulativen Aufhebung der Antinomie verstanden. Hegel wähnte, innerhalb einer absoluten Reflexion die antinomische Negation durch eine weitere Negation in eine spekulative Dialektik verwandeln zu können. Aus dem unvermeidlichen Widerspruch zwischen den Erfordernissen theoretischen und praktischen Vernunftgebrauchs bei Kant wurde bei Hegel die scheinbar gelungene Aufhebung der Entzweiung von Subjektivität und Objektivität: aus der Antinomie wurde Dialektik als die Methode absoluten Wissens und als das absolut gewußte Gesetz der Weltgeschichte zugleich. An Antinomien hatte Kant einen dialektischen Schein aufzuweisen versucht. Hegel verstand das Dialektische an einer Antinomie gerade als den spekulativen Angelpunkt ihrer Aufhebung[63]. In einer spekulativ-dialektischen Vermittlung von Subjektivität und Objektivität kommt nach Hegel das Absolute zu sich selbst[64]. Das Absolute *wird* nämlich erst absolut, indem es sich als das Prinzip seiner eigenen Entwicklung an deren Ende selbst findet. Diese Entwicklung setzt Hegel gleich mit der Weltgeschichte[65]. Damit aber wird ihm Dialektik als die spekulative Methode der Selbstfindung des Absoluten zugleich zum Strukturgesetz der gesamtgeschichtlichen Entwicklung. Am Ende meint Hegel, im Standpunkt der gelungenen Selbstfindung des Absoluten die dialektische Entwicklung der Weltgeschichte zu diesem Ende hin überschauen zu können[66]. In der absoluten Reflexion scheint alle

63 Vgl. G. W. F. Hegel, Wissenschaft der Logik I, hrsg. von G. Lasson, Hamburg 1963, 38: »In diesem Dialektischen, wie es hier genommen wird, und damit in dem Fassen des Entgegengesetzten in seiner Einheit oder des Positiven im Negativen besteht das Spekulative.«

64 Vgl. ders., Phänomenologie des Geistes, hrsg. von J. Hoffmeister, Hamburg 1952, 20 f.: »Das Wahre ist das Ganze. Das Ganze ist nur das durch seine Entwicklung sich vollendende Wesen. Es ist von dem Absoluten zu sagen, daß es wesentlich *Resultat,* daß es erst am *Ende* das ist, was es in Wahrheit ist; und hierin eben besteht seine Natur, Wirkliches, Subjekt, oder Sichselbstwerden zu sein ...«

65 Vgl. ders., Vorlesungen über die Philosophie der Geschichte, Frankfurt a. M. 1970, 77: »Die Weltgeschichte stellt nun den *Stufengang* der Entwicklung des Prinzips, dessen *Gehalt* das Bewußtsein der Freiheit ist, dar.«

66 Vgl. ders., Vorlesungen über die Geschichte der Philosophie III, Frankfurt a. M. 1971, 460: »Es scheint, daß es dem Weltgeiste jetzt gelungen ist, alles

relative Transzendenz begriffen, und Dialektik erscheint als der Strukturbegriff dieser relativen Transzendenz ebenso wie als die spekulative Methode der absoluten Reflexion. Diese Gedanken Hegels sind zwar überschwenglich, weil kein endliches Denken sich in den Standpunkt absoluter Reflexion erheben kann. Doch deuten sie auf den Anschein eines Zusammenhangs zwischen den Begriffen absoluter und relativer Transzendenz hin.

Der Hegelkritiker Marx hielt zwar nichts von der Möglichkeit absoluter Reflexion. Dialektik fungiert für Marx nicht mehr als die spekulative Methode der Selbstfindung des absoluten Geistes. Marx übernahm aber Hegels Konzept von Dialektik als dem Gesetz von Geschichte. Für Marx ist Dialektik der Strukturbegriff geschichtlicher Selbsterzeugung des Menschen[67]. Dabei gibt er dem Wort »Dialektik« die neue Bedeutung eines theoretisch-praktischen Antagonismus gesellschaftlicher Kräfte, der schließlich zur Aufhebung aller gesellschaftlichen Gegensätze führen werde[68]. Marx glaubte, Dialektik als den

fremde gegenständliche Wesen sich abzutun und endlich sich als absoluten Geist zu erfassen und, was ihm gegenständlich wird, aus sich zu erzeugen und es, mit Ruhe dagegen, in seiner Gewalt zu behalten. Der Kampf des endlichen Selbstbewußtseins mit dem absoluten Selbstbewußtsein, das jenem außer ihm erschien, hört auf... Es ist die ganze bisherige Weltgeschichte überhaupt und die Geschichte der Philosophie insbesondere, welche nur diesen Kampf darstellt und da an ihrem Ziele zu sein scheint, wo dies absolute Selbstbewußtsein, dessen Vorstellung sie hat, aufgehört hat, ein Fremdes zu sein, wo also der Geist als Geist wirklich ist. Denn er ist dies nur, indem er sich selbst als absoluten Geist weiß; und dies weiß er in der Wissenschaft.«

67 Vgl. K. Marx, Kritik der Hegelschen Dialektik und Philosophie überhaupt (Schlußkapitel der »ökonomisch-philosophischen Manuskripte«): hier zitiert nach: Marx–Engels I, Studienausgabe: Philosophie, hrsg. von I. Fetscher, Frankfurt a. M. 1966, 63: »... indem Hegel die Negation der Negation – der positiven Beziehung nach, die in ihr liegt, als das wahrhaft und einzig Positive – der negativen Beziehung nach, die in ihr liegt, als den einzig wahren Akt und Selbstbestätigungsakt alles Seins aufgefaßt hat, hat er nur den *abstrakten, logischen, spekulativen* Ausdruck für die Bewegung der Geschichte gefunden, die noch nicht *wirkliche* Geschichte des Menschen als eines vorausgesetzten Subjekts, sondern erst *Erzeugungsakt, Entstehungsgeschichte* des Menschen ist.«

68 Vgl. K. Marx, Ökonomisch-philosophische Manuskripte (1844): Marx–Engels II, Studienausgabe: Politische Ökonomie, hrsg. von I. Fetscher, Frankfurt a. M. 1966, 105: »Man sieht, wie Subjektivismus und Objektivismus, Spiritualismus und Materialismus, Tätigkeit und Leiden erst im gesellschaftlichen Zustand ihren Gegensatz, und damit ihr Dasein als solche Gegensätze verlieren; man sieht, wie die Lösung der *theoretischen* Gegensätze selbst *nur* auf eine *praktische* Art, nur durch die praktische Energie der Menschen möglich ist und ihre Lösung daher keineswegs nur eine Aufgabe der Erkenntnis, sondern eine *wirkliche* Lebensaufgabe ist, welche die *Philosophie* nicht lösen konnte, eben weil sie dieselbe als *nur* theoretische Aufgabe faßte.« – Vgl. ferner: K. Marx, Einleitung zur Kritik der politischen Ökonomie (1859), Berlin 1947, 14: »Die bürgerlichen Produktionsverhältnisse sind die letzte antagonistische Form des gesellschaftlichen Produktionsprozesses, antagonistisch nicht im Sinne von individuellem Antagonismus, sondern eines aus den gesellschaftlichen Lebensbedingungen der Individuen

Strukturbegriff relativer Transzendenz aus ihrem von Hegel behaupteten Zusammenhang mit dem Begriff absoluter Reflexion herauslösen zu können, indem er sie gesellschaftlich zu konkretisieren suchte. Die tatsächliche Entwicklung des Marxismus seit Marx zeigt aber, daß, wo der Marxismus zu politischem Einfluß gelangt, der Begriff des Absoluten in Gestalt totalitärer, gesellschaftlicher Systeme leicht zu neuer, schlechter Verwirklichung kommen kann.

In einer Kritik an solchen Systemen haben in neuerer Zeit M. Horkheimer und Th. W. Adorno gefordert, daß Dialektik als der Strukturbegriff gesellschaftlich-geschichtlicher Entwicklung innergeschichtlich nicht gleichwie affirmativ aufgehoben werden dürfe, wenn Geschichte nicht überhaupt in einem Zustand restloser Unfreiheit stillgestellt werden soll. »Dialektik« müsse »negativ« bleiben[69]. Einen Begriff des Absoluten könne man nicht haben, noch dürfe man das Absolute verwirklichen wollen. Hier wird einmal das schon bei Kant angedeutete Postulat unaufhörlicher, relativer Transzendenz erneut in sein Recht eingesetzt. Zum andern wird Hegels Gedanke an einen Zusammenhang zwischen den Begriffen relativer und absoluter Transzendenz, diesmal allerdings in seiner negativen Umkehrung, neu gedacht. Vermutet wird dabei ein Zusammenhang zwischen dem Postulat unaufhörlicher, relativer Transzendenz und der Negation jedweder Affirmation von Absolutem.

Daß durch radikale Negation aber auf Affirmation auch verwiesen werden kann, hat sich im vorigen Kapitel als der transzendentale Sinn negativer Theologie ergeben. Dieser Sinn schlägt in apriorisch transzendentalem Denken freilich sofort um in den antinomischen Widersinn des Widerstreits zwischen den Erfordernissen theoretischen und praktischen Vernunftgebrauchs. Wenn nun aber gemäß dem Postulat negativer Dialektik postuliert werden muß, daß die Antinomie, verstanden als der theoretisch-praktische Antagonismus gesellschaftlicher Kräfte, ausgehalten werde, indem er zugleich durch Freiheitsgebrauch immerfort überschritten wird, so läßt sich der transzendentallogisch momentan denkbare Sinn negativer Theologie vielleicht immerzu neu gewinnen. – Diesem Gedanken soll nun systematisch nachgegangen werden. Dazu werden zunächst einige hypothetische Vorüberlegungen angestellt. Dann wird auf Dialektik als den Struk-

hervorwachsenden Antagonismus, aber die im Schoß der bürgerlichen Gesellschaft sich entwickelnden Produktivkräfte schaffen zugleich die materiellen Bedingungen zur Lösung dieses Antagonismus.«

[69] Verwiesen sei an dieser Stelle für vorläufig nur auf: M. Horkheimer – Th. W. Adorno, Dialektik der Aufklärung, Amsterdam 1947[1], Frankfurt a. M. 1969[2]; Th. W. Adorno, Negative Dialektik, Frankfurt a. M. 1966.

turbegriff relativer Transzendenz reflektiert und eine Bedeutung des Postulats negativer Dialektik entworfen. Schließlich wird versucht, von hier aus den christlichen Sinn negativer Theologie neu zu gewinnen.

II.2/1 Hypothetische Vorüberlegungen

Relative Transzendenz kann bestimmt werden als die Überschreitung oder Hinausführung eines endlichen Leistungsmediums in sich über sich selbst durch einen endlichen Leistungsträger. – Unter *Leistung* im Zusammenhang mit relativer Transzendenz kann man jeden praktischen Vernunftgebrauch zur Überschreitung oder Bewältigung eines sonst nicht aufhebbaren Widerspruchs verstehen. Als *Leistungsmedium* ist ein mediales Kontinuum von Aktivitäten und Interaktionen zu denken, in dem Leistungen der soeben umschriebenen Art möglich sind: etwa eine Umgangssprache oder eine Volkswirtschaft. Unter *Leistungsträger* ist das individuelle oder kollektive Subjekt zu verstehen, das ein Leistungsmedium trägt und es durch Leistungen in sich über sich hinausbringt. – Ein endliches Leistungsmedium wird nun in sich über sich hinausgebracht, wenn in ihm Leistungen möglich werden, die quantitativ oder auch qualitativ über das Maß der bislang vollbrachten oder sogar der vollbringbaren Leistungen hinausgehen. Leistungen, die so über das Maß der bisherigen hinausschießen, sind nur denkbar als resultierende des Mit- und Gegeneinanders bisheriger Leistungen innerhalb des Mediums. Das Medium wird in solchen überschießenden Leistungen gleichsam in sich über sich – d. i. im Verhältnis zu sich selbst – überschritten. So findet eine Überschreitung des Mediums im Verhältnis zu sich selbst – eine relative Transzendenz – statt. – Es empfiehlt sich, zwischen *idealer* und *realer* relativer Transzendenz danach zu unterscheiden, ob es sich um ein ideales oder um ein reales Leistungsmedium handelt. Ein Bewußtsein wie das eines über sich reflektierenden Denkens etwa ist ein ideales Leistungsmedium. Es transzendiert sich ideal. Die relative Transzendenz einer Volkswirtschaft hingegen ist als die eines realen Leistungsmediums selber real.
Einen vorläufigen Begriff von der *Struktur relativer Transzendenz* erhält man nun bei einer Analyse der Vorstellung, nach welcher ein endliches Leistungsmedium in sich über sich selbst hinausgebracht wird. Setzt man voraus, ein Medium M werde vom Zustand A in sich über sich selbst hinausgeführt zum Zustand B, so kann man sagen, daß im Zustand A der Zustand B noch außerhalb des Aktualisierungs-

grades A von M liegt, daß aber im Zustand B der Zustand A als Vorstufe des Aktualisierungsgrades B von M erkennbar wird. Anders gesagt: *Im Zustand A schließt das Moment A das Moment B als das andere von sich aus – nicht umgekehrt; im Zustand B schließt das Moment B das Moment A als das andere von sich ein*[70]. Diese Konstellation enthält nun das Problem, wie aus der Exklusion im Zustande A die Implikation im Zustande B werden könne. Formallogisch wenigstens ist es unbegreiflich, wie man vom Zustand A zum Zustand B, von der Exklusion zur Implikation, gelangen soll. So kann etwa durch keine rein logische Operation bewiesen werden, daß ein be-

[70] Für den Zustand A gilt: A / B (nicht umgekehrt), für den Zustand B gilt: B → A. Da nun A B als das andere von sich ausschließt, ist nicht einzusehen, wie vom Zustand A zum Zustand B zu gelangen sei. A / B schließt also noch einmal B → A als das andere von sich aus – nicht umgekehrt. Man kann auch diese Exklusion schematisieren und kommt dann zu folgendem Strukturschema:

$$\left.\begin{array}{l} \text{Zustand B: } B \longrightarrow A \\ \hline \text{Zustand A: } A \,/\, B \text{ (nicht umgekehrt)} \end{array}\right| \text{nicht umgekehrt}$$

Dieses Schema scheint noch formal in sich geschlossen zu sein. Sobald man aber auch die Klammern in Symbole aufzulösen versucht, wird offenbar, daß dies eine Täuschung ist. Man kann, um die Reihenfolge der Symbole schematisch auszudrücken, zusätzliche Implikationspfeile einführen:

$$\begin{array}{l} \text{Zustand B: } A \longleftarrow B \\ \hline \quad\quad\quad\quad\quad\quad\quad \nuparrow \\ \text{Zustand A: } A \nrightarrow B \end{array} .$$

Man kann das Aporetische dieser Struktur in ihrem Schema durch einen Reduktionspfeil mit Fragezeichen noch eigens hervorheben:

$$\begin{array}{c} A \longleftarrow B \\ \hline \nuparrow \\ A \nrightarrow B \end{array} \longleftarrow ?$$

In diesem Schema werden zwar logistische Symbole (in der Schreibeweise des Aussagenkalküls von J. M. Bocheński und A. Menne: vgl. J. M. Bocheński – A. Menne, Grundriß der Logistik, Paderborn 1965[3]) verwendet. Ihre Bedeutung ist aber erweitert. Ein Zeichen »→« oder, was das gleiche bedeuten soll, » $\nuparrow$ «, wäre in der Logistik sinnlos. Denn die Exklusion (/) schließt die Implikation (→) aus. Hier aber wird »A $\nrightarrow$ B« bzw. » $\underset{B}{\overset{A}{\nuparrow}}$ « definiert als: »A schließt B als das andere von sich aus – nicht umgekehrt.« Die Formel

$$\begin{array}{c} \mathbf{A} \longleftarrow \mathbf{B} \\ \hline \nuparrow \\ \mathbf{A} \nrightarrow \mathbf{B} \end{array} \longleftarrow ?$$

bedeutet dann: »Wie kann davon, daß A B als das andere von sich ausschließt – nicht umgekehrt –, dazu übergegangen werden, daß B A als das andere von sich einschließt?«

stimmtes Lebewesen ein Mensch sei. Ist dies aber anderswoher einmal erkannt, so kann wohl umgekehrt gesagt werden, daß ein Mensch ein Lebewesen ist. Dieses formallogische Beispiel zeigt, daß das Aporetische der Struktur relativer Transzendenz formallogisch nicht aufgelöst werden kann. Vielmehr ist schon der für formale Logik grundlegende Gedankenschritt vom Allgemeinen zum Besonderen ein Beispiel für relative Transzendenz, die formale Logik sich voraussetzen muß. Zugleich zeigt sich, daß auch die Hinausführung eines idealen Leistungsmediums in sich über sich selbst formallogisch – d. h. in sich selbst – nicht verständlich ist. – Die aporetische Struktur relativer Transzendenz kann gedanklich nur erfaßt werden, wenn es ein ideales Leistungsmedium gibt, in dem die relative Transzendenz seiner selbst noch einmal wahrgenommen werden kann. Ein solches Leistungsmedium ist, wie wir seit L. Wittgenstein wissen, jede durch praktische Kommunikation gewachsene Umgangs- oder Alltagssprache. Sie ist das faktisch in einem bestimmten Sprachgebiet umfassendste, ideale Leistungsmedium, das in sich selbst über sich hinausgeführt werden kann. Über eine Sprache kann dabei selber noch einmal alltagssprachlich reflektiert werden[71]. Eine systematische Reflexion auf die aporetische Struktur relativer Transzendenz kann deshalb unmittelbar an und in der durch praktische Kommunikation gewachsenen *Alltags- oder Umgangssprache* erfolgen, weil und insofern sie in sich über sich hinausgeführt und dabei reflektiert werden kann. – Angenommen nun, die aporetische Struktur relativer Transzendenz sei an und in der Umgangssprache aufgefunden. Auch dann ist sie noch nicht gedanklich voll erfaßt. Denn es stellt sich sofort die Frage: wie ist sie als aporetische Struktur relativer Transzendenz *möglich?* Bislang steht dann ja nur fest, *daß* die Umgangssprache in sich über sich selbst hinausgeführt werden kann, nicht aber, von wem, wie oder warum ... Der aporetische Charakter dieser Struktur zwingt nun aber gerade weiterzufragen, wie umgangssprachliche Zeichen von Menschen gebraucht, gedeutet und verändert werden können, so daß die Umgangssprache allmählich in sich über sich selber hinauswächst. Eine Untersuchung, die sich mit der Beziehung umgangssprachlicher Zeichen zu allen ihren Benützern – zu einer Sprachgemeinschaft – befaßt, heißt Universalpragmatik[72]. Eine

71 Vgl. L. Wittgenstein, Philosophische Untersuchungen: Schriften I, Frankfurt a. M. 1969, Nr. 120: »Wenn ich über Sprache (Wort, Satz etc.) rede, muß ich die Sprache des Alltags reden.«

72 Vgl. J. Habermas, Vorbereitende Bemerkungen zu einer Theorie der kommunikativen Kompetenz: J. Habermas – N. Luhmann, Theorie der Gesellschaft oder Sozialtechnologie – Was leistet die Systemforschung?, Frankfurt a. M. 1971, 107: »Elementare Äußerungen sind die Grundeinheiten des Gegenstandsbereiches der *Universalpragmatik.* Die Aufgabe der Universalpragmatik als einer Theorie der kommunikativen Kompetenz sehe ich darin, das System von Regeln zu kon-

Reflexion auf die aporetische Struktur relativer Transzendenz wird dann in ihrem Fortgang *universalpragmatisch* sein. Zur volleren Erfassung der aporetischen Struktur relativer Transzendenz an und in der Umgangssprache wird genauerhin ihr Bedingtsein durch das Verhalten der Mitglieder einer Sprachgemeinschaft untersucht werden müssen. Das bedeutet zugleich eine Zurückführung der relativen Transzendenz, die an und in der Umgangssprache aufgefunden ist, auf faktische, sozial-subjektive Möglichkeitsbedingungen. Diese Zurückführung wird also der Methode nach *faktisch transzendentalreduktiv* und zugleich *fundamentalsoziologisch* sein[73]. – Diese Reduktion ist ausgerichtet auf einen faktischen Grund, in dem sie sich abstützt. Möglich wird so die Idee einer *faktisch relativen Transzendenz an sich*. Jede faktisch relative Transzendenz eines Leistungsmediums durch einen Leistungsträger bedeutet aber, daß das Leistungsmedium einer Geschichte unterworfen ist und daß der Leistungsträger Geschichte hat. Die faktisch transzendentalreduktive Hinterfragung der an und in der Umgangssprache aufgefundenen, aporetischen Struktur relativer Transzendenz fällt dann zusammen mit dem Versuch, theoretisch die Möglichkeit von *Geschichte* zu begründen. Was ist aber, wenn sich Geschichte theoretisch allein nicht begründen läßt?

Wenn die Struktur relativer Transzendenz aporetisch ist, so muß gefragt werden, wie faktisch relative Transzendenz gelingen kann. Erst recht wird zu fragen sein, wie relative Transzendenz – etwa gemäß dem Postulat negativer Dialektik – faktisch immerzu neu gelingen soll. – Unsere *Arbeitshypothese* lautet nun, *daß von einer faktisch unendlichen, relativen Transzendenz nur im Zusammenhang mit dem Verweis auf eine absolute Transzendenz des Grundes der relativen Transzendenz gesprochen werden darf*[74]. Anders gesagt: die unaufhörliche

struieren, nach dem kommunikativ kompetente Sprecher aus Sätzen Äußerungen bilden und in andere Äußerungen umformen.«

73 Die sozial-subjektiven Möglichkeitsbedingungen werden nur innerhalb des Reflexionsmediums – d. h. nur in ihrer umgangssprachlichen Vermittlung – erfaßt werden können. Dann aber ist zu vermuten, daß auch die aufgefundenen, sozialsubjektiven Möglichkeitsbedingungen wieder die gleiche, aporetische Struktur als das Signum umgangssprachlicher, relativer Transzendenz aufweisen und deshalb auf eine weitere Schicht faktischer Möglichkeitsbedingungen hinterfragt werden müssen. Auch diese sind nur in umgangssprachlicher Vermittlung – und das bedeutet: als behaftet mit dem Signum relativer Transzendenz – wahrnehmbar. Die Reduktion muß also fortgesetzt werden. Was entsteht, ist eine Reduktionskette der Form:

$$\frac{A \longleftarrow B}{A \not\rightarrow B} \uparrow \longleftarrow \frac{A' \longleftarrow B'}{A' \not\rightarrow B'} \uparrow \longleftarrow \frac{A'' \longleftarrow B''}{A'' \not\rightarrow B''} \uparrow \longleftarrow \cdots$$

74 Traditionell wurde der Begriff der Transzendenz Gottes im Verhältnis zu dem seiner Immanenz in der Welt konzipiert. Die hier beabsichtigte Bestimmung

Offenheit von Geschichte kann verantwortlich nicht postuliert werden, wenn nicht zugleich auf die absolute Transzendenz ihres letzten Progreßgrundes verwiesen wird. Wenn diese Hypothese bewahrheitet werden kann, dann bedeutet sie allerdings, daß sich im *Verweis* auch die *Annahme* eines jeder faktisch relativen Transzendenz wie jedem transzendierenden Leistungsträger jenseitigen Grundes ereignen kann. *Absolute Transzendenz wird dabei als die Stellung eines Grundes faktisch unaufhörlicher, relativer Transzendenz so entworfen, daß im Verweis auf diesen Grund angenommen wird, der Grund faktisch unendlicher, relativer Transzendenz ermögliche, aus sich vollendend, deren Unendlichkeit.*

Im Zusammenhang mit dem Postulat negativer Dialektik kann dann auch negative Theologie Sinn erhalten. Das Postulat der negativen Dialektik scheint die radikale und universale Negation einer innergeschichtlichen Vollendbarkeit von Geschichte zu enthalten. Wenn nun von einer faktisch unendlichen, relativen Transzendenz nur im Zusammenhang mit dem Verweis auf die absolute Transzendenz ihres Grundes gesprochen werden kann, so wird gerade im Zusammenhang mit der radikalen und universalen Negation innergeschichtlicher Vollendbarkeit von Geschichte auf eine Affirmation des Grundes von Geschichte sowie ihrer Vollendung durch ihn allein verwiesen. Verweis durch radikale Negation auf Affirmation hat sich aber als der transzendentale Sinn negativer Theologie herausgestellt. Arbeitshypothetisch läßt sich dann ein Zusammenhang zwischen dem Postulat negativer Dialektik und einem Sinn negativer Theologie vermuten. Unsere *Arbeitshypothese* kann jetzt kurz so lauten: *es besteht ein Vermittlungszusammenhang zwischen dem Postulat negativer Dialektik und einem neuen Sinn negativer Theologie.* Anders gesagt: der neuzeitliche Sinn negativer Theologie kann über das Postulat negativer Dialektik vermittelt werden. Dazu aber muß versucht werden, den Sinn dieses Postulats so zu fassen, daß er theoretisch und praktisch plausibel in seiner geschichtlichen Konkretheit hervortritt. Vorausgehen muß eine Reflexion auf die aporetische Struktur relativer Transzendenz.

einer Wechselbeziehung der Begriffe unendlich relativer zu absoluter Transzendenz versucht das Wechselverhältnis der metaphysisch-kosmologischen Begriffe von Immanenz und Transzendenz neuzeitlich zu vermitteln. Hierzu vgl. etwa: W. Weier, Zwischen Immanenz und Transzendenz, Zu Bedeutung und Wandel des antik-mittelalterlichen Teilhabegedankens im Denken der Neuzeit: Freiburger Zeitschrift für Philosophie und Theologie 12, 1965, 10—52.

II.2/2 Reflexion auf die aporetische Struktur relativer Transzendenz

Eine etwa an und in der Umgangssprache wahrzunehmende, aporetische Struktur relativer Transzendenz ist nun transzendentalreduktiv zu hinterfragen. Gesucht wird nach einem letztlich sie tragenden, geschichtlichen Grund. Auch er wird sich, wenn überhaupt, dann nur in umgangssprachlichen Vermittlungen zeigen können. Stößt die Reflexion dabei aber an eine nicht mehr weiter hinterfragbare Grenze, ohne an ihr einen sie tragenden Halt zu finden, so hat sich erwiesen, daß reine Theorie zur Begründung der Möglichkeit von Geschichte nicht ausreicht und scheitern muß. Aus der Wahrnehmung solchen Scheiterns kann dann später der Sinn des Postulats negativer Dialektik extrapoliert werden.

II.2/2.1 Dialektik an ihrem Fundort in der Umgangssprache

»Eine Verständigung kommt nicht zustande, wenn nicht mindestens zwei Subjekte *beide* Ebenen betreten: a) die Ebene der Intersubjektivität, auf der Sprecher/Hörer *miteinander* sprechen, und b) die Ebene der Gegenstände, über die sie sich verständigen . . .«[75] Diese beinahe trivial anmutende Feststellung über die in der Kommunikation gewachsene Umgangssprache als solche gilt es auf der Suche nach der Struktur relativer Transzendenz zu analysieren. Jede elementare Äußerung, die Grundeinheit der Umgangssprache als solcher, wird, falls sie vollständig verbalisiert ist, demnach zwei Sätze umfassen. »Der dominierende Satz wird in einer Äußerung verwendet, um einen Modus der Kommunikation zwischen Sprechern/Hörern herzustellen; der abhängige Satz wird in einer Äußerung verwendet, um über Gegenstände zu kommunizieren.«[76] »Der dominierende Satz enthält ein Personalpronomen der ersten Person als Subjektausdruck, ein Personalpronomen der zweiten Person als Objektausdruck und ein Prädikat, das mit Hilfe eines performatorischen Ausdrucks in Präsensform gebildet wird. (›Ich verspreche dir, daß . . .‹).«[77] Ein Satz dieser Form und mit der Funktion, einen Modus der Kommunikation zwischen Sprechern/Hörern herzustellen, kann kurz »performativer Satz« genannt werden. »Der abhängige Satz enthält einen Namen oder eine Kennzeichnung als Subjektausdruck, der einen Gegenstand bezeichnet, und einen Prädikatausdruck für die allgemeine Bestimmung, die

75 J. Habermas, Vorbereitende Bemerkungen . . ., a.a.O., 104 f.
76 Ebd.
77 Ebd.

dem Gegenstand zu- oder abgesprochen wird.«[78] Dieser Satz heiße darum »Satz propositionalen Gehalts«. Er ist an sich von einem performativen Satz abhängig. Dies wird ausgedrückt durch »daß ...« oder ähnliches. In concreto aber kann er auch absolut auftreten, weil der Modus der Kommunikation durch die Umstände schon hinreichend bestimmt ist.

Dieser Befund zeigt allerdings erst dann Struktur, wenn man die sprachanalytischen Ebenen in Betracht zieht, auf denen er beobachtet werden kann. Daß eine elementare Äußerung, falls sie voll explizit ist, einen performativen Satz und einen davon abhängigen Satz propositionalen Gehalts und nicht mehr enthält, muß das Ergebnis einer universalpragmatischen und einer linguistischen Beobachtung sein. Denn »elementare Sätze sind die Grundeinheiten des Gegenstandsbereichs der *Linguistik*. Elementare Äußerungen sind die Grundeinheiten des Gegenstandsbereichs der *Universalpragmatik*«[79]. Der vorher beschriebene Befund kann also gar nicht entdeckt werden, es sei denn, man gehe innerhalb der Sprachanalyse von linguistischer zu universalpragmatischer Betrachtungsweise über[80]. Es muß hier nicht genau untersucht werden, wie sich diese beiden Betrachtungsweisen zueinander verhalten. Daß aber ein Übergang von einer zur anderen notwendig ist, um den zunächst trivial scheinenden Befund sichtbar werden zu lassen, macht diesen Befund in unserem Zusammenhang nun interessant.

In jedem umgangssprachlichen Grundakt muß nämlich schon ein Überschritt geleistet sein, der durch den Übergang in der Sprachanalyse erst nachträglich ins Bewußtsein gehoben wird, – ein Überschritt *von einem nur gegenstandsbezogenen zu einem auch kommunikativen Sich-Äußern. Denn – linguistisch gesehen – schließt der Begriff des Satzes propositionalen Gehalts den des performativen Satzes als das andere von sich aus; – universalpragmatisch gesehen – schließt der Begriff des performativen Satzes den des Satzes propositionalen Gehalts als das andere von sich ein.* – Anders gesagt: Rein gegenstandsbezogenes Sichäußern hat in sich eine Gesetzlichkeit, die kommunikatives Sichmitteilen gar nicht aufkommen läßt; das Mit-jemandem-Reden

[78] Ebd.
[79] Ebd., 107.
[80] Vgl. ebd.: »Die Aufgabe der Linguistik als einer Theorie der linguistischen Kompetenz sehe ich mit Chomsky darin, das System von Regeln zu rekonstruieren, nach dem linguistisch kompetente Sprecher Sätze bilden und umformen ... Die Aufgabe der Universalpragmatik als einer Theorie der kommunikativen Kompetenz sehe ich darin, das System von Regeln zu rekonstruieren, nach dem kommunikativ kompetente Sprecher aus Sätzen Äußerungen bilden und in andere Äußerungen umformen.«

aber ist ohne ein Über-etwas-Reden nicht vorstellbar. Man mache sich das einmal an Beispielen klar. Ein Satz rein gegenstandsbezogener, mathematischer Symbolsprache etwa ist so konzipiert, daß jeder Gedanke an Kommunikation dabei ausgeblendet wird. Und doch ist er als exakt wissenschaftlicher Satz sinnvoll. Ein Satz einer rein kommunikativen Höflichkeitssprache dagegen enthielte im Grenzfall nur Nonsens. – Man kann das Gesagte durch eine weitere Überlegung erhärten. Wenn die umgangssprachliche Grundeinheit sich aus einem kommunikativen und einem objektsprachlichen Moment zusammensetzt, dann werden Dialog und Monolog die Grundformen der Rede sein, aus denen Umgangssprache als solche besteht. Die alltägliche Erfahrung aber spricht dafür, daß Monolog Dialog zuwiderläuft, Dialog jedoch Monolog in sich enthält[81]. Im Dialog wird postuliert, daß jeder Gesprächsteilnehmer den gruppendynamischen Überschritt von einer monologischen Behauptung von etwas und seiner selbst zu einem dialogischen Gedankenaustausch leiste. Jedermann weiß im Grunde, daß dieser Überschritt eine Leistung ist, in welche Energie gesteckt werden muß. Der vorauf beschriebene Befund kann also mit gutem Recht als ein Über-sich-Hinausbringen des Sprechens von rein gegenstandsbezogener Behauptung bzw. Selbstbehauptung zu einem *auch* sich mitteilenden Aufeinandereingehen interpretiert werden. – Er zeigt offenbar die aporetische Struktur einer relativen Transzendenz, deren Leistungsmedium die in alltäglicher Kommunikation gewachsene Umgangssprache als solche ist. Daß nun aus Monolog Dialog wird, ist – wie gesellschaftlich-politische Erfahrungen belegen – zwar möglich, aber nicht selbstverständlich und doch immerfort höchst erwünscht. Daß von reinem Gegenstandsbezug, an den sich Selbstbehauptung knüpft, zu einem durchaus sachlichen, aber eben nicht nur sachlichen, kommunikativen Verhalten übergegangen werde, kann geradezu als kategorischer Imperativ ausgesprochen werden. Dem entspricht dann in der sprachanalytischen Reflexion ein Übergang von einer rein linguistischen zu einer universalpragmatischen Betrachtungsebene. – In jeder elementaren Äußerung der Umgangssprache scheint nun die relative Transzendenz von nur objektsprachlicher zu auch kommunikativer Rede bereits gelungen. Wer aber garantiert, daß die Bedingungen einer bestimmten Kommunikation nicht programmatisch schon so festgelegt sind, daß mehr Freiheit, Gerechtigkeit und Wahrheit gar nicht mehr

81 Diese Einsicht macht sich K. Lorenz (Elemente der Sprachkritik, eine Alternative zum Dogmatismus und Skeptizismus in der analytischen Philosophie, Frankfurt a. M. 1970) zunutze, wenn er die Möglichkeit einer wissenschaftlichen Sprache in der »primären dialogischen Situation« der Umgangssprache begründet. Denn die zu begründende, wissenschaftliche Sprache ist monologisch.

möglich sind? Liegen die sprachlichen Bedingungen von Kommunikation aber fest, so können sie als quasi selbstverständlich abgeblendet und Gespräche können auf reine, aber repressive Sachlichkeit programmiert werden. Dann aber ist trotz des Gelingens elementarer Äußerungen neuer Überschritt von reiner Sachlichkeit zu Kommunikativität der Rede wünschenswert. Daß in jeder elementaren Äußerung der Übergang von rein objektsprachlicher zu kommunikativer Rede schon gelungen ist, beweist nur, daß er immer neu möglich, nicht aber, daß er selbstverständlich ist. Vor einem Naturalismus Rousseauscher Prägung hat man sich hinsichtlich der Umgangssprache zu hüten.
Bevor jedoch der Frage nachgegangen werden soll, woher es rührt, daß die Umgangssprache in sich selbst über sich hinausgebracht werden kann, seien noch zwei terminologische Bemerkungen angefügt.
Erstens: Die aporetische Struktur relativer Transzendenz kann hier, wie jetzt plausibel wird, mit gutem Grund Dialektik genannt werden. Sie ist sprachanalytisch zwar schon in jeder elementaren Äußerung nachzuweisen. Ihr Sitz im Leben aber ist der *Dialog*. Dialektik ist in ihrer umgangssprachlichen Grundbedeutung die Struktur des Dialoges. Jedermann weiß aus Erfahrung, daß im Dialog ein selbst- und sachkritischer Fortschritt geschehen kann und daß man dazu Mühe aufwenden muß. Schon im griechischen Altertum wurde die Kunst der Gesprächsführung, die wenigstens der Widerlegung gegnerischer Ansichten, wenn nicht gar dem Gewinn von Wahrheit dienen sollte, als Dialektik bezeichnet. Erst der deutsche Idealismus ermöglichte die Einsicht, daß Dialektik nicht nur die Struktur eines Wachstums von Wahrheit, sondern überhaupt die Struktur relativer Transzendenz bezeichnen kann, weil relative Transzendenz gleich welcher Art ein und dasselbe Strukturschema haben muß.
Am konkreten, umgangssprachlichen Fundort von Dialektik leuchtet *zweitens* ein, daß ihr Schema als doppelte Verneinung beschrieben werden muß: eine linguistische Ausschließung (Negation) des dialogischen Moments von seiten des monologischen wird durch eine universalpragmatische Einschließung des monologischen von seiten des dialogischen Moments aufgehoben (negiert). Negation der Negation beschreibt darum das Strukturschema eines Prozesses, der am Dialog konkret beobachtet werden kann. Im Fortgang eines Dialoges wird ein bestimmte Satz oder ein bestimmtes Sprachelement, das – ob explizit oder nicht – im Ansatz dialogisch war – d. h. den ausschließenden Charakter eines anderen, monologischen Satzes oder Sprachelementes aufhob – nun selber in monologischer Ausschließlichkeit verabsolutiert, so daß es von einem neuen, dialogischen Satz oder Sprachelement korrigiert werden kann – und so fort.

Woher und wie kommt es, daß die Umgangssprache in ihr selbst über sich hinausgebracht werden kann von einer Verabsolutierung des Gegenstandsbezugs zu mehr und neuer Kommunikativität? Gesucht wird jetzt nach faktischen, subjektiven Bedingungen für diese Möglichkeit. Es wurde schon vermutet, daß jede relative Transzendenz eines gesellschaftlichen Leistungsträgers bedarf. Wie ist es nun möglich, daß eine Sprachgruppe ihre Alltagssprache in ihr selbst über sich hinausführt?
Jeder Suche nach faktischen Möglichkeitsbedingungen für umgangssprachlichen Fortschritt stellt sich ein Hemmnis in den Weg. Von ihnen kann nie so gesprochen werden, wie sie an sich sind, sondern immer nur in umgangssprachlicher Vermittlung. Umgangssprachliche Vermittlungen werden aber – so ist zu erwarten – wieder die schon an der Umgangssprache ablesbare, aporetische Struktur relativer Transzendenz aufweisen. Die soeben gestellte Frage muß dann innerhalb des Kompetenzbereiches der hier versuchten Reflexion auf Dialektik noch einmal eingeschränkt und präzisiert werden. Sie darf nur noch lauten: Welche Dialektik zeigt sich, wenn gefragt wird, wie eine Gruppe ihr Kommunikations- und Reflexionsmedium in ihm selbst über sich selbst hinausbringen kann?
Mit der Dialektik von objektsprachlichem und kommunikativem Satz bzw. von Monolog und Dialog ist die aporetische Struktur relativer Transzendenz nur an der Umgangssprache erfaßt. Ihr aporetischer Charakter verlangt nach transzendental-reduktiver Begründung. Diejenige Dialektik aber, nach welcher dazu jetzt gesucht werden soll, muß die Struktur relativer Transzendenz eines faktischen Leistungsmediums sein, das an sich umfassender ist als die Umgangssprache, obwohl die an ihm aufzusuchende Dialektik nur in umgangssprachlicher Vermittlung auftauchen kann.
Die Momente der umgangssprachlichen Dialektik sind im Übergang von einer linguistischen zu einer universalpragmatischen Betrachtungsweise sichtbar geworden. Eine linguistische Betrachtungsweise zeigte die Exklusion – die linguistische Ausschließung – der Momente; eine universalpragmatische Betrachtungsweise zeigte deren Replikation – die universal-pragmatische Einschließung. Von welcher Betrachtungsweise könnte bei der gesuchten Dialektik ausgegangen, zu welcher müßte übergegangen werden?
Auszugehen ist offenbar von einer Theorie, welche die Umgangssprache als das umfassende Reflexionsmedium und allgemeinste Reflexionssystem überhaupt thematisiert. Die Betrachtungsweise, von der zur Erfassung der gesuchten Dialektik auszugehen ist, wäre dann eine

Theorie von Erkenntnis und Wissen bzw. von Wissenschaft, ja, von Reflexion überhaupt – kurz: eine Theorie von Theorie als solcher. Überzugehen wäre zu einer Betrachtungsweise, in welcher der aporetische Charakter der umgangssprachlichen Dialektik auf einen faktischen, gesellschaftlichen Leistungsträger zurückgeführt werden kann. Diese Betrachtungsweise muß also eine gesellschaftstheoretische sein.

Im Übergang von einer reflexionstheoretischen zu einer gesellschaftstheoretischen Betrachtungsweise soll demnach die Dialektik einer relativen Transzendenz sichtbar werden, welche Möglichkeitsbedingung der relativen Transzendenz von nur gegenstandsbezogener zu auch kommunikativer Rede ist. Dieser Gedanke muß in seinen wichtigsten Einzelmomenten noch einmal durchgespielt werden. – Man sieht sofort ein, daß die linguistische Ausschließung eine eindeutige, reflexionstheoretische Möglichkeitsbedingung haben muß. Wenn nämlich linguistisch mitteilende durch rein gegenstandsbezogene Rede ausgeschlossen wird, so muß dies reflexionstheoretisch zur Voraussetzung haben, daß durch rein theoretisches Verhalten alles andere als eben dieses Verhalten ausgeschlossen wird. Im ausschließlich gegenstandsbezogenen Sprechen verhält sich ein Sprecher in betrachtender Distanz zu seinem Gegenstand, mag dieser nun real als schon vorhanden oder noch zu erstellen, ideal als begrifflich klar schon vorauszusetzender oder noch auszumachender konzipiert sein. Die Betrachterdistanz rein theoretischen Verhaltens ist Möglichkeitsbedingung rein gegenstandsbezogener Rede. Der linguistischen Ausschließung muß also eine reflexionstheoretische zugrunde liegen. Was aber schließt letztere aus? – Was ermöglicht den Überschritt von ausschließlich gegenstandsbezogener zu einschließend mitteilender Rede und wird gerade im Übergang von reflexionstheoretischer zu gesellschaftstheoretischer Betrachtungsweise wahrnehmbar? – Die einfache Tatsache, daß mehrere Personen mit ein und demselben Gegenstand in Beziehung treten und darüber kommunizieren bzw. in eine Auseinandersetzung geraten! Ihr Gegenstandsbezug kann dann kaum rein theoretisch bleiben, er wird vielmehr von mancherlei Interessen getragen sein. Zu denken wäre da etwa an Besitzen- oder Verändernwollen, an Rechthaberei u. a. Auf jeden Fall ist der Gegenstandsbezug, der als Möglichkeitsbedingung für den Überschritt von rein gegenstandsbgezogener zu auch dialogischer Rede vorausgesetzt werden muß, nicht mehr ein rein theoretischer, er ist – zumindest *auch* – praktischer Art. Im Handeln gewinnt ein Subjekt eine andere Stellung zum Objekt als in reinem Erkennen. War diesem ein Objekt nur Thema, so wird es für das Handeln auch Produkt oder Material usw. Sobald aber gehandelt wird,

hat es selten nur *ein* Individuum mit nur *einem* Gegenstand zu tun. Gehandelt wird darum immer mehr oder weniger im Kraftfeld des Mit- und Gegeneinanders von Leistungen. Handeln ist mehr oder weniger gesellschaftliches Handeln und sei als solches Praxis genannt. Im Übergang von reflexions- zu gesellschaftstheoretischer Betrachtungsweise sind als die Momente, auf deren Zusammenhang der aporetische Charakter der umgangssprachlichen Dialektik transzendental-reduktiv gegründet werden muß, Theorie und Praxis hervorgetreten.
Theorie und Praxis sind nun auch selber die beiden Momente einer Dialektik. Denn reflexionstheoretisch schließt Theorie Praxis als das andere von sich aus. Gesellschaftstheoretisch dagegen schließt Praxis Theorie als das andere von sich gerade ein.
Gesucht als Reduktionsgrund für den aporetischen Charakter der umgangssprachlichen Dialektik war ein Leistungsträger. Was sich aber als unmittelbarer Reduktionsgrund gezeigt hat, trägt wieder die Signatur relativer Transzendenz. Es ist die Dialektik von Theorie und Praxis – d. i. die aporetische Struktur relativer Transzendenz von rein theoretischem zu auch praktischem Gegenstandsbezug. Die Wirklichkeit, die man »Gesellschaft« nennen könnte, zeigt hier ein doppeltes Gesicht. Gesucht wird Gesellschaft als Leistungsträger relativer Transzendenz, aufgefunden wird Gesellschaft als Leistungsmedium, das in sich über sich hinausgebracht werden kann von rein betrachtendem zu gesellschaftlich handelndem Bezug zur Wirklichkeit. Daß dieser Selbstüberschritt der oder in der Gesellschaft stattfinde, ist nicht selbstverständlich, aber immer neu erwünscht. Er ist die Grundlage des Überschritts von rein gegenständlicher zu auch mitteilender Sprache. Die aporetische Struktur des Selbstüberschritts von Theorie zu Praxis heiße »gesellschaftliche Dialektik«.
Reflexionstheoretische Ausschließung von Praxis um einer reinen Theorie willen ist als Moment fruchtbar. In ihrer Verabsolutierung allerdings bringt sie Ideologie hervor, und sei es nur die einer reinen, zweckfreien Wissenschaft, die von sich behauptet, daß sie höchstens im nachhinein auch praktisch angewendet werden könne. Absolut gesetzte, reflexionstheoretische Ausschließung unterbindet gesellschaftliche Veränderung und so auch Zuwachs an Freiheit. – Gesellschaftstheoretische Einschließung als Aufhebung der reflexionstheoretischen Ausschließung – Negation der Negation – findet dort statt, wo Handeln einerseits als kritikbedürftig erkannt, wo sachbezogen kritisiert wird und wo andererseits zum Bewußtsein kommt, daß Kritik selber nie vorurteilslos und daß keine Erkenntnis wertfrei sein kann.
Auf einer nur reflexionstheoretischen Ebene erscheint die gesellschaftliche Dialektik in der Gestalt der Antinomie, wie Kant sie schon

anvisiert hat, – als der unvermeidliche Widerspruch zwischen den Erfordernissen theoretischen und praktischen Vernunftgebrauchs. Daß Kant der gesellschaftlichen Dialektik überhaupt, wenn auch als einer Antinomie ansichtig wurde, liegt wohl daran, daß er ein Vernunftinteresse an Freiheit zum philosophischen Bewußtsein bringen wollte; daß ihm die Antinomie als Dialektik verborgen blieb, muß daher rühren, daß Kant noch nicht zu einer gesellschaftstheoretischen Betrachtungsweise vorstieß.

II.2/2.3 Geschichtliche Dialektik

Kant hat, wie früher festgestellt wurde, nie die Antinomie in der hier umschriebenen Grundgestalt formuliert. Unter den Antinomien der reinen Vernunft nennt er an dritter Stelle immerhin den unvermeidlichen Vernunftwiderspruch beim Konzipieren von Naturnotwendigkeit und Freiheit[82], ohne ihn freilich als irgendwie prototypisch auszuzeichnen. Der junge Schelling hat die fundamentale Bedeutung dieser Kantischen Konzeption von der Antinomie erkannt. Im Widerspruch zwischen Naturnotwendigkeit und Freiheit hat er das Strukturschema einer als unabschließbar zu denkenden Geschichte erahnt[83]. Die im Unendlichen liegende Vollendung solcher Geschichte entwarf er als eine Synthesis von Gesetzmäßigkeit und Freiheit[84]. Dabei hat er Naturnotwendigkeit offenbar auch schon als gesellschaftliche Gesetzmäßigkeit verstanden. Wenig später nur hat dann Hegel den Geist eines Volkes als das »Bewußtsein überhaupt« bezeichnet und den allgemeinen, sittlichen Geist einer Gesellschaft als eine zweite Natur beschrieben[85].

Solche Gedanken sind hilfreich, wenn nun die Frage nach einer transzendental-reduktiven Begründung auch der gesellschaftlichen Dialektik gestellt werden muß. Welche Dialektik tritt hervor, wenn gefragt wird, wie eine Gesellschaft sich in sich selbst immerfort neu überschreiten kann von einem rein theoretischen zu einem auch praktischen Verhältnis zur Wirklichkeit? Eine Antwort auf diese Frage scheint gerade in dem vorgedacht zu sein, was im deutschen Idealismus als der Gegensatz zwischen Naturnotwendigkeit und Freiheit konzipiert wurde.

82 Vgl. I. Kant, Kritik der reinen Vernunft . . ., a.a.O., 472 f.
83 Vgl. F. W. J. Schelling, Sämtliche Werke, hrsg. von K. F. A. Schelling, Stuttgart 1856–1861, Bd. III, 333.
84 Vgl. ebd., 588 f., 593 f.
85 Vgl. G. W. F. Hegel, Jenenser Realphilosophie, hrsg. v. G. Hoffmeister, I: Die Vorlesungen von 1803/04, Leipzig 1932, 232–234.

Man wird sagen dürfen, daß die reflexionstheoretische Ausschließung, wonach Theorie Praxis als das andere von sich ausschließt, nur denkbar ist unter der Voraussetzung einer *naturphilosophischen* Ausschließung, wonach naturhafter Zwang – sei er nun »physischer« oder gesellschaftlicher Art – jeden freiheitlichen Drang, jedes Streben nach Freiheit und Freiheitsgebrauch, als das andere von sich ausschließt. Naturzwang unterdrückt Freiheitsdrang. – Weiter wird man sagen dürfen, daß der Übergang von der reflexionstheoretischen Ausschließung zur gesellschaftstheoretischen Einschließung, wonach Praxis Theorie als das andere von sich gerade einschließt, wiederum nur denkbar ist unter der Voraussetzung eines Übergangs von der naturphilosophischen Ausschließung zu einer Einschließung, wonach freiheitlicher Drang naturhaften Zwang als das andere von sich ebenfalls einschließt. Freiheitsdrang erbaut sich auf dem Gegensatz zu Naturzwang. Diese Einschließung erscheint als plausibel. Zu fragen wird noch sein: auf welcher Betrachtungsebene ist sie plausibel? Zu welcher Betrachtungsweise muß von der naturphilosophischen übergegangen werden, damit die Momente Naturzwang und Freiheitsdrang ans Licht treten können? – Vorerst darf einmal festgehalten werden, daß das, was in der Philosophiegeschichte als der Gegensatz zwischen Naturnotwendigkeit und Freiheit erfaßt wurde, genau besehen auf eine Dialektik zwischen Naturzwang und Freiheitsdrang hinweist und daß diese Dialektik ein weiteres Glied der Reduktionskette ist, die mit einer umgangssprachlichen Dialektik ansetzte und mit einer gesellschaftlichen fortgesetzt wurde. – Daß ein Überschritt von Naturzwang zu Freiheitsdrang stattfindet, ist nicht selbstverständlich, aber immerfort erwünscht. Um welche Art relativer Transzendenz handelt es sich dabei? Relative Transzendenz ist nur als die eines Leistungsträgers zu denken, der ein Leistungsmedium in sich über sich hinausführt. Schon bei der gesellschaftlichen Dialektik tauchte die Schwierigkeit auf, daß »Gesellschaft« doppeldeutig war. Gesellschaft sollte sich als Leistungsträger finden lassen. Was aufgefunden wurde, war Gesellschaft als Leistungsmedium. Wenn Gesellschaft schon im Hinblick auf die gesellschaftliche Dialektik doppeldeutig war, so kommt sie erst recht nicht als Leistungsträger oder Leistungsmedium für die neuaufgefundene Dialektik in Betracht. Denn diese soll Grundlage der gesellschaftlichen Dialektik sein. Die Frage nach Leistungsmedium und Leistungsträger muß für die Dialektik von Naturnotwendigkeit und Freiheit also offenbleiben. – So einleuchtend es sein mag, daß zwischen diesen beiden Momenten eine Dialektik besteht und daß diese Dialektik Reduktionsgrund aller bisherigen Formen von Dialektik sein muß, alles Weitere an ihr scheint fraglich.

Die Dialektik von Naturzwang und Freiheitsdrang kann, wie sich sogleich zeigen wird, nicht weiter reduziert werden. Sie bleibt also als die aporetische Struktur einer faktischen Transzendenz stehen, die alle anderen Weisen dialektisch strukturierter Transzendenz begründen muß, selber aber keineswegs selbstverständlich und gleichwohl unaufhörlich erwünscht ist. An der nicht weiter hinterfragbaren, aporetischen Grenze tritt theoretisch nicht weiter begründbare, faktische, relative Transzendenz hervor, d. i. *faktisch relative Transzendenz an sich* oder *Geschichte*. Man wird für Geschichte weder ein eigenes Leistungsmedium noch einen eigenen Leistungsträger ausmachen können. Denn die Rede, daß Geschichte etwa in sich über sich selbst hinausgebracht werde, erschiene als Tautologie. Auch ist kein Subjekt der Geschichte als solcher angebbar. Geschichte ist eben faktisch relative Transzendenz an sich. – Geschichte ist dann der transzendental ursprüngliche »Anwendungsbereich« für den Strukturbegriff, der nach seinem »Sitz im Leben« Dialektik heißt. Denn Dialektik ist nicht weiter reduzierbar. Die Dialektik von Naturzwang und Freiheitsdrang darf kurz geschichtliche Dialektik genannt werden. Um sie denken zu können, muß man offenbar von einer naturphilosophischen zu einer *geschichtsphilosophischen Betrachtungsweise* übergehen. Die Einsicht, daß Dialektik transzendental ursprünglich der Strukturbegriff von Geschichte ist, hat aber die Kehrseite, daß das Scheitern einer theoretischen Begründung sowohl des aporetischen Charakters von Dialektik als auch der Möglichkeit von Geschichte zugegeben werden muß. Geschichtliche Dialektik ist eben nicht weiter reduzierbar.

II.2/2.4 Scheitern der Theorie von Dialektik

Woran zeigt sich, daß geschichtliche Dialektik nicht weiter reduziert werden kann? – Damit von naturhaftem Zwang zu freiheitlichem Drang übergegangen werden könne, muß zunächst einmal ein solcher Zwang zum Bewußtsein gekommen sein. Dies geschieht in konkretem Schmerz oder in Leid, das sich im Gedächtnis eines oder vieler Menschen häuft. Die Passivität gegenüber naturhaftem Zwang muß zur Passion an ihm geworden sein. – Doch reicht das Bewußtwerden von naturhaftem Zwang in Leiderfahrung bzw. Leidgedächtnis nicht aus, um einen Überschritt zu freiheitlichem Drang zu tragen. Leid kann auch niederdrücken und dann erst recht passiv machen. – Damit von naturhaftem Zwang zu freiheitlichem Drang übergegangen werden könne, muß die Passivität in Aktivität gegenüber dem Zwang umschlagen. Solche Aktivität kann in der Passion aber nur erstehen, wenn letztere nicht zum Grund von Verzweiflung wird. Der Überschritt zu freiheitlichem Drang kann also nur aufgrund bestimmter Hoffnung erfolgen. Bestimmte Hoffnung ist das Bewußtsein, daß gegenüber konkretem Zwang freie Aktivität Aussicht auf Erfolg hat oder gleichwie sinnvoll ist. – Leid in konkretem Schmerz und im Gedächtnis – und besonders hier – läßt aber die Möglichkeit restlosen Scheiterns aller Bemühungen, aus Zwängen sich zu befreien, hervortreten. Oft mag es gar nicht erst zu Schmerz kommen, und schon liegt die Lösung einer Schwierigkeit auf der Hand. Bisweilen muß sie mühsam gesucht werden, und in der mühsamen Suche ist schon Befreiung. Unweigerlich aber tritt auch der Fall auf, in welchem das Leid radikale Negativität – Tod und Nichts als Schicksal – aufdeckt. Menschen, die im Leid die Möglichkeit restlosen Scheiterns wahrnehmen, wären gewiß auf bestimmte Hoffnung aus, können sie aber von sich aus nicht gewinnen. Man kann diesen Menschen solche Hoffnung auch nicht einreden. Diese Rede klänge ihnen wie bitterer Hohn. – Die Dialektik von Naturzwang und Freiheitsdrang müßte, wenn überhaupt, dann reduziert werden können auf eine Dialektik von Leid und Hoffnung. Es gibt sicherlich viele Fälle, in denen ein dialektischer Umschlag von Leid in Hoffnung erfolgt. Es gibt aber ebenso den Fall, in dem auch nur der Gedanke daran wie ein makabrer Scherz anmutet. Daß Leid in Hoffnung umschlage, kann sich stets auch als unmöglich erweisen. Darum ist die Beziehung von Hoffnung zu Leid keine Dialektik, auf welche die geschichtliche Dialektik reduziert werden könnte. Die Bemühung um eine theoretische Begründung von Dialektik als dem Strukturbegriff von Geschichte sowie der Möglichkeit von Geschichte überhaupt, stößt an eine unhinterfragbare, aporetische Grenze – an das Rätsel des Leides – und scheitert.

II.2/2.5 Ausblick auf einen möglichen Sinn des Postulats negativer Dialektik

Wie ist auf das Scheitern einer Theorie von Dialektik und von Geschichte als ganzer, das sich schon seit der Kritik an Hegels Geschichtsphilosophie nicht mehr verheimlichen läßt, reagiert worden? – Bis zur Gegenwart zeichnen sich im groben drei Weisen einer Reaktion ab. Entweder man versucht, Geschichte von vornherein theoretisch oder praktisch abzuschaffen oder sie in sich selbst zu vollenden, oder man vertritt die Ansicht, daß Natur sich von selbst zu Geschichte vollende.

Was sich nicht theoretisieren läßt, hat rein reflexionstheoretisch wenig

Chance, ernst genommen zu werden. Reine Theorie aber programmiert dann de facto alle Praxis. Der Satz Bacons »Wissen ist Macht« war ursprünglich wohl die Devise eines geschichtlichen Ausbruchsversuchs aus naturhaften Zwängen gerade durch neuzeitliche Wissenschaft. Inzwischen hat sich dieses Programm zu einer Ideologie technokratischer Weltbewältigung verabsolutiert. Sie prägt sich aus in einem abstrakten Theoriebegriff in Gestalt technologischer Wissenschaften und in einem Sprachbegriff positivistischen bzw. strukturalistischen Musters, der einzig die Subjekt-Objekt-Beziehung thematisieren kann. Geschichte, deren Struktur nicht restlos theoretisierbar ist, scheint da eine überflüssige Kategorie zu sein, oder sie wird als technologisch machbarer politisch-ökonomischer Prozeß mißdeutet. Als dessen abstraktes Agens gilt ein zu einem apriorisch subjektiven Substrat verkommenes, transzendentales Subjekt, das in jedem Individuum der Gattung »homo sapiens« angelegt sein soll. Leid entlarvt solche Stilllegung der Geschichte als unmenschlich. Es markiert die Folgen, »die entstehen, wenn die technologischen und ökonomischen Prozesse ›natürlich‹ sich selbst überlassen werden ...: sterbende Städte, Zerstörung der Umweltsysteme, Bevölkerungsexplosion, Informationschaos, der immer aggressiver und immer schärfer sich zuspitzende Nord-Süd-Konflikt, der schließlich auch den Machtkonflikt zwischen Ost und West in neuer Weise aktualisieren kann ...«, ferner »die Bedrohung der anschaulichen Identität und Freiheit des Menschen durch die wachsenden Möglichkeiten psychologischer und genetischer Manipulation ...«, schließlich »den ›Tod des Menschen‹, die Stillegung seiner Spontaneität« [86]. Leid zeigt die durch technologisch-positivistische Abschaffung von Geschichte neu aufgerichteten Naturzwänge an. Es ist Grundlage für einen Protest. Aus Leid entspringt das Postulat: Geschichte soll unaufhörlich möglich sein.

»Demgegenüber wird bekanntlich im klassischen *Marxismus* und seiner Theorie des politischen Lebens die Frage nach dem Sinn und Subjekt der Gesamtgeschichte durchaus aufrechterhalten, und zwar in praktischer Intention: als Bestimmung des Inhalts und Ziels revolutionärer Praxis.« [87] Geschichte ist nicht theoretisierbar. Darum soll sie in sich selbst praktisch vollendet werden – und zwar durch »einen politisch identifizierbaren Träger des Sinns der Geschichte, nämlich das Proletariat, das in seiner politischen Praxis zur Exekution dieses Sinns auftritt. Es ist tatsächlich schwer einzusehen, wie eine solche Verquickung von Sinn der Geschichte und politischer Praxis am Ende

86 J. B. Metz, Zukunft aus dem Gedächtnis des Leidens, Eine gegenwärtige Gestalt der Verantwortung des Glaubens, Concilium 8, 1972, 399.
87 Ebd., 406.

nicht zu einem politischen Totalitarismus führt ...«[88] – Leid unter den totalitären Regimen des sog. sozialistischen Lagers ist Index dafür, daß die bestimmte Hoffnung des Marxismus trügerisch war. Leid wird zur Grundlage für den Protest gegen das Attentat einer innergeschichtlichen Vollendung der Geschichte und für das Postulat, daß sie in sich nicht vollendbar sein könne.

Auf das Scheitern einer Theorie von Geschichte ist reagiert worden durch die Attentate einer Eliminierung und einer Exekution von Geschichte. Wiewohl diese Versuche gegenwärtig – und dies erscheint geradezu als eine »Ironie der Weltgeschichte« – durchaus geschichtsmächtig sind, ist ihr Mißlingen in neuerer Zeit von vielen erkannt worden. Es gibt nun Theoretiker, die auch dieses Mißlingen noch als grundlegendes Moment in ihre Antwort auf das Scheitern einer Theorie von Geschichte einbauen. Die Lösung des Problems der Geschichte wird dabei in einer Selbstvollendung der Natur zur Geschichte gesehen[89]. Man glaubt so, trotz der immer neu auftauchenden naturhaften Zwänge Freiheit und Geschichte für möglich halten zu können. Teilhard de Chardin etwa läßt die Geschichte aus einer Teleologie der Natur erwachsen. Schon Karl Marx hat in den ökonomisch-philosophischen Manuskripten von einer »Resurrektion der Natur« gesprochen[90]. So hat man auch innerhalb der sog. kritischen Theorie der Frankfurter Schule mit der Voraussetzung einer naturhaften Dialektik zwischen Natur und Geschichte gearbeitet. J. Habermas hat »emanzipatorisches Interesse« geradezu als naturhafte Anlage der Menschheitsgattung hingestellt[91]. Selbst E. Blochs unzweifelhaft vielschichtiger Begriff einer materialistischen Dialektik scheint nicht völlig über den Verdacht erhaben, als entspringe in ihr aus einer naturimmanenten

88 Ebd.

89 Vgl. ebd., 403: Es ist »das Leid, das einer affirmativen Theorie der Versöhnung zwischen Mensch und Natur widersteht. Jeder derartige Versuch entartet am Ende in eine schlechte Ontologisierung der Gequältheit des Menschen.«

90 Vgl. K. Marx, Ökonomisch-philosophische Manuskripte (1844), zitiert nach: I. Fetscher, Marx-Engels-Studienausgabe 2, Frankfurt a. M. 1968, 101: »Das *menschliche* Wesen der Natur ist erst da für den *gesellschaftlichen* Menschen; denn erst hier ist sie für ihn da als *Band* mit dem *Menschen,* als Dasein seiner für den andren und des andren für ihn, wie als Lebenselement der menschlichen Wirklichkeit, erst hier ist sie da als Grundlage seines eignen *menschlichen* Daseins. Erst hier ist ihm sein *natürliches* Dasein sein *menschliches* Dasein und die Natur für ihn zum Menschen geworden. Also die *Gesellschaft* ist die vollendete Wesenseinheit des Menschen mit der Natur, die wahre Resurrektion der Natur, der durchgeführte Naturalismus des Menschen und der durchgeführte Humanismus der Natur.«

91 Vgl. vor allem: J. Habermas, Erkenntnis und Interesse (Frankfurter Antrittsvorlesung vom 28. 6. 1965); Technik und Wissenschaft als ›Ideologie‹, Frankfurt a. M. 1969, 146–168; ders., Erkenntnis und Interesse, Frankfurt a. M. 1968.

Dialektik sogar die utopische Dimension[92]. – Gegen derartige Auffassungen wird man zunächst einmal einwenden müssen, daß sie alle das zu Beweisende voraussetzen oder einfach einen Selbstüberschritt der Natur zur Geschichte behaupten. Leid straft diese Behauptung Lügen. »Das Leid des Menschen widersteht letztlich allen Versuchen, Geschichte und geschichtliche Prozesse von Natur her zu deuten bzw. Natur als Subjekt dieser Geschichtsprozesse zu interpretieren.«[93] Woher – das ist die Frage, die beantwortet werden muß – wird die Hoffnung genommen, die trotz der Möglichkeit restlosen Scheiterns, die sich im Leid bemerklich macht, aus den immer neu erstehenden Zwängen zum Gebrauch von Freiheit übergehen läßt?

Wie kann dann noch auf das Scheitern einer Theorie von Dialektik und von Geschichte als ganzer reagiert werden? – Leid – konkret erfahren und im Gedächtnis gehäuft – läßt die Möglichkeit radikalen Scheiterns aller Versuche, von naturhaftem Zwang zu freiheitlichem Drang überzugehen, zum Bewußtsein kommen. An Leid, insofern in ihm radikale Negativität spürbar wird, scheitert darum jede Theorie von Dialektik und Geschichte. Der aporetische Charakter aller Dialektik – der Struktur von Geschichte – kommt gerade in einer *vermeintlichen* Dialektik von Leid und Hoffnung ans Licht. Eine solche Dialektik wäre in sich schon so unverkennbar aporetisch, daß eine Reduktion ihres aporetischen Charakters von vornherein als abwegig erscheinen muß.

Auf das Scheitern einer Theorie von Dialektik wie von Geschichte kann dann zunächst nur noch mit einem Postulat reagiert werden: dem der negativen Dialektik. Es bleibt nämlich um der Ermöglichung praktischen Vernunftgebrauchs willen zu fordern: »Geschichte kann in sich nicht vollendbar sein. – Geschichte soll unaufhörlich möglich sein.« Dieses Postulat ergibt sich schon als Inhalt eines Protestes aufgrund von Leid gegen die Versuche, Geschichte positivistisch-technologisch abzuschaffen oder marxistisch zu vollenden. In einer Explikation der vermeintlichen Dialektik von Leid und Hoffnung erschließt sich jetzt noch ein in Erfahrungen sich andeutender Sinn des Postulats. Leid, insofern in ihm radikale Negativität spürbar wird, bezeugt die Möglichkeit restlosen Scheiterns der Geschichte: Geschichte kann in

[92] Vgl. E. Bloch, Prinzip Hoffnung, Frankfurt a. M. 1959, 1524–1534 (»Rekurs auf Atheismus«); ders., Atheismus im Christentum, Frankfurt a. M. 1968, 303–307 (»Keine Parallele, doch folgerichtige Seltsamkeit: das Menschenhafte und der Materialismus brechen beide in ›göttliche Transzendenz‹ ein, setzen sich statt ihrer«); vgl. ferner: ders., Subjekt – Objekt, Erläuterungen zu Hegel, Frankfurt a. M. 1962, hierin bes. die Abschnitte 19: »Marx und die idealistische Dialektik« (408–418) und 20: »Hegel, Praxis, neuer Materialismus« (419–441).

[93] Vgl. J. B. Metz, a.a.O., 403.

sich nicht vollendbar sein. Um der erwünschten Hoffnung und des von ihr ermöglichten Drangs zur Freiheit willen aber soll Geschichte unaufhörlich sein. Das Postulat ist, so verstanden, in sich ebenso hoffnungslos aporetisch wie die vermeintliche Dialektik von Leid und Hoffnung[94].

Als Metatheorie, welche dieses Postulat praktischer Vernunft im Rückblick auf das Scheitern einer Theorie von Geschichte als ganzer bedenkt und begründet, kann nur noch eine hermeneutische Theorie der aktuellen, geschichtlichen Gegenwart in praktischer und kritischer Absicht in Betracht kommen. Ermöglicht wird sie durch die radikalen Versagungen, welche im Leid wahrgenommen werden und auf die laut Postulat mit radikaler Negation reagiert werden soll. Radikale Negation aber ist – wie früher gezeigt – Möglichkeitsbedingung für Reflexion. Die radikalen Versagungen im Leid ermöglichen konkrete Reflexionen. Diese ergeben »in summa« eine »kritische Theorie«, welche die im jeweiligen Zustand enthaltenen Negativitäten konkret aufzudecken versucht[95]. Die kritische Theorie ist ein »Ensemble von Modellanalysen«[96].

Das Postulat negativer Dialektik ist nun das Prinzip, auf das sich kritische Theorie zurückführen lassen muß. Es kann offenbar nichts anderes sein als der Inbegriff des Scheiterns reflexiver Transzendenz bei der Begründung der Möglichkeit historischer Transzendenz. Negative Dialektik kann demnach nichts anderes bedeuten, als was ihr Name sagt: die Dialektik dieser reflexiven Transzendenz bleibt negativ. Negative Dialektik ist dann auch der Ausdruck für die einzige Weise, in welcher ein Sinn von Geschichte als ganzer gegenwärtig sein kann: gegenwärtig ist dieser Sinn nur als unverfügbarer. Die hier versuchte Theorie von Dialektik und ihr Scheitern haben nun aber noch

94 Im Schema kann dies so ausgedrückt werden:

$$\begin{array}{c}\text{Leid} \leftarrow \text{Hoffnung}\\ \hline \uparrow \\ \text{Leid} \rightarrow \text{Hoffnung}\end{array} \leftarrow ? \qquad \text{Kurz: Leid} \not\rightarrow \text{Hoffnung.}$$

95 Unter der Bezeichnung »Kritische Theorie« faßt man idealismuskritisch-neomarxistische Ansätze zusammen, die von Mitgliedern der sog. Frankfurter Schule – vor allem von M. Horkheimer, Th. W. Adorno und J. Habermas – entwickelt worden sind. (Vgl. zu dieser Bezeichnung: M. Horkheimer, Kritische Theorie 1–2, hrsg. v. A. Schmidt, Frankfurt a. M. 1968; vgl. etwa auch: G. Rohrmoser, Das Elend der kritischen Theorie, Freiburg 1970.) – Die im Zusammenhang unserer Überlegungen angedeutete »kritische Theorie« ist ihrer Konzeption und Intention nach angeregt durch das Denken der »Frankfurter«, hält sich aber offen für eine »reductio in mysterium«.

96 Vgl. Th. W. Adorno, Negative Dialektik, Frankfurt a. M. 1966, 37: »Philosophisch denken ist soviel wie in Modellen denken: negative Dialektik ein Ensemble von Modellanalysen.«

auf eine konkrete Grundbedeutung negativer Dialektik geführt: Menschen, die im Leid die Möglichkeit restlosen Scheiterns verspüren, wären zwar auf bestimmte Hoffnung aus, können sie aber von sich aus nicht gewinnen[97].

[97] Im Schema geschrieben, gilt also:

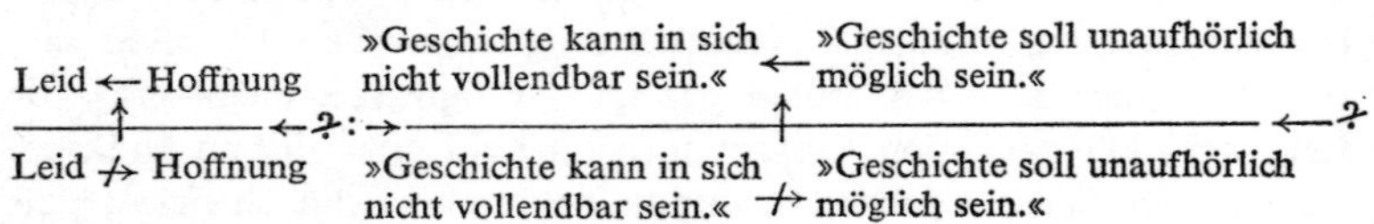

Es handelt sich also um nur ein einziges Postulat, das in sich ebenso aporetisch ist wie die »Dialektik« von Leid und Hoffnung:

»Geschichte kann in sich nicht vollendbar sein.« ↛ »Geschichte soll unaufhörlich möglich sein.«

Bei der hier vorgeschlagenen Bestimmung des Sinns von negativer Dialektik kommt es darauf an, daß Dialektik negativ bleibt. Diese Wortbedeutung von Negativer Dialektik scheint im Einklang mit der bei Th. W. Adorno, etwa wenn er sagt: »Erheischt negative Dialektik die Selbstreflexion des Denkens, so impliziert das handgreiflich, Denken müsse, um wahr zu sein, heute jedenfalls auch gegen sich selbst denken.« (Th. W. Adorno, Negative Dialektik, . . . a.a.O., 365). »Es liegt in der Bestimmung negativer Dialektik, daß sie sich nicht bei sich beruhigt, als wäre sie total; das ist ihre Gestalt von Hoffnung.« (ebd., 396) »Der Totalität ist zu opponieren, indem sie der Nichtidentität mit sich selbst überführt wird, die sie dem eigenen Begriff nach verleugnet. Dadurch ist die negative Dialektik, als an ihrem Ausgang, gebunden an die obersten Kategorien von Identitätsphilosophie. Insofern bleibt auch sie falsch, identitätslogisch, selber das, wogegen sie gedacht wird« (ebd., 148). – Vgl. ebd., 60: »Womit negative Dialektik ihre verhärteten Gegenstände durchdringt, ist die Möglichkeit, um die ihre Wirklichkeit betrogen hat und die doch aus einem jeden blickt. Doch selbst bei äußerster Anstrengung, solche in den Sachen geronnene Geschichte sprachlich auszudrücken, bleiben die verwendeten Worte Begriffe. Ihre Präzision surrogiert die Selbstheit der Sache, ohne daß sie ganz gegenwärtig würde; ein Hohlraum klafft zwischen ihnen und dem, was sie beschwören. Daher der Bodensatz von Willkür und Relativität wie in der Wortwahl so in der Darstellung insgesamt. Noch bei Benjamin haben die Begriffe einen Hang, ihre Begrifflichkeit autoritär zu verstecken. Nur Begriffe können vollbringen, was der Begriff verhindert. Erkenntnis ist ein *trósas jásetai.*« – Vgl. Th. W. Adorno, Minima Moralia, Frankfurt a. M. 1969, 254: »Wahr sind nur die Gedanken, die sich selber nicht verstehen.« Vgl. ebd., 380: »Die negative Philosophie, universale Auflösung, löst stets auch das Auflösende selber auf. Aber die neue Gestalt, in der sie beides, Aufgelöstes und Auflösendes, aufzuheben beansprucht, kann in der antagonistischen Gesellschaft nie rein hervortreten.« Vgl. Th. W. Adorno, Drei Studien zu Hegel, Frankfurt a. M. 1957, 39: »Die philosophische Antezipation frevelt an der realen . . .« Ebd., 119: »Philosophie ließe, wenn irgend, sich definieren als Anstrengung, zu sagen wovon man nicht sprechen kann; dem Nichtidentischen zum Ausdruck zu helfen, während der Ausdruck es immer doch identifiziert.«

II.2/3 Versuch einer Neubestimmung des Sinns negativer Theologie

Aus dem Scheitern einer Reflexion auf Dialektik als den Strukturbegriff von Geschichte kann das Postulat negativer Dialektik, wonach Geschichte in sich unvollendbar ist und immer noch möglich sein soll, offenbar nur als vorläufiger Begriff extrapoliert werden. Denn dieses Postulat könnte erst dann endgültig bewahrheitet sein, wenn die Geschichte zu einer Vollendung gekommen wäre. Erst dann ließe sich der Vollsinn des Postulates ermessen, daß sie aus sich unvollendbar und immer noch neu möglich war. Im Zustand der Vollendung erhielte das Postulat vollen Sinn. Das Postulat verbietet nun aber gerade, auf diesen Zustand vorzugreifen. Hier zeigt sich eine Aporie. Die Grundbedeutung des Postulats, wonach Menschen, die im Leid die Möglichkeit restlosen Scheiterns verspüren, auf bestimmte Hoffnung aus sind, sie aber von sich aus nicht gewinnen können, zwingt noch radikaler zu der Einsicht, daß der hoffnungsvolle Sinn des Postulats ohne Vorgriff auf eine Vollendung der Geschichte nicht vollzogen werden kann. Vollendung von Geschichte ist aber nach dem Postulat innergeschichtlich nicht zu denken. Ein Vorgriff auf eine solche Vollendung ist nach diesem Postulat gerade auszuschließen. Wie soll der Sinn des Postulats negativer Dialektik dann trotzdem gedacht werden können? – Das, worauf zum Vollzug des Postulats negativer Dialektik vorgegriffen werden soll, ist aufgrund ebendieses Postulats als absolutes Geheimnis utopischer Transzendenz auszuzeichnen. Sollte die Forderung negativer Dialektik im Vorgriff auf dieses Geheimnis selber sinnvoll vollzogen werden können, so müßte sich das Geheimnis als wahrnehmbares Faktum selbst darbieten; zugleich müßte es eben doch so geheimnisvoll bleiben, daß es immer noch in dem aufgrund des Postulats negativer Dialektik ausgezeichneten Sinn absolut utopisch bzw. eschatologisch wäre. Der Sinn des Postulats negativer Dialektik muß, wenn er inhaltlich begründet und vollständig soll vollzogen werden, also auf ein »mysterium« zurückgeführt werden können, das zwar schon »factum« ist, aber »factum«, das zugleich noch »mysterium« bleibt. Zum sinn-*vollen* Vollzug des Postulats negativer Dialektik bedarf es einer »reductio in mysterium factum«. Sonst wird das Postulat sinn*los:* angesichts der im Leid spürbaren Bedrohung durch restloses Scheitern wäre keine Hoffnung. Auch die hier auf geschichtliche, gesellschaftliche und umgangssprachliche Dialektik gleichsam schon ausgestellten Wechsel gingen zu Protest. Ein immer neuer Überschritt zu Freiheit, Gerechtigkeit und liebevoller Wahrheit wäre bloßer und schlechter Wunschtraum.

II. 2/3.1 Eine theologische Theorie zur Begründung des Postulats negativer Dialektik?

Wo bietet sich ein »mysterium factum« dar, auf welches der postulatorische Sinn negativer Dialektik reduziert werden könnte? Wo wäre ein solches »mysterium factum« überhaupt zu suchen? Dazu ist ein Hinweis der soeben herausgestellten Grundbedeutung des Postulats zu entnehmen: im Leid ist nicht ohne weiteres Hoffnung zu finden. – Christen bezeugen, gerade im Leid sei Hoffnung zu finden; sie bezeugen es aufgrund dessen, daß sie sich an das Leiden, den Tod und die Auferstehung Jesu Christi erinnern. Beziehen sie sich dabei auf ein »mysterium factum«? Könnte für das christliche Gedächtnis etwa auch der postulatorische Sinn negativer Dialektik auf Leiden, Tod und Auferstehung Jesu Christi zurückgeführt werden? Und könnte dabei nicht gerade der ursprünglich christliche Sinn negativer Theologie neu hervortreten? – Diesen Fragen ist nun nachzugehen. Aber welche Theorie ist dazu erforderlich? Zunächst einmal wird von kritischer Theorie in eine Geschichtstheologie mit kritisch-praktischer Absicht übergewechselt werden müssen. Diese aber muß, wie sich zeigen wird, in engem Zusammenhang stehen mit einer christologisch gegründeten Eschatologie.
Die theologische Theorie, innerhalb deren der postulatorische Sinn negativer Dialektik auf ein »mysterium factum« reduziert werden kann, muß in einigen Gedankenschritten erst noch entwickelt werden. Diese Schritte seien in Kernsätzen formuliert, die jeweils erläutert werden.

Erster Satz: Für das Gedächtnis an Jesu Christi Leiden, Tod und Auferstehung ist der nach der Grundbedeutung des Postulats negativer Dialektik versagte Überschritt von Leid zu Hoffnung möglich.
In einer Lage, in welcher Freiheit wie Geschichte, ja der Mensch als solcher bedroht ist, wird man kaum an der Tatsache vorbeigehn können, daß in der Christenheit aufgrund des Gedächtnisses an Leiden, Tod und Auferstehung Jesu Christi ein Umschlag von der Erfahrung radikaler Negativität im Leid zu einer bestimmten Hoffnung für alle und alles bezeugt wird[98]. Bei der Suche nach Möglichkeiten, aus natur-

[98] Vgl. J. B. Metz, »Politische Theologie« in der Diskussion: H. Peukert (Hrsg.), Diskussion zur »politischen Theologie«, Mainz 1969, 286: »Im Glauben vollziehen Christen die memoria passionis, mortis et resurrectionis Jesu Christi; glaubend erinnern sie sich an das Testament seiner Liebe, in der die Herrschaft Gottes unter uns Menschen gerade dadurch erschien, daß die Herrschaft zwischen den Menschen anfänglich niedergelegt wurde ...« Vgl. J. B. Metz, Zukunft aus dem Gedächtnis ..., a.a.O., 403: »Christlicher Glaube artikuliert sich als memoria passionis, mortis et resurrectionis Jesu Christi. In der Mitte dieses Glaubens steht eine bestimmte memoria passionis, auf die sich die Verheißung für alle gründet.«

haften Zwängen immer wieder zu neuem Streben nach Freiheit, zu verändernden Handeln und zu offenerer Kommunikation zu gelangen, ist auf die Energie bestimmter Hoffnung, welche in christlicher memoria ihren Grund findet, nicht zu verzichten. – Für das Gedächtnis an Jesu Christi Leiden, Tod und Auferstehung ist in der Tat der nach der Grundbedeutung des Postulats negativer Dialektik versagte Überschritt von Leid zu Hoffnung möglich. Für christliches Gedächtnis ist also das Postulat negativer Dialektik in seiner Grundbedeutung hoffnungsvoll – und d. h. sinnvoll – vollziehbar, weil reduzierbar auf den erinnerten Übergang Jesu Christi vom Tod zur Auferstehung.
Darum darf aber auch umgekehrt die »memoria passionis et mortis« nicht von der »memoria resurrectionis« getrennt werden. – »Es gibt kein Verständnis der Auferweckung, das nicht über das Gedächtnis des Leidens entfaltet wäre. Es gibt kein Verständnis der Herrlichkeit der Auferweckung, das frei wäre von den Finsternissen und Bedrohungen der menschlichen Leidensgeschichte. Eine »memoria resurrectionis«, die sich nicht als »memoria passionis« verstünde, wäre bare Mythologie«[99]. Denn eine nur durch die »memoria resurrectionis Jesu Christi« begründete Hoffnung auf die Freiheit aller bliebe unvermittelt vage und so entweder gesellschaftlich belanglos – weil nur im Bewußtsein einer Sekte –, oder sie würde, wenn der heute recht unwahrscheinliche Fall einträte, daß sie sich allgemein verbreitete, zu einer Ideologie. Aber auch eine isolierte »memoria passionis et mortis Jesu Christi« hätte keinerlei Bedeutung, die über das Gedächtnis eines beliebigen Leidens und Sterbens hinausginge. Erst dadurch, daß das christliche Gedächtnis sich an einen tatsächlichen Übergang vom Tod zum Leben erinnert, birgt es die Anlage in sich, in jedem Leid den Abgrund radikaler Negativität zu sehen und gleichwohl zur Hoffnung für alle und alles überzugehen[100].
Diese christliche »memoria« kann sich nicht argumentativ auf seinen Grund stützen, sondern muß sich narrativ auf das ihr zugrunde liegende Faktum beziehen. Das christliche Gedächtnis formuliert sich in den Erzählungen der christlichen Erzählgemeinschaft. Dort werden nicht Sagen erzählt wie einst in der Gnosis, es werden vielmehr Geschehnisse erzählt und letztlich ein Grundfaktum.

99 Ebd., 404.
100 Vgl. ebd., 404: Erst »die christliche memoria passionis« et resurrectionis (!) – wie man verdeutlichend hinzufügen muß – »artikuliert sich als eine Erinnerung, die frei macht, am Leiden anderer zu leiden und auf die Prophetie fremden Leidens zu achten, obwohl die Negativität des Leids in unserer ›fortschrittlichen‹ Gesellschaft immer unzumutbarer und geradezu als unziemlich erscheint.«

Zweiter Satz: Der erinnerte Gehalt christlichen Gedächtnisses ist das »mysterium factum paschale«.

Für einen Christen, der sich an das Leiden, den Tod und die Auferstehung erinnert, ist das Postulat negativer Dialektik in seiner Grundbedeutung reduzierbar auf den Gehalt ebendieser Erinnerung. Der postulatorische Sinn negativer Dialektik ist, wie sich vorher ergab, nur vollziehbar, wenn er reduziert wird auf das absolute Geheimnis einer Vollendung der Geschichte, sofern es sich innergeschichtlich wahrnehmen läßt. Der volle Sinn dieses Postulats ist nur zu denken – so wurde gesagt – aufgrund einer »reductio in mysterium factum«. Ist der Gehalt christlicher »memoria« ein solches »mysterium factum«? – Die christliche »memoria« erinnert ein »factum«: das des Übergangs Jesu Christi vom Tod zu neuem Leben. Und doch wird dieses »factum« als eschatologisches Geheimnis erinnert, als »factum mysterium«: *auf den Übergang von restlosem Scheitern,* wie es in konkret erfahrenem und noch mehr in dem vom Gedächtnis akkumulierten Leid spürbar wird, *zur Vollendung der Geschichte kann* aufgrund des Übergangs Christi vom Tod zum Leben und *muß* zur Erschließung seines Sinnes *gehofft* werden. Der Gehalt christlicher »memoria« ist »mysterium factum« und zugleich »factum mysterium«. Beinahe überdeutlich wird er traditionell Geheimnis des Übergangs – »mysterium paschale« – genannt[101], als solle angedeutet wer-

[101] Vgl. N. Füglister, Die Heilsbedeutung des Pascha, München 1963; L. T. Gerady, The Pascha and the Origin of Sunday Observance: Andrews University Seminary Studies 3, Berrien Springs, Mich. 1965, 85–96; W. Huber, Passa und Ostern, Untersuchungen zur Osterfeier der alten Kirche (Diss.), Tübingen 1966; S. Ben-Chorin, Ostern – Pessach – Auferstehung: Liturgie und Mönchtum 42, 1968, 28–32; H. Urs von Balthasar, Mysterium Paschale: Mysterium Salutis, hrsg. v. J. Feiner – M. Löhrer, 3,2, Einsiedeln–Köln 1969, 133–326; R. Feneberg, Christliche Passafeier und Abendmahl, Eine hermeneutische Untersuchung der neutestamentlichen Abendmahlsberichte (Diss.), Innsbruck 1969/70; F. X. Durwell, Le mystère pascal, source de l'apostolat, Paris 1970; N. Füglister, Feier des Lebens, Ostern als Fest der Auferstehung vom AT her gesehen: Experiment Christentum, hrsg. v. T. Sartory, 8, München 1970, 167–176; H. Schürmann, Die Anfänge christlicher Osterfeier: H. Schürmann, Ursprung und Gestalt, Düsseldorf 1970, 199–206. – H. Haag, Vom alten zum neuen Pascha: Geschichte und Theologie des Osterfestes: Stuttgarter Bibelstudien 49, Stuttgart 1971. H. Haag schreibt (ebd., 13): »Das ... Verständnis des Paschamysteriums als des zentralen christlichen Heilsmysteriums ist jedoch nichts Neues. Es ist vielmehr so alt wie die Kirche selbst, bezeugt in den Urkunden des christlichen Glaubens, in den Schriften des Neuen Testaments. Auf den Tod und die Auferstehung des Herrn bezieht die apostolische Kirche die Grundlegung des christlichen Lebens, die Taufe (Röm 6,3–5; vgl. Kol 2,20 ff.). In der Feier des heiligen Abendmahls begeht sie stetsfort das Gedächtnis des Todes Jesu, des Pascha des Neuen Bundes (1 Kor 5,7; 11, 26).« – J. Ratzinger weist darauf hin, daß das »mysterium paschale« gerade auch in den Dekreten des zweiten Vatikanischen Konzils eine grundlegende Rolle spielt. (Vgl. zu: Dogmatische Konstitution über die göttliche Offenbarung, Art. 4: LThK^2-Ergänzungsband 2, 1967, 510–512; zu: Pastoralkonstitution über die Kir-

den, daß der nach der Grundbedeutung des Postulats negativer Dialektik durch nichts zu begründende Übergang von Leid zu Hoffnung gerade in diesem »mysterium« seinen Grund findet.
Bereits der ntl.-exegetische Befund weist keine Zeugen der Tatsache dieses Übergangs selbst auf, nur solche, die bekennen, infolge von Erscheinungen des Auferstandenen schon in den Stand der Hoffnung versetzt zu sein. Ihnen – so haben sie bekannt – sei der Auferstandene nur als Entschwindender erschienen[102]. – Geheimnisvoller wird kein dialektischer Übergang sein können als jener, welcher im christlichen Gedächtnis als tatsächlicher Tod des Todes memoriert wird. Nicht von ungefähr meinte Hegel, hier die kategoriale Basis für sein Konzept der Dialektik finden zu können, in welcher die Verneinung der Verneinung sich zur endgültigen und umfassenden Bejahung erheben soll. Hegels geniale Idee vom »spekulativen Karfreitag« hat jedoch das Leid mißachtet, das zumindest dies Eine anzeigt: das Eschaton der Geschichte ist einstweilen suspendiert. Dialektik ist in ihrem christlichen Grunde gerade keine spekulative Idee, sondern *das* faktische Geheimnis[103]. – Das »mysterium factum paschale« ist schließlich selbst für christliches Glaubensdenken so geheimnisvoll, daß es durch theologischen Rückschluß noch einmal verankert werden muß im absolut geheimnisvollen dreifaltigen Gott. »Nur als Handeln des dreieinigen Gottes wird das Ärgernis des Kreuzes für den Glaubenden ertragbar, ja, zum einzigen, worin er sich rühmen kann (Gal 6,14; 2 Kor

che in der Welt von heute, Art. 18: LThK²-Ergänzungsband 3, 1968, 333–335). – Vgl. Vaticanum II, Pastoralkonstitution über die Kirche in der Welt von heute, Art. 18: LThK²-Ergänzungsband 3, 1968, 335: »Während vor dem Tod alle Träume nichtig werden, bekennt die Kirche, belehrt von der Offenbarung Gottes, daß der Mensch von Gott zu einem seligen Ziel jenseits des irdischen Elends geschaffen ist. Außerdem lehrt der christliche Glaube, daß der leibliche Tod ... besiegt wird ... Diesen Sieg hat Christus, da er den Menschen durch seinen Tod vom Tod befreite, in seiner Auferstehung zum Leben errungen.« – Dekret über das Apostolat der Laien Art. 4: LThK²-Ergänzungsband 2, 1967, 616: Qui hanc habent fidem, in spe revelationis filiorum Dei vivunt memores crucis et resurrectionis Domini.

102 Vgl. hierzu H. Urs von Balthasar, Mysterium Paschale ..., 257–269.

103 Vgl. J. B. Metz, a.a.O., 405; Das »Verständnis der Einheit von ›memoria passionis und memoria resurrectionis‹ widersetzt sich auch dem Versuch, zwischen einer innerweltlichen Leidensgeschichte und einer überweltlichen Gloriengeschichte, ja, überhaupt zwischen Weltgeschichte und Heilsgeschichte in dem üblichen Sinn zu unterscheiden bzw. beide nur formal zu kontrastieren. Weder sind Weltgeschichte und Heilsgeschichte zwei Größen, die durch theologische Spekulation in eine Art Deckungsgleichheit zu bringen wären, noch können und sollen sie formal kontrastiert werden. Heilsgeschichte ist vielmehr Weltgeschichte, in der den unterlegenen und verdrängten Hoffnungen und Leiden ein Sinn eingeräumt wird. Heilsgeschichte ist jene Weltgeschichte, in der den besiegten und vergessenen Möglichkeiten menschlichen Daseins, die wir ›Tod‹ nennen, ein Sinn gegeben wird, der durch den Ablauf künftiger Geschichte nicht widerrufen oder aufgehoben wird.«

5,18 f.).«[104] Nur wenn Gott ist und zwar als dreifaltiger, wird eine völlige Selbstverneinung – und dies nur in menschlich-begrenzter Vorstellung – denkbar, die völlig aufgehoben werden kann: die völlige Selbstentäußerung Gottes in seinem Sohne umgreift noch die radikalste Negativität, die im Leid sichtbar werden könnte; die völlige Selbstzurücknahme Gottes im Heiligen Geiste ermöglicht, daß Leid und Tod auch für alle Welt dereinst aufgehoben werden[105].
Nur auf dieses Geheimnis kann der postulatorische Sinn negativer Dialektik, wenn überhaupt, reduziert werden.

Dritter Satz: Innerhalb der gesuchten Theorie ist für christliches Gedächtnis das Postulat der kritischen Theorie auf ein Postulat kritisch-praktischer Vernunft reduzierbar, wonach »Sinn und Ziel der Gesamtgeschichte unter dem sog. ›eschatologischen Vorbehalt‹ Gottes stehen.«
Gesucht ist die Theorie, innerhalb deren der Sinn negativer Dialektik aufs »mysterium factum paschale« reduziert werden kann. Nun ist das Postulat negativer Dialektik der vorher beschriebenen, kritischen Theorie – d. i. einer hermeneutischen Theorie der aktuellen, geschichtlichen Gegenwart in kritischer und praktischer Absicht. Nach dieser Theorie wird angesichts des Scheiterns einer Theorie von Geschichte in Modellanalysen das Postulat kritisch-praktischen Vernunftgebrauchs durchgesetzt, wonach Geschichte in sich nicht vollendbar sein kann und doch unaufhörlich möglich sein soll. Läßt sich nun eine Artikulation

104 H. Urs von Balthasar, Mysterium Paschale ..., a.a.O., 273; vgl. ebd., 277 f.: »Die entscheidende Offenbarung des Trinitätsgeheimnisses erfolgt somit nicht vor dem Mysterium Paschale; sie ist, wie anläßlich der Passion gezeigt wurde, in der Opposition der Willen am Ölberg und in der Gottverlassenheit am Kreuz vorbereitet, tritt aber mit der Auferstehung vollends ans Licht.«
105 Der Gedanke, daß das Geheimnis in seinem christlichen Konzept ein Geheimnis sei, das sich gerade in seiner Offenbarung als Geheimnis offenbare und insofern ein »bleibendes Geheimnis« bzw. ein »wachsendes Geheimnis« sei, ist in neuerer Zeit besonders von K. Rahner vorgetragen und erörtert worden. In dem Bestreben, den geheimnisvollen Kern der christlichen Botschaft als solchen theoretisch zu vermitteln, fordert Rahner eine »reductio« aller theologischen Aussagen »in mysterium unum«. (Vgl. K. Rahner, Überlegungen zur Methode der Theologie (3. Vorlesung): Schriften zur Theologie IX, Einsiedeln–Zürich–Köln 1970, 121.) »Die Sätze der Theologie müssen immer zurückgetrieben werden in das eine namenlose Geheimnis und in dessen ursprüngliche gnadenhafte Erfahrung« (ebd., 124). Die »damit gegebene eigentümlich theologische Relativität theologischer Sätze, d. h. ihre radikale Bezogenheit auf das sie unendlich Übersteigende, ohne welche Bezogenheit sie sinnlos werden, ist in der Theologie in einer seltsamen Dialektik immer aufs neue zu erfragen. Man kann sie nicht ersetzen durch anbetendes Schweigen, durch eine ›theologia negativa‹, die wirklich selber schweigt, und man kann diese Sätze auch nicht so sagen, als ob die laute Aussage selbst schon das Beabsichtigte wäre und nicht das erschreckt anbetende Schweigen, das sie erzeugen soll, und das zu jenem Todesschweigen gehört, in dem der Mensch mit Christus im Tode verstummt« (ebd., 124).

dieses Postulats finden, die nur für christliche »memoria« Gültigkeit hat und zugleich seinen Sinn gründet, so wäre das Postulat der gesuchten Theorie aufgefunden. Zugleich hätte diese Theorie an Konturen gewonnen.

Von hier aus richtet sich die Aufmerksamkeit unwillkürlich auf ein theologisches Postulat, nach welchem Sinn und Ziel der Gesamtgeschichte unter dem sog. eschatologischen Vorbehalt Gottes stehen[106]. Dieses Postulat wird offenbar als Satz christlichen Glaubens geäußert, der eine kritisch-praktische Intention hat. Als Glaubenssatz hat er nur für christliches Gedächtnis Geltung, muß also für dieses Gedächtnis aufs »mysterium factum paschale« zurückführbar sein. In seiner kritisch-praktischen Intention ist er geeignet, das Postulat der kritischen Theorie zu gründen. Das theologische Postulat des

106 Für R. Bultmann ist der »eschatologische Vorbehalt« (Vgl. R. Bultmann, Das Verständnis von Welt und Mensch im Neuen Testament und im Griechentum: Glauben und Verstehen II, Tübingen 1958², 78) ein Vorbehalt der Christen gegenüber der Welt. Er besagt, daß Christen im Glauben sich der Welt »bedienen in der Distanz des ›als ob nicht‹«, weil sie im Glauben dem Verfügbaren, der Welt und ihren Mächten entrückt sind. Insofern der Glaube nach Bultmann dies leistet, nennt er ihn »eschatologische Existenz« (ders., Theologie des Neuen Testaments, Tübingen 1968⁶, § 50, vgl. etwa § 28 ff.). In diesem Sinn hat der »eschatologische Vorbehalt« zwar eine weltkritische Tendenz, bleibt aber wegen des existentialkategorialen Zusammenhangs, in welchem er interpretiert wird, extrem ungeschichtlich und kann deshalb auch nicht konkret kritisch wirken. J. B. Metz nun möchte den Privatisierungstendenzen neuerer theologischer Theoriemodelle, wobei ihm gerade auch das R. Bultmanns vorschwebt, entgegenwirken. Das dazu von ihm entwickelte theologische Theoriemodell nennt er »politische Theologie«. In der politischen Theologie hat nun die Rede vom »eschatologischen Vorbehalt« (vgl. J. B. Metz, Art. Politische Theologie: Sacramentum Mundi III, 1232–1240; ders., ›Politische Theologie‹ in der Diskussion: Diskussion zur ›politischen Theologie‹, hrsg. v. H. Peukert, Mainz 1969, 275, 284–296) spezielle Bedeutung. Metz betont gerade »die Verbindung der christlichen memoria passionis mit dem politischen Leben. Im Gedächtnis dieses Leids erscheint Gott in seiner eschatologischen Freiheit als das Subjekt und der Sinn der Geschichte im ganzen ... Sinn und Ziel dieser Gesamtgeschichte stehen ... unter dem sog. ›eschatologischen Vorbehalt Gottes‹. Die christliche memoria erinnert den Gott der Passion Jesu als das Subjekt der universalen Leidensgeschichte und wendet sich in gleichem Zuge dagegen, ein solches Subjekt politisch auszumachen und zu inthronisieren. Wo immer eine Partei, eine Gruppe, eine Rasse, eine Nation, eine Klasse – und sei es die Klasse der Technokraten – versucht, sich als dieses Subjekt zu bestimmen und einzuführen, muß sich die christliche ›memoria‹ dagegen wenden und diesen Versuch entlarven als politischen Götzendienst, als politische Ideologie mit totalitärer oder in der Sprache der Apokalyptik – mit ›tierischer‹ Tendenz. So wird also auch im Lichte der christlichen ›memoria passionis‹ das politische Leben freigesetzt und vor Totalitarismus geschützt. Aber nun ... durch eine utopisch gerichtete und nicht durch eine unbestimmte Freisetzung. Das christliche Gedächtnis des Leidens ist nämlich in seinem theologischen Gehalt eine antizipatorische Erinnerung; es enthält die Antizipation einer bestimmten Zukunft der Menschheit als einer Zukunft der Leidenden, der Hoffnungslosen, der Unterdrückten, der Beschädigten und der Nutzlosen dieser Erde ...« (J. B. Metz, Zukunft aus dem Gedächtnis des Leidens ..., a.a.O., 406).

eschatologischen Vorbehalts besagt nämlich mit anderen Worten: Jeder Versuch, die Geschichte in ihr selbst zu vollenden, muß scheitern, weil die aller Geschichte zukommende Vollendung allein von Gott (in seiner eschatologischen Herrschaft) erwartet werden kann. Im Postulat des »eschatologischen Vorbehalts Gottes« findet dann für christliche »memoria« und zwar innerhalb der gesuchten Theorie das Postulat der kritischen Theorie offenbar seinen Grund[107].

Vorläufiges Ergebnis: Die gesuchte Theorie ist christologisch gegründete Eschatologie im Zusammenhang mit einer Geschichtstheologie in kritisch-praktischer Absicht. –

Jetzt zeichnen sich die Grundlinien der gesuchten Theorie ab. – In dieser Theorie soll einmal der Aussagegehalt des eschatologischen Vorbehalts in sich selber bedacht und begründet werden können – und zwar in Rücksicht darauf, daß in ihr der Sinn des Postulats negativer Dialektik aufs »mysterium factum paschale« reduziert werden kann. Der Inhalt des eschatologischen Vorbehalts muß also christologisch gegründet[108] werden. Die gesuchte Theorie muß demzufolge einerseits christologisch gegründete Eschatologie sein. Eschatologisch heißen die Aussagen dieser Theorie dann als die einer Christologie »auf den Modus der Vollendung hin«[109]. – In der gesuchten Theorie soll zum andern das Postulat des eschatologischen Vorbehalts in Hinblick auf kritisch-praktischen Vernunftgebrauch motiviert werden – und zwar in Rücksicht darauf, daß in ihr der Sinn des Prinzips der kritischen Theorie begründet werden kann. Die kritische Theorie hatte sich als

107 Man mache sich das am Schema klar:

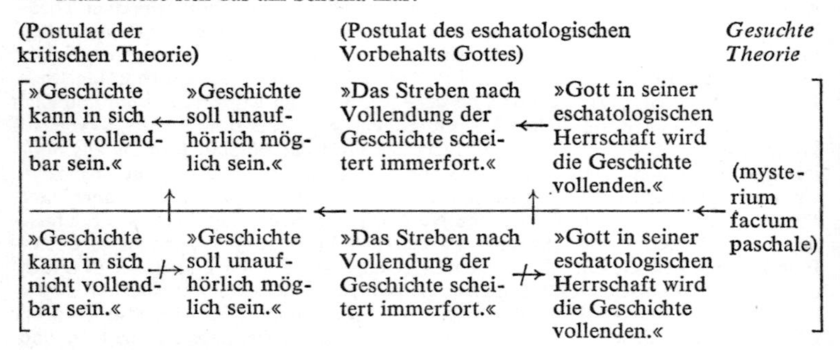

108 Hierbei ist Wert auf die Ausdrucksweise »gegründet« anstatt etwa »begründet« zu legen. Diese Christologie kann nicht *be*gründet werden und nicht *be*gründen, da ihr Prinzip gerade die »reductio in mysterium factum paschale« ist. In diesem »mysterium« *gründet* aber das christliche Gedächtnis Hoffnung *und* Christologie. Indirekt ist dann auch Eschatologie christologisch gegründet.

109 Vgl. K. Rahner, Theologische Prinzipien der Hermeneutik eschatologischer Aussagen: Schriften zur Theologie IV, Einsiedeln 1960, 428.

die angesichts des Scheiterns einer Theorie von Geschichte einzig mögliche (Meta-)Theorie ergeben. Die Theorie, in welcher der Sinn des Prinzips der kritischen Theorie begründet werden soll, ist aber nur im Bewußtsein christlicher »memoria« durchführbar. Die gesuchte Theorie muß dann andererseits Geschichtstheologie in kritisch-praktischer Absicht sein. – Die gesuchte Theorie muß beides in einem sein: christologisch gegründete Eschatologie und Geschichtstheologie in kritisch-praktischer Absicht. Das ergibt sich daraus, daß sich am eschatologischen Vorbehalt, wie er in dieser Theorie bedacht und motiviert wird, die inhaltliche und die kritisch-praktische Seite nur idealiter voneinander unterscheiden lassen. Es hat in der christlichen Theologiegeschichte – besonders seit den Zeiten Konstantins – oft genug auch christologisch begründete Eschatologie mit gesellschaftlich-praktisch stabilisierender Wirkung gegeben[110]. Eine solche Eschatologie nähme aber das Leid unter den bestehenden Verhältnissen und seine abgründige Aussage nicht ernst. Sie ginge am Postulat negativer Dialektik in seiner Grundbedeutung vorbei und beraubte sich selbst des Gehalts der christlichen »memoria«, auf den sie sich doch gründen müßte. Eine christologisch gegründete Eschatologie im Zusammenhang mit einer Geschichtstheologie in kritisch-praktischer Absicht geht in ihren Intentionen zusammen mit der sog. »politischen Theologie«[111]. Wie innerhalb der entworfenen Theorie Geschichtstheologie in kritisch-praktischer Absicht mit christologisch gegründeter Eschatologie zusammenhängt, kann später noch ein wenig genauer untersucht werden. Vorerst ist die gesuchte, theologische Theorie hinreichend umschrieben, so daß jetzt der Versuch einer Reduktion des postulatorischen Sinns negativer Dialektik aufs »mysterium factum paschale« unternommen werden kann. Dabei wird endlich auch ein neuzeitlicher Sinn – und zwar anscheinend ein zugleich ursprünglich christlicher Sinn – negativer Theologie hervortreten.

II.2/3.2 Reduktion des postulatorischen Sinns negativer Dialektik und neuzeitlich christlicher Sinn negativer Theologie

Es scheint, daß sich innerhalb der entworfenen Theorie der postulatorische Sinn negativer Dialektik auf das »mysterium factum paschale« zurückführen läßt. Damit wird – dies sei hier ausdrücklich angemerkt – ein kühner Gedankenschritt gewagt. Man kann nämlich nicht direkt

110 Vgl. hierzu etwa: E. Peterson, Der Monotheismus als politisches Problem: Theologische Traktate, München 1951, 45–147; a.a.O., 149–164: Christus als Imperator.

111 Zum Begriff und seinen Intentionen vgl. besonders: H. Peukert (Hrsg.), Diskussion zur »politischen Theologie«, Mainz–München 1969.

bzw. unvermittelt von dem, was in der kritischen Theorie gilt, zu dem, was für christliches Gedächtnis gilt, übergehen. Denn einen solchen Überschritt schließt das Postulat der kritischen Theorie gerade aus. – Es hilft hier auch nicht weiter, wenn man sich einen kritischen Theoretiker denkt, der *zugleich* der christlichen »memoria« sich anvertraut, in der Hoffnung, für dieses konkrete Bewußtsein sei der Sinn negativer Dialektik aufs »mysterium factum paschale« reduktibel. Es fragt sich dann nur, ob dieses »Zugleich« nicht eine Schizoidität dieses Bewußtseins anzeigt. Auch ein kritischer Theoretiker, der zugleich Christ sein möchte, kann dies verantwortlich nur, wenn sich eine Theorie angeben läßt, innerhalb deren der Sinn negativer Dialektik aufs »mysterium factum paschale« zurückführbar ist.

Nun hat sich aber gezeigt, daß es eine solche Theorie gibt. Sie muß diejenige Theorie sein, in welcher das Postulat der kritischen Theorie auch auf das Postulat des »eschatologischen Vorbehalts Gottes«, das für christliche »memoria« gilt, zurückgeführt werden kann. Die Rückführung des Postulats der kritischen Theorie auf das des »eschatologischen Vorbehalts Gottes« bedeutet einen ebenso kühnen Gedankensprung wie die Reduktion des postulatorischen Sinns negativer Dialektik aufs »mysterium factum paschale«. Der Gedankensprung bei der Reduktion dieses Postulats auf das des »eschatologischen Vorbehalts Gottes« ist nun aber nur als vermittelt über kritische Praxis zu denken. Ohne kritisch-praktische Vermittlung würde das Postulat des »eschatologischen Vorbehalts Gottes« ideologisch und das Postulat der kritischen Theorie würde seine eigene Reduktion ausschließen. Die gesuchte Theorie wurde deshalb vorerst als christologisch gegründete Eschatologie *im Zusammenhang* mit einer Geschichtstheologie in *kritisch-praktischer Absicht* umschrieben.

Innerhalb dieser Theorie tritt nun der Reduktionszusammenhang zwischen dem postulatorischen Sinn negativer Dialektik und dem Gehalt der christlichen »memoria« schon dann hervor, wenn man den Zusammenhang zwischen dem eschatologischen Vorbehalt Gottes und dem »mysterium factum paschale« betrachtet. Das Postulat des eschatologischen Vorbehalts läßt sich, wie soeben angedeutet, in den Sätzen aussprechen: »Das Streben nach Vollendung der Geschichte scheitert immerfort. – Gott in seiner eschatologischen Herrschaft wird die Geschichte vollenden.« Man erkennt unschwer, daß der Satz: »Das Streben nach Vollendung der Geschichte scheitert immerfort«, eine im Leid spürbare, radikale Negativität beinhaltet. Ebenso offensichtlich enthält der zweite Satz die bestimmte, universale Hoffnung, die in dem Christen gegründet wird, der sich an das Leiden, den Tod und die Auferstehung Jesu Christi erinnert. Die gesamte Aussage beschreibt also den vollen Gehalt christlicher »memoria«, allerdings in der Bedeutung, die er in der gesuchten Theorie gewinnt. Nimmt man aber den ersten Satz für sich, so enthält er nur die im Leid spürbare, radikale Negativität – und somit die Grundbedeutung des Postulats negativer Dialektik. Der Satz ist offenbar eine radikalisierte Kurzformel des postulatorischen Sinns negativer Dialektik.

Das aber bedeutet: in christologisch gegründeter Eschatologie, die im Zusammenhang mit einer Geschichtstheologie in kritisch-praktischer Absicht steht, ist eine Reduktion des Sinns negativer Dialektik auf das »mysterium factum paschale« in der Weise möglich, daß ein Überschritt vom radikalisierten Vollzug des Sinns negativer Dialektik zu bestimmter, universaler Hoffnung erfolgt. – Diese Reduktion ist keine rein theoretische, sondern eine kritisch-praktisch zu vermittelnde. Negative Dialektik und negative Theologie erläutern einander im Medium kritischer Praxis. Der Überschritt vom radikalisierten Vollzug des Postulats negativer Dialektik zu bestimmter, universaler Hoffnung hat nun ganz offensichtlich die Struktur eines Verweises durch radikale Negation auf Affirmation. Mit anderen Worten: in diesem Überschritt wird der transzendentale Sinn negativer Theologie neu gewonnen. Er läßt sich, wie folgt, umschreiben:

Negative Theologie bedeutet, daß von unbedingter und umfassender Verneinung eines innergeschichtlich präsentierten Sinns der Gesamtgeschichte auf der unaufhörlichen Suche nach ihm zur unbedingten und umfassenden Bejahung Gottes in seiner eschatologischen Herrschaft übergegangen werden kann und soll[112].

Der so vermittelte Sinn des überkommenen Begriffs negativer Theologie weist unübersehbar auf das im historischen Teil dieser Untersuchung erhobene ursprünglich neutestamentliche Konzept negativer

112

Im Schema:

Ges. Th.

(Affirmation)

»Das Streben nach Vollendung der Geschichte scheitert immerfort.« ←	»Gott in seiner eschatologischen Herrschaft wird die Geschichte vollenden.«	2. od. best. Negation	Tod ← Aufersteheung
↑			← ↑
»Das Streben nach Vollendung der Geschichte scheitert immerfort.« ↛	»Gott in seiner eschatologischen Herrschaft wird die Geschichte vollenden.«		Tod ↛ Auferstehung
(Erste oder radikale und universale Negation)			Christlicher Sinn negativer Theologie

Theologie zurück. Es enthielt als *Grundmoment* die Erinnerung an den Tod und die Auferstehung Jesu Christi, als *Negationsmoment* die radikal kritische Verneinung aller nur innergeschichtlichen Heilsfindung und als *Affirmationsmoment* die eschatologische Bejahung des Heils durch Gott in Christus. Das *Negations-* und das *Affirmationsmoment* des ursprünglich neutestamentlichen Konzepts negativer Theologie kehren in deren soeben umschriebenen, neuzeitlichen Begriff kaum abgewandelt, höchstens eingehender interpretiert wieder. Anders ist es mit dem *Grundmoment* des ursprünglich neutestamentlichen Konzepts. Die einfach narrative Erinnerung an Tod und Auferstehung Jesu Christi muß in der Neuzeit in einer christologisch gegründeten Eschatologie, die im Zusammenhang steht mit einer Geschichtstheologie in kritisch-praktischer Absicht, vermittelt werden.
Das zuletzt gewonnene Ergebnis kann man auch umkehren: der Überschritt vom radikalen Vollzug des Sinns negativer Dialektik zu bestimmter, universaler Hoffnung ist in der gesuchten Theorie gleichbedeutend mit der Rückführung des Sinns negativer Dialektik auf das »mysterium factum paschale«. Oder anders: *negative Theologie ist in christologisch gegründeter Eschatologie, die im Zusammenhang steht mit einer Geschichtstheologie in kritisch-praktischer Absicht, gleichbedeutend mit einer Reduktion des Prinzips kritischer Theorie aufs »mysterium factum paschale«.* – Daß negative Theologie konkret kritische Tendenz gewinnt, ist ihr möglich innerhalb der christologisch gegründeten Eschatologie im Zusammenhang mit einer Geschichtstheologie in kritisch-praktischer Absicht, und das bedeutet zugleich: durch kritische Praxis. Auf diese Weise ist auch ihr Sinn vermittelbar. Weil er aber mit der Reduktion des Prinzips kritischer Theorie auf den Gehalt der christlichen »memoria« gleichbedeutend ist, darf man auch sagen: negative Theologie ist hier in ursprünglich christlicher Bedeutung erfaßt. – Der Einfachheit halber soll im folgenden der Begriff negativer Theologie im neuzeitlich vermittelten, christlichen Sinn durch die Großschreibung »Negative Theologie« hervorgehoben und gekennzeichnet werden.

II.2/3.3 Negative Theologie als die grundlagentheoretische Klammer um christologisch gegründete Eschatologie und Geschichtstheologie in kritisch-praktischer Absicht

Ein konkret kritischer, inhaltlich vermittelbarer und eigentümlich christlicher Sinn negativer Theologie ergibt sich nur innerhalb einer christologisch gegründeten Eschatologie, die mit einer Geschichtstheologie in kritisch-praktischer Absicht zusammenhängt. Diese Theorie wurde schon, bevor von negativer Theologie ausdrücklich die Rede

sein konnte, gesucht und entworfen als diejenige, innerhalb welcher der Sinn negativer Dialektik sich aufs »mysterium factum paschale« reduzieren lasse. Sie kann jetzt, nachdem diese Reduktion sich als die Bedeutung Negativer Theologie herausgestellt hat, deutlicher in ihren beiden Momenten – der Geschichtstheologie und der Eschatologie – beschrieben werden. Dabei wird sich schließlich zeigen, daß Negative Theologie nicht nur die grundlagentheoretische Klammer um die beiden Momente der früher entworfenen Theorie ist. Diese wird sich vielmehr als die theologische Grunddisziplin erweisen. Es wird sich überdies ergeben, daß Negative Theologie die theologische Denkform christlichen Glaubens ist und als diese Denkform in allen christlich-theologischen Aussagen sowohl die Doppelstruktur von radikaler Verneinung und eschatologischer Bejahung ausprägt als auch zum Überschritt von jener Verneinung zu dieser Bejahung anweist.
Man vergegenwärtige sich den vollen Gehalt christlicher »memoria«, wie er sich innerhalb christologisch gegründeter Eschatologie, die im Zusammenhang steht mit einer Geschichtstheologie in kritisch-praktischer Absicht, darstellen muß: aufgrund der Erinnerung an den Tod und die Auferstehung Jesu Christi kann und soll von unbedingter und umfassender Verneinung eines etwa innergeschichtlich präsentierten Sinns von Geschichte auf der unaufhörlichen Suche nach ihm übergegangen werden zur unbedingten und umfassenden Bejahung Gottes in seiner eschatologischen Herrschaft, dem die Vollendung der Geschichte vorbehalten ist.
Zunächst ist festzustellen, daß der Gehalt Negativer Theologie mit dem Aussagegehalt des eschatologischen Vorbehalts Gottes identisch ist, sofern man von dessen postulatorischem Charakter vorläufig einmal absieht. Die Aussage des eschatologischen Vorbehalts Gottes selber aber darf als das Prinzip von Eschatologie gelten. Folglich ist Negative Theologie – und zwar in ihrer Rückbeziehung aufs »mysterium factum paschale« – auch das Prinzip christlicher Eschatologie. Der christliche Sinn negativer Theologie impliziert dabei, daß Eschatologie christologisch gegründet sein muß.
Negative Theologie weist in der ihr wesentlichen Rückbeziehung aufs »mysterium fatcum paschale« auf eine christologische Gründung *des* Inhalts zurück, daß das Handeln Gottes, an welches sich die Hoffnung auf Vollendung von Geschichte trotz ihres immer neuen Scheiterns knüpft, in der Auferweckung Jesu Christi von den Toten sichtbar geworden ist.
Der Gehalt der christologischen Gründung Negativer Theologie und der christlichen Eschatologie kann, für sich genommen, als das Prinzip einer affirmativen Christologie – das bedeutet: einer sog. »Christo-

logie von oben« – interpretiert werden. Denn das, worauf Negative Theologie verweist, muß christologisch gegründete Affirmation sein. Worauf sie in ihrer Rückbeziehung aufs »mysterium factum paschale« zurückweist, muß die christologische Gründung der Affirmation bzw. das Prinzip der affirmativen Christologie selber sein. Eine »Christologie von oben« hätte dann etwa kurz folgenden Inhalt: der unbegreifliche Gott ist in dem Menschen Jesus Christus als seinem Sohn in der Menschheit und ihrer Geschichte endgültig – und das bedeutet – so wirksam geworden, daß seine Wirksamkeit schon jetzt das Heil der Menschen bewirkt und dereinst die Vollendung der Menschenwelt nach sich ziehen wird.

Eine rein affirmative Christologie allerdings bliebe unvermittelt und wäre bare Mythologie. Denn die christologische Gründung innerhalb der christlichen »memoria«, auf welche Negative Theologie zurückweist, beinhaltet nicht einfach nur – sozusagen einbahnig – den erinnerten, *gelungenen* Übergang vom Tod zur Auferstehung Jesu Christi. Sie enthält diesen Übergang nur in Rücksicht auf das aktuelle Erfordernis, vom Verspüren radikaler Negativität im Leide kritisch praktisch zur Hoffnung übergehen zu können. Das erste Moment des Begriffs Negativer Theologie muß radikale Negation sein, von welcher zu Affirmation – dem zweiten Moment – erst hinübergeschritten werden kann.

Die radikale Negation, an welche nach dem Begriff Negativer Theologie die Affirmation geknüpft werden muß, kann in der Neuzeit das Postulat sein, wonach die Frage nach dem Sinn der Gesamtgeschichte offengehalten werden soll. Das Negationsmoment des soeben formulierten Begriffes Negativer Theologie enthält den Gehalt negativer Dialektik sogar in schärfster Radikalisierung.

Bei der Suche nach dem negativ-dialektisch vermittelten Sinn der Gesamtgeschichte erhält Negative Theologie die Bedeutung: obwohl und gerade weil jeder Versuch, die Geschichte in ihr selbst zu vollenden, scheitert, kann diese Vollendung, wenn überhaupt, dann nur von Gott erwartet werden.

Im Bezug Negativer Theologie auf den negativ-dialektisch vermittelten Sinn der Gesamtgeschichte wird das Prinzip kritischer Theorie über seine eigenen Möglichkeiten hinaus radikalisiert und zugleich erweitert zu dem einer Geschichtstheologie in kritisch-praktischer Absicht. Es schlägt um in das Postulat des eschatologischen Vorbehalts Gottes.

Auch in ihrem Bezug auf den negativ-dialektisch vermittelten Sinn der Gesamtgeschichte ist Negative Theologie christologisch bedeutsam. Denn das christliche Gedächtnis muß von Leid, wie es konkret erfahren und im Gedächtnis akkumuliert wird, allgemein ausgehen und zum

Gedächtnis des Leidens Jesu Christi übergehen, um dessen Bedeutung zu erfassen. Die christologische Bedeutung des Bezugs Negativer Theologie auf den negativ-dialektisch vermittelten Sinn der Gesamtgeschichte läßt sich etwa in folgendem Satz aussprechen: in Jesu Christi solidarischem Leiden und Sterben ist die immerfort scheiternde Bemühung der Menschheit um Vollendung der Geschichte vollgültig und sichtbar geworden.
Auch dieser Aussagegehalt kann als Prinzip einer Christologie interpretiert werden – diesmal einer negativen Christologie, der sog. »Christologie von unten«. Sie ist die notwendige Ergänzung der »Christologie von oben«, damit diese nicht unvermittelt bleibt. Umgekehrt bedarf sie selber der Ergänzung durch eine »Christologie von oben«. Sonst wäre die Emphase der Absolutheit, durch welche sie das Leben, das Leiden und den Tod Jesu von Nazareth auszeichnet, unverständlich und sogar grotesk angesichts der vielen und großen Leiden in der Welt. Wäre etwa ein unbedeutenderes Leid deshalb geringer, weil es irgendwo und irgendwann ein bedeutenderes gab?

II.2/3.4 Zur Struktur christlich-theologischer Aussagen

Die grundlagentheoretische Klammer um negative »Christologie von unten« und affirmative »Christologie von oben« wie auch um christologisch gegründete Eschatologie, die mit einer Geschichtstheologie in kritisch-praktischer Absicht zusammenhängt, ist nach allem Negative Theologie. Diese Einsicht kann grundlagentheoretisch noch ein wenig entfaltet werden. Dabei wird sich nämlich die grundlagentheoretische Bedeutung Negativer Theologie für alle christliche Theologie herausstellen.
Zunächst darf mit gutem Grunde behauptet werden, daß christologisch gegründete Eschatologie, die im Zusammenhang steht mit Geschichtstheologie in kritisch-praktischer Absicht, heute nicht mehr nur als irgendein Teilstück oder auch nur irgendeine Disziplin christlichen Theologisierens anzusehen ist. Man hat sie vielmehr als die Grunddisziplin christlicher Theologie zu betrachten. – Denn die Gemeinde der Jünger Jesu Christi erkennt sich heute offenbar wie kaum jemals zuvor als die Schar derer, welche die Vollendung der Geschichte trotz ihres immer wieder sich anzeigenden Scheiterns erhoffen und ihre Hoffnung in der Liebe betätigen müssen aufgrund dessen, daß sie erinnernd an Jesu Christi Übergang vom Tod zum Leben glauben. Solches Glauben, Hoffen und Lieben aber ist eine Praxis, die nicht ohne Theorie sein kann. Denn ohne Theorie würde diese Praxis in sich verfallen. Christliche Theologie muß diese Theorie sein. Dann aber muß auch *christo-*

logisch gegründete Eschatologie im Zusammenhang mit Geschichtstheologie in kritisch-praktischer Absicht künftig die Grunddisziplin aller christlichen Theologie sein. – Sie muß dies sein *sowohl in formaler als auch in materialer Hinsicht.* In materialer Hinsicht muß sie es sein, weil christlich-theologische Inhalte nur im Zusammenhang mit der Erinnerung an die Offenbarung ihres endgültigen Höhepunktes – d. i. das »mysterium factum paschale« – gegründet und nur im Hinblick auf aktuell sichtbar werdendes Scheitern von Bemühungen um Vollendung der Geschichte vermittelt werden können. In formaler Hinsicht ist die hier entworfene und »gesuchte« Theorie Grunddisziplin christlicher Theologie, weil sie in alles christliche Theologisieren die ihr eigene Struktur des Denkens überträgt. Ihr grundlagentheoretischer Strukturbegriff aber ist Negative Theologie. Aufgrund des Prinzips Negativer Theologie erhält jede christlich-theologische Aussage eine Doppelstruktur derart, *daß sie einerseits ein Scheitern innergeschichtlichen Bemühens um Vollendung der Geschichte konstatiert, anderseits auf deren Vollendung durch Gott in seiner eschatologischen Herrschaft verweist.* Dabei weist Negative Theologie zugleich an, *von radikaler Verneinung solchen Scheiterns zu eschatologischer Bejahung der Gottesherrschaft überzugehen.* – Daß Negative Theologie der grundlagentheoretische Strukturbegriff auch für alle christlich-theologischen Aussagen ist, ergibt sich einfach daraus, daß sie dies für die Grunddisziplin christlicher Theologie ist. – Welcher Art die Struktur sein muß, welche die Negative Theologie in jede christlich-theologische Aussage bringt, läßt sich einer Analyse des bisher herausgearbeiteten Begriffs Negativer Theologie entnehmen. Wenn Negative Theologie die Anweisung zum Überschritt von der radikalen Negation eines etwa dargebotenen Sinns der Gesamtgeschichte bzw. der Gesamtwirklichkeit auf der Suche nach ihm zur Affirmation der eschatologischen Herrschaft Gottes über ebendiese Geschichte und ebendiese Wirklichkeit ist – eine Anweisung, die in der christlichen »memoria« ihren Grund findet –, so sind alle Weisen christlichen Gottesbezuges nur in Befolgung dieser Anweisung denkbar. Negative Theologie wird dann nicht nur das Strukturprinzip christlicher Theologie, sondern auch der christlichen Praxis des Glaubens, Hoffens und Liebens sein. Dann aber muß jede christlich-theologische Aussage wie jeder christlich-religiöse Akt einmal die Doppelstruktur besitzen, daß einerseits ein Scheitern konstatiert, anderseits auf Gottes eschatologisches Wirken verwiesen wird. Zum andern muß jede christlich-theologische Aussage wie jeder christlich-religiöse Akt zugleich den Überschritt beinhalten von radikaler Negation zu Affirmation. – Man fühlt sich gedrängt, die Probe aufs Exempel zu machen. Ist es in der Tat so, daß der Sinn jeder christlich-theologischen Aussage erst jenseits der Feststellung eines radikalen Scheiterns gesucht wird? Oder gelangt man nicht auch einfach durch Übersteigerung anthropologischer Befunde wie »Existenz«, »Liebe« oder »Freiheitsinteresse« zu theologischen Gehalten? Muß alles christliche Glaubensdenken erst durch die Erfahrung oder das Gedächtnis von Leid hindurch, in dem die Gefahr restlosen Scheiterns sich unübersehbar zeigt? Eine konkrete Überprüfung der Struktur bestimmter christlich-theologischer Aussagen müßte den hier kaum mehr als hypothetisch entwickelten Strukturbegriff bewahrheiten. In einem nächsten Kapitel soll noch kurz angedeutet werden, wie dies geschehen könnte.

Vorher aber soll die Reihe der grundlagentheoretischen Explikationen des hypothetisch herausgestellten Begriffs Negativer Theologie noch mit einem Ergebnis beschlossen werden, in dem diese Reihe zu konvergieren scheint. Man kann es vielleicht so formulieren: *Negative Theologie ist theologische Denkform christlichen Glaubens.* – Nach dem vorher Gesagten ist Negative Theologie ein Strukturprinzip christlichen Glaubens. Um dies sagen zu können, braucht man unter »Glauben« nur die christliche Praxis in weitestem Sinne zu verstehen. Diese schließt nämlich Hoffen und Lieben ein. Negative Theologie ist als Prinzip der Struktur eines Übergangs von radikaler und universaler Negation zu Affirmation streng formal. – Dies schließt ein, daß Negative Theologie Struktur eines Logos ist, der in Ethos übergeht. Schon apriorisch-transzendental-logisch lassen sich radikale Negation und Affirmation als die Möglichkeitsgründe für wahres Erkennen und sittliches Handeln erheben. Bereits in einer reinen Theorie, wie sie apriorisch-transzendentale Logik zu sein beansprucht, bildet der Verweis von radikaler Negation auf Affirmation die Struktur des Übergangs vom Logos zum Ethos aus. Um so mehr gilt dies für die Betrachtung der faktischen These, wonach Negative Theologie das Strukturprinzip christlichen Glaubens ist. Negative Theologie gibt als die Anweisung für jede Art christlichen Gottesbezugs sowohl die Weise dieses Gottesbezugs an als auch die Weise, wie dieser Gottesbezug sich über sich selbst klarwerden kann. Sie beinhaltet eine Form, in welcher der Glaube sowohl zu denken als auch zu vollziehen ist. Negative Theologie ist im wahrsten und im umfassenden Sinne des Wortes »Denkform«[113] des christlichen Glaubens. – Daß Negative Theologie

113 Vgl. zum vielfältigen Wortgebrauch: G. Söhngen, Art. Denkform: LThK² III, 1959, 230 f.; J. Splett, Art. Denkform: Sacramentum Mundi I, Freiburg 1967, 842–846 (Literatur ebd.). – Der durch H. Leisegang (Denkformen, 1928, Berlin 1951²) eingeführte Ausdruck wird hier in ähnlich umfassender Bedeutung verwendet wie bei J. B. Metz (Christliche Anthropozentrik, München 1962, 30): »Im Unterschied zum Materialprinzip, das die innere Einheit eines bestimmten Aus-

nicht etwa eine psychologische Denkform sein kann, liegt auf der Hand. Soeben wurde sie als theologische Denkform bezeichnet. Warum nicht als religiöse? Nun, es gilt nicht allgemein als selbstverständlich, daß Religion auch etwas mit Denken zu tun habe. Verstehen wir unter Denken hier einmal eine von einem Menschen gleichwie kontrollierte Abfolge geistiger Gehalte, so ist unverkennbar, daß Negative Theologie zum Denken anweist. Ist sie doch die Anweisung zum Übergang von radikaler und universaler Negation als dem transzendentalen Prinzip des Logos zur Affirmation als dem transzendentalen Prinzip des Ethos. Wie aber soll man das Denken, zu welchem Negative Theologie den Glauben anweist, anders bezeichnen denn als Theologie? – Nun könnte eingewandt werden: Ist dann »theologische« Denkform des »christlichen Glaubens« nicht eine Tautologie? Sollte nicht auf das Epitheton »theologisch« verzichtet werden? Erstens ist zu erwidern, daß auch eine andere Denkform des Glaubens denkbar und untersuchenswert wäre als die hier untersuchte – eine psychologische etwa. Zweitens ist zu antworten, daß jedes Konzept negativer Theologie eine theologische Denkform beinhaltet. Vom hierarchologischen Konzept negativer Theologie etwa konnte es heißen: Theologie ist nicht möglich, es sei denn in einem vermittels umfassender Verneinung vollzogenen und doch als bejahend behaupteten Verweis auf einen unaussprechlichen Gegenstand; und zum transzendental-logischen Konzept negativer Theologie wurde festgestellt: radikale Negation als

sagebezirks fügt, gibt das Formalprinzip dem Denken *als solchem und im ganzen* die innere Einheit und Form. Es ist die ›Denkform‹ schlechthin. Formal- und Materialprinzip sind keineswegs gleichrangig nebengeordnet im Aufbau eines Denkens. Das Formalprinzip ist noch tiefer eingewirkt in ein Denk- und Aussagegebilde als das Materialprinzip, dadurch ist es auch noch fundierender und umgreifender als dieses, freilich auch mühsamer freizulegen, doch von seiner Erhellung hängt die Erkenntnis der Eigenart und des geschichtlichen Ranges eines Denkens bzw. einer denkerischen Gestalt schlechthin ab. Alles Verstehen, das diesen einigenden Grund übersieht oder nicht bis zu ihm vorstößt, bleibt gegenüber der gesammelten Gestalt eines Denkens schließlich in der Gestreutheit und Unverbindlichkeit des vorläufigen Feststellens; der Durchblick auf das tragend Eine und Ganze ist verwehrt, es ereignet sich kein echtes Verstehen. Denn Verstehen heißt, ein Denken auf sein ungesagtes, gleichwohl in jeder Aussage wirksames formales Prinzip zu ›hintergehen‹, um aus diesem rückläufig die einzelnen Begriffe und Denkbereiche entspringen zu sehen und sie aus ihrem Ursprung nachzuvollziehen.« Vgl. noch G. Pfeifer, Denkformanalyse als Aufgabe der Hermeneutik: In disciplina Domini – In der Schule des Herrn = Thüringer kirchliche Studien 1, Berlin 1963, 278–280. – Der hier verwandte Begriff der Denkform meint aber nicht nur wie der Metzsche Begriff ein *epochales* Formalprinzip des Denkens, sondern eine sich durchhaltende Denkstruktur, die epochal vermittelt werden muß. So kann eine Denkform selber zum hermeneutischen Problem werden. (Vgl. K. Lehmann, Die dogmatische Denkform als hermeneutisches Problem, Prolegomena zu einer Kritik der dogmatischen Vernunft: Evangelische Theologie 30, 1970, 469–487).

der Verweis auf Affirmation ist die letzte subjektive Möglichkeitsbedingung für Religionsphilosophie bzw. Theologie nach apriorisch-transzendentalem Verständnis. Als theologische Denkform ist das eigentümlich christliche Konzept mit anderen Konzepten negativer Theologie vergleichbar und macht auch christliche Theologie mit anderen Theologien vergleichbar. Noch ein dritter Gesichtspunkt legt die Hervorhebung des theologischen Charakters Negativer Theologie als der Denkform christlichen Glaubens nahe. Der christliche Glaube hat eine theologische Denkform – das bedeutet: es gibt am christlichen Glauben einen strukturellen Ansatzpunkt dafür, daß dieser Glaube in Theologie übergehen kann. In seinem Strukturprinzip wenigstens kann christlicher Glaube nicht »theologie-frei«, nicht »blind« sein. – Zu fragen bleibt nach der Eigentümlichkeit des neuzeitlich christlichen Begriffs negativer Theologie, der hier entwickelt und als die theologische Denkform christlichen Glaubens herausgestellt wurde. Für Negative Theologie in dem hier entworfenen Sinne ist konstitutiv und so charakteristisch die Überschreitung eines Standpunktes, für den negative Dialektik Denkform wäre. Negative Theologie als theologische Denkform enthält negative Dialektik als meta-geschichtstheoretische und am Freiheitsinteresse orientierte Denkform in sich, aber als diejenige, die es zu transzendieren gilt. Zwischen dem Postulat negativer Dialektik und dem neuzeitlich christlichen Sinn negativer Theologie besteht ein kritisch-praktisch zu vermittelnder Verweisungszusammenhang.

II.3 Glaubensfragen als Ansatzpunkte kritisch-praktischer Vermittlung des Begriffs Negativer Theologie

Wie kann heute geglaubt werden? Wenn die Aussage über den Verweisungszusammenhang zwischen dem Postulat negativer Dialektik und dem neuzeitlich christlichen Begriff negativer Theologie Sinn haben soll, so muß eine konkrete Vermittlung der begrifflichen Affinität von negativer Dialektik und Negativer Theologie etwas mit der Lösung heutiger Glaubensprobleme zu tun haben. Wie ist dies genauer zu denken? – Wo der christliche Sinn negativer Theologie in kritischer Praxis konkret gefunden wird, da muß sich offenbar auch christlicher Glaube orten. Negative Theologie ist als die Anweisung, von grundsätzlicher und umfassender Verneinung eines innergeschichtlich etwa präsentierten Sinns der Gesamtgeschichte auf der Suche nach ihm zur unbedingten und die Geschichte übergreifenden Bejahung Gottes in seiner eschatologischen Herrschaft überzugehen, nur aufgrund der christlichen Erinnerung an das Leiden, den Tod und die Auferstehung Jesu Christi möglich. Überall, wo dieser Übergang konkret realisiert wird, da darf man die Zuversicht haben, sich innerhalb der Bandbreite der Wirkungsgeschichte christlicher Erinnerung zu befinden. Negative Theologie in konkreter Aktualisierung wird so zum Index christlichen Glaubens. – Umgekehrt wird man dann auch sagen können, daß konkrete Glaubensschwierigkeiten mögliche Ansatzpunkte der kritisch-praktischen Vermittlung eines konkreten Sinnes Negativer Theologie sind. Jede Aporie des Glaubens kann theologische Aporetik in Gang bringen und vom konkreten Bedürfnis her nach deren metatheoretischem Strukturprinzip fragen lassen. Der Sinn Negativer Theologie wird dann aus konkretem Anlaß aufgespürt.
Im folgenden beschränken wir uns darauf, bei heute beinahe statistisch feststellbar typischen Glaubensfragen anzusetzen. Diese werden dann als modellhafte Ansatzpunkte kritisch-praktischer Vermittlung eines konkreteren Sinns Negativer Theologie zu werten sein.
Als Glaubensprobleme, die heute typisch sind, dürfen wohl gelten: das Problem des heute sogar technisch perfektionierten Leides in der Welt (Theodizeeproblem), das der Abwesenheit Gottes im Bewußtsein der Gesellschaft von heute (Atheismusproblem) und das Problem der Konkurrenz der modernen, humanistischen Heilslehren mit dem Christentum (Humanismusproblem). – Daß diese Probleme heute praktische Glaubensschwierigkeiten bedeuten und nicht etwa nur akademische Probleme sind, dürfte auf der Hand liegen. Daß sie etwas mit der christlichen Bedeutung Negativer Theologie zu tun haben und daß

sie in dieser Hinsicht hier gewissermaßen vollständig aufgezählt sind, ergibt sich schon daraus, daß sie sich in ein zunächst anscheinend sinnvolles, dialektisches Schema einordnen lassen: Das *Leid* – gegen welches sich eine erste, radikale Negation richtet – meint man weithin *atheistisch* – d. h. durch eine ideologiekritische und bestimmte, zweite Negation – in einem praktischen *Humanismus* – der von einer Affirmation des Menschen bzw. des Übermenschen oder von Ähnlichem getragen wird – wenigstens asymptotisch-approximativ aus der Welt schaffen zu können. – Gegen eine derartige Auffassung, die man als das gegenwärtige Dogma einer perfekten Weltanschauung bzw. Geschichtstheorie ansprechen könnte, hätte sich schon das Postulat negativer Dialektik zu richten. Erst recht muß sie vom Standpunkt Negativer Theologie aus Kritik erfahren. Gegen sie muß der eschatologische Vorbehalt Gottes erhoben werden. Bei solcher Kritik aber wird sich ein konkreter Sinn Negativer Theologie einstellen.

II.3/1 Der christliche Glaube und das Leid in der Welt von heute (Theodizeeproblem)

Das Problem einer Rechtfertigung des Daseins und der Herrschaft Gottes angesichts des Leids in der Welt ist zwar nicht erst in der Neuzeit erwacht. Doch wurde eine philosophische Bemühung um solche Rechtfertigung erst von Leibniz Theodizee genannt. – In neuester Zeit nun ist das Problem einer Theodizee besonders brennend geworden. Die Leiden von Mensch und Tier scheinen sich infolge technologischer Vervollkommnung ihrer künstlichen, freiwilligen und unfreiwilligen Verursachungen trotz unübersehbarer neuzeitlicher Errungenschaften gegenüber dem vortechnischen Zeitalter oft nur qualitativ verändert zu haben. – Die Einsicht, daß das Leid nicht abschaffbar ist, drängt sich heute nicht nur Christen auf, sondern auch allen denen, die sich über Geschichte und Wirklichkeit als ganze Gedanken machen. Sie zwingt, wie ausführlich gezeigt wurde, dazu, das Postulat negativer Dialektik in seiner Grundbedeutung zu konzipieren: Menschen, denen im Leid die Möglichkeit restlosen Scheiterns aller Selbstüberschreitung aufgeht, wären zwar auf bestimmte Hoffnung aus, können sie aber von sich aus nicht gewinnen[114]. Freilich kann diese

114 »In Auschwitz hat sich für Adorno nicht ein Zwischenfall der Menschheit auf dem Wege des Fortschritts zur totalen Freiheit ereignet, sondern der in die Negation seiner selbst umgeschlagene Fortschritt hat als Fortschritt zu Auschwitz geführt. Die Faschisten ... haben die totale Negativität als notwendiges Resultat der die Geschichte vom Mythos an beherrschenden Emanzipation nur exekutiert«

Grundeinsicht immer wieder verlorengehen. Man schlägt sie leicht in den Wind, sobald wieder einmal ein in sich durchaus berechtigter Entwurf konkreter Überwindung eines bestimmten Leids vorgetragen und gar realisiert wird. Die Anweisung negativer Dialektik, die Vollendung der Gesamtgeschichte für unverfügbar zu halten, ist darum nur im utopischen Vorgriff auf deren Eschaton aufrechtzuerhalten. – Die Nichteliminierbarkeit des Leides kann nun Anlaß werden, aufgrund christlicher »memoria« eine Rückführung des Sinns negativer Dialektik aufs »mysterium factum paschale« zu versuchen. Diese Reduktion hat sich in den voraufgegangenen Überlegungen als neuzeitlich christlicher Sinn negativer Theologie ergeben. Aus ihnen ergibt sich dann auch, daß der christliche Glaube durch die Tatsache des Leids und seiner Unabschaffbarkeit in der Welt von heute grundlegend in Frage gestellt sein muß. Das Leid wird für den Glauben eine grundlegende Frage, die zugleich seine Chance ist. Das Glaubensproblem angesichts des Leids in der Welt von heute kann möglicher Ansatzpunkt der kritisch-praktischen Vermittlung eines konkreteren Sinnes Negativer Theologie werden.

Der Christ kann die Prüfung durch Leid heute so bestehen, daß er sein Hoffen, das aus seinem Gedächtnis des Leidens, des Todes und der Auferstehung Jesu Christi entspringt, *im kritischen Handeln solidarisch leidender Menschenliebe* wirksam werden läßt.

Christen können im Leid wie andere Menschen seine radikale Unabschaffbarkeit erspüren und doch anders als andere Menschen zur Hoffnung auf das eschatologische Heil, das durch Gott gewirkt wird, übergehen. – Sie können und sollen diesen Widerspruch gerade in kritischer Praxis durchstehen. – Dabei sollte ihnen schließlich ein konkreterer Sinn Negativer Theologie aufgehen. – Diese drei Forderungen kann man in eine zusammenziehen: die radikale und universale Negation der radikalen und totalen Negativität, die sich im Leid zeigt, muß in kritischer Praxis in die Affirmation Gottes in seiner eschatologischen Herrschaft umschlagen. Daraus ergibt sich: diese Affirmation wird das gottgeschenkte Ziel und der Beweggrund kritischer Praxis sein müssen. – Die christliche »memoria« kennt aber seit den Zeiten urchristlicher Predigt bis heute keine andere Affirmation Gottes in seinem kommenden Reiche, die jetzt schon Ziel und Beweggrund kritischen Handelns sein könnte, als die Gottesliebe, die sich in der Menschenliebe bewährt. Die kritische Praxis, nach welcher hier gesucht wird,

(G. Rohrmoser, Das Elend der kritischen Theorie, Freiburg 1970, 20, zu: Th. W. Adorno, Negative Dialektik, Frankfurt a. M. 1966, 353. Vgl. M. Horkheimer – Th. W. Adorno, Dialektik der Aufklärung, New York 1944, Frankfurt a. M. 1969[2]).

muß also auf Liebe ausgerichtet und von ihr getragen sein. Zugleich soll sie aus der Negation der Negativität, die sich auf dem Grunde des Leides zeigt, hervorgehen. Als kritische Praxis, die Liebe ist und zugleich Negation radikaler Negativität im Leid, kommt aber keine andere in Frage als eine, die sich in der Solidarität mit den Leidenden aktualisiert. Das gesuchte, kritische Handeln muß *solidarisch leidende Menschenliebe* sein.

Die Menschenliebe des Christen darf demnach nicht einfach nur »mitleidig« – etwa nur fürsorglich »karitativ« – sein, sondern sie muß durch aktives Mitleiden zum Protest gegen eine leidige Herrschaft bestehender Gesetzlichkeit von Natur und Gesellschaft werden. Dies enthebt den Christen gerade nicht der Notwendigkeit, nach sachgerechten Lösungen für konkrete Probleme zu suchen und mit allen Menschen, die in dieser Absicht guten Willens sind, zusammenzuarbeiten. Im kritischen Handeln solidarisch leidender Menschenliebe erweist sich so, daß und wie Christen Prüfungen durch Leiden in der Welt von heute bestehen können. Es wächst ihnen, wie erfahren werden kann, darin die Kraft der Auferstehung Jesu Christi zu, der *vom Kreuze aus als König* herrscht.

Der konkretere Sinn Negativer Theologie, den der Christ in der Verwirrung seines Glaubens durch das Leid in der Welt von heute im kritischen Handeln solidarisch leidender Menschenliebe finden kann, *besteht nun darin, daß ihm in der keine Macht fürchtenden Selbstverleugnung des Eingehens auf das Leid der Leidenden die Kraft zu unbedingtem Einsatz für sie zuwächst.* In der Menschenliebe wird die in der Gegenwart je mögliche Affirmation Gottes und seines kommenden Reiches vollzogen, zu welcher von der Negation aktiven Mitleidens aus Gnade übergegangen werden kann. Schon immer galt in der Christenheit die Liebe als unbegreiflich und ihr Anspruch als unerfüllbar.

II.3/2 Der christliche Glaube und die Abwesenheit Gottes im Bewußtsein der modernen Gesellschaft (Atheismusproblem)

Anscheinend kommen heutzutage immer mehr Menschen für ihr Leben und sogar ihr Sterben ohne die Vokabel Gott aus. Atheismus allerdings kommt in den modernen Industriegesellschaften immer weniger in seinen kämpferischen Spielarten vor, auch kaum mehr so, daß jemand sich gedrängt fühlte, Gott ausdrücklich zu leugnen, sondern immer häufiger so, daß man einfach in der Abwesenheit Gottes lebt. –

Solcher Atheismus darf hier einmal ein wenig pauschal als eine typisch neuzeitliche Reaktion auf das vorhin angesprochene Leidproblem gedeutet werden. Denn besonders für den Aufbau einer besseren Welt erscheint vielen Zeitgenossen die Annahme eines welt- und geschichtsjenseitigen Absoluten als wissenschaftlich unnötig und moralisch unmöglich. – Wissenschaftlich unnötig muß die sog. Gott-Hypothese für alle die scheinen, welche die Möglichkeiten von Wissenschaft und Technik so hoch veranschlagen, daß sie – meist unterschwellig – eine – vielleicht unendlich approximative – wissenschaftliche Aufklärung bzw. Überwindung aller etwa auftauchenden »Schwierigkeiten« für möglich halten. In der mehr oder weniger ausdrücklichen Konsequenz einer solchen Auffassung liegt der Entwurf einer theoretischen Weltformel oder auch der Versuch einer praktischen Vollendung der Geschichte. Bei solcher Zuversicht freilich scheint die Annahme eines göttlichen Wesens zur Erklärung bzw. Ermöglichung des Anfangs aller Dinge sowie ihres Fortgangs und Endes wissenschaftlich-technisch unnötig. Doch widerstreitet dem schon die Weisung negativer Dialektik, den Sinn und die Vollendung der Geschichte für unverfügbar zu halten. Auch den Vertretern des Postulats negativer Dialektik und gerade ihnen aber muß die Gott-Hypothese – wenigstens zunächst – als moralisch unmöglich erscheinen. Sie ist ein Vorgriff auf den Gesamtsinn der Geschichte, wie er nach dem Postulat negativer Dialektik ausgeschlossen werden soll. Sie beschränkt, wie die Tatsachen zu lehren scheinen, die Freiheit der Menschen – vor allem dann, wenn Gott von religiösen Institutionen mit gesellschaftlichem Einfluß und im Interesse an der Erhaltung bestehender Herrschaftsverhältnisse als der Geber und Garant bestimmter Normen interpretiert wird. – Das Grundmotiv moderner Gottlosigkeit scheint überhaupt ein Humanismus ohne Gott zu sein. Dies galt nicht nur für das philosophische Bewußtsein eines Nietzsche oder Marx, sondern gilt inzwischen auch für das mehr oder weniger dumpfe Bewußtsein vieler Zeitgenossen. Vom Humanismus ohne Gott als Problem christlichen Glaubens wird noch zu reden sein.

Für den christlichen Glauben wird jedenfalls – so viel ist jetzt schon zu sagen – das Theodizeeproblem durch ein spezifisch modernes Atheismusproblem verschärft[115]. Gottgläubige sehen sich in der modernen

[115] Vgl. Vaticanum II: Die Pastoralkonstitution, Art. 19 (LThK²-Ergänzungsband III, 339) räumt ein, daß die Christen »durch Vernachlässigung der Glaubenserziehung, durch mißverständliche Darstellung der Lehre oder auch durch Mängel ihres religiösen, sittlichen und gesellschaftlichen Lebens das wahre Antlitz Gottes und der Religion eher verhüllen als offenbaren.« Im Art. 20 (ebd., 341) wird ausdrücklich der Zusammenhang zwischen Autonomiestreben und modernem Atheismus hergestellt: »Der moderne Atheismus stellt sich oft auch in systemati-

Gesellschaft immer mehr in die Minderheit gedrängt, ja, auf sich allein gestellt. Es muß der Eindruck der Gottesferne oder gar der Gottverlassenheit entstehen. Im Christen müssen angesichts der Ausbreitung von atheistischem Humanismus sein kirchlicher Gottesglaube und sein christliches Engagement für den Menschen in eine geradezu antinomische Stellung zueinander geraten – in die von Orthodoxie und Orthopraxie. Sollen Gottesglaube und Orthodoxie um der Orthopraxie und der Menschenliebe willen nicht aufgegeben werden? – Es gibt sogar Theologen – etwa der sog. »Gott-ist-tot«-Theologie –, die diese Frage mit mehr oder weniger Einschränkung bejahen.

Der Christ kann die Versuchung zur Gottlosigkeit heute so durchstehen, daß er seinen Glauben, der nur in unausgesetztem Buchstabieren der überkommenen und neu gefundenen christlichen Erinnerungsformeln zu bewahren ist, *im ringenden Gebet eines die Gottesferne ertragenden Gottesdienstes* ausdrückt.

Der Sinn negativer Dialektik, wonach die Annahme des Daseins eines Gottes zunächst als wenigstens moralisch unmöglich, wenn nicht gar als wissenschaftlich unnötig erscheint, bedarf einer Reduktion auf das eschatologische Geheimnis, und diese ist aufgrund christlicher »memoria« möglich, und zwar als christlicher Sinn Negativer Theologie. – Wie kann nun angesichts der Verunsicherung christlichen Glaubens durch die Abwesenheit Gottes in der modernen Industriegesellschaft aufgrund christlicher »memoria« von grundsätzlicher und umfassender Verneinung eines Sinnes der Gesamtgeschichte auf der unaufhörlichen Suche nach ihm zur unbedingten Bejahung Gottes in seiner eschatologischen Herrschaft übergegangen werden? – Man wird das Ernstnehmen der Abwesenheit Gottes als eine grundsätzliche und umfassende Verneinung eines etwa präsentierten Sinnes der Gesamtgeschichte auffassen dürfen. Wie kann man dann aber noch die unbedingte Bejahung Gottes in seiner eschatologischen Herrschaft festhalten? – Für das erste Moment – das Ernstnehmen der Abwesenheit Gottes – findet christlicher Glaube bestimmte Erinnerungen einmal in den überlieferten biblischen Formeln, die von der Gottverlassenheit

scher Form dar, die, außer anderen Ursachen, das Streben nach menschlicher Autonomie so weit treibt, daß er Widerstände gegen jedwede Abhängigkeit von Gott schafft. Die Bekenner dieses Atheismus behaupten, die Freiheit bestehe darin, daß der Mensch sich selbst Ziel und einziger Gestalter und Schöpfer seiner eigenen Geschichte sei. Das aber, so behaupten sie, sei unvereinbar mit der Anerkennung des Herrn, des Urhebers und Ziels aller Wirklichkeit, oder mache wenigstens eine solche Bejahung völlig überflüssig. Diese Lehre kann begünstigt werden durch das Erlebnis der Macht, das der heutige technische Fortschritt dem Menschen gibt. Unter den Formen des heutigen Atheismus darf jene nicht übergangen werden, die die Befreiung des Menschen vor allem von seiner wirtschaftlichen und gesellschaftlichen Befreiung erwartet . . .«

Jesu in Gethsemane (Mt 26,36–46; Mk 14,32–42; Lk 22,40–46) und am Kreuz (Mt 27,46f.; Mk 15,34f.) handeln, zum anderen in der Rede von der mystischen Nacht der Gottesbegegnung, die letztlich in der Verneinung aller götzenhaften Vorstellungen von Gott besteht[116]. – Das zweite Moment – die Bejahung Gottes in der Hoffnung auf seine eschatologische Herrschaft – ist für christliches Glauben unverzichtbar, wenn es sich nicht selbst aufgeben und die vielleicht einzige Chance vertun will, den postulatorischen Sinn negativer Dialektik durch Reduktion auf das christlich erinnerte Geheimnis des Übergangs von Christi Tod zum Leben zu motivieren. Wo darum dieses zweite Moment ausgeräumt wird – wie etwa bei christlichen Theologen, welche die Antinomie zwischen kirchlichem Gottesglauben und christlicher Menschenliebe vorschnell durch eine Verabsolutierung letzterer aufklären möchten –, da wird nicht nur eine überfällige Stellung geräumt, sondern den atheistischen Humanisten von heute so viel eingeräumt, daß nicht mehr einzusehen ist, wieso der Menschenliebe die Präferenz einer Absolutheit oder eines absoluten Grundes zukommen soll. Kritisches Handeln solidarisch leidender Menschenliebe als die Antwort des Glaubens auf das Theodizeeproblem heute ist nicht möglich, ohne daß zugleich auf das Atheismusproblem in einem Gottesbezug reagiert wird, in welchem nicht nur die Abwesenheit Gottes ernstgenommen, sondern auch auf Gott in seiner eschatologischen Herrschaft gehofft wird. Das christliche Hoffen ist aber nur zu bewahren in unausgesetztem Buchstabieren der Formeln christlicher Erinnerung. Dem neu erkannten »Arbeite!« ist darum ein ebenso neu zu erkennendes »Bete!« an die Seite zu stellen.

Der Christ wird die Prüfung seines Glaubens durch die Abwesenheit Gottes in unserer Gesellschaft nur *im ringenden Gebet eines die Got-*

116 J. Ratzinger hat in seinem Kommentar zur Pastoralkonstitution wohl mit Recht bedauert, daß der Wunsch einiger Konzilsväter, »es müsse gesagt werden, daß der Atheismus, den die Kirche allzeit verwirft, dennoch den Gläubigen Anlaß bietet, sich von allen Spuren der Idolatrie zu läutern«, von der zuständigen Konzilskommission abgelehnt wurde mit dem Hinweis, daß es sich dabei um eine »quaestio disputata« handle. »Wieso die Herausstellung der göttlichen Transzendenz, die Betonung der Tatsache, daß auch der offenbare Gott ein verborgener bleibt, mit einem Wort: das Element der theologia negativa, eine quaestio disputata darstellen soll, ist rundherum nicht einzusehen ... Eine Darstellung, die den Atheismus zu verstehen versucht, muß doch einfach das Moment der Verborgenheit Gottes beachten; sie wird unernsthaft, wenn sie sich so gibt, als ob Vernunft und Offenbarung eine glatte und eindeutige, jedermann faßbare Gewißheit anbieten würden: dann könnte Atheismus ja wirklich nur noch böser Wille sein« (Pastoralkonstitution: ebd., 345 f.). Ratzinger bedauert, daß die Möglichkeit versäumt wurde, »eine positive Aufgabe des Atheismus für den Glauben sichtbar zu machen: daß er einer allzu affirmativen Theologie gegenüber immer wieder den Part der negativen Theologie übernehmen muß und so auch zur Reinigung des Glaubens und des Gottesbildes beitragen kann« (vgl. ebd., 347).

tesferne ertragenden Gottesdienstes bestehen können. Eine Erinnerung etwa an die atl. Erzählung vom Kampf Jakobs mit Gott am Jabok (Gen 32,23–33) kann hier hilfreich sein. Im Beten des Christen müssen deshalb auch Fragen, Zweifel, das Hadern und selbst die Verzweiflung Platz haben[117].

Der kirchliche Gottesdienst muß mehr, als es bisher üblich und wohl auch seinen Institutoren erwünscht gewesen ist, das Ungenügen kirchlicher Glaubensformeln, ja, sein eigenes Gebrechen zum öffentlichen Thema machen. Das gerade heißt ringendes Gebet eines Gottesdienstes, der die Gottesferne beim Buchstabieren christlicher Erinnerungsformeln, die ja kirchliche Formeln sind, erträgt. Er darf nicht nur auf Erbauung oder gar Berauschung angelegt sein, er muß auch Protest sein, welcher die Nöte der Welt und mit Gott realistisch beim Namen nennt. *Im Ernstnehmen der sich ausbreitenden Gottlosigkeit und der eigenen Gottesferne kann die Kraft zur unbedingten Anerkennung Gottes in der Hoffnung auf seine eschatologische Herrschaft gefunden werden.* Daß solche Verneinung in die Bejahung wahrer Gottesbegegnung und eschatologischer Feier umschlage, *das ist dann gerade der für christlichen Glauben angesichts des modernen Atheismusproblems konkretere, christliche Sinn Negativer Theologie.* – Hier gewinnt auch der früher umschriebene mystagogische Sinn des traditionellen Konzepts negativer Theologie eine neue und christliche Bedeutung. Negative Theologie zielt in einem Gottesdienst, der die Gottesferne erträgt, auf eine »Gott«-lassende Gottesliebe. Denn es ist immer ein Götze, der gelassen werden muß, damit Gott geliebt werden kann. – Das kritische Handeln solidarisch leidender Menschenliebe ist auf die Dauer nicht möglich ohne ringendes Gebet in »Gott«-lassender Gottesliebe und diese wiederum nicht ehrlich ohne das kritische Handeln solidarisch leidender Menschenliebe. In der Gottesliebe wird die in der Gegenwart je mögliche Affirmation Gottes und seines Reiches vollzogen, zu welcher allein von der Negation schmerzlichen »Gott«-Lassens und zwar nur aus der Kraft der Gnade übergegangen werden kann.

117 Die Gestalt des Ijob – nicht wie er in der Rahmenerzählung (Ijob 1–2; 42, 7–17), sondern wie er im Hauptteil des Ijobbuches (Ijob 3–31) vorgestellt wird –, ist höchst aktuell. – Vgl. D. Michel, Hiob, Wegen Gott gegen Gott: D. Michel, Israels Glaube im Wandel, Berlin 1968, 252–277; vgl. auch: T. C. de Kruijt, Der Kampf mit Gott: Zerbrochene Gottesbilder, Freiburg 1969, 9–28.

II. 3/3 Der christliche Glaube und die modernen humanistischen Heilslehren (Humanismusproblem)

Die christliche Dialektik von Gottes- und Menschenliebe wurde hier im Blick auf einen anscheinend dialektischen Fortgang vom Theodizee- zum Atheismusproblem des christlichen Glaubens herausgearbeitet. Der Kreis der für christliches Glauben in der Neuzeit typischen Probleme findet aber erst in einem dritten Problem eine gewisse Abrundung. Die atheistische Lösung des Theodizeeproblems wird in der Neuzeit gesucht in einem Humanismus ohne Gott. – Die verschiedenen atheistisch-humanistischen Heilslehren treten in eine gefährliche Konkurrenz zur christlichen Verkündigung vom Heil durch Gott. Gefährlich ist diese Konkurrenz deshalb, weil solche Heilslehren an dem christlichen Gebot der Nächstenliebe einen sogar geistesgeschichtlich verwandten Verbündeten in der christlichen Heilsbotschaft haben. In den Gläubigen gerät – wie schon erklärt – das mitmenschliche Engagement in einen antinomischen Gegensatz zum Gottesbezug. – Die Zielprojektionen der Heilslehren – sei es Nietzsches Idee des Übermenschen, sei es Freuds Ziel einer Befreiung von den Zwängen eines Über-Ich, sei es Marx' Ideal einer klassenlosen Gesellschaft – sind so entworfen, daß ein »elan vital«, eine Triebenergie oder eine »dialektische Materie« auszureichen scheinen, um sie realisieren zu können. Selbst wenn dann – wie etwa bei Comte, Marx und Freud – der Religion eine in einer früheren Phase der Menschheitsgeschichte bedeutsame Stellung eingeräumt wird, so haben doch alle diese Heilslehren eine für Gegenwart und Zukunft religionskritische Tendenz. Sie induzieren darum auch in Christen eine atheistische Interpretation der Menschenliebe. Erliegt das Glaubensdenken diesem Deutungssog, so muß die christliche Heilsverkündigung auch ihrer Konkurrenz erliegen. – Schon das Postulat negativer Dialektik fordert, daß Geschichte nicht in sich vollendbar sei. Auch widerstreitet ihm die Annahme einer perfekten geistesgeschichtlichen Dialektik, wonach das Leidproblem über den Atheismus rein humanistisch zu lösen wäre. Doch haben sich manche seiner Vertreter – wie etwa Habermas – zur Motivierung ihrer eschatologischen Bedeutung einfach auf ein der Menschheitsgattung innewohnendes »emanzipatorisches Interesse« berufen, ohne diesen Begriff noch einmal negativ-dialektisch in Frage zu stellen.
Wie kann die christliche Hoffnung die Konkurrenz der neuzeitlichen, innerweltlichen Heilslehren mit der christlichen Heilsbotschaft ertragen? Wieder wird die Antwort so sein müssen, daß in ihr von radikaler und universaler Negation zur Affirmation übergegangen wird. Hilfreich ist außerdem dabei der Gedanke an den eschatologischen Vor-

behalt Gottes, der nach früher Gesagtem gegenüber jeder Ideologie eingewendet werden muß. So scheint denn die Antwort berechtigt, daß der Glaube die Konkurrenz humanistischer Heilslehren für seine Botschaft nur aushalten kann *im wissenden Nichtwissen einer alles überfragenden Weltbejahung*. Der Gläubige weiß nicht mehr Antworten, er kann aber immer noch eine Frage mehr stellen, als alle Heilslehren beantworten können. Die christliche »docta ignorantia« dient einer Weltbejahung, die letztlich Bejahung des kommenden Gottesreiches ist.

Der hierbei sich klärende, konkretere Sinn Negativer Theologie besteht darin, daß in der unausgesetzten Kritik aller Ideologien eine Kraft zu eschatologischer Weltbejahung am Werke ist. Zur unbedingten Bejahung des kommenden Gottesreiches kann nur aus Gnade und allein von der grundsätzlichen und umfassenden Verneinung aller Weltvergötzungen übergegangen werden.

DAS ERGEBNIS IM RÜCKBLICK

Die theologische Grundeinsicht, daß wir von Gott nicht wissen, was er ist, sondern was er nicht ist, enthält ein Kriterium für alles religiöse Sprechen und wird als solches seit der Patristik als »negative Theologie« bezeichnet. Theologisch legitim ist danach nur diejenige religiöse Rede, die durch Verneinung alles Sagbaren auf das verweist, was sie eigentlich meint. Der Verfasser zeigt, daß sich in jedem Begriff negativer Theologie drei Momente nachweisen lassen. Im *positiven Grundmoment* wird eine gründende, religiöse Position gesetzt, die zugleich dazu motiviert, diese und alle anderen Positionen so zu verneinen, daß dadurch auf die Affirmation einer eigentlich in der religiösen Rede gemeinten absoluten Transzendenz verwiesen wird. Das *negative Vermittlungsmoment* negativer Theologie vermittelt vom Grundmoment zum Verweis auf Affirmation. Dieser bildet das *Moment einer Affirmation,* die eben nur im Verweis angezielt werden kann. Der Verfasser begreift negative Theologie, sofern sie sich in diesen drei Momenten vollendet, als *theologische Denkform.* Negative Theologie, die beim Negationsmoment stehenbleibt und dieses nicht zugleich als das Moment einer Vermittlung von einem Grund- zu einem Affirmationsmoment erfaßt, gilt dem Verfasser als eine skeptizistische Kümmerform des Begriffs negativer Theologie, die keinen Verweis auf eine zu affirmierende, absolute Transzendenz tragen könnte.

In der Neuzeit sind die Möglichkeit und der Sinn religiösen Sprechens überhaupt und der christlichen Verkündigung im besonderen fragwürdig geworden. Sie scheinen aber neu konstituiert werden zu können, wenn der traditionelle Begriff negativer Theologie als theologische Denkform christlichen Glaubens neuzeitlich vermittelt werden kann. Der Verfasser beschränkt sich auf einen Versuch zur Vermittlung des *patristischen Begriffs* negativer Theologie. Dabei ist er interessiert an einer *neuen Bestimmtheit* dieses Begriffs. Diese ist ihm mehr noch als Klarheit und Deutlichkeit theoretisch-praktische Vermittelbarkeit und geschichtliche Konkretheit. Sein Vermittlungsversuch ist darum in seinem ersten Teil detaillierte, *begriffsgeschichtliche Grundlegung*. Diese vollzieht das Werden des Begriffs von seinen *biblischen, philosophischen* und *gnostischen Ursprüngen* über seine *neuplatonisch-patristische Ausbildung* bis zu seiner *terminologischen Festlegung bei Dionysios Areopagites* nach. Der Vermittlungsversuch ist in seinem zweiten Teil *systematische Überlegung* zu dem so gewonnenen Begriff. Diese entwirft über eine *logische Analyse* des Begriffs und eine *transzendentalphilosophische Konstruktion* seiner Momente sowie in der *Verlängerung des Verweises, der sich beim Scheitern der Theorie einer doppel-*

ten Negation, die sich zu Affirmation vollenden sollte (Dialektik), ergibt, ein *christliches Verständnis negativer Theologie für die Neuzeit.*
Wenn man nun davon ausgehen muß, daß für die Neuzeit ein Interesse an der Emanzipation von überkommenden Ordnungen kennzeichnend ist, so scheint der neuzeitlichen Vermittlung einer theologischen Denkform die Tatsache im Wege zu stehen, daß die traditionelle Theologie nicht selten von einem Interesse an der Legitimierung bestehender Ordnungen geleitet war. Darum liegt dem Verfasser daran nachzuweisen, daß der von negativer Theologie angezielte Verweis auf die Affirmation einer absoluten Transzendenz heute nicht so sehr unter legitimierenden, sondern vielmehr unter emanzipatorisch-kritischem Interesse Bedeutung gewinnt. – Deshalb läßt der Verfasser im historischen Teil seiner Untersuchung jedes bestimmte Verständnis negativer Theologie und das in ihm angelegte Verständnis von absoluter Transzendenz aus der bestimmten Negation vorgegebener Transzendenzverständnisse und ihrer gesellschaftlich bedeutsamen Implikationen hervorgehen. Dabei erweist sich die *Begriffsgeschichte negativer Theologie als eine Reihenfolge relativer Transzendenzen von Verständnissen absoluter Transzendenz.* – Auch im systematischen Teil schreitet der Verfasser über bestimmte Negationen voran. Wieder ergibt sich eine Folge von relativen Transzendenzen. Sie zeigen sich aber dieses Mal dadurch, daß beim theoretischen *Entwerfen eines neuzeitlich vermittelbaren Begriffs negativer Theologie eine Theorie nach der anderen scheitert und also überschritten werden muß.* Schließlich stellt nicht einmal der zuletzt doch noch entworfene Begriff negativer Theologie zufrieden, sondern muß selber noch einmal – und immer wieder – auf seine theoretisch-praktische Vermittelbarkeit in geschichtliche Konkretheit hin überprüft werden. – Das im Begriff negativer Theologie selber auffindbare Moment *negativer Vermittlung* ist so auch das *methodische Prinzip* seiner Untersuchung.
Wie ist dann heute absolute Transzendenz zu verstehen, und wie ist christlich vom Geheimnis zu reden? – Der Verfasser entwirft einen christlichen Begriff negativer Theologie in der Bedeutung, daß heute eine Rede von absoluter Transzendenz nur Sinn haben kann, wenn sie sich verständlich macht aus einem praktisch zu vermittelnden Verweisungszusammenhang mit dem Postulat einer faktisch in und aus sich selbst unvollendbaren, relativen Transzendenz. – Geschichte soll um der Ermöglichung größerer Menschlichkeit willen offengehalten werden. Dieses Postulat ist der Sinn des Prinzips, wonach ein Gesamtsinn der Geschichte unverfügbar ist – und das der Verfasser in Anlehnung an den Sprachgebrauch der sog. Frankfurter Schule als »negative Dialektik« bezeichnet. – Der Sinn negativer Dialektik kann aber

– wie der Verfasser weiter spekuliert – nur im innergeschichtlichen Vorgriff auf eine Vollendung von Geschichte vollzogen werden. Denn selbst die Feststellung, daß Geschichte aus sich unvollendbar ist, wäre erst im Zustand ihrer Vollendung vollends sinnvoll. Ein Vorgriff auf eine solche Vollendung ist aber gerade aufgrund dieses Sinns negativer Dialektik auszuschließen. Wie soll negative Dialektik trotzdem gedacht und postulatorisch vollzogen werden? – Das, worauf zum Vollzug des postulatorischen Sinns negativer Dialektik vorgegriffen werden soll, ist aufgrund ihrer selbst als absolutes *Mysterium* auszuzeichnen. Damit negative Dialektik im Vorgriff auf dieses Geheimnis überhaupt gedacht werden könnte, müßte sich dieses als wahrnehmbares und erzählbares *Faktum* darbieten. – Die christliche Erinnerung an den Tod und die Auferstehung Jesu Christi bezieht sich nun gerade auf ein »mysterium factum«, in dem sich der Übergang von restlosem Scheitern zu einer Vollendung der Geschichte ankündigt. Für die Neuzeit gewinnt negative Theologie in christlichem Verständnis dann die Bedeutung, daß *aufgrund der Erinnerung an den Tod und die Auferstehung Jesu Christi* (= positives Grundmoment) *von unbedingter und umfassender Verneinung eines innergeschichtlich etwa insinuierten oder gar präsentierten Sinns der Gesamtgeschichte auf der Suche nach ihm* (= negatives Vermittlungsmoment) *zur unbedingten und umfassenden Bejahung Gottes in seiner eschatologischen Herrschaft übergegangen werden kann und soll* (= affirmatives Verweismoment). – Als Denkform christlichen Glaubens führt negative Theologie in diesem Sinne dazu, daß jede christlich-theologische Aussage eine Doppelstruktur besitzt und daß sich ihr Sinn erschließt, wenn man aufgrund christlicher Erinnerung vom ersten zum zweiten Moment dieser Struktur übergeht. Die Doppelstruktur besteht darin, daß jede christlich-theologische Aussage einerseits ein Scheitern innergeschichtlichen Bemühens um Vollendung der Geschichte konstatiert, andererseits auf deren Vollendung durch Gott in seiner eschatologischen Herrschaft verweist. Aufgrund der Erinnerung an das »mysterium factum paschale« kann nun der gläubige Christ den Sinn der Aussage so vollziehen, daß er, vermittelt über die konkrete Feststellung und die kritisch-praktische Verneinung solchen Scheiterns, zu eschatologischer Bejahung der Gottesherrschaft gelangt. – Zum Schluß greift der Verfasser einige für die Neuzeit typische Glaubensfragen auf und erörtert sie als Ansatzpunkte einer kritisch-praktischen Vermittlung des vorher entworfenen Begriffs negativer Theologie. Denn Negative Theologie erscheint erst dann als bestimmter Begriff, wenn sie so vollzogen werden kann, daß Menschen, die im Leid die Möglichkeit restlosen Scheiterns verspüren, trotzdem noch eine bestimmte Hoffnung gewinnen können.

ABKÜRZUNGEN UND NACHWEISE

Abgekürzt wird nach: Lexikon für Theologie und Kirche I, Freiburg 1957², 7–48, ausgenommen bibl. Namen, die nach dem Ökumenischen Verzeichnis abgekürzt werden. Weitere Abkürzungen:

Com.	Commenta, Commentarius, Kommentar zu
DS	Enchiridion symbolorum, definitionum et declarationum de rebus fidei et morum, ed. H. Denziger – A. Schönmetzer, Barcinone etc. 1965³³
e. Ü.	eigene Übersetzung
Gnosis I	zitiert nach: C. Andresen (Hrsg.), Die Gnosis I, Zeugnisse der Kirchenväter, unter Mitwirkung von E. Haenchen und M. Krause eingeleitet, übersetzt und erläutert von W. Foerster, Zürich–Stuttgart 1969
Gnosis II	zitiert nach: C. Andresen (Hrsg.), Die Gnosis II, Koptische und mandäische Quellen, eingeleitet, übersetzt und erläutert von M. Krause und K. Rudolph, mit Registern zu Bd. I und II versehen und hrsg. v. W. Foerster, Zürich–Stuttgart 1971
LThK²	Lexikon für Theologie und Kirche, begr. v. M. Buchberger, zweite, neu bearbeitete Auflage, hrsg. v. J. Höfer und K. Rahner, Freiburg 1957 ff.
M.	J. P. Migne, Patrologia (Graeca), Paris 1857¹⁸–66
(Ü. N. N.)	zitiert nach der Übersetzung von N. N.
zit.	zitiert nach

Nachgewiesen werden in Anmerkungen, Quellenverzeichnis und Literaturverzeichnis
gnostische Texte und Titel in deutscher Schreibweise,
griechische Philosophen mit Namen und Werken in griechischer Schreibweise und deutscher Umschrift und
patristische Autoren mit Namen und Werken in lateinischer Schreibweise. Letztere werden durchweg nach Mignes Numerierung zitiert. Ausnahmen werden bei der erstmaligen Zitation angemerkt.
Die benutzten, kritischen Editionen antiker Texte sind bei ihrer jeweils erstmaligen Zitation und im Literaturverzeichnis angegeben.

Griechische und hebräische Zitate werden in deutscher Umschrift wiedergegeben.

LITERATURVERZEICHNIS

Adorno, Th. W., Drei Studien zu Hegel, Frankfurt a. M. 1957.

–, Negative Dialektik, Frankfurt a. M. 1966.

–, Minima Moralia, Frankfurt a. M. 1969.

Aland, K., The Problem of Anonymity and Pseudonymity in Christian Literature of the First Two Centuries: Journal of Theological Studies 12, Oxford 1961, 39–49.

Albinos, ed. P. Louis, Paris 1845.

Albright, W. F., Yahweh and the Gods of Canaan (Jordan Lextures 1965), London 1968.

Altaner, B. – Stuiber, J., Patrologie. Leben, Schriften und Lehre der Kirchenväter, Freiburg–Basel–Wien 1966[7].

Andresen, C. (Hrsg.), Die Gnosis I, Zeugnisse der Kirchenväter, unter Mitwirkung von E. Haenchen und M. Krause eingeleitet, übersetzt und erläutert von W. Foerster, Zürich–Stuttgart 1969.

– (Hrsg.), Die Gnosis II, Koptische und mandäische Quellen, eingeleitet, übersetzt und erläutert von M. Krause und K. Rudolph, mit Registern zu Band I und II versehen und hrsg. von W. Foerster, Zürich–Stuttgart 1971.

Apokalypse Adams, ed. A. Böhlig – P. Labib, Koptisch-gnostische Apokalypsen aus Codex V von Nag Hammadi im Koptischen Museum zu Alt-Kairo, Halle 1963.

Apokryphon des Johannes, ed. H.-Ch. Puech, Das Apokryphon des Johannes: E. Hennecke – W. Schneemelcher, Neutestamentliche Apokryphen I, Tübingen 1959, 229–243.

Apollinarius Laodicenus, Fides secundum partem 31 (zit. H. Lietzmann, Apollinaris von Laodicea und seine Schule, Tübingen 1904).

Aristidesapologie, ed. J. Geffcken, Zwei griechische Apologeten, Leipzig–Berlin 1907.

Aristoteles, De anima (ed. W. D. Ross, Oxford 1956).

–, Analytica posteriora (ed. W. D. Ross, Oxford 1964).

–, Metaphysik (ed. W. Jaeger, Oxford 1957).

–, Physik (ed. W. D. Ross, Oxford 1960).

Arnou, R., Le désir de Dieu dans la philosophie de Plotin, Paris 1920.

Arseniev, N., Contemplation of the Glory of God in the Early Christian Message: St. Vladimir's Theological Quaterly 8, New York 1964, 112 bis 120.

–, Au Dieu inconnue (Russisch): Messager . . ./ Vestnik russkogo studenčeskogo christionaskogo dvienženija 84, Paris–New York 1967, 12–17.

Athenagoras, Supplicatio pro Christianis (zit. E. Goodspeed, Die ältesten Apologeten, Göttingen 1914).

Baert, E., Het thema van de zalige Godsaanschouwing in de Grieske patristiek tot Origenes: Tijdschrift voor Theologie 1, Nijmegen 1961, 298–308.

Baert, E., Le tnéme de la vision de Dieu chez s. Justin, Clement d'Alexandrie et Grégoire de Nysse: Freiburger Zeitschrift für Philosophie und Theologie 12, 1965 (erschienen 1967), 439–497.
Balás, L. D., *Metusía Theû*, Man's Participation in God's Perfection according to Saint Gregory of Nyssa, Rom 1966.
Balthasar, H. von U., Présence et pensée, Essai sur la philosophie religieuse de Grégoire de Nysse, Paris 1942.
–, Gregor von Nyssa, Der versiegelte Quell, Auslegung des Hohen Liedes, in Kürzung übertragen und eingeleitet von H. Urs von Balthasar, Einsiedeln 1954².
–, Parole et mystère chez Origène, Paris 1957.
–, Kosmische Liturgie, Das Weltbild Maximus' des Bekenners, Einsiedeln 1961².
–, Herrlichkeit II, Einsiedeln 1962.
–, Mysterium Paschale: Mysterium Salutis, hrsg. v. J. Feiner – M. Löhrer, 3,2, Einsiedeln–Köln 1969, 133–326.
Barbel, J., Gregor von Nazianz, Die fünf theologischen Reden (Text, Übersetzung und Kommentar), Düsseldorf 1963.
Barnard, L. W., God, the Logos, the Spirit and the Trinity in the Theology of Athenagoras: Studia Theologica 24, Lund 1970, 70–92.
Barnes, H. E., Katharsis in the Enneades: Transactions and Proceedings of the American Philological Association 73, 1942, 358–382.
Barosse, T., The Passover and the Pascal Meal: Concilium (engl.) 4, 10, 1968, 13–18; (deutsch von A. Betz) Pascha und Paschamahl: Concilium 4, 1968, 728–733.
Baudissin, Graf, W., »Gott schauen« in der atl. Religion: Archiv für Religionswissenschaft 18, 1915, 173–239.
Baumann, R., Mitte und Norm des Christlichen, Eine Auslegung von 1 Kor 1,1–3,4, Münster 1868.
Bazań, F. G., La esencia del dualismo gnostico, Buenos Aires 1971.
Beek, M. A., Der Dornbusch als Wohnsitz Gottes (Dt 33,16): Oudtestamentliche Studien 14, Leiden 1965, 155–161.
Behler, M. G., Das göttliche Versteckspiel: Geist und Leben 38, 1965, 102–116.
Beierwaltes, W., Proklos, Grundzüge seiner Metaphysik, Frankfurt a. M. 1965.
Ben-Chorin, S., Ostern – Pessach – Auferstehung: Liturgie und Mönchtum 42, 1968, 28–32.
Bengsch, A., Heilsgeschichte und Heilswissen, Eine Untersuchung zur Struktur und Entfaltung des theologischen Denkens im Werk ›Adversus haereses‹ des hl. Irenäus von Lyon, Leipzig 1957.
Bernard, J., Die apologetische Methode bei Klemens von Alexandrien, Apologetik als Entfaltung der Theologie, Leipzig 1968.
Bernhardt, K.-H., Gott und Bild, Ein Beitrag zur Begründung und Deutung des Bilderverbots im Alten Testament, Berlin 1956.
Bertrand, F., Mystique de Jésus chez Origène, Paris 1951.

Besnard, A. M., Le mystère du noms, Paris 1962.

Biser, E., Der Atheismus als Problem der Theologie, Überlegungen zu einer theologischen Aporetik: Glaube als Verpflichtung, Horizontale und vertikale Strukturen des christlichen Glaubens, J. Hasenfuß zum 70. Geburtstag, München–Paderborn–Wien 1971, 17–60.

Blaikock, E. M., The Way of Excellence, A New Translation and Study of 1 Cor 13 and Rom 12, London 1968.

Bloch, E., Prinzip Hoffnung, Frankfurt a. M. 1959.

–, Subjekt – Objekt, Erläuterungen zu Hegel, Frankfurt a. M. 1962.

–, Atheismus im Christentum, Frankfurt a. M. 1968.

Blum, M., Gregor von Nyssa, Der Aufstieg des Moses, übersetzt und eingeleitet von M. Blum, Freiburg i. Br. 1962.

Bocheński, J. M., Formale Logik, Freiburg 1956[1], 1970[3].

–, Logik der Religion, Köln 1968.

Bocheński, J. M. – Menne, A., Grundriß der Logistik, Paderborn 1965[3].

Bockmühl, K. E., Die Unwirklichkeit Gottes in Theologie und Kirche, I, Atheismus in der Christenheit, Anfechtung und Überwindung, Wuppertal 1969.

Böhlig, A. – Labib, P., Koptisch-gnostische Apokalypsen aus Codex V von Nag Hammadi im Koptischen Museum zu Alt-Kairo, Halle 1963.

Boon, R., De Spiritualiteit van Origenes: Nederlandse theologisch tijdschrift 14, Wageningen 1959, 24–56.

Bornkamm, G., Art. *mystérion:* Theologisches Wörterbuch zum Neuen Testament, hrsg. v. G. Kittel, fortgesetzt v. G. Friedrich, Stuttgart 1942, 809–834.

Botterweck, G. J., ›Gott erkennen‹ im Sprachgebrauch des Alten Testaments, Bonn 1951.

Bouessé, H., Ehre Gottes, 2. Die Doxa im NT: Sacramentum Mundi, I, Freiburg 1967, 999–1001.

Brandenburger, E., Fleisch und Geist, Das Problem der Mystik, Zum religionsgeschichtlichen Verstehenshorizont der paulinischen Theologie (Diss. habil.), Heidelberg 1966.

Braun, H., Wie man über Gott nicht denken soll, dargelegt an den Gedankengängen Philos von Alexandrien, Tübingen 1971.

Bröcker, W., Formale, transzendentale und spekulative Logik, Frankfurt a. M. 1962.

Brontesi, A., L'incontro misterioso con Dio, Saggio sulla teologia affermativa e negativa nello Pseudo-Dionigi, Note di una lettura, Brescia 1970.

Brown, R. E., Mystery (in the Bible): New Catholic Encyclopedia 10, New York 1967, 148–151.

Brox, N., Offenbarung, Gnosis und gnostischer Mythos bei Irenaeus von Lyon, Salzburg–München 1966.

–, Antignostische Polemik bei Christen und Heiden: Münchener Theologische Zeitschrift 18, 1967, 265–291.

–, Offenbarung – gnostisch und christlich: Stimmen der Zeit 182, 1968, 105–117.

Bullard, R. (ed.), The Hypostasis of the Archonts, The Coptic Text with Translation and Commentary with a Contribution by M. Krause, Berlin 1970.

Bultmann, R., Untersuchungen zum Johannesevangelium, *B. Theòn udeìs heóraken pópote* (Joh 1,18): Zeitschrift für die ntl. Wissenschaft und die Kunde der älteren Kirche 29, 1930, 169–192 (= Exegetica, Tübingen 1967, 174–197).

–, Das Verständnis von Welt und Mensch im Neuen Testament und im Griechentum: Glauben und Verstehen II, Tübingen 1952[1], 1958[2], 59–78.

–, Beiträge zum Verständnis der Jenseitigkeit Gottes im NT: Libelli 170, Stuttgart 1965.

–, Theologie des Neuen Testamentes, Tübingen 1968[6].

Burnet, J., Platonis opera, I–V, Oxford 1899 ff.

Caffarena, J. G., Analogia del ser y dialéctica en la affirmatión humana de Dios: Pensiamento, Madrid 1960, 143–174.

Caird, G. B., The Glory of God in the Fourth Gospel, An Exercise in Biblical Semantics: New Testament Studies 15, Cambridge–Washington 1968 f., 265–277.

Christiansen, I., Die Technik der allegorischen Auslegungswissenschaft bei Philon von Alexandrien, Tübingen 1969.

Clarke, W. N., Infinity in Plotinus, A reply: Gregorianum 40, Rom 1959, 75–98.

Clemens Alexandrinus, Paidagogus (zit. O. Stählin, GCS 1, 1905[1], 1936[2]).

–, Protrepticus (zit. O. Stählin, GCS 1, 1905[1], 1936[2]).

–, Stromata (zit. O. Stählin, GCS 2–3, 1906/1909).

–, Excerpta ex Theodoto (ed. O. Stählin, GCS 3, 1909).

Constitutiones Apostolorum, ed. F. X. Funk, Paderborn 1906.

Conzelmann, H., The Address of Paul on the Areopagus: Festschrift für P. Schubert, Nashville–New York 1966, 217–230.

Coppens, J., ›Mystery‹ in the Theology of Saint Paul and its Parallels at Qumran: Paul and Qumran, ed. by J. Murphy – O'Connor, London–Dublin–Melbourne 1968, 132–158.

Cordier, B., Isagoge ad Mysticam Theologiam S. Dionysii Areopagitae: M. 3,95–108.

Corsini, E., Il trattato ›De divinis nominibus‹ dello Ps. Dion. e i commenti neoplatonici al Parmenide, Turin 1962.

de Corte, M., L'expérience mystique chez Plotin et s. Jean de la Croix: Études Carmélitaines 20 II, 1935, 164–215.

–, La tonalité du mysticisme de Plotin: Hermès, Revue trimestrielle d'Études mystiques et poétiques 3, 1938, 38–52.

–, Plotin et la nuit de l'esprit: Études Carmélitaines 23, 1938, 102–115.

Cossée de Maulde, G., Analyse linguistique et langage religieux, L'approche de Jan T. Ramsey dans ›Religious Language‹: Nouvelle Revue Théologique, Année 101 (= Tome 91), 1969, 169–202.

Cramer, S., Der alttestamentliche Gottesname Jahwe im Lichte von 2 Mose 3,14, Regensburg 1965.

Crouzel, H., L'image de Dieu dans la théologie d'Origène: Studia Patristica II, Papers presented to the Second International Conference on Patristic Studies ... Oxford 1955, Part II, ed. K. Aland – F. L. Cross, Berlin 1957, 194–201.

–, Grégoire de Nysse, est-il le fondateur de la théologie mystique? Une controverse récente: Revue d'ascétique et de mystique 33, Toulouse 1957, 189–202.

–, Origène et la connaissance mystique: Studia Patristica V, Papers presented to the Third International Conference on Patristic Studies ..., Oxford 1959, Part III, ed. F. L. Cross – Berlin 1962, 270–276.

–, Origène et la ›connaissance mystiqu‹, Toulouse 1961.

Cumont, F., Le culte égyptien et le mysticisme de Plotin: Fondation E. Piot, Monuments et Mémoires 25, Paris 1921/22, 77–85.

Cyrillus Alexandrinus, De trinitate dialogi (ed. J. Aubert, Cyrilli opera, Paris 1638, 5[1]).

Cyrillus Hierosolymitanus, Catecheses illuminandorum 1–11 (ed. W. K. Reischl, Cyrilli opera 1, München 1848).

Cyrillus Scythopolitanus, Vita Cyriaci: E. Schwartz, Texte und Untersuchungen zur Geschichte der Altchristlichen Literatur 49[2], Leipzig 1939.

Daniélou, J., Platonisme et théologie mystique, Paris 1944.

–, Mystique de la ténèbre chez Grégoire de Nysse (1. La ténèbre): Dictionnaire de Spiritualité ascétique et mystique II, Paris 1952, 1872–1885.

–, Platonisme et Théologie Mystique, Essai sur la doctrine spirituelle de saint Grégoire de Nysse, Paris 1944[1], 1954[2].

–, Typologie et Allégorie chez Clément d'Alexandrie: Studia Patristica IV, Papers presented to the Third International Conference on Patristic Studies held at Christ Church, Oxford 1959, Part II, ed. F. L. Cross, Berlin 1961, 50–57.

–, Orientations actuelles de la recherche sur Grégoire de Nysse: Écriture et culture philosophique dans la pensée de Grégoire de Nysse, Actes du colloque de Chevetogne (22–26 sept. 1969), Leiden 1971, 3–17.

Le Deaut, R., The Paschal Mystery and Morality: Doctrine and Life 18, Dublin 1968, 202–210, 262–269.

Dehay, L., L'inéluctable Absolu, Bruges–Paris 1964.

Delleman, T. (Hrsg.), De thora in de thora, Een boek over de tien geboden, Aalten 1963/64.

Denke, C., Der sog. Logos-Hymnus im johanneischen Prolog: Zeitschrift für neutestamentliche Wissenschaft und die Kunde der älteren Kirche ... 58, 1967, 45–68.

Dhorme, E., La religion des Hébreux nomades, Brüssel 1937.

Diaz, Alonso J., Proceso antropomorfizante y desantropomorfizante en la formación del concepto biblico de Dios: Estudios Biblicos 27, Madrid 1968, 333–346.

Diels, H., Die Fragmente der Vorsokratiker, Griechisch und Deutsch, hrsg. v. W. Kranz, Dublin–Zürich 1966[12].

Diognetbrief, ed. Sources Chrétiennes 33, Paris 1951.

Dionysios Areopagites, Die Hierarchien der Engel und der Kirche, übersetzt, mit Einleitung und Kommentar versehen von W. Tritsch, Einführung von H. Ball, München-Planegg 1955.

–, Von den Namen zum Unnennbaren, Auswahl und Einleitung v. E. v. Ivánka, Einsiedeln o. J.

Dodds, E. R., The Parmenides of Plato and the Origin of the Neoplatonic »One«: Classical Quarterly 22, London–Oxford 1928, 129–142.

Dörrie, H., Die Frage nach dem Transzendenten im Mittelplatonismus: Les sources de Plotin, Vandoeuvres-Genève 1960, 191–223.

–, Plotin, Philosoph und Theologie: Die Welt als Geschichte, 1963, 1–12.

–, Die platonische Theologie des Kelsos in ihrer Auseinandersetzung mit der christlichen Theologie, auf Grund von Origenes, C. Celsum 7, 42 ff., Göttingen 1967.

Drescher, W., Vernunft und Transzendenz, Meisenheim/Glan 1971.

Drower, E. S., The Canonical Prayerbook of the Mandaeans, Leiden 1959.

Dumoulin, H., Östliche Meditation und christliche Mystik, Freiburg–München 1966.

Dupont, J., Le discours devant l'Aréopage et la révélation naturelle: Revue d'histoire ecclésiastique 51, Löwen 1955, 189–192.

Durwell, F. X., Le mystère pascal, source de l'apostolat, Paris 1970.

Ebeling, G., Die Botschaft von Gott an das Zeitalter des Atheismus: Wort und Glaube 2, Tübingen 1969, 372–395 (= Monatsschrift für Pastoraltheologie 52, Göttingen 1963, 8–24).

Eckart, Meister, Die deutschen und lateinischen Werke, hrsg. und übers. v. J. Quint, V, Stuttgart 1958.

Eisler, R., Orphisch-dionysische Mysteriengedanken in der christlichen Antike (Leipzig–Berlin 1925), Hildesheim 1966.

Eltester, W., Gott und die Natur in der Areopagrede: Beiheft zur Zeitschrift für neutestamentliche Wissenschaft . . ., Berlin 1954, 202–227.

–, Das Mysterium des Christentums, Anmerkungen zum Diognetbrief: Zeitschrift für neutestamentliche Wissenschaft und die Kunde der älteren Kirche 61, 1970, 278–293.

Epiphanius, Panarion (ed. K. Holl, GCS 1–3, 1915/33).

Escribano-Alberca, J., Von der Gnosis zur Mystik: Der Übergang vom 3. zum 4. Jahrhundert im alexandrinischen Raum: Münchener Theologische Zeitschrift 19, 1968, 286–294.

Eusebius Caesariensis, Historia ecclesiastica (ed. Schwartz, GCS 2, 1903 bis 1908).

Evangelium der Wahrheit, ed. M. Malinine, H.-Ch. Puech, G. Quispel, W. Till, Evangelium Veritatis, Zürich 1961.

Fascher, E., Der Logos-Christus als Lehrer bei Clemens von Alexandrien: Studien zum Neuen Testament und zur Patristik, E. Klostermann zum 50. Geburtstag, Berlin 1961, 193–207.

–, »Von dem Tage aber und von der Stunde weiß niemand . . .«, Der Anstoß in Mk 13,32 (Mt 24,36), Eine exegetische Skizze zum Verhältnis von historisch-kritischer und christologischer Interpretation: Festgabe für E. Fuchs, Leipzig 1964, 475–483.

Fascher, E., Vom Logos des Heraklit und dem Logos des Johannes: E. Fascher, Frage und Antwort, Berlin-Ost, 1968, 117–133.

Feneberg, R., Christliche Passafeier und Abendmahl, Eine hermeneutische Untersuchung der neutestamentlichen Abendmahlsberichte (Diss.), Innsbruck 1969/70.

Festugière, A. J., La révélation d'Hermès Trismégiste, IV. Le Dieu inconnu et la Gnose, Paris 1954.

Fichte, J. G., Über das Verhältnis der Logik zur Philosophie oder transzendentale Logik: Nachgelassene Werke, hrsg. v. J. H. Fichte, Leipzig 1834, 177–179.

–, 2. Einleitung in die Wissenschaftslehre (1797[1]), Hamburg 1954.

Filisifiv, L., Die Lehre des hl. Gregor von Nyssa von der Gotteserkenntnis (Manuskript), Moskau 1958.

Fiorenza, F., Die Abwesenheit Gottes als ein theologisches Problem: Grenzfragen des Glausens, Theologische Grundfragen als Grenzprobleme, Einsiedeln–Zürich–Köln 1967, 423–451.

Fittkau, G., Der Begriff des Mysteriums bei Johannes Chrysostomus, Bonn 1953.

Flach, W., Negation und Andersheit, Ein Beitrag zur Problematik der Letztimplikation, München–Basel 1959.

Ford, J., St. Irenaeus and Reyelation (Diss.), Rom 1961.

Foreville, R., Lateran. I–IV, Mainz 1970.

Freedman, D. N., The Burning Bush (Ex 3,2–3): Biblica 50, 1969, 245 f.

Frenkian, A. M., Les origines de la théologie négative de Parménida à Plotin: Rivista Classica 15, 1943, 11–58.

Fruytier, C. M., Het woord *mystérion* in de Catechesen van Cyrill van Jerusalem, Nijmegen 1950.

Füglister, N., Die Heilsbedeutung des Pascha, München 1963.

–, Feier des Lebens, Ostern als Fest der Auferstehung vom AT her gesehen: Experiment Christentum, hrsg. v. T. Sartory, 8, München 1970, 167–176.

Funk, F. X., Didascalia et Constitutiones Apostolorum, Paderborn 1905.

Gangel, K. O., Paul's Areopagus Speech: Bibliotheca sacra 127, London 1970, 308–323.

Gardeil, A., Les mouvements directs, en spirale, circulaires de l'àme et les oraisons mystiques: Revue Thomiste 30, Paris 1925, 321–340.

Gardet, L., La mention du Nom divin dans la mystique musulmane: Revue Thomiste 61, Paris 1953, 197–213.

Geffcken, J., Zwei griechische Apologeten, Leipzig–Berlin 1907.

Geoltrain, P., Dans l'ignorance du jour, veillez, Mt 24,37–44: Assemblées du Seigneur 2,5, Paris 1969, 17–28.

Gerady, L. T., The Pascha and the Origin of Sunday Observance: Andrews University Seminary Studies 3, Berrien Springs, Mich. 1965, 85–96.

Gerken, A., Offenbarung und Transzendenzerfahrung, Kritische Thesen zu einer künftigen dialogischen Theologie, Düsseldorf 1969.

Ghidelli, C., L'ignoranza di Dio nei pagani secondo il discorso di Atene: Parole di Vita 9, Rom 1964, 321–344.
Gill, J. H., J. Ramsey's Interpretation of Christian Language (Diss. Duke Univ. 1966).
Ginza, ed. M. Lidzbarski, Göttingen 1925.
Goldman, S., The Ten Commandments, ed. and with introd. by M. Samuel, Chicago–London 1956, 1963.
Gollinger, H., »Ihr wißt nicht, an welchem Tag euer Herr kommt«, Auslegung von Mt 24,37–51: Bibel und Leben 11, 1970, 238–247.
Gomez, F., »Dios ... no habita en templos manufactos«, Cultura Biblica 26, Segovia 1969, 139–156.
Graef, H., Der unbegreifliche Gott, Frankfurt a. M. 1961.
Grant, R. M., Gnosticism and Early Christianity, New York–London 1959.
Gregorius Naziazenus, Orationes (theologicae) (ed. A. J. Mason, Cambridge 1899).
Gregorius Nyssenus, Apologie in hexaëmeron: M. 44,61 ff.
–, Oratio catechetica magna (ed. J. H. Srawley, Cambridge 1903).
–, Epistulae (ed. G. Pasquali, Berlin 1925).
–, Adversus Apollinarem (ed. F. Müller, Greg. Nyss. oper. III, 1, Leiden 1958.
–, Contra Eunomium (zit. W. Jaeger, Gregorii Nysseni opera I–II; III, Leiden 1960).
–, Homiliae in Canticum (ed. H. Langerbeck, Gregorii Nysseni opera VI, Leiden 1960).
–, In Psalmum (ed. J. McDonough – P. Alexander, Greg. Nyss. opera V, Leiden 1962).
–, De vita Moysis (ed. H. Musurillo, Gregorii Nysseni opera VII, 1, Leiden 1964).
Grillmeier, A., Art. Christologie: Sacr. Mundi I, Freiburg 1967, 781–795.
Grondijs, L., La terminologie métalogique dans la théologie dionysienne: L'homme et son destin, Löwen 1960, 335–346.
Groningen, G., First Century Gnosticism, Its Origins and Motifs, Leiden 1967.
Guasco, C., Lo gnostico cristiano in Clemente Alessandrino: Sophia Rivesta Internazionale di Filosofia e Storia della Filosofia 24, Padua 1956, 264 bis 269.
Haag, H., Vom alten zum neuen Pascha, Geschichte und Theologie des Osterfestes: Stuttgarter Bibelstudien 49, Stuttgart 1971.
Haardt, R., Zwanzig Jahre Erforschung der koptisch-gnostischen Schriften von Nag Hammadi: Theologie und Philosophie 42, 1967, 390–401.
–, Die Gnosis, Wesen und Zeugnisse, Salzburg 1967.
Habermas, J., Erkenntnis und Interesse, Frankfurt a. M., 1968.
–, Technik und Wissenschaft als ›Ideologie‹, Frankfurt a. M. 1969.
–, Erkenntnis und Interesse (Frankfurter Antrittsvorlesung vom 28. 6. 1965): Technik und Wissenschaft als ›Ideologie‹, Frankfurt a. M. 1969, 146–168.
–, Vorbereitende Bemerkungen zu einer Theorie der kommunikativen

Kompetenz: J. Habermas – N. Luhmann, Theorie der Gesellschaft oder Sozialtechnologie – Was leistet die Systemforschung?, Frankfurt a. M. 1971, 101–141.

Hahn, F., Christologische Hoheitstitel. Ihre Geschichte im frühen Christentum, Göttingen 1963.

Hamman, A. (ed.), The Paschal Mystery: Ancient Liturgies and Patristic Texts, Staten Island–New York 1970.

Hammerschmidt, E., Ursprung philosophisch-theologischer Termini und deren Übernahme in die altkirchliche Theologie: Ostkirchliche Studien 8, 1959, 202–220.

Hammond, G. B., The Power of Self-Transcendence, An Introduction to the Philosophical Theology of Paul Tillich, St. Louis 1966.

von Harnack, A., Der Vorwurf des Atheismus in den ersten drei Jahrhunderten: Texte und Untersuchungen 28, 4a, 1905, 8–15.

Hasenhüttl, G., Der unbekannte Gott?: Theologische Meditationen, hrsg. von H. Küng, 8, Einsiedeln–Köln 1965.

Hathaway, R. F., Hierarchy and the Definition of Order in the Letters of Pseudo-Dionysius, A Study in the Form and Meaning of the Pseudo-Dionysian Writings, Den Haag, 1969.

Hausherr, I., Ignorance infinie ou science infinie?: Orientalia christiana periodica 25, Rom 1959, 44–52.

Hefner, P., Theological methodology in St. Irenaeus: The Journal of Religion 44, Chicago 1964, 294–309.

Hegel, G. W. F., Jenenser Realphilosophie, hrsg. v. G. Hoffmeister, I: Die Vorlesungen von 1803/04, Leipzig 1932.

–, Phänomenologie des Geistes, hrsg. v. J. Hoffmeister, Hamburg 1952.

–, Vorlesungen über die Geschichte der Philosophie III, Frankfurt a. M. 1971.

–, Vorlesungen über die Philosophie der Geschichte, Frankfurt a. M. 1970.

–, Wissenschaft der Logik, hrsg. v. G. Lasson, Hamburg 1963.

Heidegger, M., Sein und Zeit, Tübingen 1963[10].

Heimsoeth, H., Vernunftantinomie und transzendentale Dialektik in der geschichtlichen Situation des Kantischen Lebenswerkes: Kant-Studien 51, 1959–60, 131–141.

Heinrich, Kl., Versuch über die Schwierigkeit nein zu sagen, Frankfurt a. M. 1964.

Heinrichs, M., Niemand hat Gott gesehen – der Eingeborene hat Kunde gebracht, Über den missionarischen Charakter des Johannesevangeliums: Priester und Mission, Aachen 1963, 37–48.

Hennecke, E. – Schneemelcher, W., Neutestamentliche Apokryphen I–II, Tübingen 1964.

Hennessy, J. E., The Background, Sources and Meaning of Divine Infinity in St. Gregory of Nyssa (Diss.), Fordham University 1963.

Henrich, D., Fichtes ursprüngliche Einsicht: Subjektivität und Metaphysik, Festschrift f. W. Cramer, Frankfurt a. M. 1966.

Hippolytus, Refutatio omnium haeresium (ed.: P. Wendland, GCS 3, 1916).

Hoeres, W., Kritik der transzendentalphilosophischen Erkenntnistheorie, Stuttgart–Berlin–Köln–Mainz 1969.

Horkheimer, M., Kritische Theorie 1–2, hrsg. v. A. Schmidt, Frankfurt a. M. 1968.

Horkheimer, M. – Adorno, Th. W., Dialektik der Aufklärung, New York 1944, Frankfurt 1969².

Horn, G., Amour et extase d'après Denys l'Aréopagite: Revue d'Ascétique et de Mystique 6, Toulouse 1925, 279–289.

–, Le miroir et la nuée, Deux manières de voir Dieu d'après S. Grégoire de Nysse: Revue d'Ascétique et de Mystique 8, Toulouse 1927, 113–131.

Hornus, J.-M., Pseudo-Denys l'Aréopagite et la mystique chrétienne: Revue d'Histoire et de Philosophie Religieuse 27, 1947, 37–63.

–, Les recherches récentes sur le Pseudo-Denys l'Areopagite: Revue d'Histoire et de Philosophie Religieuse 35, Straßburg 1955, 404–448; 41, 1961, 22–81.

Huber, W., Das Sein und das Absolute, Studien zur Geschichte der ontologischen Problematik in der spätantiken Philosophie, Basel 1955.

–, Passa und Ostern, Untersuchungen zur Osterfeier der alten Kirche (Diss.), Tübingen 1966.

Hurm, O., Das Bilderverbot bei den »Buchreligionen« und sein Einfluß auf die Entwicklung und Wertung der Schrift: Gutenberg Jahrbuch, Mainz 1962, 31–38.

Husserl, E., Formale und transzendentale Logik, Versuch einer Kritik der logischen Vernunft, Halle 1929.

Hyldahl, N., Zum Titel *Perì Páscha* bei Meliton: Studia Theologica 19, Lund 1965, 55–67.

Ignatius Antiochenus, Briefe (ed. J. A. Fischer, Die apostolischen Väter, München 1959²).

Inge, W. R., The Religious Philosophy of Plotinus and Some Modern Philosophies of Religion, London 1914.

Irenaeus Lugdunensis, Adversus haereses (ed. W. W. Harvey 1–2, Cambridge 1857).

von Ivánka, E., Der Aufbau der Schrift ›De divinis nominibus‹ des Pseudo-Dionysius: Scholastik 15, 1940, 386–399 (= E. v. Ivánka, Plato Christianus . . ., 228–242).

–, ›Teilhaben‹, ›Hervorgang‹ und ›Hierarchie‹ bei Pseudo-Dionysius und bei Proklos. Der ›Neuplatonismus‹ des Pseudo-Dionysius: Actes du XIème Congrès International de Philosophie, Brüssel, 20–26. August 1953, XII, Löwen 1953, 153–158 (= E. v. Ivánka, Plato Christianus, 254–261).

–, Plato Christianus, Einsiedeln 1964.

Jaeger, W., Die asketisch-mystische Theologie des Gregor von Nyssa (1956): Humanistische Reden und Vorträge, Berlin 1960², 266–285.

–, Die Theologie der frühen griechischen Denker, Stuttgart 1959.

Jenni, E., Die theologische Begründung des Sabbatgebotes im AT, Zürich 1956.

Jeremias, J., Zwischen Karfreitag und Ostern, Descensus und Ascensus in der Karfreitagstheologie des NT: Zeitschrift für neutestamentliche Wissenschaft ... 42, 1949, 124–201.

Jocz, J., The Invisibility of God and the Incarnation: Judaica 14, Zürich 1958, 193–203.

Johannesbuch, ed. M. Lidzbarski, 2 Teile, Gießen 1905 und 1915.

Joly, R., Sur deux thèmes mystiques de Grégoire de Nysse: Byzantion 36, Brüssel 1966, 127–143.

Jonas, H., The Gnostic Religion, The Message of the Alien God and the Beginnings of Christianity, Boston 1958.

–, Gnosis und spätantiker Geist, I. Die mythologische Gnosis, Göttingen 1964; II,1. Von der Mythologie zur mystischen Philosophie, Göttingen 1954.

Jung, G., Die Gottesbegegnung in der Mystik in der Sicht des Dialogischen Personalismus: Franziskanische Studien 52, 1970, 1–52, 184–204.

Justinus Martyr, Apologiae: E. J. Goodspeed, Die ältesten Apologeten, Göttingen 1915.

–, Dialogus cum Tryphone Judaeo, ed. G. Archambaut, 1–2, 1909.

Kannengießer, Ch., L'Infinité divine chez Grégoire de Nysse: Recherches de science religieuse 55, Paris 1967, 55–65.

Kant, I., Kritik der reinen Vernunft, zit. nach der 2. Auflage, Riga 1787.

–, Kritik der praktischen Vernunft, zit. nach den Seitenzahlen der ersten Auflage, Riga 1788.

–, Kritik der Urteilskraft, zit. nach der 2. Auflage, Berlin 1793.

–, Die Religion innerhalb der Grenzen der bloßen Vernunft, Königsberg 1793[1], 1794[2].

Kasper, W., Das Absolute in der Geschichte, Mainz 1965.

Kattenbusch, F., Die Entstehung einer christlichen Theologie. Zur Geschichte der Ausdrücke *theología, theologeîn, theológos:* Zeitschrift für Theologie und Kirche 11, 1930, 161–205 (Neuveröffentlichung: Darmstadt 1962).

Keil, G., Gott als absolute Grenzüberschreitung, Meisenheim/Glan 1971.

Kern, C., La structure du monde d'apres le Pseudo-Denys: Irenikon 29, Amay-Chevetogne 1956, 205–209.

Kern, W., Atheismus, Christentum, emanzipierte Gesellschaft, Zu ihrem Bezug in der Sicht Hegels: Zeitschrift für katholische Theologie 91, 1969, 289–321.

Kim, J. C., Verhältnis Jahwes zu den anderen Göttern in Deuterojesaja (Diss. Heidelberg 1963).

King, W. L., Negation as a Religious Category: The Journal of Religion 37, Chicago 1957, 105–118.

Kittel, H., Die Herrlichkeit Gottes, Studien zu Geschichte und Wesen eines ntl. Begriffs, Gießen 1934.

Knierim, R., Das erste Gebot: Zeitschrift für alttestamentliche Wissenschaft 77, 1965, 20–39.

Koch, H., Der pseudepigraphische Charakter der Dionysischen Schriften: Theologische Quartalschrift 77, 1895, 353–420.

Koch, H., Proklus als Quelle des Pseudo-Dionysius Areopagites in der Lehre vom Bösen: Philologus 54, 1895, 438–454.

–, Das mystische Schauen bei Gregor von Nyssa, Über die Beziehungen des Pseudodionysius zu Gregor von Nyssa: Theologische Quartalschrift 80, 1898, 397–420.

–, Pseudo-Dionysius Areopagita in seinen Beziehungen zum Neuplatonismus und Mysterienwesen, Mainz 1900.

Kopper, J., Transzendentales und dialektisches Denken: Kantstudien, Ergänzungsheft 80, Köln 1961.

Koumakis, G., Platons Parmenides, Zum Problem seiner Interpretation, Bonn 1971.

Kraft, H., Der mittlere Platonismus und das Christentum: Theologische Literaturzeitung 83, 1958, 333–340.

Krenn, K., Die Gottesfrage einer ametaphysischen Epoche: Wesen und Weisen der Religion, Ehrengabe für W. Keilbach zum 60. Geburtstag, München 1969, 248–266.

Krings, H., Transzendentale Logik, München 1964.

Kritzinger, H. H., Zur Philosophie der Überwelt, Ursprung und Überwindung der Antinomien, Tübingen 1951.

de Kruijt, T. C., Der Kampf mit Gott: Zerbrochene Gottesbilder, Freiburg 1969, 9–28.

Küng, H., Menschwerdung Gottes, Eine Einführung in Hegels theologisches Denken als Prolegomena zu einer künftigen Christologie, Freiburg 1970.

Kuitert, H. M., Gott in Menschengestalt, Eine dogmatisch-hermeneutische Studie über die Anthropomorphismen in der Bibel, übers. v. E. W. Pollmann, München 1967.

Kurmann, A., Durch die Torheit der Verkündigung, Gedanken über 1 Kor 1–3: Schweizer Kirchenzeitung 138, Luzern 1970, 682–684.

Kutsch, E., Sein Leiden und Tod, unser Heil, Eine Auslegung von Jes 52, 13–53,12 Neukirchen–Vluyn 1967.

Laaf, P., Die Pascha-Feier Israels, Eine literarkritische und überlieferungsgeschichtliche Studie (Diss.), Bonn 1970.

Labuschagne, C. J., The Incomparability of Yahweh in the OT, Leiden 1966.

Lammers, K., Hören, Sehen und Glauben im NT (Diss.), Stuttgart 1966.

Lampe, G. W. H., A Patristic Greek Lexikon, Oxford 1961 ff.

Lampen, W., Pseudo-Dionysius Areopagite de Vater der christelijke Mystiek: De Katholiek 164, 1923, 32–54.

Langen, J., Dionysius Areopagita und die Scholastiker: Revue Internationale de Theologie 8, 1900, 201–208.

Langerbeck, H., Aufsätze zur Gnosis, hrsg. von H. Dörrie, Göttingen 1967.

Larcher, C., Die Transzendenz Gottes als ein Grund für seine Abwesenheit: Concilium 5, 1969, 748–755.

Leemans, E. A., Studie over den wijsgeer Numenius van Apamea met uitgave der fragmenten, Brüssel 1937.

Lehman, G. J., Anthropomorphisms in the Former Prophets of the Hebrew Bible as Compared with the Septuagint and Targum Jonathan (Diss. New York University 1964), 1965.

Lehmann, K., Die dogmatische Denkform als hermeneutisches Problem, Prolegomena zu einer Kritik der dogmatischen Vernunft: Evangelische Theologie 30, 1970, 469–487.

Leisegang, H., Denkformen, 1928, Berlin 1951².

Leys, R., La théologie spirituelle de Grégoire de Nysse: Studia Patristica II, Papers presented to the Second International Conference on Patristic Studies held at Christ Church, Oxford 1955, Part II, ed. K. Aland – F. L. Cross, Berlin 1957, 495–511.

Lidzbarski, M., Das Johannesbuch der Mandäer, 2 Teile, Gießen 1905 und 1915.

–, Mandäische Liturgien, mitgeteilt, übersetzt und erklärt von M. Lidzbarski, Berlin 1920.

–, Ginza, Der Schatz oder das große Buch der Mandäer, Göttingen 1925.

Lienhart, J. T., The Christology of the Epistle to Diognetus: Vigiliae Christianae 34, Amsterdam 1970, 280–289.

Lieske, A., Die Theologie der Christusmystik Gregors von Nyssa: Zeitschrift für katholische Theologie 70, 1948, 49–63; 129–168; 315–340.

Lilia, S. R. C., Clement of Alexandria, A Study in Christian Platonism and Gnosticism, Oxford 1971.

Lindblom, J., Noch einmal die Deutung des Jahwe-Namens in Ex 3,14: Annual of the Swedish Theological Institute (in Jerusalem) 3, Leiden 1964, 4–15.

Loewenstamm, S. E., The Making and Destruktion of the Golden Calf: Biblica 48, 1967, 481–490.

Lohfink, N., Gott und die Götter im AT: K. Rahner – O. Semmelroth (Hrsg.), Theologische Akademie 6, Frankfurt 1969, 50–71.

López, Garcia J., S. Pablo en Atenas: Helmantica 15, Salamanca 1964, 127–134.

Lorenz, K., Elemente der Sprachkritik, eine Alternative zum Dogmatismus und Skeptizismus in der analytischen Philosophie, Frankfurt a. M. 1970.

Lortz, J., Das Christentum als Monotheismus in den Apologien des zweiten Jahrhunderts: Beiträge zur Geschichte des christlichen Altertums und der byzantinischen Literatur, Festgabe für A. Ehrhard, Bonn–Leipzig 1922, 300–327.

Lossky, V., La théologie apophatique dans la doctrine de Denys l'Aréopagite (Russisch): Seminarium Kondakovianum, 3, Prag 1929, 133–144.

–, La théologie négative dans la doctrine de Denys l'Aréopagite: Revue de Sciences philosophiques et théologiques 28, Paris 1939, 204–221.

–, Essai sur la Théologie négative de l'Eglise d'Orient, Paris 1944.

–, Die mystische Theologie der morgenländischen Kirche, übers. v. M. Prager, Graz–Wien–Köln 1961.

Lüthi, W., Die zehn Gebote Gottes ausgelegt für die Gemeinde, Basel 1966.

MacIntyre, A. C., The Religious Significance of Atheism, London 1969.

Madzurov, N. D., Die Lehre des hl. Gregor von Nazianz von der Gotteserkenntnis: Dukovna Kultura Sofija 2, 1960, 27–30.
Mainberger, G., Die Seinsstufung als Methode und Metaphysik, Fribourg (Schw.) 1959.
Malherbe, A. J., Athenagoras on the Location of God: Theologische Zeitschrift 26, Basel 1970, 46–52.
Malinine, M., H.-Ch. Puech, G. Quispel, W. Till (ed.), Evangelium Veritatis, Zürich 1961.
Mandäische Liturgien, ed. E. S. Drower, The Canonical Prayerbook of the Mandaeans, Leiden 1959.
Mare, W. H., Paul's Mystery in Eph 3: Bulletin of the Evangelical Theological Society 8, Wheaton, Ill., 1965, 77–84.
Maric, J., Pseudo-Dionysii Areopagitae formula christologica celeberrima de Christi activitate theandrica: Bogostovska Smotra Ephemerides Theologicae 20, 1932, 105–173.
Martin, J. A., St. Thomas and Tillich on the Names of God: The Journal of Religion 37, Chicago 1937, 253–259.
Martin, J. W., Anthromorphic Expressions in Semitic: Actes du Congrès International des Orientalistes 25, Madrid 1960, hrsg. 1962, I, 381–383.
Marx, K., Einleitung zur Kritik der politischen Ökonomie (1859), Berlin 1947.
–, Ökonomisch-philosophische Manuskripte (1844), zitiert nach: I. Fetscher, Marx-Engels-Studienausgabe 2, Frankfurt a. M. 1968, 38–129.
–, Kritik der Hegelschen Dialektik und Philosophie überhaupt (Schlußkapitel der »ökonomisch-philosophischen Manuskripte«): Marx-Engels I, Studienausgabe: Philosophie, hrsg. v. I. Fetscher, Frankfurt a. M. 1966, 61–81.
Mascall, E. L., He Who Is, A Study in Traditional Theism, London 1966.
Massi, P., Il mistero pasquale nucleo del NT: Rivista di Liturgia 55, Turin 1968, 7–20.
Mazzantini, C., La questione dei »nomi divini«: Giornale di Metafisica 9, Turin 1954, 113–124.
McGrath, Ch., Gregory of Nyssa's Doctrine on Knowledge of God (Diss.), Fordham Univ. 1964.
Merendino, R. P., Der unverfügbare Gott, Biblische Erwägungen zur Gottesfrage (Vorträge): Dialog mit Gott, Düsseldorf 1969.
Merki, H., Homoíosis theô, Von der platonischen Angleichung an Gott zur Gottähnlichkeit bei Gregor von Nyssa, Freiburg (Schw.) 1952.
Messner, R. O., Die Kernstruktur des monotheistischen Gottesbegriffs, Zugleich Erstellung einer Basis für den Dialog mit dem zeitgenössischen wissenschaftlichen Atheismus: Franziskanische Studien 50, 1968, 31–161.
Mesters, C., God zien is sterven en leven, Het zien van God in het OT: Carmel 15, Merkelbeck 1963, 42–56.
Metz, J. B., Christliche Anthropozentrik, München 1962.
–, Art. Politische Theologie: Sacramentum Mundi III, Freiburg–Basel–Wien 1969, 1232–1240.

Metz, J. B., ›Politische Theologie‹ in der Diskussion: Diskussion zur ›politischen Theologie‹, hrsg. v. H. Peukert, Mainz 1969, 267–301.
–, Zukunft aus dem Gedächtnis des Leidens, Eine gegenwärtige Gestalt der Verantwortung des Glaubens, Concilium 8, 1972, 399–407.
Metzger, B. M., Names for the Nameless in the New Testament, A Study in the Growth of Christian Tradition: Festschrift für J. Quasten, Münster 1970, 79–99.
Michael, J. P., Zwischen Geist und Götzen, Der Apostel Paulus an die Korinther, Recklinghausen 1963.
Michael D., Hiob, Wegen Gott gegen Gott: D. Michel, Israels Glaube im Wandel, Berlin 1968, 252–277.
Migne, J. P. (Hrsg.), Patrologia (Graeca), Paris 1857–66.
Minucius Felix, Octavius (ed. C. Halm: Corpus scriptorum ecclesiasticorum Latinorum 2, 1967).
Mohrmann, Chr., Linguistic Problems in the Early Christian Church: Vigiliae Christianae 11, Amsterdam 1957, 11–36.
de Moré-Pontgibaud, Ch., Sur l'analogie des noms divins: Recherches de science religieuse 19, Paris 1929, 481–512; 20, 1930, 193–223; 38, 1952, 161–188; 42, 1954, 321–360.
Mühlenberg, E., Die Unendlichkeit Gottes bei Gregor von Nyssa, Gregors Kritik am Gottesbegriff der klassischen Metaphysik, Göttingen 1966.
Müller, K., Der paulinische Skandalon-Begriff, Die Reichweite seiner jüdischen Verständnisvorgaben (Diss.), Würzburg 1966.
–, 1 Kor 1,18–25, Die eschatologisch-kritische Funktion der Verkündigung des Kreuzes: Biblische Zeitschrift 10, 1966, 246–272.
Mulder, M. J., Kanaanit. goden in het OT: Exegetica 4,4 s, s'Gravenhage 1965.
Mullins, T. Y., Disclosure, A Literary Form in the NT: Novum Testamentum 7, Leiden 1964, 44–50.
Mußner, F., Anknüpfung und Kerygma in der Areopagrede: Trierer theologische Zeitschrift 67, 1958, 344–354.
Neander, A., Über die welthistorische Bedeutung des neunten Buches der II. Enneade des Plotinos oder seines Buchs gegen die Gnostiker, Berlin 1845.
Nicolas, J. H., Dieu connu comme inconnu, Essai d'une critique de la connaissance théologique, Paris 1966.
Nicolaus Cusanus, De docta ignorantia (und ähnliche Schriften): Philosophisch-theologische Schriften, hrsg. v. L. Gabriel, übersetzt v. D. u. W. Dupré, Wien 1964, Bd. I.
Niederwimmer, K., Erkennen und Lieben, Gedanken zum Verhältnis von Gnosis und Agape im ersten Korintherbrief: Kerygma und Dogma 11, 1965, 75–102.
–, Der Begriff der Freiheit im NT, Berlin 1966.
Nielsen, E., The Ten Commandments in New Perspective: A Tradition-Historical Approach, Naperville 1968.
Nilles, N., Zu Stiglmayrs areopagitischen Studien, Heortologischer Nachtrag: Zeitschrift für katholische Theologie 20, 1896, 395–399.

Nock, A., The Exegesis of Timaeus 28 C: Vigiliae Christianae 15, Amsterdam 1962, 79–86.

–, Early Gentile Christianity and its Hellenistic Background, with an Introduction to the Torch-book Edition by the Author, 1962, and Two Additional Essays »A Note on the Resurrection« and »Hellenistic Mysteries and Christian Sacraments«, New York–Evanston–London 1964.

Nötscher, F., »Das Angesicht Gottes schauen« nach biblischer und babylonischer Auffassung 1924, photom. Reprod. Darmstadt 1969.

Norden, E., Agnostos Theos, Untersuchungen zur Formengeschichte religiöser Rede (1913[1]), Darmstadt 1956[4].

Norris, R. A., God and World in Early Christian Theology, A Study in Justin Martyr, Irenaeus, Tertullian and Origen, London 1966.

Nucubidze, S. J., Istočniki areopagitiki (Die Quellen der areopagitischen Theologie): VII Vsesojuzu, Konfer, Vizantinov v Tbilisi, Tezisy dokladov, Tiflis 1965, 110–112.

Numenios, ed. E. A. Leemans, Studie over den wijsgeer Numenius van Apamea met uitgave der fragmenten, Brüssel 1937.

Ochagavia, J., Visibile Patris Filius, A Study of Irenaeus ›Teaching on Revelation and Tradition‹ (Diss.), München 1962.

Origenes, Exhortatio ad martyrium (ed. P. Koetschau, GCS 1, Einzelausgabe 1899).

–, Contra Gelsum (ed. P. Koetschau, GCS 1–2, 1899).

–, Fragmenta ex commentariis in 1 Cor. (ed. C. Jenkins: The Journal of Theological Studies 10, 1908).

–, De principiis (ed. P. Koetschau, GCS 5, Einzelausgabe 1913).

Orlinsky, H. M., The Challenge of Idolatry: The History and Tradition of Ancient Israel, Transl. fr. Japon. by M. Kobayashi, Tokio 1961.

Ouellette, J., Le deuxième commandement et le rôle de l'image dans la symbolique religieuse de l'Ancien Testament, Essai d'interprétation: Revue Biblique 74, 1967, 504–516.

Overholt, W. T., The Falsehood of Idolatry, An Interpretation of Jer 10, 1–16: The Journal of theological Studies 16, London 1965, 1–12.

Pannenberg, W., Die Aufnahme des philosophischen Gottesbegriffs als dogmatisches Problem der frühchristlichen Theologie: Zeitschrift für Kirchengeschichte 70, 1959, 1–45.

–, Theologische Motive im Denken Immanuel Kants: Theologische Literaturzeitung 89, 1964, 897–906.

de Pater, Vim A., Theologische Sprachlogik, München 1971.

Patterson, L. G., God and History in Early Christian Thought, A Study of Themes from Justin Martyr to Gregory the Great, New York 1967.

Pera, C., Denys le Mystique et la Theomachia: Revue de Sciences philosophiques et théologiques 25, Paris 1936, 5–75.

–, Il metodo di Dionigi il Mistico nella ricerca della verità: Humanitas 2, 1947, 355–363.

Perlitt, L., Die Verborgenheit Gottes: H. W. Wolff, Probleme biblischer Theologie, G. v. Rad zum 70. Geburtstag, München 1971, 367–382.

Peterson, E., Der Monotheismus als politisches Problem: Theologische Traktate, München 1951, 45–147.

Peukert, H. (Hrsg.), Diskussion zur ›politischen Theologie‹, Mainz–München 1969.

Pfeifer, G., Denkformenanalyse als Aufgabe der Hermeneutik: In disciplina Domini – In der Schule des Herrn = Thüringer kirchliche Studien 1, Berlin 1963, 278–280.

Philippusevangelium, vgl. W. C. Till, Das Evangelium nach Philippus, Berlin 1963.

Philon, (ed.) L. Cohn, P. Wendland, S. Reiter, Philonis Alexandrini opera quae supersunt, Berlin 1896–1915 (Übersetzung von L. Cohn und I. Heinemann, Berlin 1909–1938).

Picavet, F., Plotin et les mystères d'Eleusis, Paris 1903.

Piclin, M., La notion de transcendance, son sens, son évolution, Paris 1969.

Pieper, A., The Glory of the God in its Appearance in and at the Tabernacle: Theological Quarterly 55, Thiensvill, Wisc. 1958, 1–15.

Pieper, J., Philosophie negativa, 2 Versuche über Thomas von Aquin, München 1953.

–, Das negative Element in der Weltansicht des Thomas von Aquin, München 1963.

Pierron, J., L'épiphanie du mystère, Eph 3,2–2a. 5b.: Assemblées du Seigneur 2, 12, Paris 1969, 11–18.

de Places, E., Actes 17,25: Biblica, 1965, 219–222.

–, Actes 17,27: Biblica, 1967, 1–6.

Platon, Opera I–V (ed. J. Burnet, Oxford 1899 ff.).

–, (Übersetzung von F. Schleiermacher bzw. H. Müller), hrsg. von W. F. Otto, E. Grassi, G. Plamböck, Sämtliche Werke I–VI, Schleswig 1957 ff.

Platzeck, E. W., Das Unendliche affirmativer und negativer Theologie, Rahmen der Seinsanalogie: Franziskanische Studien 32, 1950, 313–346.

Plotinos, Enneaden (ed. R. Harder, fortgeführt von R. Beutler – W. Theiler, Hamburg 1956 ff.).

Poimandres, ed. R. Reitzenstein, Leipzig 1904.

Pokorny, P., Epheserbrief und gnostische Mysterien: Zeitschrift für ntl. Wissenschaft 53, 1962, 160–194.

–, Die Anfänge der Gnosis, Die Entstehung des gnostischen Mythus von der Gottheit Mensch (Tschechisch), Prag 1968.

Pommrich, A., Des Apologeten Theophilus von Antiochia Gottes- und Logoslehre, dargestellt unter Berücksichtigung der gleichen Lehre des Athenagoras von Athen, Dresden 1904.

Porphyrios, Vita Plotini, ed. Plotins Schriften ... Vc: Anhang: Text, Übersetzung, Anmerkungen, Hamburg 1958.

Powell, D., Athenagoras and the Philosophers: The Church Quarterly Review 168, London 1967, 282–289.

Proklos, Com. in Platonis Parmenidem VI: zit. V. Cousin, Paris 1864[1], Hildesheim 1961[2].

Proklos, In primum Euclidis elementorum librum commentarii (ed. G. Friedlein, Leipzig 1873).
–, In Platonis rem publicam commentarii (ed. W. Kroll, Leipzig 1899–1901, 2 Bde.).
–, *Stoicheíosis theologiké* (Elementatio theologica): ed. E. R. Dodds, Oxford 1933.
–, Commentary on the first Alcibiades of Plato (ed. L. G. Westerink, Amsterdam 1954).
–, *Eis tèn Plátonos theologían* (In Platonis Theologiam): ed. Ae. Portus, Hamburg 1618, photomech. Nachdruck: Frankfurt a. M. 1960.
–, De providentia et fato et eo quod on Nobis: Tria Opuscula, Latine Guilelmo de Moerbeka vertente et Graece ex Isaacii Sebastocratoris aliorumque scriptis collecta, ed. H. Boese, Berlin 1960, 109–171.
Przywara, E., Deus semper maior, Theologie der Exerzitien; mit Beigabe Theologumenon und Philosophumenon der Ges. Jesu, München 1964.
Puech, H.-Ch., La ténèbre mystique chez le Pseudo-Denys l'Aréopagite et dans la tradition patristique: Études Carmélitaines 23, 1938, 33–53.
–, Das Apokryphon des Johannes: E. Hennecke – W. Schneemelcher, Neutestamentliche Apokryphen I, Tübingen 1959, 229–243.
–, Plotin et les Gnostiques: Les sources de Plotin, Vandoeuvres–Genève 1960, 159–174.
von Rad, G., Theologie des Alten Testaments, Bd. 1, Die Theologie der geschichtlichen Überlieferungen Israels, München 1966.
Rahner, K., Theologische Prinzipien der Hermeneutik eschatologischer Aussagen: Zeitschrift für katholische Theologie 82, 1960, 137–158; Schriften zur Theologie IV, Einsiedeln 1960, 401–428.
–, Art. Geheimnis II, Theologisch: Handbuch theologischer Grundbegriffe I, München 1962, 447–452.
–, Über das Geheimnis: Stimmen der Zeit 167, 1961, 241–252.
–, Art. Geheimnis II: LThK² IV, 1960, 593–597.
–, Über den Begriff des Geheimnisses in der katholischen Theologie: S. Behn, Beständiger Aufbruch, Przywara-Festschrift, Nürnberg 1959, 181–216; Schriften zur Theologie IV, Einsiedeln 1960, 51–99.
–, Art. Geheimnis: Sacramentum Mundi II, Freiburg–Basel–Wien 1968, 189–196.
–, Überlegungen zur Methode der Theologie (3. Vorlesung): Schriften zur Theologie IX, Einsiedeln–Zürich–Köln 1970, 113–126.
Ramsey, J. T., Logical Empirism and Patristics: Studia Patristica V, Papers presented to the 3rd Intern. Confer. on Patr. Studies held at Christ Church, Oxford 1959, Part III, ed. F. L. Cross, Berlin 1962.
–, Religious Language, An Empirical Placing of Theological Phrases, London 1967.
Ratzinger, J., Zu: Dogmatische Konstitution über die göttliche Offenbarung, Art. 4: LThK²-Ergänzungsband 2, 1967, 510–512.
–, Zu: Pastoralkonstitution über die Kirche in der Welt von heute, Art. 18: LThK²-Ergänzungsband 3, 1968, 333–335.

Reindl, J., Das Angesicht Gottes im Sprachgebrauch des AT (Diss.), Freiburg 1969.

Reiss, W., ›Gott nicht kennen‹ im Alten Testament: Zeitschrift für alttestamentliche Wissenschaft 58, 1941, 70–98.

Reitzenstein, R., Poimandres, Leipzig 1904.

Reitzenstein, R. – Schaeder, H. H., Studien zum antiken Synkretizismus aus Iran und Griechenland, II. Iranische Lehren, Leipzig–Berlin 1926.

Reynders, B., Le progrès de tradition jusqu'à saint Irénée: Recherches de théologie ancienne et médiévale 5, Löwen 1933, 155–191.

–, La polémique de saint Irénée, Methodes et principes: Recherches de théologie ancienne et médievale 7, Löwen 1935, 5–27.

Riesenhuber, K., Die Transzendenz der Freiheit zum Guten, München 1971.

Rinaldi, B., Le quattro dimensioni del mistero pasquale, Per un aggiornamento biblicoconciliare della teologia e della pastorale: Fons Vitae, Mailand 1968.

Rist, J. M., Theos and the One in Some Texts of Plotinus: Mediaeval Studies 24, Toronto 1962, 169–180.

–, Mysticism and Transcendence in Later Neoplatonism: Hermes, Zeitschrift für klassische Philologie 92, 1964, 213–225.

Rohrmoser, G., Das Elend der kritischen Theorie, Freiburg 1970.

Roloff, D., Gottähnlichkeit, Vergöttlichung und Erhöhung zu seligem Leben, Untersuchungen zur Herkunft der platonischen Angleichung an Gott, Berlin 1970.

Romaniuk, K., »Nos autem praedicamus Christum et hunc crucifixum« (1 Kor 1,25): Verbum Domini 47, 1969, 232–236.

–, Der Begriff der Furcht (Gottes) in der Theologie des Paulus: Bibel und Leben 11, 1970, 168–175.

Roques, R., Note sur la notion de Théologie chez le Pseudo-Denys l'Aréopagite: Revue d'Ascétique et de Mystique 25, Toulouse 1949, 200–212.

–, La notion de Hiérarchie selon le Pseudo-Denys: Archives d'Histoire doctrinale et littéraire du Moyen Age 17, Paris 1949, 183–222; 18, 1950–1951, 5–54.

–, Contemplation, Extase et Tenèbre selon le Pseudo-Denys: Dictionnaire de Spiritualité ascétique et mystique 2, Paris 1952, 1885–1911.

–, De l'implication des méthodes théologiques chez le Pseudo-Denys: Revue d'ascétique et de mystique 30, Toulouse 1954, 208–274.

–, L'Univers Dionysien, Structure hiérarchique du monde selon le Pseudo-Denys, Paris 1954.

–, Connaissance de Dieu et théologie symbolique d'après l'»In Hierarchiam coelestem sancti Dionysii« de Hugues de Saint-Victor: Recherches de Philosophie 3–4, 1958, 187–266.

Rudolph, K., Gnosis und Gnostizismus, Ein Forschungsbericht: Theologische Rundschau 34, 1969, 121–175, 181–231; 36, 1971, 1–81, 89–124.

Ruhbach, G. (Hrsg.), Altkirchliche Apologeten: Texte zur Kirchen- und Theologiegeschichte, H. 1, Gütersloh 1966.

Ruyer, R., Dieu et les valeurs négatives: Revue de Théologie et de Philosophie 90, Lausanne 1957, 243–253.

Ryan, W. J., John's Hymn to the Word: Worship 37, Collegevill, Minn., 1963, 285–292.

Sabbe, M., Der weg van de liefde 1 Cor 13: Colationes Brugenses et Gandavenses 10, Brügge–Gent 1964, 494–511; 11, 1965, 433–480.

Sabourin, L., Mysterium paschale et nox messianica: Verbum Domini 44, Rom 1966, 65–73, 152–168.

Saffrey, H. D., Un lien objectif entre le Pseudo-Denys et Proclus: Studia Patristica 9, Papers presented to the Fourth International Conference on Patristic Studies, Oxford 1963, Part III, ed. F. L. Cross, Berlin 1966, 98–105.

Sanders, J. T., First Cor 13, Its Interpretation since the First World War: Interpreter 20, Richmond 1966, 159–187.

Saphir, A. P., The Mysterious Wrath of Yahweh, An Inquiry into the OT Concept of the Suprarational Factor in Divine Anger (Diss. Princeton Theol. Sem. 1964).

Sarlenijn, A., Hegelsche Dialektik, Berlin–New York 1971.

Sartori, A., Il dogma della divinità nel »Corpus Dionysiacum«: Didaskaleion, N.S. 5, 1927, fasc. 2,35–125; fasc. 3,1–53.

Scazzoso, P., Osservazioni e note sul volume di W. Völker, Kontemplation und Ekstase bei Pseudo-Dionysius Areopagita: Aevum 32, Mailand 1958, 271–287.

–, Valore del superlativo nel linguaggio pseudo-Dionysiano: Aevum 32, Mailand 1958, 434–446.

–, Rivelazioni del linguaggio pseudo-Dionysiano intorno ai temi della contemplazioni e dell'estasi: Rivista di filosofia neoscolastica 56, Mailand 1964, 37.

–, Elementi del linguaggio pseudo-dionisiano: Studia Patristica VII, ed. F. L. Cross, Berlin 1966, 385–400.

Schelling, F. W. J., Philosophie der Mythologie: Friedrich Wilhelm Joseph von Schellings sämtliche Werke, hrsg. von K. F. A. Schelling, Band I–XIV, Stuttgart, 1856–1861.

–, Philosophie der Offenbarung, ebd. Bd. XIII–XIV, Stuttgart 1856 bis 1861.

Schiavone, M., Neoplatonismo e Cristianesimo nello Pseudo Dionigi, Mailand 1963.

Schierse, F. J., Oster- und Parusiefrömmigkeit im NT: Strukturen christlicher Existenz, hrsg. v. H. Schlier, Würzburg 1968, 37–57.

Schillebeeckx, E., Kritische theorie en theologische hermeneutiek: Tijdschrift voor Theologie 11, Nijmegen 1971, 113–140.

Schlenker, E., Die Lehre von den göttlichen Namen, Freiburg 1938.

Schlette, H.-R., Das Eine und das Andere, Studien zur Problematik des Negativen in der Metaphysik Plotins, München 1966.

–, Der Agnostizismus und die Christen: Wahrheit und Verkündigung, M. Schmaus zum 70. Geburtstag 1, München–Paderborn–Wien 1967, 123–147.

Schmid, H. H., »Ich bin, der ich bin«: Neue Zürcher Zeitung Nr. 27, 53 (14. Jan. 1968).

Schmidt, J. M., Erwägungen zum Verhältnis von Auszugs- und Sinaitradition: Zeitschrift für alttestamentliche Wissenschaft 82, 1970, 1–31.

Schmidt, W. H., Bilderverbot und Gottebenbildlichkeit, Exegetische Notizen zur Selbstmanipulation des Menschen: Wort und Wahrheit 23, 1968, 209–216.

–, Das erste Gebot: Wort und Wahrheit 25, 1970, 402–410.

Schmied-Kowarzik, W., Analogie – Dialektik – Dialog, Betrachtungen zu einem philosophisch-theologischen Problem im Anschluß an Walter Kasper: »Das Absolute in der Geschichte«: Philosophisches Jahrbuch 74, 1966/67, 419–428.

Schneider, Kl., Die schweigenden Götter (Diss.), Hildesheim 1966.

Schoeler, W. F., Die transzendentale Einheit der Apperzeption von I. Kant, Bern 1959.

Schreiner, G., Die zehn Gebote im Leben des Gottesvolkes, Dekalogforschung und Verkündigung, München 1966.

Schreiner J., Der Dekalog – Lebensweisung im Gottesbund: Diakonia 3, 1968, 98–117.

Schubert, P., The Place of the Areopagus in the Composition of Acts: Transitions in Biblical Scholarship, ed. by J. C. Rylaarsdam, Chicago–London 1968, 235–261.

Schürmann, H., Die Anfänge christlicher Osterfeier: H. Schürmann, Ursprung und Gestalt, Düsseldorf 1970, 199–206.

Schützeichel, H., Das hierarchische Denken in der Theologie: Catholica 25, 1971, 90–111.

Schulz, W., Das Problem der absoluten Reflexion, Frankfurt a. M. 1963.

Schweppenhäuser, H., Spekulative und negative Dialektik: O. Negt (Hrsg.), Aktualität und Folgen der Philosophie Hegels, Frankfurt a. M. 1970, 81–93.

Scimè, S., L'assoluto nello Pseudo-Dionigi, Messina 1950.

Semmelroth, O., Der Weg zur Gottesgemeinschaft nach Pseudo-Dionysius Areopagita: Geist und Leben 21, 1948, 121–131.

–, Gottes überwesentliche Einheit, Zur Gotteslehre des Pseudo-Dionysius Areopagita: Scholastik 25, 1950, 209–234.

–, Gottes geeinte Vielheit, Zur Gotteslehre des Pseudo-Dionysius Areopagita: Scholastik 25, 1950, 389–403.

–, Die *theología symbolikḗ* des Pseudo-Dionysius: Scholastik 27, 1952, 1–11.

–, Die Lehre des Pseudo-Dionysius Areopagita vom Aufstieg der Kreatur zum göttlichen Licht: Scholastik 29, 1954, 24–52.

–, Atheismus – eine echte Möglichkeit?: Theologische Akademie 4, Frankfurt a. M. 1967, 46–64.

Shehadi, F., Ghazali's Unique Unknowable God (Diss. Princeton University 1959).

Sieper, J., Das Mysterium des Kreuzes in der Typologie der alten Kirche: Kyrios 1969, N.S. 9,1–30,65–82.

Sint, J. A., Pseudonymität im Altertum, Ihre Formen und Gründe, Innsbruck 1960.
Snaith, N. H., The Advent of Monotheism in Israel: Annual of the Leeds University Oriental Society 5, Leiden 1963 f., ed. 1966.
Söhngen, G., Die neuplatonische Scholastik und Mystik der Teilhabe bei Plotin: Philosophisches Jahrbuch 49, 1936, 98–120.
–, Art. Denkform: LThK² III, 1959, 230 f.
Söhngen, O., Das mystische Erlebnis in Plotins Weltanschauung, Leipzig 1923.
Souilhé, J., La mystique de Plotin: Revue d'Ascétique et de Mystique 3, Toulouse 1922, 179–185.
Speyer, W., Zu den Vorwürfen der Heiden gegen die Christen: Jahrbuch für Antike und Christentum, Münster 1963, 129–133.
Spiegelberg, F. H., Das religiöse Erleben bei Plotin (Diss.), Tübingen 1924.
da Spinetoli, O., Il mistero pasquale: Biblia et Oriente 11, Cuneo 1969, 49–56.
a Spiritu Sancto, J., Enucleatio mysticae theologiae S. Dionysii Areopagitae Episcopi et Martyris per quaestiones et resolutiones scholastico-mysticas, ed. crit. a.P. Anastasio a S. Paulo ... exarata: Carmelitana 1, Rom 1927.
Splett, J., Art. Denkform: Sacramentum Mundi I, Freiburg 1967, 842–846.
Squadrani, J., Ignoto Dio, Dio e Uomo, Idole e Maschere, Turin 1959.
Stählin, W., Vom Geheimnis Gottes, Kassel 1970.
Stamm, J. J. – Andrews, M. E., The Ten Commandments in Recent Research, London 1967.
Stanescu, N. V., Der Fortschritt in der Gotteserkenntnis: Mit besonderer Berücksichtigung des hl. Gregor von Nyssa: Studii teologice Bucuresti 10, 1958, 14–37.
Stanley, D. R., St. John and the Paschal Mystery: Worship 33, Collegeville, Minn. 1959, 293–301.
van Steenberghen, F., Dieu Caché, Löwen 1961.
–, Ein verborgener Gott, Wie wissen wir, daß Gott existiert? (Vom Verfasser autorisierte Übertragung aus dem Französischen und Nachwort von G. Remmel), Paderborn 1966.
Steffen, U., Das Mysterium von Tod und Auferstehung. Formen und Wandlungen des Jona-Motivs, Göttingen 1963.
Stevenson, D. E., In the Midst of Mystery: Catholic Biblical Quarterly 42,2, Washington 1965, 1–6.
Stiglmayr, J., Der Neuplatoniker Proklus als Vorlage des sog. Dionysius-Areopagita in der Lehre vom Übel: Historisches Jahrbuch 16, 1895, 253–273, 721–748.
–, Das Aufkommen der pseudodionysischen Schriften und ihr Eindringen in die christliche Literatur bis zum Laterankonzil 649: IV. Jahresbericht des öffentlichen Privatgymnasiums an der Stella Matutina zu Feldkirch, Feldkirch 1895, 3–66.
–, Über die Termini Hierarch und Hierarchie: Zeitschrift für katholische Theologie 22, 1898, 180–187.

Stiglmayr, J., Aszese und Mystik des sog. Dionysius Areopagita: Scholastik 2, 1927, 161–207.
Stuhlmueller, C., The Pascal Mystery in Deutero-Isaiah: Bible Today 23, Collegeville, Minn. 1966, 1504–1510.
Sullivan, J. J., The Paschal Mystery and the Glory of Christ the Redeemer: The American ecclesiastical Review 157, Washington 1967, 386–397.
Sullivan, K., The Mystery Revealed to Paul – Eph 3,1–13: Bible Today 1, Collegeville, Minn. 1963, 246–255.
Sweeny, L., Infinity in Plotinus: Gregorianum 38, Rom 1957, 515–535, 713–732.
Synowiec, J., Kebod Jahwe (Diss.), Lublin 1967.
Tatianus, Oratio ad Graecos (ed. E. Schwartz, Texte und Untersuchungen zur Geschichte der altchristlichen Literatur IV, 1, Leipzig 1888).
Theill-Wunder, H., Die archaische Verborgenheit, Die philosophischen Wurzeln der negativen Theologie, München 1970.
Theodoretus Cyrrhensis, Eranistes dialogus (ed. J. L. Schultze – J. A. Noesselt, Halle 1769–1774).
Theophilus Antiochenus, Ad Autolycum (G. Bardy: Sources Chrétiennes 20, Paris 1948).
Thiel, F., Die Ekstasis als Erkenntnisform bei Plotin: Archiv für Geschichte der Philosophie 19, 1913, 48–55.
Thomas von Aquin, Quaestiones disputatae I, De potentia, qu. 7, a. 5;
–, Summa contra gentiles (I,14);
–, Summa theologiae (I,13,1)
(Ed.: Marietti, Turin 1948 ff.).
Thomasakten, vgl. E. Hennecke – W. Schneemelcher, Neutestamentliche Apokryphen II, Tübingen 1964, 297–372.
Thomasbuch, vgl. E. Hennecke – W. Schneemelcher, Ntl. Apokryphen I, 223 f.
Thomasevangelium, ed. Guillaumont – H. Ch. Puech – W. Till – Y. 'Abd Al-Masih, Evangelium secundum Thomam, Leiden 1959.
Thüsing, W., Die johanneische Theologie als Verkündigung der Größe Gottes: Trierer Theologische Zeitschrift 74, 1965, 321–331.
–, Erhöhungsvorstellung und Parusieerwartung in der ältesten vorösterlichen Christologie: Biblische Zeitschrift 11, 1967, 95–108, 205–222; 12, 1968, 54–80.
Till, W. C., Das Evangelium nach Philippus, Berlin 1963.
Treu, U., Etymologie und Allegorie bei Klemens von Alexandrien: Studia Patristica IV, 2, ed. F. L. Cross, Berlin 1961, 191–211.
Trilling, W., Metanoia als Grundforderung der neutestamentlichen Lebenslehre: Theologisches Jahrbuch, St. Benno-Verlag 11, Leipzig 1968, 66–76.
Tritsch, W. (Übers.), Dionysios Areopagita, Die Hierarchien der Engel und der Kirche, München-Planegg 1955.
Trouillard, J., Le cosmos du Pseudo-Denys: Revue de Théologie et de Philosophie, 3. Serie 5, Lausanne 1955, 51–57.
–, La Purification plotinienne, Paris 1955/56.

Trouillard, J., Valeur critique de la mystique plotinienne: Revue philosophique de Louvain 56, 1961, 431–444.

Trtik, Zolenèk, Die Theologie zwischen Theismus und Atheismus: Theologische Zeitschrift 25, Basel 1969, 419–440.

Trudinger, P., »To Whom then Will You Liken God?« A Note on the Interpretation of Is 40,18–20: Vetus Testamentum 17, 1967, 220–225.

Tsevat, M., God and the Gods in Assembly, An Interpretation of Ps 82: Hebrew Union College Annual 40, Cincinnati 1969, 123–137.

Turbessi, G., Quaerere Deum, Il tema della ›ricerca di Dio‹ nella gnosi gnosticismo: Benedictina 18, 1971, 1–31.

Ulrich, F., Atheismus und Menschwerdung, Einsiedeln 1966.

van Unnik, W. C., Die Gotteslehre bei Aristides und in den gnostischen Schriften: Theologische Zeitschrift 17, Basel 1961, 166–174.

–, Der Ausdruck »in den letzten Zeiten« bei Irenaeus: Neotestamentica et Patristica, Eine Freundesgabe, O. Cullmann zu seinem 60. Geburtstag, Leiden 1962, 293–304.

Vallin, G., Essence et formes de la Théologie négative: Revue de méthaphysique et de morale 63, Paris 1958, 167–201.

Vanneste, J., Le mystère de Dieu, Essai sur la structure rationelle de la doctrine mystique du Pseudo-Denys l'Areopagite, Paris 1959.

–, La théologie mystique du pseudo-Denys l'Aréopagite: Studia Patristica V, Ed. F. L. Cross, Berlin 1962, 401–415.

–, Echte of unechte mystiek bij Pseudo-Dionysius: Bijdragen 24, Nijmegen 1963, 154–170.

–, La doctrine des trois voies dans la théologie mystique du Pseudo-Denys l'Aréopagite: Studia Patristica VIII, Ed. F. L. Cross, Berlin 1966, 462–467.

Vaticanum II, Dekret über das Apostolat der Laien; LThK²-Ergänzungsband 2, 1967, 585–701.

–, Dogmatische Konstitution über die göttliche Offenbarung; LThK²-Ergänzungsband 2, 1967, 497–583.

–, Pastoralkonstitution über die Kirche in der Welt von heute; LThK²-Ergänzungsband 3, 1968, 241–592.

Vella, A. G., Agâpe in 1 Cor 13: Melita Theologica 18, La Valetta, Malta 1966, 22–31, 57–66.

Viller, M. – Rahner, K., Aszese und Mystik in der Väterzeit, Freiburg i. Br. 1939.

Völker, W., Der wahre Gnostiker nach Clemens von Alexandrien: Texte und Untersuchungen 57, Leipzig–Berlin 1952 (= Zeitschrift für Kirchengeschichte 64, 1952/3, 1–33).

–, Gregor von Nyssa als Mystiker, Wiesbaden 1955.

–, Kontemplation und Ekstase bei Pseudo-Dionysius Areopagita, Wiesbaden 1958.

de Vogel, D. J., La theorie de l'apeiron chez Platon et dans la tradition néoplatonienne: Revue de Philologie, de littérature et d'histoire anciennes 33, Paris 1959, 20–39.

Vorgrimler, H., Art. Negative Theologie: LThK², VII, 1962.

Waibel, A., Die natürliche Gotteserkenntnis in der apologetischen Literatur des 2. Jahrhunderts, München 1916.
Waldmann, M., Thomas von Aquin und die ›Mystische Theologie‹ des Pseudodionysius: Geist und Leben 22, 1949, 121–145.
van de Wallf, A., De Mystiek van Plotinus (Diss.), Löwen 1947.
Waszink, J. H., Bemerkungen zu Justinus' Lehre vom *lógos spermatikós:* Mullus, Festschrift für Th. Klauser, hrsg. v. A. Stuiber und A. Hermann, Münster 1964, 380–390.
Weertz, H., Die Gotteslehre des sog. Dionysius Areopagita: Theologie und Glaube 4, 1912, 637–659, 749–760; 6, 1914, 812–831.
Weier, W., Zwischen Immanenz und Transzendenz, Zu Bedeutung und Wandel des antik-mittelalterlichen Teilhabegedankens im Denken der Neuzeit: Freiburger Zeitschrift für Philosophie und Theologie 12, 1965, 10–52.
Weiss, M. D., Repression and Monotheism: Judaism 10, 1961, 217–226.
Weiss, P., Wie von Gott sprechen? Eine Auseinandersetzung mit K. Rahner, Graz–Wien–Köln 1970.
Weiswurm, A. A., The Nature of Human Knowledge according to St. Gregory of Nyssa, Washington 1952.
Welte, B., Miteinandersein und Transzendenz (Freiburger Dies Universitatis X, Freiburg 1962/3): Auf der Spur des Ewigen, Freiburg 1965, 74–82.
–, Im Spielfeld von Endlichkeit und Unendlichkeit, Gedanken zur Deutung menschlichen Daseins, Frankfurt a. M. 1967.
–, Die Frage nach Gott (Quaestiones disputatae 56), Freiburg–Basel–Wien 1972.
Wesen der Archonten, ed. R. Bullard, Berlin 1970.
Westermann, C., Die Herrlichkeit Gottes in der Priesterschrift: Festschrift für W. Eichrodt, Zürich 1970, 227–249.
Widerkehr, D., Entwurf einer systematischen Christologie: Mysterium Salutis, Grundriß heilsgeschichtlicher Dogmatik, hrsg. v. J. Feiner – M. Löhrer, III, 1, Einsiedeln–Zürich–Köln 1970, 477–640.
Widmer, B., Griechische Apologeten des zweiten Jahrhunderts, Einsiedeln 1958.
Widmer, G. P., Intelligibilité et incomprehensibilité de Dieu: Revue de Théologie et de Philosophie 101, Lausanne 1968, 145–162.
Wijngards, J., Death and Resurrection in Covenantal Context (Hos 6,2): Vetus Testamentum 17, Leiden 1967, 226–239.
Wilckens, U., Weisheit und Torheit, Eine exegetisch-religionsgeschichtliche Untersuchung zu 1 Kor 1–2, Tübingen 1959.
Wittgenstein, L., Tractatus logico-philosophicus (zitiert nach: Schriften I, Frankfurt a. M. 1969).
–, Philosophische Untersuchungen (zitiert nach: Schriften I, Frankfurt a. M. 1969).
Wolff, H. W., Jahwe und die Götter der alttestamentlichen Prophetie, Ein Beitrag zur Frage nach der Wirklichkeit Gottes und der Wirklichkeit der Welt: Evangelische Theologie 29, 1969, 397–416.

Wolff, J., Der Gottesbegriff Plotins (Diss.), Freiburg 1927.

Wolfson, H. A., Philo, Foundations of religious philosophy in Judaism, Christianity and Islam, 2 Bde., Cambridge, Mass. 1947 f.

–, Albinus and Plotinus on Divine Attributes: The Havard Theological Review 45, Cambridge 1952, 115–130.

–, Negative attributes in the Church Fathers and the Gnostic Basilides: The Harvard Theological Review 50, Cambridge, Mass. 1957, 145–156.

Wrede, W., Das Messiasgeheimnis in den Evangelien, Zugleich ein Beitrag zum Verständnis des MK.-Ev., (1901[1]), Göttingen 1963[3].

Yamanchi, E. M., Anthropomorphism in Ancient Religions: Bibliotheca sacra 125, London 1968, 29–44.

–, Antropomorphism in Hellenism and in Judaism: Bibliotheca sacra 127, London 1970, 212–222.

Zahn, M., Die Idee der formalen und transzendentalen Logik bei Kant, Fichte und Hegel: Schelling-Studien, Festgabe für M. Schröter zum 85. Geburstag, hrsg. v. A. M. Koktanek, München 1965, 153–152.

Zemp, J., Die Grundlagen heilsgeschichtlichen Denkens bei Gregor von Nyssa, München 1970.

Zenger, E., Jahwe und die Götter, Die Frühgeschichte der Religion Israels als eine theologische Wertung nichtisraelitischer Religionen: Theologie und Philosophie 43, 1968, 338–359.

–, Eine Wende in der Dekalogforschung? Ein Bericht: Theologische Revue 67, 1968, 189–198.

Zimmerli, W., Ich bin, der ich bin – Glaube an Gott im AT: Deutsches Pfarrerblatt 68, 1968, 152–157.

BIBELSTELLEN

ANTIKE QUELLEN